Polska
Dzieje cywilizacji i narodu

Monarchia Piastów

1038–1399

Koncepcja i redakcja naukowa serii: Marek Derwich, Adam Żurek

Redakcja naukowa tomu: Marek Derwich

Wybór i opracowanie ilustracji (z uwzględnieniem materiałów zebranych przez autorów i konsultantów): Adam Żurek

Redakcja wydawnicza: Maria Derwich

Recenzenci: Leszek Kajzer, Andrzej Radzimiński, Leszek Wetesko

Recenzje szczegółowe i konsultacje naukowe: Bogusław Abramek, Aldona Andrzejewska, Aleksander Andrzejewski, Anna Bitner-Wróblewska, Jarosław Dąbrowski, Jan Gancarski, Jerzy Ginalski, Marian Głosek, Jan Gromadzki, Ryszard Grzesik, Zenon Hendel, Elżbieta Jędrysik-Migdalska, Lidia Korczak, Małgorzata Kysil, Aleksiejus Luchtanas, Anna Muzyczuk, Borys Paszkiewicz, Zenon Piech, Tomasz Sawicki, Petr Sommer, Stanisław Sroka, Eugeniusz Wilgocki, Marcin Wołoszyn, Marek Wójcik,

Projekt graficzny serii: Dominika Szczechowicz-Szuk

Projekt okładki i stron tytułowych: pracownia graficzna Bertelsmann Media i Wydawnictwa Dolnośląskiego

Układ ilustracji: Magdalena Strumpf-Żurek

Indeksy: Zofia Smyk

Opracowanie DTP: Marek Krawczyk, Adam Kolenda

Korekta: Maria Derwich

Bertelsmann Media Sp. z o.o.
Horyzont
Warszawa 2003
dla Klubu Świata Książki
02-786 Warszawa, ul. Rosoła 10

Zamówienia:
tel. (0-22) 645 80 00
www.swiatksiazki.pl
poczta@swiatksiazki.pl

ISBN 83-7311-519-6
Nr 3641

Wydawnictwo Dolnośląskie
Sp. z o.o.
50-206 Wrocław
ul. Strażnicza 1–3

Zamówienia:
tel. (0-71) 328 89 52
www.wd.wroc.pl
handel@wd.wroc.pl

ISBN 83-7023-989-7

Druk i oprawa: Białostockie Zakłady Graficzne SA
al. 1000-lecia Państwa Polskiego 2, Białystok

Na okładce: herma św. Zygmunta z diademem, przechowywana w skarbcu katedry w Płocku, oraz pieczęć książęca Przemysła II, przechowywana w Archiwum Diecezjalnym we Włocławku.

Wydawcy pragną serdecznie podziękować wszystkim instytucjom, które udostępniły swoje zabytki do sfotografowania lub przekazały ich fotografie, oraz pracownikom tych instytucji za wydatną pomoc w wyborze i wykonaniu zdjęć.

Polska
Dzieje cywilizacji i narodu

Monarchia Piastów

1038–1399

HORYZONT

Wydawnictwo Dolnośląskie

Spis treści

Autorzy

Dagmara Adamska-Heś (DAH)
Janusz Bieniak (JB)
Marek Derwich (MD)
Marian Głosek (MGŁ)
Ryszard Grzesik (RGRZ)
Jan Harasimowicz (JH)
Robert Heś (RH)
Tomasz Jasiński (TJA)
Danuta Jaskanis (DJ)
Krzysztof Jaworski (KJAW)
Tomasz Jurek (TJU)
Lidia Korczak (LKOR)
Wojciech Kucharski (WK)
Wojciech Mrozowicz (WM)
Borys Paszkiewicz (BP)
Zenon Piech (ZP)
Paweł Rzeźnik (PR)
Szczęsny Skibiński (SSK)
Jacek Sokolski (JS)
Stanisław Sroka (SSR)
Stanisław Szczur (SSZ)
Zygmunt Świechowski (ZŚ)
Marek Wójcik (MW)
Leszek Zygner (LZ)
Adam Żurek (AŻ)

ROZBICIE DZIELNICOWE

Lata około 1180–1306

ODNOWIONA MONARCHIA

Lata około 1306–1399

Autorzy notek

DAH: s. 118; DJ: s. 92, 93; JB: s. 33, 36, 37, 42, 54, 56, 57, 62, 65, 68, 71; LKOR: s. 198, 199, 200; LZ: s. 79, 80, 81, 87, 89, 95, 96; MD: s. 28, 41; MW: s. 140; RGRZ: s. 10, 11, 14, 18, 21, 25, 27, 164; RH: s. 165; SSK: s. 137; SSR: s. 190, 201, 203, 207, 208; SSZ: s. 169, 172, 173, 177, 179, 182, 183, 187, 191, 194; TJA: s. 101, 105, 108, 111, 112, 113; TJU: s. 124, 126, 127, 131, 132, 148, 149, 151, 155, 156, 158, 162, 163, 195; ZŚ: s. 47, 50, 51, 83

Autorzy podpisów

AŻ: s. 74–75, 95–97, 108–113, 122–123, 125, 130, 133, 147–149, 151, 154–158, 162–165, 168–173, 176–179, 182–187, 190–195, 198–209; AŻ, MD: s. 62; AŻ, WK: s. 100–105, 117; AŻ, WM: s. 180–181; BP: s. 134–135; DAH, AŻ: s. 24–29, 52–53, 69–73, 78–83, 196–197; DJ: s. 92–94; JH: s. 60–61; JS: s. 210–211; KJAW, AŻ: s. 44–45; KJAW, PR, AŻ: s. 30–31; MD: s. 16, 33, 42, 59, 68, 117, 208; MGŁ, AŻ: s. 160–161; MW, AŻ: s. 114–115; RH, AŻ: s. 10–15, 17–21, 32–43, 54–59, 63–65, 86–89, 116–121, 166–167; SSK: s. 98–99; SSK, AŻ: s. 136–143, 174–175, 188–189; TJU, AŻ: s. 124, 126–127, 131–132, 146, 150, 159; WM: s. 106–107; ZP: s. 22–23, 128–129, 152–153; ZŚ: s. 46–51, 66–67, 84–85, 90–91

Wykonawcy ilustracji

ABAL – Arūnas Baltenas.; ABUJ – Adam Bujak; AKW – Artur Kwaśniewski; AŁ – Artur Łobuś; APA – Aleksander Paul; APE – Anna Pecková; AR – Andrzej Ring; AZY – Anna Zyndwalewicz; BA – Bogusław Abramek; BT Bartosz Tropiło; DVA – D. Vaičiuniene; EW – Edmund Witecki; GGR – Giedrius Grigonis; JD – Jacek Dziubiński; JGAN – Jan Gancarski; JGIN – Jerzy Ginalski; JG – Joanna Goriaczko; JKAT – Jerzy Katarzyński; JPOŁ – Jarosław Połamarczuk; JSIECZ – Jerzy Sieczkowski; JWRZ – Jacek Wrzesiński; KW – Kamil Wartha; LPE – L. Perz; LWR – L. Wróblewski; MBRON – Maciej Bronarski; MCIU – Mirosław Ciunowicz; MGŁ – Marian Głosek; MJAG – Marek Jagodziński; MŁ – Mirosław Łanowiecki; MM – Marek Machay; MS – M. Stecker; PC – Paweł Cesarz; PJAM – Piotr Jamski; PN – Piotr Namiota; PP – Paul Prokop; RMRU – Ronald Mruczek; RS – Ryszard Sierka; SA – Stefan Arczyński; SF – Stanisław Fitak; SKL – Stanisław Klimek; SM – Stanisław Michta; ST – Siergiej Tarasov; TB – Tadeusz Biniewski; TD – Tadeusz Duda; VO – Vojtěch Obereigner; WKRY I TPR – W. Kryński i T. Prażmowski; WPAP – Witold Papierniak; WS – Wiesław Stępień; ZDŁUB – Z. Dłubak; ZŚ – Zygmunt Świechowski; ZW – Zdzisław Wyleżyński

Prezentowane obiekty pochodzą ze zbiorów

AA Gniezno – Archiwum Archidiecezjalne w Gnieźnie 16, 17, 27, 28, 34, 38, 57, 58, 117, 120, 126, 127, 129, 149, 173, 186, 191, 196, 197, 210, 211; AA Poznań – Archiwum Archidiecezjalne w Poznaniu 153, 173; AA Wrocław – Archiwum Archidiecezjalne we Wrocławiu 210; ACA Barcelona – Archivo Corona de Aragona Barcelona 24; AD Pelplin – Archiwum Diecezjalne w Pelplinie 129, 153; AD Płock – Archiwum Diecezjalne w Płocku 82, 96 (błędnie AD Toruń), 103, 111, 115, 129, 157, 180, 203; AD Włocławek – Archiwum Diecezjalne we Włocławku 82, 114, 115, 127, 129, 153; AGAD Warszawa – Archiwum Główne Akt Dawnych w Warszawie 115, 202, 206; AKL Cystersów Mogiła – Archiwum Opactwa Cystersów NMP i św. Wacława w Krakowie-Mogile 183; AKL Klarysek Kraków – Archiwum Klasztoru Klarysek Św. Andrzeja w Krakowie 22, 125, 128, 147, 149, 150, 153, 158, 159, 181, 185, 187, 193, 194; AKL Paulinów na Jasnej Górze – Archiwum Klasztoru Paulinów na Jasnej Górze 207; AKLKR Kraków – Archiwum Klasztoru Kanoników Regularnych Bożego Ciała w Krakowie 115, 183; AKM Kraków – Archiwum Kapituły Metropolitalnej w Krakowie 19, 36, 81, 115, 129, 170, 180, 184, 196, 202; AP Kraków – Archiwum Państwowe w Krakowie 23, 112, 150, 168, 184, 193, 195; AP Poznań – Archiwum Państwowe w Poznaniu. 63, 211; AP Wrocław – Archiwum Państwowe we Wrocławiu 52, 73, 75, 82, 85, 88, 103, 108, 110, 111, 113, 114, 115, 117, 122, 128, 129, 133, 148, 150, 153, 164, 168, 169, 170; AUJ Kraków – Archiwum Uniwersytetu Jagiellońskiego w Krakowie 185; BAV CV Roma – Cittá del Vaticano, Biblioteca Apostolica Vaticana 18, 86, 157; BG PAN Gdańsk – Biblioteka Gdańska PAN 79, 116, 179, 181; BJ Kraków – Biblioteka Jagiellońska w Krakowie 149, 172, 173, 185, 211; BK Sandomierz – Biblioteka Kapitulna w Sandomierzu 160; BL Pforta – Bibliothek der Landesschule Pforta, Schulpforte 59; BN Warszawa – Biblioteka Narodowa 68, 209, 210, 211; BOZ Warszawa – Biblioteka Ordynacji Zamoyskich 17, 37, 51, 53, 180; BRA Bruxelles – Bibliotheque Royale Albert I er Bruxelles 55, 194; BSA Bamberg – Bayerische Staatsarchiv Bamberg 24, 34, 42; BSA Würzburg – Staatsarchiv Würzburg 33; BSB Bamberg – Bayerische Staatsbibliothek Bamberg 87; BSB München – Bayerische Staatsbibliothek München 43; BSD Pelplin – Biblioteka Seminarium Duchownego w Pelplinie 70, 79, 81, 196; BSD Płock – Biblioteka Seminarium Duchownego w Płocku 51, 64, 80, 83, 181, 186; BUMK Toruń – Biblioteka Uniwersytecka w Toruniu 96, 99, 140, 186; BUWR Wrocław – Biblioteka Uniwersytecka we Wrocławiu 75, 85, 102, 105, 107, 116, 122, 125, 181, 211; BWT UAM Poznań – Biblioteka Wydziału Teologicznego Uniwersytetu Adama Mickiewicza w Poznaniu 119, 151, 181; DS Aachen – Domschatz Aachen 193; FKCZART Kraków – Fundacja Książąt Czartoryskich przy Muzeum Narodowym w Krakowie 17, 19, 26, 185, 197, 211; GM Malibu – Getty Museum Malibu 79, 102, 105, 106, 107, 109, 118, 124, 163; HLB Fulda – Hessische Landesbibliothek Fulda 56; IA UŁ – Instytut Archeologii Uniwersytetu Łódzkiego 58, 147, 155; IA UWR – Instytut Archeologii Uniwersytetu Wrocławskiego 31, 44, 45, 70, 101, 107, 113; IAiE PAN Łódź – S. 154; IAiE PAN Poznań – Instytut Archeologii i Etnologii PAN Oddział w Poznaniu 38, 39, 50; IAiE PAN Warszawa – Instytut Archeologii i Etnologii Polskiej Akademii Nauk w Warszawie 12, 13; IAiE PAN Wolin – Instytut Archeologii i Etnologii PAN Placówka na Wolinie 44; IAiE PAN Wrocław – Instytut Archeologii i Etnologii PAN Oddział we Wrocławiu 26, 31; Katedra Wniebowzięcia NMP w Płocku 26, 67, 69; Katedra św. Piotra i Pawła w Poznaniu 25, 197; Katedra Wniebowzięcia NMP w Gnieźnie 120, 192; Katedra św. Piotra i Pawła w Legnicy 167; Katedra Podwyższenia Krzyża Św. W Opolu 61; Katedra Wawelska – Katedra św. Wacława w Krakowie 23, 159, 182, 184, 190, 208, 209; Katedra św. Jana Chrzciciela we Wrocławiu 169; Klasztor Benedyktynów w Tyńcu – Opactwo Benedyktynów św. Piotra i Pawła w Tyńcu 52, 53; Klasztor Dominikanów Kraków – Klasztor Dominikanów św. Trójcy w Krakowie 22; Klasztor Franciszkanów św. Trójcy w Opolu – 153, 166, 167; Klasztor Klarysek Kraków – Klasztor Klarysek Św. Andrzeja w Krakowie 118, 181; Klasztor Misjonarzy Oblatów na Łysej Górze – S. 208; Klasztor Paulinów na Jasnej Górze 207; Klasztor Salezjanów NMP i św. Mikołaja w Lądzie 197; Klasztor Salezjanów Zwiastowania NMP w Czerwińsku – 48, 49; Klasztor Urszulanek św. Klary we Wrocławiu – 164; Klasztor w Ebsdorf – 78; Kolegiaty: NMP i św. Aleksego w Tumie pod Łęczycą – 48; NMP w Wiślicy – S. 148, 183, 184; św. Krzyża we Wrocławiu – 159; úw. Piotra w Kruszwicy – 29; KVAIRM Kernavė – Valstybinio Kernaves archeologijos ir istorijos muziejaus-rezervatas Kernavė 198, 199, 200, 201, 203, 204, 205, 206; LMOP KULMBACH – Landschaftsmuseum Obermain Plassenburg, Kulmbach 78; LNM Vilnius – Lietuvos Nacionalinis Muziejus Vilnius 199; MA Gdańsk – Muzeum Archeologiczne w Gdańsku 11, 13, 40, 41, 43, 45, 83, 154, 170; MA Kraków – Muzeum Archeologiczne w Krakowie 110, 147; MA Poznań – Muzeum Archeologiczne w Poznaniu 45; MAD Gniezno – Muzeum Archidiecezji Gnieźnieńskiej 132; MAD Wrocław – Muzeum Archidiecezjalne we Wrocławiu 80, 107; MAH GŁOGÓW – Muzeum Archeologiczno-Historyczne w Głogowie 57, 63, 64, 65, 73, 100, 101; MAiE Łódź – Muzeum Archeologiczne i Etnograficzne w Łodzi 11, 19, 20, 31, 32, 35, 37, 40, 41, 73, 132, 135, 147, 160, 164; MAMM Wrocław – Muzeum Archeologiczne Oddział Muzeum Miejskiego Wrocławia 72; MAN Cividale del Friuli – Museo Archeologico Nazionale Cividale del Friuli 12, 20; MD Pelplin – Muzeum Diecezjalne w Pelplinie 117, 121, 170; MD Płock – Muzeum Diecezjalne w Płocku 11, 13; MDSK Sandomierz – Muzeum Diecezjalne Sztuki Kościelnej w Sandomierzu 49; MH Sanok – Muzeum Historyczne w Sanoku 105, 176; MHMSW Warszawa – Muzeum Historyczne Miasta Stołecznego Warszawy 172; MK SM SPKB Berlin – Münzenkabinett Staatlische Museen Stiftung Preußischer Kulturbesitz 134; MKPKN Praha – Metropolitní kapitula v Praze, knihovna 14; MM Legnica – Muzeum Miedzi w Legnicy 82, 104, 163; MM Płock – Muzeum Mazowieckie w Płocku 12, 13, 95, 135; MN Gdańsk – Muzeum Narodowe w Gdańsku 89; MN Kraków – Muzeum Narodowe w Krakowie 10, 23, 27, 64, 65, 80, 88, 89, 100, 134, 135, 148, 150, 193; MN Poznań – Muzeum Narodowe w Poznaniu 148; MN Szczecin – Muzeum Narodowe w Szczecinie 45, 72, 152; MN Warszawa – Muzeum Narodowe w Warszawie 50, 118, 139; MN Wrocław – Muzeum Narodowe we Wrocławiu 74, 75, 127, 139, 150, 152, 164, 166, 167, 187; MO Sandomierz – Muzeum Okręgowe w Sandomierzu 70; MP Krosno – Muzeum Podkarpackie w Krośnie 178; MPP na Lednicy – Muzeum Pierwszych Piastów na Lednicy 25, 26, 31, 192; MPP na Lednicy o/Giecz – Gród Piastowski w Gieczu Oddział Archeologiczny Muzeum Pierwszych Piastów na Lednicy 31, 45; MPPP Gniezno – Muzeum Początków Państwa Polskiego 21, 26, 29, 65, 81, 82, 132, 152, 197; MPŚ Brzeg – Muzeum Piastów Śląskich w Brzegu 60; MUJ Kraków – Muzeum Uniwersytetu Jagiellońskiego Collegium Maius 184; MUZ. Elbląg – Muzeum w Elblągu 93, 94; MUZ. Łęczyca – Muzeum w Łęczycy 88; Muz. Archit. Wrocław – Muzeum Architektury we Wrocławiu 63, 75; MWM Olsztyn – Muzeum Warmii i Mazur w Olsztynie 94; MWP Warszawa – Muzeum Wojska Polskiego w Warszawie 69; MZA Brno – Moravský zemský archiv v Brně 130, 131, 132, 169; MZK Brno – Moravská Zemská knihovna v Brně 131; MZW Wieluń – Muzeum Ziemi Wieluńskiej w Wieluniu 168, 171; NG Praha – Národní galerie v Praze184; NK Praha – Národní knihovna ČR 17, 116, 119; NM Praha – Národní muzeum Praha 132; NSKS Oldenburg – Niedersächsischen Sparkassenstiftung Oldenburg 109; NWHSA Düsseldorf – Nordrhein – Westfälisches Hauptstaatsarchiv Düsseldorf 95; Opactwo Cystersów NMP i św. Floriana w Wąchocku 39, 73; OSK Budapest – Országos Széchényi Könzvtár Budapest 157, 177, 192; Ossolineum Wrocław – Zakład Narodowy im. Ossolińskich 23, 133, 135; Parafie: NMP i 10 Tys. Męczenników w Niepołomicach – S. 139; NMP i św. Bartłomieja w Trzebnicy 102, 104, 106, 107, 138; NMP w Trzemesznie – 25, 51, 59, 64; Św. Jakuba Starszego w Sobótce – 72; św. Marii Magdaleny we Wrocławiu – 74; św. Piotra i Pawła w Stopnicy – 183, 188, 189; św. Trójcy w Strzelnie – 39, 70, 83, 91; Wniebowzięcia NMP w Krzeszowie – 150, 167, 173, 176; Znalezienia i Podwyższenia Krzyża św. w Luborzycy – S. 50; PMA Warszawa – Państwowe Muzeum Archeologiczne w Warszawie 69, 70, 198; PSOZ O/Płock ZBA – Państwowa Służba Ochrony Zabytków Oddział w Płocku. Zespół Badań Archeologicznych 195; Ratusz w Lwówku Śl. – S. 167; Rotunda św. Katarzyny w Znojmie – S. 33; SB SPKB Berlin – Staatsbibliothek Stiftung Preußischer Kulturbesitz Berlin 59; SK GG Dresden – Staatlische Kunstsammlungen in Dresden, Grünes Gewölbe 209; SK Kalisz – Skarbiec Katedry Wniebowziecia NMP w Kaliszu 88, 189; SK Płock – Skarbiec Katedry św. Zygmunta w Płocku 123, 189; SK Włocławek – Skarbiec Katedry Wniebowziecia NMP we Włocławku 158; SKW Kraków – Skarbiec Katedry św. Wacława w Krakowie 23, 39, 50, 80, 123, 125, 187, 192, 202, 209; STDB Schaffhausen – Stadtbibliothek Schaffhausen 20; SUB Bremen – Staats- und Universitätsbibliothek Bremen 14; TULB Jena – Thüringer Universitäts- und Landesbibliothek, Jena 35; UB Heidelberg – Universitätsbibliothek Heidelberg 109, 126, 127, 131; WLB Stuttgard – Westfalische Landesbibliothek Stuttgart 98, 100; WOSiOŚK Poznań o/Trzebiny – Wielkopolski Ośrodek Studiów i Ochrony Środowiska Kulturowego w Poznaniu, Oddział w Trzebinach 25, 110; Zamek w Znojmie – S. 56; Zbiory prywatne – S. 22, 27; ZKP PA Szczecin – Zamek Książąt Pomorskich w Szczecinie, Pracownia Archeologiczna 40, 41, 42, 70; ZKW Kraków – Zamek Królewski na Wawelu Państwowe Zbiory Sztuki 15, 39, 46, 186, 188, 202; ZNPH IH UJ Kraków – Zakład Nauk Pomocniczych Instytutu Historii Uniwersytetu Jagiellońskiego w Krakowie 172, 176

Wprowadzenie

Wraz z drugim tomem tej nowej, sześciotomowej historii ziem polskich wkraczamy w okres coraz lepiej oświetlony źródłami pisanymi. Odtąd to właśnie one staną się podstawą rekonstrukcji dziejów naszej cywilizacji i narodu. Mimo to nadal w nazbyt wielu wypadkach jesteśmy zdani na snucie przypuszczeń i hipotez. Sporo z nich uległo modyfikacji w ostatnim czasie, charakteryzującym się szybkim rozwojem historiografii polskiej. Dzięki temu było możliwe obalenie lub co najmniej podważenie wielu z dawna zakorzenionych w nauce i świadomości społecznej mitów i stereotypów. Wszystkie te osiągnięcia współczesnej nauki staraliśmy się wykorzystać na kartach niniejszego tomu.

Nowsze badania ukazują, jak wielkie znaczenie w długotrwałym procesie reorganizacji państwa po kryzysie lat 30. XI w. miało wykorzystanie wzorców zachodnich. Imponujące tempo zachodzących od początku XIII w. przemian było w dużej mierze skutkiem napływu na ziemie polskie niemieckich głównie kolonistów. Recepcja zachodnich wzorców oraz kolonizacja zewnętrzna i wewnętrzna przyczyniły się do gruntownej przebudowy struktur państwa i społeczeństwa; w nowych warunkach zaczynała się kształtować monarchia stanowa.

Wiemy dziś, że ani rok 1138, ani tzw. statut Krzywoustego nie stanowią cezury w rozwoju ziem polskich; procesy i wydarzenia, które zdecydowały o ponadstuletnim politycznym rozdrobnieniu, nasiliły się na przełomie XII i XIII w. Samo zaś rozbicie dzielnicowe nie rysuje się nam już jako posępny okres naszych dziejów. Wręcz przeciwnie – był to czas przyspieszonego, wszechstronnego rozwoju gospodarczego i społecznego większości ziem polskich, wspieranego przez książąt dzielnicowych i lokalne elity.

Zmiana oceny znaczenia kolonizacji niemieckiej musi wpływać na zmianę sposobu postrzegania kwestii śląskiej i krzyżackiej. Związek z Koroną Czeską, na który zdecydowali się przedstawiciele śląskich elit, był w dużym stopniu rezultatem różnic w rozwoju gospodarczym, społecznym i narodowościowym Śląska i pozostałych ziem piastowskich. Zakon krzyżacki natomiast nie jawi nam się już jako forpoczta drapieżnej ekspansji niemieckiej, organizacja z założenia agresywna i Polsce nieprzyjazna. Osadzenie rycerzy krzyżackich w ziemi chełmińskiej i podbój Prus (przy znaczącym udziale książąt i rycerstwa polskiego) miały istotne znaczenie dla rozwoju gospodarczego i kulturowego tych ziem. Jednocześnie zmniejszały zagrożenie najazdami Bałtów – a zwłaszcza Litwinów, przeżywających w XIII i XIV w. okres wielkiej ekspansji – na ziemie polskie. Epizod gdański i walki z przełomu lat 20. i 30. XIV w., spowodowane nieudolną polityką Władysława Łokietka, nie powinny przysłaniać obrazu pokojowych zasadniczo stosunków.

Inaczej też postrzegamy okres rządów czeskiego Wacława II; Przemyślida położył podwaliny pod umocnienie władzy centralnej i zjednoczenie kraju. Wytyczoną przez niego drogą z wielkim powodzeniem kroczył Kazimierz Wielki, właściwy twórca trzeciej monarchii piastowskiej oraz koncepcji jej ekspansji na wschód – ekspansji, która miała zaowocować powstaniem wielonarodowego i wielowyznaniowego państwa Jagiellonów, pierwszoplanowej potęgi europejskiej.

Druga monarchia piastowska

Lata około 1039–1180

Zapoczątkowana przez Kazimierza Odnowiciela druga monarchia piastowska różniła się znacznie od pierwszego państwa Piastów: wymuszona okolicznościami stopniowa, powolna reorganizacja państwa pociągnęła za sobą daleko idące skutki. Znaczenie straciła drużyna książęca, a siły wojskowe monarchii zaczęli odtąd tworzyć osadzani na ziemi i w zamian za to zobowiązani do służby wojskowej wojowie. Z nich to w ciągu dwóch następnych stuleci ukształtuje się rycerstwo. Budowa sieci niewielkich grodów, w miarę równomiernie pokrywających ziemie piastowskie, pozwoliła na utworzenie organizacji kasztelańskiej. Jednocześnie wykształcał się system urzędów dworskich i ziemskich.

Zmiany te, znacznie usprawniające zarząd państwem, umożliwiły rozciągnięcie na całą ludność prawa książęcego. Termin ów oznacza całość średniowiecznych uprawnień monarchy w stosunku do poddanych i dóbr, a więc: zwierzchnictwo sądowe, przysługujące władcy rozmaite świadczenia (daniny, posługi, służba wojskowa), regalia (tylko jemu należne uprawnienia) oraz mir monarszy (sprawowanie specjalnej opieki nad określonymi miejscami lub osobami).

Tymczasem rozpowszechnienie się nadawania urzędów i ziemi (także w celu pozyskiwania poparcia poddanych) sprzyjało kształtowaniu się coraz silniejszego i liczniejszego możnowładztwa. Uzyskanie uposażenia ziemskiego znacznie wzmocniło też pozycję Kościoła. Możni świeccy i duchowni szybko zyskali istotny wpływ na rządy państwem, a nadawane im immunitety (od XIII w. także przywileje stanowe) uszczuplały zakres stosowania prawa książęcego.

Wszystkie te przemiany zbliżyły strukturę społeczną i organizację państwa piastowskiego do warunków zachodnioeuropejskich, ułatwiając recepcję wypracowanych tam wzorców ustrojowych i kulturowych. Proces ich przejmowania nabrał tempa w ciągu XII w. W tym też stuleciu ukształtowała się ostatecznie organizacja diecezjalna. Metropolia gnieźnieńska liczyła sześć biskupstw: gnieźnieńskie (archidiecezjalne), lubuskie, krakowskie, kujawskie, płockie i poznańskie; przynależność do niej biskupstwa pomorskiego okazała się bowiem nietrwała. W tym czasie zaczęły się kształtować kapituły katedralne i kolegiackie oraz niższe stopnie organizacji terytorialnej diecezji, zwłaszcza archidiakonaty i parafie; szybko gęstniała sieć klasztorów. Napływ obcego i wzrost liczebności rodzimego duchowieństwa sprzyjał rozwojowi kulturowemu kraju.

Procesy te przebiegały na mocno już zmienionej arenie polityczno-administracyjnej państwa. Ogromne zniszczenia, które w latach 30. XI w. dotknęły dawne „państwo gnieźnieńskie", sprawiły, że ośrodek władzy przemieścił się na gęsto zaludnione, rozwinięte gospodarczo i kulturowo, ocalałe z kryzysu południe. Powoli główną rolę zaczęły odgrywać ziemie krakowska i sandomierska; Lubelszczyzna bowiem długo jeszcze, aż po czasy kazimierzowskie i unię w Krewie, miała stanowić zagrożoną najazdami ze Wschodu rubież państwa. W XV w. wszystkie te ziemie zostaną nazwane Młodszą Polską, czyli – Małopolską.

TREM

ODNOWIENIE MONARCHII

KAZIMIERZ ODNOWICIEL

Dzięki pomocy ze strony cesarstwa i Rusi syn Mieszka II, Kazimierz zwany Odnowicielem, powoli odbudował państwo

▲ *WYPRAWA GEDEONA DO OBOZU MADIANITÓW*
Biblijna scena, przedstawiona na odnalezionej koło Włocławka czarze, w jakimś stopniu odzwierciedla dzieje powrotu Kazimierza Odnowiciela do kraju. W obu wypadkach wodzowie starli się z wrogami, stojąc na czele obcych, niewielkich, ale elitarnych oddziałów, co przyniosło im sukces.
TZW. CZARA WŁOCŁAWSKA, 1 POŁ. X W., MN KRAKÓW, FOT. MM

Kazimierz Mnich

W *Roczniku kapituły krakowskiej* odnotowano pod rokiem 1026: „Kazimierz oddany na naukę [czyli, według ówczesnego zwyczaju, do szkoły przyklasztornej]", a Gall Anonim zapisał, że Rycheza wychowywała syna „w sposób odpowiadający jego godności". Natomiast w napisanym w połowie XIII w. *Żywocie mniejszym św. Stanisława* czytamy o Kazimierzu: „On zaś, już od dawna oddany przez matkę do szkół i starannie wykształcony, później jako dorosły młodzieniec wyjechał z Niemiec do Galii i tam [...] udał się do Cluny, gdzie pociągnięty przykładem świątobliwego życia mnichów, służących tam Bogu, za Bożym natchnieniem zmienił swój stan i podjął służbę Bożą w habicie św. Benedykta".

Informacja o mnichostwie Kazimierza przyjęła się w historiografii i żywa jest do naszych czasów w powszechnej świadomości. Jest to jednak tylko legenda, osnuta na cytowanej wyżej zapisce rocznikarskiej oraz zapewne na opowieści o księciu oddanym do klasztoru, który później z niego zbiegł. Legenda ta może zawierać ziarno prawdy: z jednego z klasztorów niemieckich zbiegł oddany do niego wbrew swojej woli Zbigniew, najstarszy syn Władysława Hermana i wnuk Kazimierza.

Powrót

Krótko po najeździe Brzetysława, przypuszczalnie już w 1039 r., stanął wygnany książę polski, syn Mieszka II, na granicach swego dziedzictwa. Było ono zrujnowane po powstaniu pogańskim, a jeszcze bardziej może po najeździe Brzetysława. Od Polski odpadł Śląsk, obsadzony przez wojska czeskie. Z punktu widzenia Czechów kraina ta, oderwana od ich państwa dwa pokolenia wcześniej, wracała do macierzy. Do Polski nie należało już Pomorze – po odpadnięciu jego zachodniej części około 1005 r., usamodzielniło się Pomorze Wschodnie, prawdopodobnie w okresie kryzysu władzy centralnej w latach 30. XI w. Mazowsze również wybrało własną drogę rozwoju pod władzą Miecława i nie było skłonne uznać powracającego Piastowicza.

Kazimierz mógł jednak liczyć na przychylne przyjęcie w dwóch głównych dzielnicach, które przez całe dzieje stanowiły prawdziwy rdzeń państwa polskiego: w Wielkopolsce i Małopolsce. Nazwy, których tu używamy, są późniejsze, pochodzą z XIII i XV w., niemniej dobrze określają charakter tych ziem. Wielkopolska (w źródłach łacińskich *Polonia Maior*) to w ówczesnym rozumieniu „Stara Polska", czyli „Dawna Polska". Stanowiła ona centrum pierwszego państwa piastowskiego, które rozpadło się w wyniku wypadków lat 30. XI w. Małopolska (*Polonia Minor*) to z kolei „Młodsza Polska", przyłączona do państwa piastowskiego już w drugiej połowie lat 80. X w. i odgrywająca w nim stopniowo coraz większą rolę.

Upadek państwa mógł się wydawać z ówczesnej perspektywy ostateczny, jednak takim się nie stał. Monarchia wczesnopiastowska skupiła wokół siebie znaczną grupę osób związanych z państwem. Odczuły one najmocniej jego upadek i najbardziej były zainteresowane odbudową; na ich pomoc mógł liczyć powracający Kazimierz. Dzięki przekazowi Galla Anonima wiemy, że zwolennicy księcia umożliwili mu zajęcie nieznanego z nazwy grodu, pierwszego przyczółku na drodze do odzyskania tronu.

Kazimierz mógł albo osiąść w Wielkopolsce, albo przenieść centrum władzy do Małopolski. Ponieważ „Stara Polska" najbardziej ucierpiała w wyniku najazdu czeskiego i wymagała wieloletniej odbudowy, a „Młodsza Polska" szczęśliwie uniknęła większych zniszczeń, wybór padł na naczelny gród Małopolski. Kraków już w X w. odgrywał ważną rolę, a po przyłączeniu do Polski pełnił – jak się zdaje – funkcję siedziby następcy tronu, kolejno: Bolesława Chrobrego i Mieszka II. Bardzo możliwe zatem, że w drugim okresie rządów Mieszka II (lata 1032–1034) mógł go dzierżyć Kazimierz. To dodatkowo tłumaczyłoby decyzję księcia po powrocie do kraju.

W orszaku Kazimierza znajdowało się 500 rycerzy niemieckich podarowanych przez króla niemieckiego Henryka III. W Niemczech Kazimierz mógł też spodziewać się dalszego poparcia. Tu wszak, w Nadrenii, rezydowała jego matka, Rycheza, wywodząca się z potężnego rodu Ezzonidów; jej brat Herman był w tym czasie arcybiskupem kolońskim i jednym z najbardziej wpływowych dostojników niemieckich.

Istotną rolę w udzieleniu poparcia księciu piastowskiemu odegrały zapewne także powody polityczne i religijne. Władca niemiecki nie zamierzał dopuścić do nadmiernego wzrostu znaczenia Czech kosztem Polski, ani tym bardziej do ugruntowania pogaństwa na ziemiach polskich. Mogłoby to poważnie wzmocnić Słowian połabskich, a w efekcie zagrozić pozycji chrześcijaństwa wśród Słowian zamieszkujących ziemie już opanowane przez Niemcy, zwłaszcza Łużyce, Milsko i Miśnię.

Sojusz z Rusią

W dziele scalania ziem wchodzących w skład monarchii ojca Kazimierz zyskał nowego, cennego sojusznika. Był nim książę kijowski Jarosław Mądry. Tego dawnego, znanego nam już przeciwnika Bolesława Chrobrego i Mieszka II do sojuszu z Kazimierzem skłaniały okoliczności podobne do tych, jakie brał pod uwagę Henryk III niemiecki: nie był zainteresowany zwycięstwem pogaństwa na ziemiach polskich ani nadmiernym wzmocnieniem się sąsiadów kosztem państwa Piastów. Do sojuszu z Kazimierzem pchała Jarosława także zbyt mocna pozycja władającego Mazowszem Miecława i jego kontakty z pogańskimi Prusami i Jaćwingami, co utrudniało ekspansję Rusi na ziemie jaćwieskie. Przymierze z Rusią z oczywistych powodów było bardzo dogodne dla Kazimierza, który, poza zabezpieczeniem wschodniej granicy, zyskiwał cennego sojusznika w czekającej go rozprawie z Miecławem. Spoiwem przymierza stały się, jak to często w tym czasie bywało, małżeństwa. W 1041 (lub 1043) r. Kazimierz ożenił się z Dobroniegą, najpewniej siostrą Jarosława. W tym samym czasie siostra władcy pol-

SREBRNE PACIORKI ▶
z naszyjnika stanowiły część skarbu. Zawierał on ponadto kilkaset całych i części monet, a także kilkadziesiąt kawałków srebra siekanego oraz prawie sto fragmentów różnych ozdób.
OLEŚNICA POW. PODDĘBICE, UKRYTY PO 1034, MAiE ŁÓDŹ, FOT. RS

▲ DENARY KRZYŻOWE
były bite od drugiej połowy X do początku XII w. na terenach saskich. Większość ich znalezisk pochodzi z terenu Polski, Pomorza i Połabia, zatem można je uznać za produkt eksportowy skierowany na ziemie słowiańskie. Na ogół przedstawiają tylko anonimowe symbole chrześcijańskie.
LUZINO POW. WEJHEROWO, ZE SKARBU UKRYTEGO OK. POŁ. XI W.?, MA GDAŃSK, FOT. RS

Powrót do kraju

Oto jak z perspektywy półwiecza Gall Anonim opisał objęcie tronu przez Kazimierza Odnowiciela: „Postanowił powrócić do Polski i poufnie oznajmił to matce. A gdy go matka przekonywała, by nie wracał [...], odrzekł sentencjonalnie, jako człowiek wykształcony: »Żadnego dziedzictwa po wujach lub matce nie posiada się tak słusznie i zaszczytnie, jak [dziedzictwo] po ojcu«. I zabrawszy z sobą 500 rycerzy, wkroczył w granice Polski, a postępując dalej naprzód zajął oddany mu przez swoich [zwolenników] pewien gród, z którego powoli, zarówno męstwem, jak podstępem uwolnił całą Polskę, zajętą przez Pomorzan, Czechów i inne sąsiednie ludy, i poddał ją pod swoje władztwo. Następnie wziął sobie z Rusi żonę szlachetnego rodu i z wielkimi bogactwami, z której spłodził czterech synów i jedną córkę, przyszłą małżonkę króla czeskiego. Imiona zaś synów jego są następujące: Bolesław, Władysław, Mieszko i Otto".

▶ NACZYŃKO GUZKOWATE,
znalezione w grobie, pełniło zapewne funkcję szkatułki. Niestosowana na ziemiach polskich technika zdobienia, polegająca na nalepianiu glinianych kulek, stanowi naśladownictwo granulacji ozdób srebrnych. Popularność tego ornamentu na Rusi tam każe szukać miejsca powstania naczynia.
TUROWO POW. PŁOCK, XI W., MD PŁOCK, FOT. MM

erfactus est mihi in salutem·
Haurietis aquas in gaudio de fontibus
salvatoris et dicetis in illa die. confitemini
domino et invocate nomen eius ·
Notas facite in populis adinventiones eius·

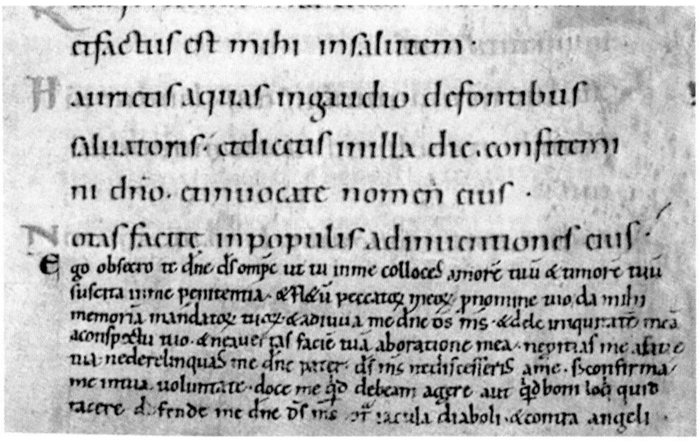

▲ *MODLITWY KSIĘŻNEJ GERTRUDY*
z *Kodeksu Gertrudy*, stanowiącego część *Psałterza Egberta*. Psałterz najpewniej należał do Rychezy i został przez nią przekazany córce w ślubnej wyprawie, gdy ta wychodziła za mąż za Izjasława. Na Rusi kodeks uzupełniono o nowe miniatury oraz ponad osiemdziesiąt modlitw, zapewne dopisanych przez samą księżną.
TREWIR, NIEMCY, 977–993 I UKRAINA (KIJÓW?), 1077–1086, MAN CIVIDALE DEL FRIULI

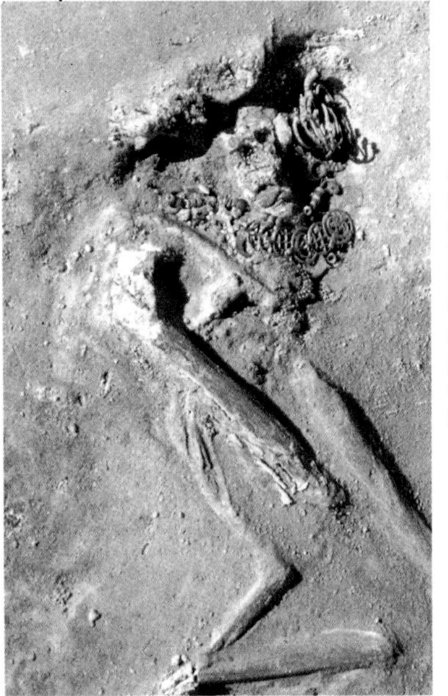

◄ GRÓB MŁODEJ KOBIETY
z cmentarzyska w Daniłowie Małym, położonego zaledwie około kilometra od ówczesnej granicy polsko-ruskiej. Nekropolia reprezentuje mazowiecki typ obrządku pogrzebowego (kamienne bruki i obstawy grobów), a przedmioty stanowiące wyposażenie zmarłych pochodzą nie tylko z Mazowsza, ale także z Rusi i z obszarów bałtyjskich.
XI W., IAiE PAN WARSZAWA

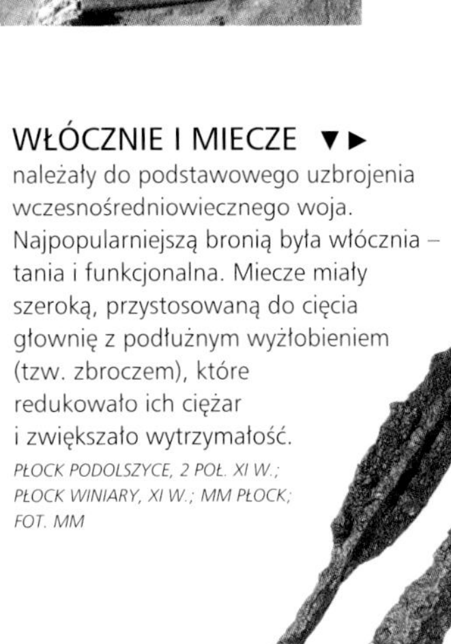

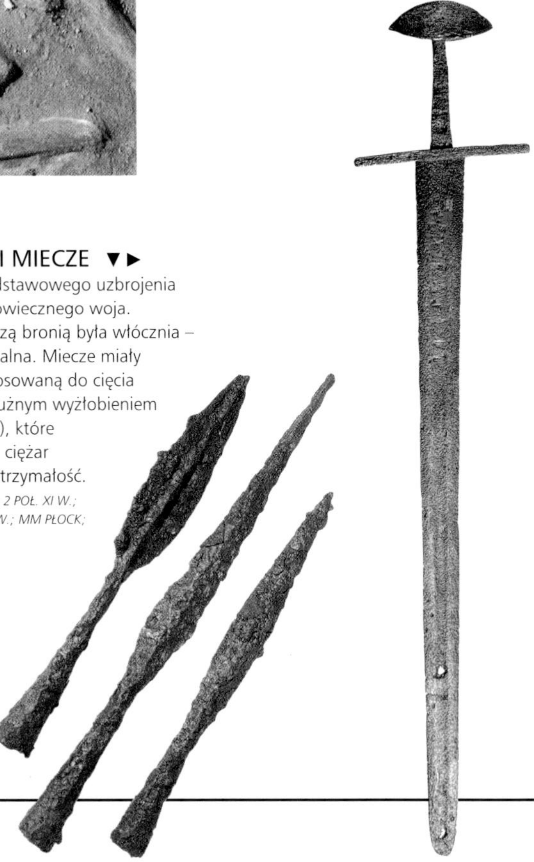

WŁÓCZNIE I MIECZE ▼►
należały do podstawowego uzbrojenia wczesnośredniowiecznego woja. Najpopularniejszą bronią była włócznia – tania i funkcjonalna. Miecze miały szeroką, przystosowaną do cięcia głownię z podłużnym wyżłobieniem (tzw. zbroczem), które redukowało ich ciężar i zwiększało wytrzymałość.
PŁOCK PODOLSZYCE, 2 POŁ. XI W.; PŁOCK WINIARY, XI W.; MM PŁOCK; FOT. MM

skiego, Gertruda, poślubiła najstarszego syna Jarosława, Izjasława.

Miecław i Mazowsze

W pierwszym okresie rządów Kazimierza najważniejszym zadaniem było odzyskanie Mazowsza. Krainą tą rządził Miecław (w mało wiarygodnych źródłach zwany także Masławem). Historycy od dawna dociekają, kim był ów samozwańczy władca Mazowsza. Widziano w nim jednego z przywódców powstania pogańskiego lub księcia plemiennego, który wykorzystał kryzys państwa do usamodzielnienia swej dzielnicy. Pojawiło się też przypuszczenie, mające największą liczbę zwolenników i chyba najbliższe prawdy, że Miecław, były cześnik Mieszka II, należący zatem do ówczesnej elity, wykorzystał sytuację powstałą po 1034 r. i zagarnął władzę na Mazowszu, dążąc do założenia tu własnego państwa. Hipoteza ta odpowiada relacji Galla Anonima, który tak scharakteryzował Miecława: „pewien człowiek, imieniem Miecław, cześnik i sługa jego [Kazimierza] ojca Mieszka, a po śmierci tegoż we własnym przekonaniu książę i naczelnik Mazowszan".

Dzieje Miecława wskazują na rosnącą rolę możnych. Niewykluczone zresztą, że był on przywódcą jakiejś ich grupy zmierzającej do odbudowy państwa w oparciu o Mazowsze i pod władzą już nie Piastów, lecz nowego, Miecławowego rodu. Gall Anonim odnotował, że w owym czasie „Mazowsze było tak gęsto zaludnione przez Polaków, którzy [...] uciekali tam poprzednio [przed najazdem czeskim i zamieszkami wewnętrznymi], iż pola roiły się od oraczy, pastwiska od bydła, a miejscowości od mieszkańców".

Jeśli zamiarem Miecława było opanowanie wszystkich ziem polskich, to realia okazały się dla niego niesprzyjające. Ludność, doświadczona zamieszkami, a zwłaszcza najazdem Brzetysława, garnęła się pod opiekę Kazimierza, „przyrodzonego" pana Polski. Nie pomógł Miecławowi sojusz z Prusami, Jaćwingami i Pomorzanami. Mimo kilkakrotnych najazdów na ziemie władane przez Kazimierza musiał w końcu ulec siłom Piastowicza wspieranego przez Rusinów.

W 1047 r. Mazowsze zostało z dwóch stron zaatakowane przez sprzymierzone wojska polsko-ruskie. W bitwie, która rozegrała się na brzegu Wisły, Miecław poległ. Zmierzające mu z pomocą posiłki pomorskie nie dotarły na czas i też zostały rozbite. Kazimierz odzyskał Mazowsze.

„Jarosław szedł na Mazowszany, i zwyciężył ich, i zabił księcia ich Mojsława [Miecława], i upokorzył ich Kazimierzowi" – zanotował kronikarz kijowski

Nestor, główną rolę w tym ważnym wydarzeniu przypisując Rusinom. I chyba słusznie, skoro, jak pisał Gall Anonim (który zresztą o Rusinach nie wspomina, całą zasługę przyznając Kazimierzowi), władca polski zdołał zebrać „nieliczną wprawdzie, lecz zaprawioną w walkach garść wojowników".

Pomorze a Polska

Posiłki pomorskie walczące na Mazowszu po stronie Miecława pochodziły zapewne z pobliskiego Pomorza Wschodniego, co wskazuje, że kraina ta była w tym czasie niezależna od władcy polskiego. Być może ślad walk polsko-pomorskich zachowały XIV-wieczne kroniki węgierskie, których autorzy wspominają o pojedynku węgierskiego księcia Beli, przebywającego wtedy w Polsce na wygnaniu, z jakimś księciem pomorskim. Według nich Bela zwyciężył, co umożliwiło przywrócenie polskiego zwierzchnictwa nad Pomorzem Wschodnim.

W 1046 r., czyli rok przed decydującym atakiem na Mazowsze, na zjeździe zwołanym przez Henryka III w Merseburgu pojawili się m.in. Kazimierz oraz nieznany nam bliżej książę pomorski Siemomysł. Obaj książęta występowali jako równi sobie, z czego można wnioskować, że ta część Pomorza (Wschodniego?), którą rządził Siemomysł, nie została jeszcze uzależniona przez Kazimierza. Dopiero pokonanie Miecława oraz jego pomorskich sprzymierzeńców przyczyniło się do opanowania albo całego Pomorza Wschodniego, albo tylko jego południowej części, sąsiadującej bezpośrednio z ziemiami już podległymi księciu polskiemu.

Imię pomorskiego przeciwnika Kazimierza, Siemomysł, zdaje się wskazywać, że był on spokrewniony z Piastami. Według tradycji dynastycznej przekazanej nam przez Galla Anonima imię Siemomysł nosił ojciec Mieszka I. Ponieważ w tym czasie imiona często były dziedziczone, pomorski Siemomysł mógł być potomkiem nieznanego z imienia księcia pomorskiego spowinowaconego z Piastami (może żonatego z siostrą lub ciotką Bolesława Chrobrego?). Hipoteza ta opiera się na XII-wiecznym żywocie św. Wojciecha, tzw. *Tempore illo*. Według jego autora Wojciech w drodze do Prusów zatrzymał się w Gdańsku na dworze księcia, którego znał z okresu pobytu w Gnieźnie. Wielu badaczy przyjmuje wiarygodność tego przekazu.

Odzyskanie Śląska

Kazimierz pamiętał o pomocy udzielonej mu niegdyś przez Henryka III. W przychylności potężnego króla niemieckiego (od 1046 r. cesarza) wi-

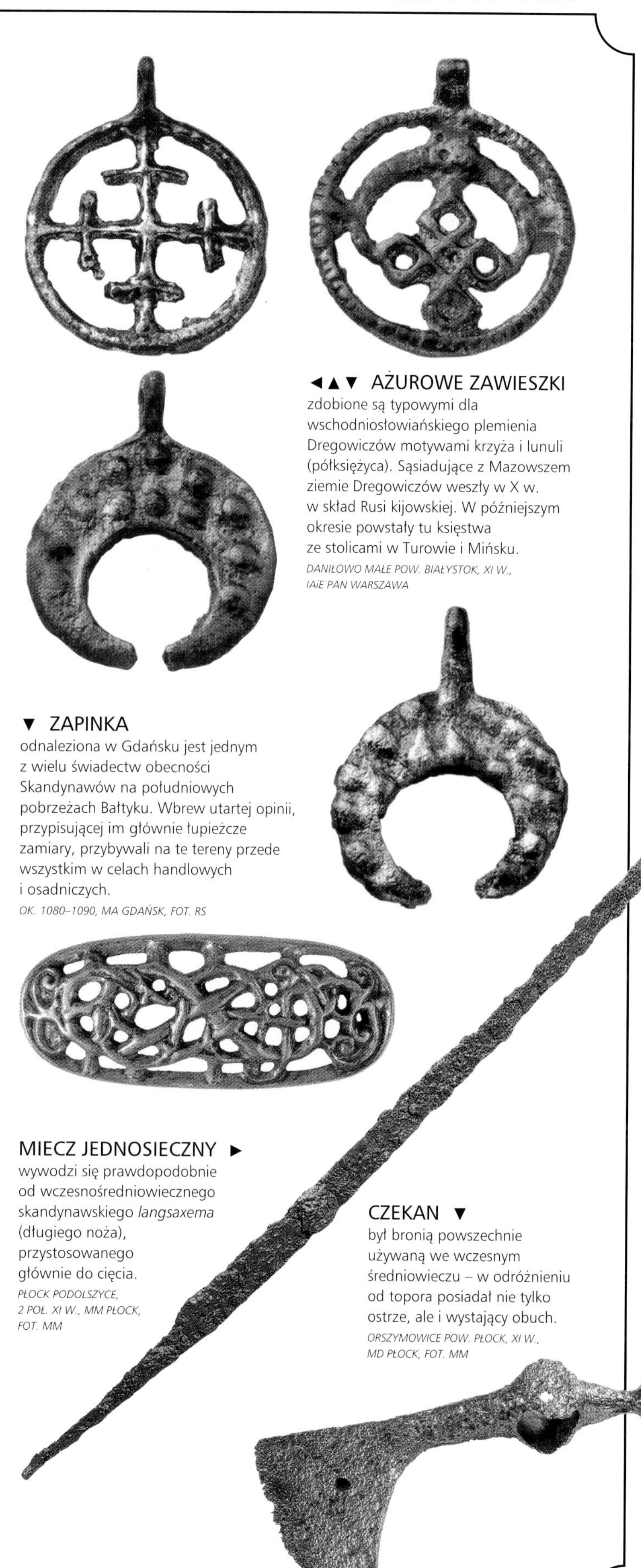

◄▲▼ AŻUROWE ZAWIESZKI zdobione są typowymi dla wschodniosłowiańskiego plemienia Dregowiczów motywami krzyża i lunuli (półksiężyca). Sąsiadujące z Mazowszem ziemie Dregowiczów weszły w X w. w skład Rusi kijowskiej. W późniejszym okresie powstały tu księstwa ze stolicami w Turowie i Mińsku.
DANIŁOWO MAŁE POW. BIAŁYSTOK, XI W., IAiE PAN WARSZAWA

▼ ZAPINKA odnaleziona w Gdańsku jest jednym z wielu świadectw obecności Skandynawów na południowych pobrzeżach Bałtyku. Wbrew utartej opinii, przypisującej im głównie łupieżcze zamiary, przybywali na te tereny przede wszystkim w celach handlowych i osadniczych.
OK. 1080–1090, MA GDAŃSK, FOT. RS

MIECZ JEDNOSIECZNY ► wywodzi się prawdopodobnie od wczesnośredniowiecznego skandynawskiego *langsaxema* (długiego noża), przystosowanego głównie do cięcia.
PŁOCK PODOLSZYCE, 2 POŁ. XI W., MM PŁOCK, FOT. MM

CZEKAN ▼ był bronią powszechnie używaną we wczesnym średniowieczu – w odróżnieniu od topora posiadał nie tylko ostrze, ale i wystający obuch.
ORSZYMOWICE POW. PŁOCK, XI W., MD PŁOCK, FOT. MM

CESARZ HENRYK III ► rozprawił się z opozycją wewnętrzną i wzmocnił władzę centralną, utwierdził swoje rządy w Burgundii i północnych Włoszech. Okres jego panowania stanowi apogeum tzw. cezaropapizmu, czyli podporządkowania papiestwa cesarzom.

„PERYKOPY HENRYKA III", 1039–1043, SUB BREMEN

Węgierscy książęta w Polsce

W 1031 r., po śmierci jedynego syna, Emeryka, król węgierski Stefan I (późniejszy święty) wyznaczył na następcę swojego siostrzeńca, Piotra Wenecjanina. Sprzeciwił się temu kuzyn króla, Wazul (Bazyli). Doszło do nieudanego zamachu na Stefana. Król oślepił Wazula, którego synowie, Andrzej, Bela i Lewente, ratowali się ucieczką do Czech. Następnie, przypuszczalnie w 1039 r., schronili się w Polsce. Andrzej i Lewente podążyli dalej, na Ruś, gdzie Andrzej ożenił się z córką Jarosława Mądrego. W 1046 r. został wezwany na tron przez możnych węgierskich, zmęczonych ciągłymi walkami oraz powstaniem pogańskim. Jego los przypomina zatem dzieje Kazimierza Odnowiciela.
Andrzej ściągnął z Polski do kraju Belę wraz z synami, Gejzą i Władysławem. Wszyscy trzej mieli później zostać kolejnymi królami Węgier, przy poparciu Bolesława Szczodrego, który spędził z nimi na piastowskim dworze krakowskim swe dziecięce lata.

▼ KSIĄŻĘ CZESKI Z INSYGNIAMI WŁADZY – diademem i włócznią. Miniatura przedstawia zapewne Spitygniewa II, który w 1059 r. uzyskał od papieża Mikołaja II prawo noszenia mitry z dwiema zawieszkami i szat biskupich. Dzierżona przez księcia włócznia jest kopią włóczni św. Maurycego lub tzw. włócznią św. Wacława.

TZW. APOKALIPSA ŚW. WITA, PRAGA, CZECHY, 2 POŁ. XI W., MKPKN PRAHA, FOT. PP

dział gwarancję realizacji swoich celów, czyli zjednoczenia i odbudowy państwa. Dlatego prowadził przyjazną wobec Niemiec politykę. Już wkrótce zaowocowała ona odzyskaniem Śląska.

Polski władca od chwili powrotu upominał się o tę utraconą ziemię na dworze niemieckim, a także u papieża, u którego posłowie polscy skarżyli się na zniszczenie kościołów i grabież relikwii przez wojska czeskie. Dyplomacja polska była skuteczna, o czym świadczy żądanie Henryka III natychmiastowego zwrotu Śląska przez Czechy, a także papieskie potępienie czeskiego władcy za złupienie kościołów polskich. Lecz i Brzetysław nie zaniechał działań. Do Rzymu udało się poselstwo czeskie, wioząc wozy pełne kosztowności. Do Pragi wracało już bez wozów, za to z nakazem papieskim, by za grabież dokonaną w państwie Piastów odbyć pokutę i ufundować klasztor. Zamiast klasztoru Brzetysław ufundował kolegiatę w miejscowości Stará Boleslav, gdzie zostały złożone relikwie Pięciu Braci Męczenników. O zwrocie księciu polskiemu relikwii i kosztowności nie było już mowy, choć nie udało się też Czechom uzyskać zgody na utworzenie w Pradze planowanego arcybiskupstwa.

Władca czeski nie spieszył się ze spełnieniem żądania Henryka III i Śląska nie zwracał. Król niemiecki zarządził zatem w 1040 r. wyprawę, by ukarać nieposłusznego lennika, jednak została ona rozbita przez świetnie przygotowanych do obrony Czechów. Dopiero w rok później nowa wyprawa zakończyła się sukcesem. Brzetysław ukorzył się przed Henrykiem i uzyskał przebaczenie, lecz Śląska nadal nie chciał zwrócić. W 1046 r., na zjeździe merseburskim, obok Kazimierza i pomorskiego Siemomysła pojawił się Brzetysław. Możemy się tylko domyślać, że prowadzono rokowania także w sprawie Śląska, zakończone zgodą na zachowanie *status quo*.

Jeśli tak było, tym większe wrażenie musiała wywrzeć na współczesnych szybka akcja władcy polskiego podjęta około 1050 r., gdy cesarz był zajęty tłumieniem buntu w Bawarii. Kazimierz błyskawicznie opanował Śląsk. Spotkało się to z protestem Brzetysława na dworze cesarskim. Henryk III zamyślał wyprawę odwetową na Polskę, lecz ponoć zachorował i do wyprawy nie doszło. Była to zapewne typowa choroba dyplomatyczna, pozwalająca cesarzowi uniknąć niewygodnej decyzji. Henryk toczył w owym czasie wojnę z Węgrami, gdzie w wyniku powstania pogańskiego władzę objął Andrzej, reprezentujący stronnictwo wrogie Niemcom. W wyprawie wojsk cesarskich, kierującej się wzdłuż Dunaju przez tereny dzisiejszej Słowacji i północnych Węgier, dużą rolę odgrywały posiłki polskie. Według relacji autora *Rocznika hildesheimskiego*, gdy wojska cesarskie wycofywały się po klęsce zadanej przez Węgrów, Polacy zdobyli most na Rabcy (koło dzisiejszego Győru) i zapewnili im bezpieczny odwrót. W tej sytuacji cesarz był skłonny zaakceptować poczynania Kazimierza w sprawie Śląska.

Ostatecznie w 1054 r. osiągnięto kompromis. Polska zachowywała Śląsk, ale za cenę płacenia Czechom co roku znacznego trybutu: 300 grzywien srebra i 30 złota. Był on wyrazem uznania zwierzchnich praw władców czeskich do Śląska. Kazimierz zgodził się na takie rozwiązanie również w imieniu swych potomków i aż do swojej śmierci konsekwentnie trybut opłacał. Bolesław Szczodry przypuszczalnie w pewnym momencie zawiesił jego wypłatę, lecz podjął ją na nowo Władysław Herman. Trybutu nie płacił Bolesław Krzywousty, a formalnie został on zniesiony w 1137 r. na mocy zawartego wówczas pokoju polsko-czeskiego.

Bilans rządów Kazimierza

Odbudowane przez Kazimierza państwo polskie obejmowało u schyłku jego rządów Małopolskę, Śląsk, Wielkopolskę, Kujawy, ziemie łęczycką i sieradzką, Mazowsze i Pomorze Wschodnie – a przynajmniej jego południowo-wschodnią część. Definitywnie zostało utracone Pomorze Zachodnie oraz zdobycze terytorialne Chrobrego, tzn. część Moraw, Łużyce i Milsko oraz Grody Czerwieńskie.

Niedługo cieszył się Kazimierz pokojowymi rządami w swoim kraju. W 1058 r., w 42 roku życia, zmarł, pozostawiając swym następcom wyzwanie kontynuacji odbudowy instytucji wewnętrznych i pozycji zewnętrznej państwa, a także przywrócenia mu rangi królestwa. Zadanie to przejął jego najstarszy syn, Bolesław (zwany później Szczodrym lub Śmiałym), który objął władzę zwierzchnią. Już w jego imieniu, nadanym po potężnym pradziadzie, Bolesławie Chrobrym, kryły się nadzieje, jakie ojciec wiązał z pierworodnym.

Młodszy brat Bolesława, Władysław Herman, odziedziczył najprawdopodobniej Mazowsze. Imię Władysław pojawia się w imiennictwie piastowskim po raz pierwszy i zapewne zostało zapożyczone od węgierskiej dynastii Arpadów, w której nosił je Władysław Łysy. Był on stryjem przebywającego na dworze księcia polskiego wygnańca z Węgier, księcia Beli. Drugie imię otrzymał Władysław na cześć dziadka wujecznego Piastowiczów, arcybiskupa Hermana.

Kazimierz doczekał się jeszcze córki Świętosławy oraz, zapewne zmarłych w młodym wieku, dwóch synów – Mieszka i Ottona.

▲ KOŚCIÓŁ ŚW. BENEDYKTA
na wzgórzu Krzemionki w Krakowie. Wczesnośredniowieczne osiedla miejskie cechowała policentryczność: skupione wokół kościołów i klasztorów osady pełniły różne funkcje, m.in. obronne i rezydencjonalne (Wawel), handlowe (Okół) i produkcyjne (głównie rejon obecnego Rynku), a otaczał je wieniec osad peryferyjnych, takich jak właśnie Krzemionki.
WIDOK OD PŁD. ZACH., XII W., FOT. RS

GŁOWICA KORYNCKA ►
o antykizującej formie stanowi jedną z pozostałości wawelskiej kaplicy pałacowej (tzw. kościoła św. Gereona) Kazimierza Odnowiciela i świadczy o wykorzystaniu najlepszych wzorców artystycznych ówczesnej Europy. Rozplanowanie wnętrza było wzorowane na kościele św. Michała w Hildesheim, a formy trzonów kolumn znajdują analogie w katedrze praskiej, wznoszonej od 1060 r.
OK. POŁ. XI W., ZKW KRAKÓW, FOT. SM

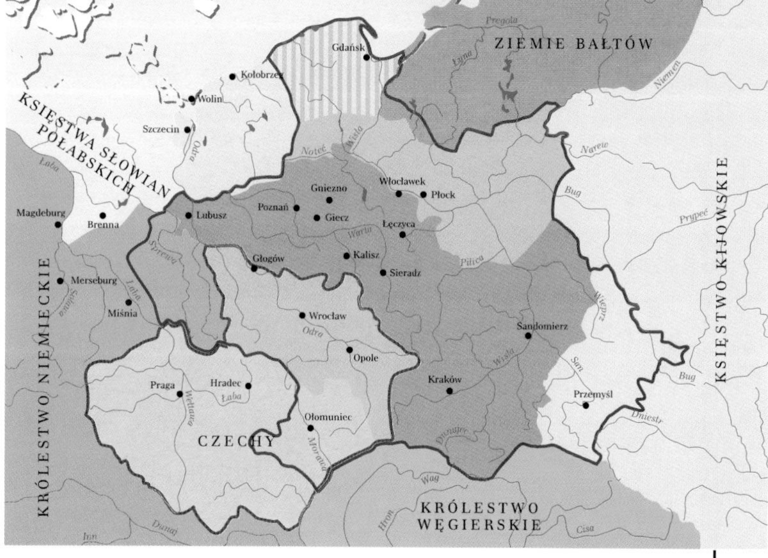

granice państwa Bolesława Chrobrego w 1025 r.
obszar państwa Kazimierza Odnowiciela około 1040 r.
ziemie odzyskane przez Kazimierza Odnowiciela w latach 1047–1050
ziemie prawdopodobnie odzyskane przez Kazimierza Odnowiciela
Pomorze Zachodnie
Czechy pod panowaniem Brzetysława przed 1050 r.
Czechy pod panowaniem Brzetysława po 1050 r.

▲ POLSKA CZASÓW KAZIMIERZA ODNOWICIELA
RYS. JG

ZŁOTE KODEKSY

Pierwsze rękopisy na ziemiach polskich to skromne księgi przywożone przez misjonarzy. Później pojawiły się bardziej okazałe, niezbędne do odprawiania mszy kodeksy liturgiczne, często dekorowane inicjałami i miniaturami oraz bogato oprawne. Te najświetniejsze, niesione przez diakonów, otwierały procesje. W czasie mszy ustawiano je na dobrze widocznych pulpitach, aby – wraz z cennymi naczyniami liturgicznymi i szatami – uświetniały służbę bożą.

Szczególnie ceniono bogato iluminowane tzw. złote kodeksy, w których tekst był pisany złotem, najczęściej na purpurze. Były to księgi prawdziwie królewskie. Późnokaroliński zwyczaj nakazywał wręczanie ozdobnych ksiąg monarchom, dla podkreślenia nadprzyrodzonego źródła ich władzy. Ci przekazywali je kościołom katedralnym, nawiązując do cesarskiej tradycji obdarowywania katedr przez nowo namaszczonego władcę. Cesarz Henryk III w ewangeliarzu ofiarowanym katedrze w Spirze oznajmiał, że jako człowiek i monarcha przewyższający mądrością innych ludzi polecił spisać tekst Ewangelii złotem, gdyż słowa jej nigdy nie przeminą. Natomiast 100 lat wcześniej król angielski, ofiarowując podobny kodeks katedrze w Canterbury, nakazał – z natchnienia Ducha Świętego – usunąć tekst napisany atramentem i przepisać go złotem. Modlitwa na mszę koronacyjną umieszczona w *Kodeksie wyszehradzkim* pozwala przypuszczać, że został on zamówiony na koronację Wratysława II. Ostatnim znanym złotym kodeksem jest wykonany w połowie XII w. ewangeliarz aspirującego do godności królewskiej księcia saskiego Henryka Lwa.

Najwcześniejszym spośród pięciu zachowanych w Polsce złotych kodeksów jest powstały około 1060 r. w szkole mozańskiej *Sakramentarz tyniecki*, ofiarowany benedyktynom z opactwa w Tyńcu. Prawdopodobnie z okazji koronacji Bolesława Szczodrego w 1076 r. do katedry gnieźnieńskiej trafił *Złoty kodeks gnieźnieński*. Został on sporządzony – podobnie jak trzy pozostałe (*Ewangeliarz pułtuski*, *Ordo romanus et missale antiquissimum* i *Codex pretiosus*) – w drugiej połowie XI w. przez artystów tzw. bawarskiej szkoły klasztornej. Pierwotnie rękopisów takich było w kraju więcej; wiemy np., że żona Bolesława Krzywoustego, Salomea, ofiarowała opactwu w Zwiefalten pisany złotem psałterz.

Złote kodeksy nie były księgami powszechnymi – w pierwszej połowie XI w. z fundacjami władców Niemiec można wiązać jedynie cztery takie kodeksy. Polskie rękopisy dowodzą szczególnej ostentacji władzy, a zastosowane w nich dawne wzory stanowią przykład naśladownictwa „prawdziwie królewskich ksiąg".

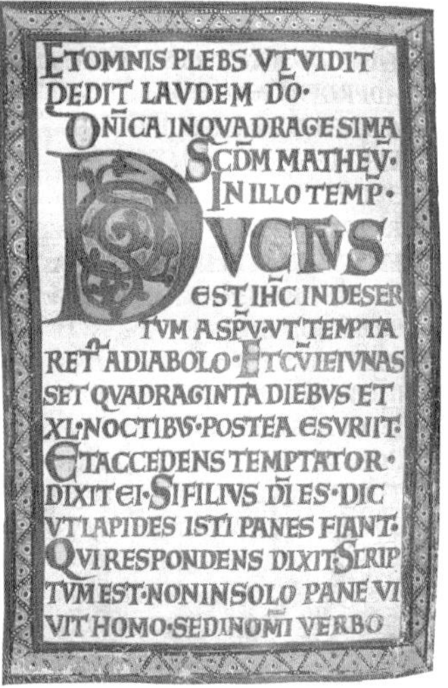
ET OMNIS PLEBS UT VIDIT
DEDIT LAUDEM DO
OÑICA IN QUADRAGESIMA
SCDM MATHEU
IN ILLO TEMP
DUCTUS
EST IHC IN DESER
TUM A SPU UT TEMPTA
RET A DIABOLO ET CU IEIUNAS
SET QUADRAGINTA DIEBUS ET
XL NOCTIBUS POSTEA ESURIIT
ET ACCEDENS TEMPTATOR
DIXIT EI SI FILIUS DI ES DIC
UT LAPIDES ISTI PANES FIANT
QUI RESPONDENS DIXIT SCRIP
TUM EST NON IN SOLO PANE VI
VIT HOMO SED IN OMNI VERBO

▲ MAJUSKUŁA,
czyli duże litery, była często wykorzystywana w złotych kodeksach. Tę stronę zapisano kapitałą, wykorzystując jednak także bardziej ozdobne, okrągłe litery uncjalne: „D" (pierwsza litera w trzecim wierszu) i „E".
„ZŁOTY KODEKS GNIEŹNIEŃSKI", BAWARIA, NIEMCY, 2 POŁ. XI W., AA GNIEZNO, FOT. RS

▲ POŁĄCZENIE LITER (LIGATURA)
V[ERE] D[IGNUM]
napisana złotem na purpurze: kolory te symbolizują boskość i majestat. Pierwszy wiersz tekstu oraz duże litery zapisano uncjałą i kapitałą, a resztę tekstu – minuskułą karolińską. To piękne pismo, używane w IX–XII w., zostało przez nowożytnych humanistów mylnie uznane za pismo starożytnych Rzymian, dlatego miało decydujący wpływ na kształt stosowanych do dziś czcionek drukarskich.
„ORDO ROMANUS ET MISSALE ANTIQUISSIMUM", NIEDERALTEICH, NIEMCY, 4 ĆW. XI W., AA GNIEZNO, FOT. RS

KODEKS WYSZEHRADZKI I ZŁOTY KODEKS GNIEŹNIEŃSKI ►
– o powstaniu obu rękopisów w tym samym warsztacie świadczy, oprócz jedności stylistycznej, niemal identyczny dobór tematów iluminacji.
PRAGA, CZECHY, 1085?, NK PRAHA, FOT. APA; BAWARIA, NIEMCY, 2 POŁ. XI W., AA GNIEZNO, FOT. RS

▼ *EWANGELIARZ PUŁTUSKI*
zawiera rzadko spotykane przedstawienie króla Dawida z młodym Chrystusem na łonie w medalionie unoszonym przez anioły.
BAWARIA, NIEMCY, 2 POŁ. XI W., FKCZART KRAKÓW, FOT. MS

▲ TECHNIKA WYKONANIA
złotych kodeksów określana jest mianem chryzografii. Polega ona na pisaniu lub malowaniu złotem płynnym, w postaci zawiesiny w białkowym najczęściej spoiwie.
„ZŁOTY KODEKS GNIEŹNIEŃSKI", BAWARIA, NIEMCY, 2 POŁ. XI W., AA GNIEZNO, FOT. MŁ

F XVIII kl Maximi epi
G XVII kl Ualentini m
A XVI kl Ignatii epi
B XV kl Pauli epi
C XIIII kl Zosimi m
D XIII kl Iulii m
E kl Thomae apli
F kl Gregorii m
G kl Apollonii m
A VIIII kl Saturnini
B VIII kl Natiuitas dni nri
C VII kl Stephani ptom
D kl Iohannis euang
E V kl Innocentii
F IIII kl Bonefacii epi
G III kl Felicis
A II kl Siluestri Columbe uirg

◄ FRAGMENT KALENDARZA
z *Sakramentarza tynieckiego*. Dobór wpisanych do niego świętych sugeruje, że cały kodeks pochodzi z Kolonii lub kraju nadmozańskiego. Stąd w okresie odnowy drugiej monarchii piastowskiej przybywało na ziemie polskie wielu duchownych, a zwłaszcza mnichów benedyktyńskich.
OK. 1060, BOZ WARSZAWA, DEPOZYT W BN WARSZAWA, FOT. SF

KRÓL I BISKUP

O wojennej chwale i niesławnym upadku króla Bolesława, czyli co się zdarzyło w Polsce i w środkowej Europie w trzeciej ćwierci XI w.

▲ HENRYK IV W CANOSSIE
prosi margrabinę toskańską Matyldę i opata Hugona z Cluny (swojego ojca chrzestnego) o wstawiennictwo w sporze z papieżem. Ukorzenie się króla pod murami zamku wywarło ogromne wrażenie na otoczeniu Grzegorza VII. Pod jego naciskiem papież zdjął klątwę z Henryka.
„ŻYWOT MATYLDY", PŁN. WŁOCHY (CANOSSA?), OK. 1115, BAV CV ROMA

Czarna i biała legenda o Bolesławie

Postać Bolesława II odgrywała ważną rolę w świadomości średniowiecznych Polaków. Z jednej strony wspominano go jako szczodrego (stąd przydomek: Szczodry) i walecznego (stąd przydomek: Śmiały) władcę, z drugiej – jako straszliwego tyrana, zabójcę biskupa i świętego. Tak przedstawia go już mistrz Wincenty, a zwłaszcza piszący w latach 1250–1260 dominikanin Wincenty z Kielczy, autor dwóch żywotów św. Stanisława. Sytuację komplikował fakt, że w świadomości historycznej tych czasów postać Bolesława mieszała się z postacią jego pradziada, Bolesława Chrobrego, zwanego niekiedy Wielkim. Później zaczęto jednak spoglądać na Bolesława Szczodrego wyłącznie z punktu widzenia tragicznego konfliktu z biskupem. A ponieważ w czarno-białym ujęciu, tak typowym dla literatury hagiograficznej, nie ma miejsca na pozytywne cechy potępionego bohatera, Bolesław stawał się bohaterem całkowicie czarnym – miał obcować cieleśnie z klaczą i oddawać się cudzołóstwu. Od XV w. żywe było jednak przekonanie, że król odpokutował swoją zbrodnię w klasztorze w Osjaku w Karyntii. Tu, wedle wciąż żywej legendy, znajduje się grób wygnanego króla.

Walka o inwestyturę

Duchowieństwo tworzyło dużą część aparatu administracyjnego państwa, dlatego władcy chcieli, by godności kościelne obejmowali ludzie im bliscy. Na ich obsadę mieli wpływ dzięki prawu inwestytury, czyli uroczystego wprowadzenia kandydata na urząd przez wręczenie mu atrybutu sprawowanej godności (np. pastorału biskupiego). Inwestytura była związana też z nadaniem dochodów lub ziemi.

Brak ugruntowanej zasady celibatu (bezżeństwa) księży sprawiał, że coraz częściej ich synowie dziedziczyli majątki, a nawet funkcje kościelne. Wydawało się, że Kościół podąża drogą feudalizacji, którą przebyła już monarchia karolińska. Nasilały się głosy wskazujące na konieczność zmian, które podniosłyby poziom duchowieństwa, a zarazem wyzwoliły Kościół spod władzy świeckich. Do zasadniczych reform doszło za czasów Grzegorza VII, wybranego na papieża w 1073 r. Zabronił on świeckim nadawania godności kościelnych, z czym wiązał się zakaz nabywania ich za pieniądze, czyli symonii. Papież zakazał także świeckiej inwestytury i małżeństw księży. Ta tzw. reforma gregoriańska, która w przyszłości miała zmienić miejsce i rolę Kościoła w państwie (także w Polsce), najmocniej uderzała w niemiecki tzw. Kościół cesarski. Między cesarstwem a papiestwem rozpoczął się długotrwały konflikt; jednym z jego istotnych epizodów było obłożenie Henryka IV papieską ekskomuniką i, w rezultacie, pokuta władcy niemieckiego w Canossie w 1077 r. Bolesław Szczodry nie omieszkał wykorzystać tych wydarzeń w swojej polityce dążącej do odbudowy międzynarodowej pozycji Polski i odnowy arcybiskupstwa gnieźnieńskiego.

Walki z Czechami

W pierwszych latach panowania Bolesław pozostawał w poprawnych stosunkach z Henrykiem IV, przestrzegał też postanowień układu z Czechami w sprawie Śląska. Jednak na początku lat 60. stosunki z Czechami pogorszyły się. Przypuszczalnie powodem były napięcia wynikające z udziału władców obu krajów w wojnie domowej na Węgrzech po przeciwnych stronach; wydarzeniom tym mógł towarzyszyć najazd Szczodrego na pogranicze czeskie. W tym czasie na dwór polski dotarł syn Brzetysława, Jaromir, od młodości przeznaczony do stanu duchownego. Po śmierci ojca zaczął domagać się udziału we władzy, a nieusatysfakcjonowany uciekł do Polski.

Poprawę kontaktów polsko-czeskich sygnalizuje poślubienie w 1062 r. przez księcia czeskiego Wratysława II siostry Bolesława, Świętosławy. Pieczętowało ono zapewne porozumienie, które władcy czeskiemu zapewniło brak poparcia polskiego dla pretensji Jaromira oraz regularne otrzymywanie trybutu ze Śląska. Szczodremu prawdopodobnie dawało to wolną rękę na Węgrzech.

Około 1068 r. stosunki polsko-czeskie zaczęły psuć się ponownie – i tym razem na dłużej. Przypuszczalnie Bolesław przestał płacić trybut ze Śląska oraz poparł pretensje Jaromira, który od panującego brata zażądał nadania biskupstwa praskiego, wolnego po śmierci biskupa Sewera. Żądania Jaromira poparli władający na Morawach pozostali juniorzy, którzy podnieśli bunt przeciw rządzącemu w Pradze seniorowi; na granicy czeskiej stanęły wojska polskie. Bardzo możliwe, że to wówczas miało miejsce nieudane oblężenie grodu Gradec (chyba Grodźca Gołężyckiego pod Opawą), gdy, jak pisze Gall Anonim, Bolesław „przez swój lekkomyślny upór nie tylko że nie zdobył grodu, lecz [nadto] zaledwie uszedł zasadzek czeskich i w ten sposób utracił panowanie nad Pomorzem".

Jaromir co prawda został biskupem praskim, jednak nie poprawiło to stosunków polsko-czeskich. W 1071 r. w spór interweniował bezskutecznie Henryk IV. Ponieważ Bolesław ponownie najechał Czechy, Henryk zaplanował wyprawę odwetową na Polskę, która nie doszła do skutku z powodu buntów w Saksonii i Bawarii.

Nieoczekiwanym, negatywnym rezultatem wojny z Czechami była utrata władzy nad Pomorzem Wschodnim. Późniejsze walki z Pomorzanami nie doprowadziły do jej odzyskania.

Sukcesy na Węgrzech i Rusi

Bardzo ważną rolę w polityce Bolesława odgrywały Węgry. Na początku jego panowania rządził tam Andrzej I, najstarszy syn Wazula. Następcą miał zostać jego brat, Bela, żonaty z ciotką Szczodrego, noszącą być może imię Adelajda. Gdy jednak Andrzejowi urodził się długo oczekiwany następca tronu (Salomon), zerwał układ z Belą. Ten, niezadowolony, wraz z synami, Gejzą i Władysławem, ponownie uciekł do Polski (wcześniej chronił się na dworze Kazimierza Odnowiciela). Andrzej natomiast zawarł sojusz z Henrykiem IV, wzmocniony zaplanowanym wówczas małżeństwem Salomona z siostrą króla niemieckiego, Judytą Salicką.

W 1060 r. Bolesław wraz z Belą ruszyli na Węgry. W starciu zwyciężyła koalicja polsko-węgierska, ranny Andrzej wkrótce zmarł, a królem został Bela. Spokój na Węgrzech trwał tylko 3 lata. W 1063 r. o tron upomniał się wspomagany przez wojska niemieckie Salomon. W trakcie przygotowań do obro-

◄ CESARZ NA MAJESTACIE – po wydarzeniach w Canossie Henryk IV, uwolniony od klątwy, zdołał pokonać opozycję wewnętrzną. W 1080 r. uzyskał na synodzie w Brixen decyzję episkopatu niemieckiego o zdjęciu z urzędu Grzegorza VII i wyborze przychylnego sobie antypapieża, który 4 lata później ukoronował go w Rzymie koroną cesarską.

„EWANGELIARZ EMMERAMSKI", RATYZBONA, NIEMCY, 1099–1106 LUB 1106–1111, AKM KRAKÓW, FOT. SM

KOŚCIÓŁ KLASZTORNY W MOGILNIE ► powstał w drugiej połowie XI w. Jego forma architektoniczna nawiązuje do kościołów nadmozańskich, skąd zapewne przybył pierwszy konwent (być może z Leodium, dzisiejszego Liège) do opactwa Benedyktynów ufundowanego tutaj przez Kazimierza Odnowiciela niedługo po triumfie nad Miecławem.

WIDOK OD WSCH.; PREZBITERIUM – 2 POŁ. XI W. I POCZ. XIII W.; KLASZTOR – XIV–XV W. I PO 1775; FOT. ZŚ

▼ *HEROD WYSYŁAJĄCY ŻOŁNIERZY* – artysta, malując tę scenę biblijną, dobrze oddał ówczesne realia – tak właśnie mógł wyglądać władca w otoczeniu swoich ministeriałów. Miecz w ręku władcy symbolizuje władzę nad „życiem i śmiercią" poddanych.

„EWANGELIARZ PUŁTUSKI", BAWARIA, NIEMCY, 2 POŁ. XI W., FKCZART KRAKÓW, FOT. MS

▼ DENAR BOLESŁAWA SZCZODREGO Na rewersie widoczna głowa księcia i słabo czytelne imię, na awersie książę na koniu – motyw ten zaczerpnięto z monet niderlandzkich.

PRZED 1076, MAiE ŁÓDŹ, FOT. MM

ny Bela zmarł, a jego synowie uszli do Polski. Królem Węgier został Salomon. Jednakże w następnym roku wojska polskie wkroczyły na Węgry i doprowadziły do ugody Salomona ze starszym synem Beli, Gejzą, któremu przypadła władza nad 1/3 Węgier. Zgoda panowała aż do początku lat 70.

W nowej wojnie, która rozgorzała między Salomonem a Gejzą, Bolesław poparł Gejzę; w 1074 r. objął on tron węgierski. Po jego śmierci w 1077 r. dzięki polskiej pomocy królem został jego brat, Władysław, który, jak pisze Gall Anonim, „od dzieciństwa chowany był w Polsce i pod względem obyczajów i [sposobu] życia niejako stał się Polakiem".

Sukcesy odnosił Bolesław również na Rusi, która wkroczyła wtedy w okres rozbicia dzielnicowego. Liczni synowie zmarłego w 1054 r. Jarosława Mądrego otrzymali dzielnice, a księciem naczelnym został książę stołecznego Kijowa Izjasław, żonaty, jak wiemy, z ciotką Bolesława, Gertrudą. W 1068 r., po klęsce w bitwie z Połowcami, rodzina książęca została wygnana z Kijowa przez tamtejszych możnych i schroniła się w Polsce. Szczodry ruszył wygnanemu wujowi na pomoc i przywrócił mu tron.

Izjasław ponownie musiał uchodzić z Kijowa w 1073 r., wygnany przez swych braci Światosława i Wsiewołoda. Tym razem Bolesław, zaangażowany w sprawy czeskie, niemieckie i węgierskie, nie udzielił mu wsparcia, lecz zawarł ugodę z nowymi władcami kijowskimi. W 1074 lub 1075 r. Oleg Światosławowicz i Włodzimierz Monomach, syn Wsiewołoda, posiłkowali Polaków w wyprawie przeciwko Czechom. Mogła ona mieć związek z walką Gejzy i Salomona o tron węgierski – tego ostatniego wspomagali król niemiecki i książę czeski.

W ten sposób na politycznej mapie środkowej Europy wykształciły się dwa obozy: niemiecko-czeski (należał do niego także roszczący pretensje do tronu węgierskiego Salomon) oraz polsko-węgiersko-ruski. Ważnym sojusznikiem drugiego obozu stał się zwaśniony z Henrykiem IV papież Grzegorz VII. Do niego też zwrócił się o pomoc ruski wygnaniec, Izjasław, obiecując podporządkowanie się obediencji Rzymu. Nic zatem dziwnego, że papież nakazał księciu polskiemu udzielenie wsparcia Izjasławowi. W 1076 r. zmarł Światosław, a w 1077 r. na tron, za zgodą innych Rurykowiczów i z pomocą polskich posiłków, powrócił Izjasław, który już rok później poległ w jednym z lokalnych starć, jakie stały się codziennością rozbitej na dzielnice Rusi.

Koronacja i wygnanie w 1077 r.

Wewnętrzne umocnienie państwa oraz sojusz z papieżem Grzegorzem VII, przychylnym planom

◄ GERTRUDA,
siostra Kazimierza Odnowiciela, wraz z synem Jaropełkiem-Piotrem i synową Ireną-Kunegundą korzą się przed św. Piotrem. Miniaturzysta przedstawił rzeczywiste wydarzenie: w 1075 r. papież Grzegorz VII wziął wygnaną z Kijowa rodzinę książęcą pod protekcję św. Piotra.
„KODEKS GERTRUDY", NIEMCY (RATYZBONA? BRAUWEILER?), OK. 1075, W „PSAŁTERZU EGBERTA", MAN CIVIDALE DEL FRIULI

► ZŁOTA BRAMA W KIJOWIE,
o którą według kroniki Galla Anonima Bolesław Chrobry i Bolesław Szczodry mieli uderzyć swoimi mieczami w symbolicznym geście zajęcia Kijowa. Zbudowano ją w 1037 r., więc co najmniej czyn Chrobrego trzeba traktować jako legendę. W XIV w. legenda ta została związana ze Szczerbcem, mieczem koronacyjnym ówczesnych władców Polski.
CZĘŚCIOWA REKONSTRUKCJA, FOT. ST

◄ KORONACJA CESARZA
Rękopis, z którego pochodzi miniatura, powstał w opactwie popierającym reformę gregoriańską, czyli propapieskim. Podobnie mogła wyglądać koronacja Bolesława II, dokonana za zgodą Grzegorza VII i być może z udziałem papieskiego legata, towarzyszącego arcybiskupowi gnieźnieńskiemu w ceremonii.
PONTYFIKAŁ Z OBRZĘDAMI KORONACJI CESARSKIEJ, PO 1080, STDB SCHAFFHAUSEN

▼ DENAR KRÓLEWSKI BOLESŁAWA SZCZODREGO
Na awersie króla ukazano w koronie płytowej, ze wzniesionym mieczem. Insygnia zostały mocno wyeksponowane, gdyż moneta ukazuje majestat władcy koronowanego. W trójwieżowej budowli zwieńczonej kopułami przedstawionej na rewersie doszukiwano się widoku Wawelu bądź dowodów obrządku słowiańskiego – w rzeczywistości jest to raczej symbol państwa jako *Civitas*.
1076–1079, MAiE ŁÓDŹ, FOT. MM

Bolesława, umożliwiły mu uzyskanie w 1076 r. korony królewskiej. Polska wracała na arenę europejską jako monarchia. Koronacja była gwarancją niezależności państwa od czynników zewnętrznych, dlatego w Niemczech spotkała się z zarzutami o uzurpację. Wzmacniała również pozycję króla wewnątrz kraju. Mimo to 3 lata później doszło do kryzysu, który doprowadził do wygnania Bolesława Szczodrego.

Jego domniemaną przyczyną był konflikt króla z biskupem krakowskim Stanisławem. Gall Anonim dyplomatycznie nie wnikał w istotę sporu, choć wiedział, o co chodziło, pisząc: „Jak zaś doszło do wypędzenia króla Bolesława z Polski, długo byłoby o tym mówić; tyle wszakże można powiedzieć, że sam będąc pomazańcem [Bożym] nie powinien był [drugiego] pomazańca za żaden grzech karać cieleśnie. Wiele mu to bowiem zaszkodziło, gdy przeciw grzechowi grzech zastosował i za zdradę wydał biskupa na obcięcie członków. My zaś ani nie usprawiedliwiamy biskupa zdrajcy, ani nie zalecamy króla, który tak szpetnie dochodził swych praw". Piszący 100 lat później mistrz Wincenty, jeden z propagatorów kultu św. Stanisława, nadał konfliktowi charakter moralny: biskup miał bronić surowo karanych przez władcę rycerzy, którzy zdezerterowali podczas wyprawy na Ruś.

Być może przyczyną klęski Bolesława było niezadowolenie jego młodszego brata, Władysława Hermana, najpewniej władającego Mazowszem, który po narodzinach Bolesławowego syna i następcy, Mieszka, stracił nadzieję na objęcie tronu. Według zwolenników tej hipotezy wystąpienie księcia mazowieckiego wsparła część możnych, być może z Sieciechem na czele – o jego zaangażowaniu w konflikt może świadczyć wysoka pozycja w państwie, jaką zajął po wygnaniu Szczodrego. Niewykluczone, że opozycję poparły Czechy i Niemcy oraz biskup krakowski Stanisław, który potępił surowe represje spadające na buntowników. Wystąpienie biskupa (z pewnością nominowanego przez Bolesława) zostało uznane za zdradę.

Możliwe, że nad biskupem odbył się kościelny sąd, który deponował go z piastowanej godności. Bolesław z kolei za zdradę skazał Stanisława na obcięcie członków. Przypuszczalnie kary tej nie wykonano, lecz zabito go ciosem pałki w tył głowy (co tłumaczyłoby cud zrośnięcia się relikwii) – wszystko to są jednak tylko przypuszczenia. Działo się to w kwietniu 1079 r. Konsekwencje stracenia biskupa okazały się fatalne w skutkach i Szczodry musiał uciekać na Węgry, gdzie, nie uzyskawszy oczekiwanego wsparcia, zmarł w bliżej nieznanych okolicznościach 2 lub 3 IV 1081 r.

▲▶ ODBUDOWA KATEDRY W GNIEŹNIE przebiegała w kilku etapach. Pierwszy zakończono konsekracją w 1064 r., następny – zapewne przed 1075 r., gdy restaurowano arcybiskupstwo, a kolejny – w 1097 r., gdy miała miejsce ponowna konsekracja katedry, związana może z odnalezieniem podczas prac budowlanych fragmentów relikwii św. Wojciecha.

REKONSTRUKCJA POSADZKI I FRAGMENT RZEŹBY – 2 POŁ. XI–POŁ. XII W.; MAKIETA KATEDRY Z 3 ĆW. XI W. – Z. ADAMIAK; MPPP GNIEZNO; FOT. RS

Król na wygnaniu

Powściągliwa relacja Galla Anonima o przybyciu Bolesława na Węgry stała się podstawą dyskusji na temat przyczyn wygnania króla i jego śmierci: „Skoro Władysław usłyszał, że Bolesław przybywa, z jednej strony cieszy się z przybycia przyjaciela, z drugiej jednak ma powód do gniewu; cieszy się wprawdzie z [możności] przyjęcia brata i przyjaciela, lecz boleje nad tym, że brat [jego] Władysław [Herman] stał się [dlań] wrogiem. Nie przyjmuje go zaś tak, jak się zwykło przyjmować obcego gościa, lub jak równy przyjmuje równego – lecz jak [...] książę króla [...] słusznie powinien przyjmować. [...] oczekiwał zbliżającego się z daleka, zsiadłszy na znak uszanowania z konia. A tymczasem Bolesław [...] uniósł się w sercu zgubną pychą, mówiąc: »Ja go za lat pacholęcych wychowałem w Polsce, ja go osadziłem na tronie węgierskim. Nie godzi się, bym mu ja, jako równemu, cześć okazywał, lecz siedząc na koniu oddam mu pocałunek jak jednemu z książąt«. Zauważywszy to Władysław obruszył się nieco i zawrócił z drogi, polecił jednak, by mu wszędzie na Węgrzech niczego nie brakło. Później atoli zgodnie i po przyjacielsku spotkali się między sobą jak bracia; Węgrzy wszakże owo zajście głęboko sobie i na trwałe w sercu zapisali. Wielką ściągnął na siebie Bolesław nienawiść u Węgrów i – jak mówią – przyspieszył tym swoją śmierć".

▼ POKUTA BOLESŁAWA SZCZODREGO przedstawiona na XIX-wiecznym malowidle w chórze muzycznym kościoła klasztornego w Mogilnie dowodzi trwałości tzw. białej legendy o tym władcy. Obraz o podobnej tematyce znajdował się w kościele najpóźniej w 1707 r.

JAN OKOROLEWICZ, 1814, FOT. ZŚ

KULT ŚW. STANISŁAWA

Zabójstwo biskupa zaciążyło nie tylko na dalszych losach rządów Bolesława Szczodrego, lecz także na dziejach państwa. Historycy nie są zgodni co do początków przedkanonizacyjnego kultu biskupa. W kronice mistrza Wincentego z przełomu XII i XIII w. Stanisław występuje już jako „prześwięty biskup krakowski". Dziejopis przedstawił w bardzo korzystnym dla niego świetle okoliczności i przebieg konfliktu, przypisując zabójstwo biskupa samemu królowi, oraz opisał cud zrośnięcia się porąbanych zwłok męczennika. Przekaz ten stał się podstawą dla późniejszej twórczości hagiograficznej.

Papież Innocenty IV kanonizował Stanisława w 1253 r. w Asyżu. Uroczystości, które odbyły się w Krakowie 8 V 1254 r., zgromadziły liczne grono książąt piastowskich, a kult męczennika wkrótce po kanonizacji nabrał ogólnopolskiego charakteru, przyćmiewając starszy kult św. Wojciecha. Rozwój kultu nowego świętego wspierali członkowie dynastii panującej, a ich działania znalazły odzwierciedlenie w napisanym przez dominikanina Wincentego z Kielczy niedługo po kanonizacji *Żywocie większym św. Stanisława* – autor zamieścił w nim proroctwo: tak jak cudownie zrosło się ciało męczennika porąbane przez króla zabójcę, tak Bóg „dla jego zasług przywróci do dawnego stanu podzielone królestwo".

Stał się zatem św. Stanisław patronem działań zjednoczeniowych, a następnie odrodzonego Królestwa Polskiego. Równocześnie fakt posiadania jego relikwii wyznaczył szczególne miejsce katedrze krakowskiej, czyniąc ze św. Stanisława jej współpatrona. Od 1320 r. tutaj odbywały się wszystkie (oprócz dwóch, z lat 1705 i 1764) koronacje królów polskich. Zaś od 1501 r. do ceremonii koronacyjnej została włączona na stałe ekspiacyjna pielgrzymka króla elekta na Skałkę. Kult św. Stanisława umocniły zwycięstwa odniesione – jak wierzono, dzięki jego pomocy – pod Płowcami, Grunwaldem czy Orszą. W XIV i XV w. jego patronat rozszerzył się i objął Kraków wraz z odnowionym uniwersytetem. Od XV w. święty był uważany za jednego z patronów Królestwa Polskiego.

Kult św. Stanisława nie ograniczył się jednak wyłącznie do elitarnego kręgu dynastycznego. Równolegle rozwijał się nurt ludowy, przejawiający się licznymi pielgrzymkami zarówno do grobu męczennika w katedrze, jak i do miejsca męczeństwa w kościele św. Michała na Skałce. Potwierdzeniem tego są liczne cuda zdziałane na rzecz przedstawicieli niższych stanów, odnotowane w *Żywocie większym* oraz *Cudach św. Stanisława*.

▲ ZNAK PIELGRZYMI
ze św. Stanisławem na awersie powstał prawdopodobnie w związku z kanonizacyjnymi uroczystościami w Krakowie w 1254 r. Święty ponad murami symbolizującymi niebiańskie Jeruzalem, w otoczeniu orłów – to najstarszy ikonograficzny schemat przedstawienia św. Stanisława.
ZNALEZIONY W SOBÓTCE?, ZBIORY PRYWATNE, FOT. MM

◄ ŚW. STANISŁAW
ukazany w paliuszu, jako arcybiskup. Takie przedstawienie manifestuje metropolitalne ambicje biskupów krakowskich, które odrodziły się przy okazji kanonizacji. Autor *Żywotu większego św. Stanisława* cytuje rzekomą bullę papieską ustanawiającą „na wieczne czasy arcybiskupstwo w mieście Krakowie".
WITRAŻ Z KOŚCIOŁA DOMINIKANÓW W KRAKOWIE, PRZED 1288, KLASZTOR DOMINIKANÓW KRAKÓW, DEPOZYT W MN KRAKÓW, FOT. ZDŁUB

▼ PIECZĘĆ LESZKA CZARNEGO
ze św. Stanisławem wyraża nie tylko religijne, lecz przede wszystkim polityczne treści, zainspirowane proroctwami z *Żywotu większego św. Stanisława*. Ukazuje księcia jako wybrańca: godnego uczestniczyć w odprawianej przez męczennika mszy, a tym samym podjąć działania zjednoczeniowe, którym patronował biskup.
PRZY DOKUMENCIE Z 9 I 1286, AKL KLARYSEK KRAKÓW, FOT. MM

▲ RELIKWIARZ NA GŁOWĘ ŚW. STANISŁAWA
fundacji królowej Zofii, czwartej żony Władysława Jagiełły, jest najstarszym zachowanym na ziemiach polskich relikwiarzem puszkowym. Forma ta wkrótce bardzo się rozpowszechniła. Dwanaście arkad symbolizuje dwanaście bram niebiańskiego Jeruzalem. Gdy w 1504 r. ufundowano nowy relikwiarz, ten został przeznaczony na głowę św. Floriana.
SREBRO ZŁOCONE, SKW KRAKÓW, FOT. SM

PIECZĘĆ ŁAWNICZA MIASTA KRAKOWA ►
ukazuje św. Stanisława – szafarza korony Królestwa Polskiego, gwaranta połączenia korony, umieszczonej ponad błogosławiącą ręką, i orła – herb Królestwa oczekującego na króla.
2 DZIESIĘCIOLECIE XIV W., AP KRAKÓW, FOT. MM

NAJSTARSZA PIECZĘĆ UNIWERSYTETU JAGIELLOŃSKIEGO ►
ze św. Stanisławem i orłem króla Władysława Jagiełły jest świadectwem patronatu świętego nad uczelnią.
PO 1400, AP KRAKÓW, FOT. MM

▲ FLOREN WŁADYSŁAWA ŁOKIETKA
Na awersie król na majestacie, z insygniami władzy, na rewersie biskup Stanisław w roli patrona Królestwa, na co wskazuje m.in. legenda: S' STANISLAUS POLE. Został wyemitowany prawdopodobnie w 1330 r., z okazji uroczystości ku czci św. Stanisława połączonych z przyznanym przez papieża podwójnym odpustem.
MN KRAKÓW, FOT. MM

▲ PROGRAM IDEOWY ZWORNIKÓW
z prezbiterium katedry krakowskiej był ściśle związany z jej koronacyjną funkcją. Prezentuje Chrystusa Pantokratora w otoczeniu aniołów i patronów katedry – św. Stanisława i Wacława – oraz herb biskupa krakowskiego Jana Grotowica.
PRZED 1346, FOT. SM

KONFESJA ŚW. STANISŁAWA ►
w katedrze wawelskiej była prawdziwym „ołtarzem ojczyzny". Składano tu nie tylko wota, ale i trofea wojenne, m.in. chorągwie krzyżackie zdobyte pod Grunwaldem i Koronowem oraz buńczuki tureckie zdobyte pod Wiedniem. Obecną konfesję na miejscu starszej, gotyckiej, ufundował biskup Maciej Szyszkowski w 1628 r. Srebrny relikwiarz, ufundowany do niej przez Zygmunta III, został zrabowany przez Szwedów. Na jego miejsce ufundowano obecny relikwiarz w kształcie trumny.
KONFESJA – JAN TREVANO, KON. LAT 20. XVII W.; RELIKWIARZ – PETER VAN DEN RENNEN, 1669–1670; FOT. SM

► PATRONI KRÓLESTWA POLSKIEGO:
św. Stanisław, Wojciech, Wacław i Florian.
TZW. „STATUT ŁASKIEGO" („COMMUNE INCLITI POLONIAE REGNI PRIVILEGIUM"), KRAKÓW, 1506, OSSOLINEUM WROCŁAW

PRZEBUDOWA PAŃSTWA

Rządy Kazimierza Odnowiciela zapoczątkowały zasadniczą zmianę organizacji państwa, społeczeństwa i Kościoła

▲ HOŁD LENNY
przyjmowany przez tronującego seniora od wasali. Na znak poddaństwa lennik wsuwał złożone dłonie między wyciągnięte w jego kierunku dłonie swojego pana lennego. Gest ten był zrozumiały i powszechnie stosowany w całej Europie łacińskiej.
„WIELKA KSIĘGA LENNIKÓW", XII W., ACA BARCELONA

▼ DOKUMENT
pojawił się pod wpływem nasilających się kontaktów z cywilizacją zachodnioeuropejską. Początkowo używany był zapewne głównie (lub nawet tylko) w kontaktach zagranicznych. W kraju długo jeszcze wystarczało publiczne ogłoszenie woli władcy, potwierdzone zeznaniami świadków.
DOKUMENT WŁADYSŁAWA HERMANA DLA KATEDRY W BAMBERGU Z LAT 1087–1095?, BSA BAMBERG

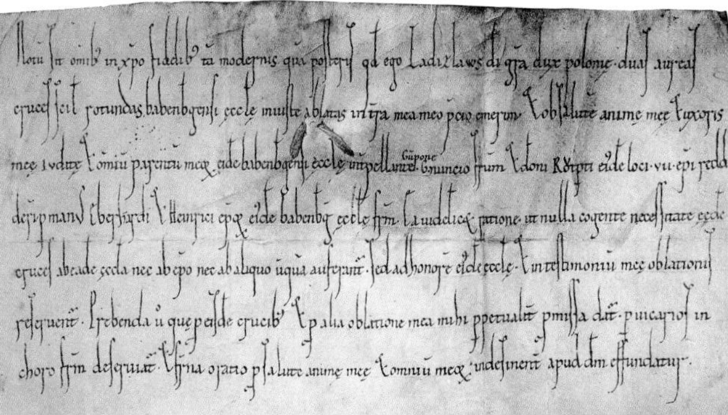

Feudalizm

Średniowieczna Europa łacińska była Europą feudalną, co znaczy, że dominował tu system oparty na związkach osobistych. Narodził się on na obszarze monarchii frankijskiej jako rezultat słabości państwa, niezdolnego do utrzymania administracji i zapewnienia bezpieczeństwa mieszkańcom. Pociągnęło to za sobą ważkie konsekwencje. Monarcha, nie mogąc opłacić urzędników, osadzał ich w majątkach, z których czerpali dochody w czasie pełnienia urzędów; poddani zaś szukali ochrony na własną rękę u potężniejszych od siebie. Jeśli taka osoba godziła się na udzielenie opieki, dochodziło do powstania między nimi stosunku zależności, tzw. komendacji. Szukający ochrony zostawał wasalem zobowiązanym do wiernej służby swojemu seniorowi, ten z kolei miał chronić wasala i jego posiadłość. Często komendacja łączyła się z hołdem lennym: wasal otrzymywał od seniora ziemię, której użytkowanie było obciążone powinnościami na rzecz seniora. Ziemia taka zwana jest lennem.

We wczesnym średniowieczu na dawnym obszarze monarchii frankijskiej nastąpiła feudalizacja urzędów. Ziemie nadawane przez monarchę za służbę coraz częściej przyjmowały formę lenn, które w miarę słabnięcia władzy centralnej stawały się dożywotnie, a później dziedziczne. Monarchie wczesnośredniowieczne wchodziły w okres rozbicia feudalnego.

W środkowej Europie nie doszło co prawda do wykształcenia się klasycznego systemu feudalnego, jednak dokonywały się tu, z 200–300-letnim opóźnieniem, podobne procesy. W Polsce powolna przemiana państwa patrymonialnego w państwo feudalne zaczyna się po przezwyciężeniu kryzysu lat 30. XI w. Z systemem feudalnym zetknął się Kazimierz Odnowiciel w Niemczech i zaczął wprowadzać go po odzyskaniu tronu polskiego. Zmiany objęły organizację państwa oraz system władzy i obrony, a podlegał im również Kościół.

Narodziny rycerstwa i możnowładztwa

Siła wojskowa pierwszych Piastów opierała się na drużynie utrzymywanej przez księcia. Wyczerpanie się możliwości ekspansji (a zatem zdobywania łupów) oraz zbyt szczupłe – wobec zwiększających się wydatków – dochody skarbu władcy spowodowały załamanie się tego systemu, co było jedną z ważnych przyczyn kryzysu lat 30.

Rosnące koszty uzbrojenia, utrzymania i wyszkolenia woja wymusiły reformę organizacji wojskowej, która, zapoczątkowana przez Kazimierza Odnowiciela, zakończyć się miała w drugiej połowie XII w. Drużynnicy oraz wybijający się spośród biorącej udział w walkach ludności wieśniaczej wojowie zaczęli być osadzani na ziemi książęcej. Osadnictwo to, podobnie jak w Europie Zachodniej, odbywało się na prawie rycerskim (*ius militare*). W zamian za użytkowanie otrzymanej majętności woj był zobowiązany do konnej służby wojskowej. Na niego spadała teraz powinność nie tylko utrzymania siebie i rodziny, lecz także zakupu odpowiedniego uzbrojenia oraz utrzymywania rumaka bojowego.

Na podobnej zasadzie uposażano ziemią urzędników. Stopniowo między wojami czy urzędnikami a władcą wykształcał się stosunek zbliżony do lennego, choć w Polsce proces ten nie przybrał takich rozmiarów jak we Francji czy w Niemczech.

Do funkcjonowania państwo potrzebowało ludzi zajmujących się jego obsługą. Częściowo mogli się oni wywodzić jeszcze spośród starszyzny plemiennej, której przedstawiciele posiadali zapewne niewielkie majątki alodialne (czyli będące ich pełną własnością). Większość jednak stanowili ludzie nowi, zawdzięczający swoją pozycję księciu. Dzięki piastowanym urzędom oraz łaskawości władcy niektórym z nich udawało się pozycję tę utrwalić i przekazać spadkobiercom. Powoli kształtowało się i rosło w siłę możnowładztwo.

Posiadłości uzyskane na prawie rycerskim zasilały dochody wielkich rodów i stawały się podstawą ich potęgi. Już od połowy XII w. pojawiają się ślady traktowania majętności urzędniczych jako własnych. Majątki te były obejmowane wydawanymi przez księcia przywilejami immunitetowymi, wyłączającymi je spod części kompetencji władcy i jego urzędników.

Jednak wiele uprawnień było zastrzeżonych tylko dla władcy, w postaci tzw. regaliów książęcych. Należały do nich m.in. prawo bicia monety i korzystania z bogactw naturalnych (np. lasów i zwierzyny czy kruszców i metali).

Państwo patrymonialne

Nadal obowiązywała patrymonialna koncepcja państwa. Państwo było traktowane jak własność rządzącej dynastii i podlegało dziedziczeniu jak każda inna własność. Powodowało to – kiedy należało podzielić kraj między większą liczbę męskich członków dynastii – kolejne podziały dzielnicowe. Dopóki książę zwierzchni zachowywał pełnię kontroli nad innymi książętami, ci zaś nie byli w stanie wytworzyć wokół siebie lokalnego aparatu władzy

▲ GROBY
pojawiające się na obszarze wczesnopiastowskich centrów administracyjnych (zarówno w osadach – jak prezentowany – jak i w samych grodach) świadczą o upadku znaczenia tych centrów w odnowionej monarchii. Takimi ośrodkami były zniszczone podczas najazdu Brzetysława Ostrów Lednicki i Giecz.
DZIEKANOWICE POW. GNIEZNO, 2 POŁ. XI W., MPP NA LEDNICY, FOT. JWRZ

COKÓŁ FILARU ▶
stanowi jeden z najlepiej zachowanych reliktów romańskiej katedry poznańskiej. Skala zniszczeń dokonanych przez wojska Brzetysława oraz trudności, z jakimi borykała się odnowiona monarchia, sprawiły, że odbudowę katedr w Gnieźnie i Poznaniu zakończono dopiero w latach 60. i 70. XI w.
FOT. RS

▲ IKONOGRAFIA I ORYGINALNE ZABYTKI
pozwalają nam poznać życie codzienne dawnych ludzi. Przy rekonstrukcji kształtu narzędzi najbardziej wiarygodna jest analiza ich pozostałości, ale już sposób ich użytkowania najłatwiej możemy poznać na podstawie ikonografii.
PATENA Z TRZEMESZNA, OK. 1180, KOŚCIÓŁ NMP W TRZEMESZNIE, DEPOZYT W MAD GNIEZNO, FOT. RS; DREWNIANE WIDŁY I PAŁKA CIESIELSKA – GROTNIKI POW. LESZNO, XI–XII W., WOSiOŚK POZNAŃ O/TRZEBINY, FOT. PC

Awans za dzielność

Gall Anonim, opisując zwycięską bitwę wojsk Kazimierza Odnowiciela ze spieszącymi na odsiecz Miecławowi przeważającymi siłami Pomorzan, przedstawił następujący epizod: „Sam też Kazimierz, osobiście siekąc mieczem, niezmiernie się utrudził, ramiona, całą pierś i twarz ubroczywszy rozlaną krwią, i tak zapamiętale ścigał sam jeden uciekających wrogów, że byłby musiał zginąć, nie znajdując pomocy ze strony swoich; pewien wszakże prosty woj, choć nie ze szlachetnego rodu, szlachetnie pospieszył mu z pomocą, gdy już miał zginąć, co następnie Kazimierz hojnie mu odpłacił, bo i gród mu nadał, i co do godności wyniósł go między najdostojniejsze rycerstwo".

Relacja ta stała się jednym z fundamentów hipotezy o rozpoczętym przez Kazimierza procesie osadzania wojów na ziemi, czyli, w konsekwencji, feudalizacji państwa. Władca mógł awansować ludzi nowych. Z pojęciem możnych wiązano wtedy określone cechy etyczne, m.in. dzielność. Mieli być ich pozbawieni ludzie z niższych warstw, dlatego kronikarz specjalnie podkreślił szlachetny postępek osoby nienależącej do możnowładztwa.

▲ PRZYJĘCIE POSELSTWA
Władca, przyjmując posłów w reprezentacyjnej sali, w otoczeniu możnych i urzędników, okazywał swój majestat i potęgę, aby wywrzeć na przybyszach jak najlepsze wrażenie.
„TRZEJ KRÓLOWIE U HERODA" W „EWANGELIARZU PUŁTUSKIM", BAWARIA, NIEMCY, 2 POŁ. XI W., FKCZART KRAKÓW, FOT. MS

▲ DO PODRÓŻY
powszechnie używano wózków dwukołowych. Jedynie władcy i możni podróżowali na wozach o czterech kołach, w których kolebka była zawieszona na łańcuchach, aby amortyzować uciążliwości spowodowane złym stanem ówczesnych dróg.
„PROROK ELIASZ NA WOZIE OGNISTYM", DRZWI PŁOCKIE, MAGDEBURG, NIEMCY, 1152–1154, KOPIA METALOPLASTYCZNA W KATEDRZE W PŁOCKU, FOT. PC

◄▼ SANIE I ŁODZIE
stanowiły bardzo popularny i tani środek podróży i transportu. Łodzie transportowe, wykonywane z jednego pnia, były krótkie, głębokie i mało zwrotne. Ta, odnaleziona na dnie Jeziora Lednickiego, zatonęła przeciążona budulcem. Sań używano nie tylko zimą, ale również latem – do transportu lżejszych towarów.
OPOLE, XII W., IAiE PAN WROCŁAW, KOPIA W MPPP GNIEZNO; JEZIORO LEDNICKIE, X–XI W., MPP NA LEDNICY; FOT. RS

opartego na miejscowych możnych, podziały te nie zagrażały jedności państwa. Taka sytuacja miała miejsce przez cały XI i początek XII w.

Widziana z tej perspektywy historia Polski to ciągła gra między zagrożeniem utrzymania się podziału terytorialnego państwa a dążeniami do zachowania jego całości. Pamiętamy wygnanie przez Bolesława Chrobrego przyrodnich braci wraz z macochą, brzemienny w skutki konflikt Mieszka II z odsuniętym ówczesnym seniorem, Bezprymem, do którego włączyli się młodsi członkowie dynastii, oraz zgodne tylko do czasu współpanowanie Bolesława Szczodrego z dzierżącym Mazowsze jego bratem, Władysławem Hermanem. W podobnych okolicznościach doszło później również do walki Bolesława Krzywoustego ze Zbigniewem. Dopiero statut Bolesława Krzywoustego miał, zresztą w sposób niezamierzony, zapoczątkować trwały podział dzielnicowy państwa.

Procesy zachodzące wówczas w państwie polskim różniły się od sytuacji panującej w państwach Europy Zachodniej jednym istotnym szczegółem: na czele księstw stawali wyłącznie przedstawiciele jednej dynastii, Piastowie: owi „przyrodzeni panowie" Polski, jak ich określił Gall Anonim. Organizacja państwa polskiego znajdowała natomiast analogie w krajach sąsiednich, choć tylko na Rusi (podobnie jak w Polsce) doszło do trwałego rozdrobnienia dzielnicowego. W Czechach juniorzy byli osadzani na Morawach, które czasami stawały się obszarem irredenty skierowanej przeciw praskim seniorom. Początki tego procesu obserwujemy w drugiej połowie XI w. W przeciwieństwie do Polski i Rusi nie nastąpiło tam jednak trwałe rozbicie dzielnicowe. Również na Węgrzech nie doszło do podziału, jednak przez cały XI i XII w. trwały tu walki o tron, toczone wewnątrz panującej dynastii.

Władca państwa wczesnośredniowiecznego znajdował się w ciągłej podróży po kraju (*rex ambulans*). Była ona motywowana potrzebą osobistego doglądania spraw, sądzenia oraz stawania na czele wypraw wojennych. Ważnym powodem była też niemożność dłuższego utrzymania dworu w jednym miejscu wobec ograniczonych możliwości gromadzenia zapasów. Oczywiście monarcha posiadał siedzibę, w której przebywał najczęściej, i ją można nazwać stolicą. W okresie rządów Kazimierza Odnowiciela i Bolesława Szczodrego był nią Kraków. Należy jednak pamiętać, że nie była to stolica w dzisiejszym rozumieniu tego słowa, czyli siedziba centralnych urzędów administracji. Wszyscy urzędnicy podróżowali z władcą, można więc powiedzieć, że stolica była tam, gdzie aktualnie przebywał monarcha.

Urzędy dworskie

W omawianym okresie nadal nie było rozdziału między urzędami dworskimi, przeznaczonymi do obsługi monarchy, a urzędami państwowymi, którym podlegały sprawy państwa – urzędnicy dworscy wypełniali równocześnie funkcje ogólnopaństwowe. Najważniejszym spośród nich był komes pałacowy, czyli palatyn. Był to faktyczny zastępca władcy w sprawach zarządzania państwem i sądownictwa, jednakże jego główną powinnością było dowodzenie wojskiem, stąd zwano go wojewodą. Pierwszym znanym ze źródeł wojewodą był Sieciech, działający u boku Władysława Hermana. O jego potędze świadczy fakt bicia własnej monety. Sieciech dysponował również własnym oddziałem zbrojnym.

Wśród innych urzędników można wymienić: cześnika, zarządzającego piwnicą władcy (za czasów Mieszka II miał nim być Miecław); stolnika, odpowiedzialnego za organizację uczt i aprowizację dworu; łowczego, organizującego polowania, które były jednocześnie ważnym źródłem zaopatrzenia w żywność, ćwiczeniem w posługiwaniu się bronią i rycerską rozrywką; koniuszego, dbającego o stajnie; skarbnika, troszczącego się o skarb władcy i archiwum. Wzrost roli administracji i dokumentacji pisanej spowodowały, że coraz ważniejszą pozycję zajmował u boku władcy kanclerz, zarządzający jego kaplicą, a następnie kancelarią. Do jego kompetencji należała też m.in. polityka zagraniczna.

Urzędy te działały również na dworach młodszych książąt (juniorów). Gdy podział dzielnicowy utrwalił się, utrwaliła się też struktura urzędów w poszczególnych dzielnicach. Z czasem na mianowanie urzędników coraz większy wpływ uzyskały lokalne elity polityczne, a oni sami stali się rzecznikami ich interesów, nie zaś reprezentantami władcy. W ten sposób doszło do przekształcenia urzędów dworskich w ziemskie.

◄ WŁADCA JAKO SĘDZIA ukazany w biblijnej scenie sądu Piłata. Nagi miecz – symbol sprawiedliwości i władzy królewskiej – dzierżony był przez urzędnika zwanego miecznikiem. W otoczeniu cesarza rolę taką pełnili podlegli mu władcy, np. książęta Czech, a podczas zjazdu w Merseburgu w 1135 r. – Bolesław Krzywousty.

„ZŁOTY KODEKS GNIEŹNIEŃSKI", BAWARIA, NIEMCY, 2 POŁ. XI W., AA GNIEZNO, FOT. RS

HEŁMÓW ► używali tylko nieliczni wojowie. Ze względu na koszt pozwolić sobie na nie mogli jedynie możni lub członkowie przybocznej drużyny księcia. Innym zawsze jeszcze pozostawała możliwość zdobycia hełmu na pokonanym wrogu.

JEZIORO ORCHOWSKIE, XI W., ZBIORY PRYWATNE, FOT. TB

▲ DENAR SIECIECHA wybity został zapewne w Krakowie lub w okolicy Morawicy. Na awersie ma znak Sieciecha, na rewersie niezrozumiałą plątaninę kresek. Czy ta bezprecedensowa moneta była przejawem dążeń wojewody do przejęcia władzy książęcej, czy przeciwnie – powstała za zgodą księcia? Spór w nauce trwa.

PRZED 1100, MN KRAKÓW, FOT. MM

Kasztelanie

Władca łączył w swej osobie trzy funkcje: najwyższego wodza, właściciela i zarządcy gospodarczego oraz prawodawcy. Nie mógł jednak być wszędzie, dlatego dla sprawnego zarządu państwem musiał powołać swoich lokalnych przedstawicieli. Stali się nimi kasztelanowie, osadzani na ważniejszych grodach.

Kasztelanowie byli lokalnymi dowódcami wojskowymi, utrzymywali porządek na podległym sobie obszarze, zbierali i przechowywali daniny oraz sprawowali sądy w imieniu władcy. Otrzymywali trzecią część dochodów władcy z ich okręgów grodo-

Namiestnicy prowincji

Relacja Galla Anonima o konflikcie części możnowładztwa z wojewodą Sieciechem, w którym panowie wykorzystali wydobytego „po kryjomu [...] z klasztoru mniszek" Zbigniewa (odsuniętego od następstwa tronu najstarszego syna Władysława Hermana), dużo mówi nam o roli i pozycji namiestników prowincji: „Posłali [przeciwnicy Sieciecha] do komesa wrocławskiego, imieniem Magnus, poselstwo w te słowa: »Co do nas, komesie Magnusie, to bawiąc na obczyźnie [tzn. w Czechach i Niemczech] jakoś znosimy zniewagi ze strony Sieciecha, lecz tobie, Magnusie, któremu tytuł książęcy więcej przynosi chluby niż władzy, żałośnie współczujemy, skoro masz [tylko] trudy związane z władzą, ale nie władzę samą, bo nie śmiesz wydawać rozkazów przystawom Sieciecha. Lecz jeżelibyś chciał zrzucić z karku jarzmo niewoli, przyjmij spiesznie pod tarczę swej obrony młodzieńca [Zbigniewa], którego mamy [wśród siebie]«. [...] Usłyszawszy to Magnus długo zrazu wahał się, lecz zasięgnąwszy rady co przedniejszych i znalazłszy ich poparcie, przychylił się do propozycji".

▲ KOŚCIOŁY TARGOWE

Od schyłku XI w. na terenie osiedli targowych powstawały kościoły przeznaczone do obsługi ludności odwiedzającej targ, a niekiedy zapewne także mieszkańców pobliskiego grodu kasztelańskiego – spełniały zatem funkcje późniejszych kościołów parafialnych, których rozwój nastąpił od XIII w.

KOŚCIÓŁ ŚW. MIKOŁAJA W GIECZU – WIDOK OD PŁD. WSCH., XII/XIII W. (NA MIEJSCU ŚWIĄTYNI Z XI W.); KOŚCIÓŁ ŚW. JANA CHRZCICIELA W SIEWIERZU – WIDOK OD PŁN. WSCH., XI/XII W., FOT. RS

Fundacja klasztoru

Pierwszy kontakt między wspólnotą zakonną a otoczeniem świeckim następował przy akcie fundacji, procesie z reguły długotrwałym. Jego faza początkowa, zakończona sprowadzeniem zakonników, mogła trwać nawet kilkanaście lat, a faza „rozwojowa", związana z ostatecznym zagospodarowaniem się tej wspólnoty w nowym otoczeniu i zakończeniem budowy wszystkich niezbędnych pomieszczeń klasztornych – znacznie dłużej.

Jakie były motywy skłaniające wiernych do podejmowania tak dużego wysiłku finansowego i organizacyjnego? Przede wszystkim głęboka wiara. W dokumencie z 1153 r. dla opactwa cysterskiego w Łeknie czytamy słowa co najmniej zaakceptowane przez fundatora, możnowładcę Zbyluta: „część swojej ojcowizny [...], kierowany głęboką wiarą, z pokorą ofiarowałem na chwałę Boga, Szafarza wszelkich dóbr i ku chwale jego Rodzicielki oraz ku czci św. Piotra". Szczególnie dobitnie motywację taką podkreślił w 1175 r. książę śląski Bolesław Wysoki w dokumencie fundacyjnym sławnego opactwa cysterskiego w Lubiążu: „Bośmy ich sobie sprowadzili nie na rolników i budowniczych, ale jako uczonych czcicieli prawdy Bożej i ludzi oddających się kontemplacji spraw niebieskich".

Słowa te każą porzucić przekonanie o użytkowych (ekonomicznych lub kulturowych) motywach fundacji. Założenie klasztoru było przede wszystkim przedsięwzięciem dewocyjnym.

▼ DOKUMENT KOMESA ZBYLUTA

Potwierdzając fundację opactwa cysterskiego w Łeknie, komes określił tu siebie mianem obywatela polskiego („*Poloniae civis*"). Byłby to jeden z pierwszych przejawów budzącej się świadomości społecznej, narodowej i państwowej?

1153, AA GNIEZNO, FOT. RS

wych. Do pomocy mieli urzędników: chorążego, który wiódł gromadzące się rycerstwo do kasztelana, wojskiego, który zastępował kasztelana w dowodzeniu, sędziego grodowego, sądzącego w imieniu kasztelana, oraz włodarza, zajmującego się sprawami gospodarczymi. W XII i XIII w. urzędy te – analogicznie do urzędów dworskich – przekształciły się w urzędy ziemskie i podobnie jak one przetrwały do upadku I Rzeczypospolitej.

Podział na kasztelanie został uzupełniony przez podział terytorium państwa na jednostki wyższego rzędu – prowincje, które pojawiły się co najmniej od rządów Władysława Hermana. Na ich czele stali namiestnicy, często rekrutujący się z grona lokalnych możnych. Ich zadaniem było dowodzenie wojskiem z terenu prowincji. Siedziby namiestników zostały nazwane przez Galla Anonima „pierwszymi siedzibami królestwa" – były to: Gniezno, Kraków, Płock, Sandomierz i Wrocław.

Odbudowa Kościoła

Kryzys lat 30. XI w. zrujnował również organizację kościelną. Według Galla Anonima Gniezno i Poznań, po zniszczeniu przez wojska Brzetysława, „tak długo pozostawały opuszczone, że w kościele św. Wojciecha męczennika [czyli w katedrze gnieźnieńskiej] i św. Piotra apostoła [czyli w katedrze poznańskiej] dzikie zwierzęta założyły swe legowiska". Można przypuszczać, że podobnie wyglądały inne kościoły w Wielkopolsce, najbardziej zniszczonej części Polski.

Odbudowa Kościoła polskiego rozpoczęła się w biskupstwie krakowskim, jedynym ocalałym z kryzysu. Kazimierz Odnowiciel wykorzystał swoje związki rodzinne z arcybiskupem kolońskim Hermanem i sprowadził z jego diecezji mnichów benedyktyńskich, którzy, osadzeni pierwotnie na Wawelu, zostali później przeniesieni do wybudowanego dla nich opactwa w Tyńcu.

Biskupem krakowskim został mnich Aron, pochodzący zapewne z opactwa w Brauweiler, rodowej fundacji Ezzonidów (rodu Rychezy, matki Kazimierza). Uzyskał on godność arcybiskupa. Przypuszczalnie był to jedyny w tym czasie hierarcha w polskim Kościele. Tytuł miał mu umożliwić wyświęcanie biskupów na opuszczone biskupstwa oraz podkreślić ciągłość istnienia polskiej prowincji kościelnej; nie oznaczał natomiast podniesienia Krakowa do rangi metropolii.

Zadaniem Arona było m.in. odnowienie metropolii gnieźnieńskiej. Zajęło mu to kilkanaście lat. Odbudowaną katedrę konsekrowano w 1064 r., lecz arcybiskupstwo przywrócono dopiero w 1075 r. Objęło ono biskupstwa wchodzące w jego skład przed kryzysem – gnieźnieńskie, poznańskie, krakowskie i wrocławskie – oraz nowo powstałe w 1075 r. biskupstwo w Płocku, obejmujące Mazowsze.

W okresie rządów Bolesława Krzywoustego, około 1124 r., powstały dwa nowe biskupstwa: kujawskie dla Kujaw i Pomorza Wschodniego (z siedzibą najpierw w Kruszwicy, potem we Włocławku) oraz lubuskie dla ziem środkowego Nadodrza (z siedzibą w Lubuszu). Planowano też utworzenie biskupstwa dla Pomorza Zachodniego, które powstało jednak już po śmierci tego władcy, w 1140 r. Jego siedziba mieściła się najpierw w Wolinie, a później w Kamieniu. Utrata przez Piastów zwierzchnictwa nad Pomorzem Zachodnim spowodowała, że już pod koniec XII w. diecezja ta zerwała związki z Gnieznem, stając się biskupstwem bezpośrednio podległym papiestwu.

Kazimierz Odnowiciel i Bolesław Szczodry zasłużyli się dla rozwoju sieci opactw benedyktyńskich w Polsce. Pierwszy z nich ufundował co najmniej klasztory w Tyńcu i Mogilnie, drugi – w Lubiniu. Stanowiły one ważne centra religijne, kulturowe i osadnicze, których zadaniem było m.in. wspierać biskupów w pracy duszpasterskiej: tynieckie – krakowskiego, lubińskie – poznańskiego, mogileńskie – gnieźnieńskiego. Kolejne opactwa benedyktynów, a nieco później kanoników regularnych i cystersów, zaczną powstawać w drugiej ćwierci XII w., a prawdziwy rozkwit nowych fundacji przypadnie na drugą połowę tego stulecia.

Od czasów Kazimierza rozpoczął się proces feudalizacji Kościoła. Instytucje kościelne zaczęły uzyskiwać wydzielone dochody z określonych grodów książęcych, oraz, najpierw powoli, później już na wielką skalę, nadania ziemskie. Szybko stały się one podstawowym źródłem potęgi Kościoła, który w ciągu XII w. awansował do rangi największego po władcy właściciela ziemskiego, od końca tego stulecia coraz hojniej obdarzanego zwolnieniami immunitetowymi. Równocześnie, dzięki wprowadzeniu dziesięciny, koszty utrzymania Kościoła objęły ogół wiernych, zobowiązanych do oddawania mu 1/10 plonów z uprawy ziemi.

Mimo ścisłych związków politycznych łączących Polskę Bolesława Szczodrego i Bolesława Krzywoustego z papiestwem, reformy gregoriańskie przyjmowały się powoli. Kościół polski na początku XII w. wciąż pozostawał Kościołem państwowym, w którym biskupów mianowali władcy. Sieć kościołów była słabo rozwinięta, nikły był też kontakt wiernych z chrześcijaństwem. Szybki rozwój sieci kościołów parafialnych miał przypaść na XIII i następne stulecia.

▲ FUNKCJE KOŚCIOŁÓW „PROTOPARAFIALNYCH"
pełniły nie tylko kościoły targowe, mogące pomieścić najwyżej kilkadziesiąt osób, ale i większe od nich kościoły kanonickie (także kolegiaty). W odróżnieniu od ówczesnych kościołów klasztornych były one otwarte dla ogółu wiernych.

WNĘTRZE KOŚCIOŁA ŚW. JANA CHRZCICIELA W SIEWIERZU – XI/XII W.; CHRZCIELNICA – KOLEGIATA ŚW. PIOTRA W KRUSZWICY, 2 POŁ. XII–1 POŁ. XIII W.; FOT. ZŚ

PIERŚCIONKI Z KRZYŻAMI ►
odnalezione w Wielkopolsce stanowią świadectwo upowszechniania się chrześcijaństwa. Mogły należeć do manifestującego swoją wiarę możnego lub duchownego.

OSTRÓW LEDNICKI POW. GNIEZNO, XI–XII W., MPPP GNIEZNO, FOT. RS

▼ ORGANIZACJA KOŚCIOŁA W POLSCE W XII W.

WG M. DERWICHA RYS. JG

- granice metropolii gnieźnieńskiej
- archidiecezja gnieźnieńska
- biskupstwo poznańskie
- biskupstwo krakowskie
- biskupstwo wrocławskie
- biskupstwo płockie
- biskupstwo kujawskie
- biskupstwo lubuskie
- biskupstwo pomorskie
- siedziba arcybiskupstwa
- siedziby biskupstw
- klasztory założone w latach około 1050–1138
- klasztory założone w latach 1138–około 1200
- 1000 data założenia
- przeniesienie siedziby biskupstwa lub konwentu

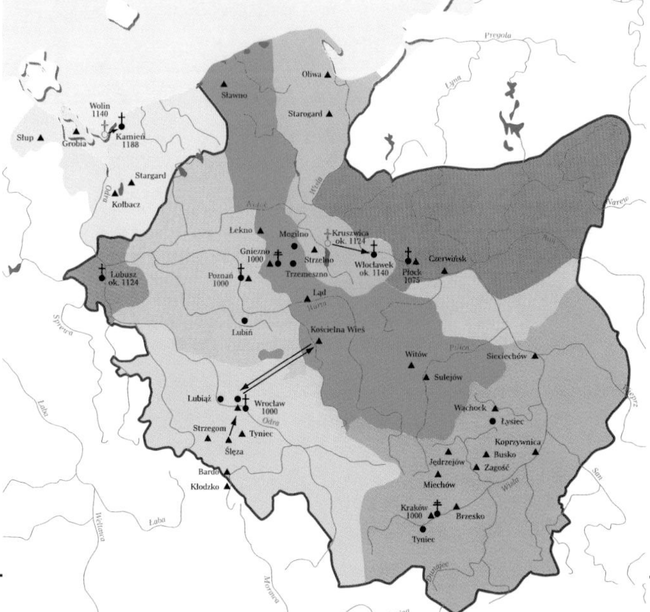

ŻYCIE W GRODZIE

Zamieszkiwanie wczesnopiastowskiego grodu oznaczało życie za wysokimi umocnieniami. Wiązały się z tym pewne niedogodności, wynikające z konieczności stałego przebywania w dużym skupisku ludności i oszczędnego gospodarowania powierzchnią. Rekompensowały je poczucie bezpieczeństwa oraz korzyści płynące z przebywania w otoczeniu ówczesnych elit.

Głównym elementem grodowego krajobrazu były przysadziste sylwetki zwartego układu drewnianych domostw, ponad którymi wznosiły się masywne bryły murowanej rezydencji książęcej i kościoła. Obowiązywał wówczas model parterowego, jednoizbowego budynku mieszkalnego ze zrębową lub plecionkową konstrukcją ścian i lekkim, zapewne słomianym dachem. Takiemu domostwu, o przeciętnej powierzchni 15–25 m^2, towarzyszyły pomniejsze zabudowania o przeznaczeniu gospodarczym, wśród których można wymienić rozmaite szopy, stajnie i chlewiki dla zwierząt trzymanych bezpośrednio przy domu. Niekiedy obok domów sytuowano wkopane w ziemię budynki półziemiankowe, służące jako chłodnie lub wędzarnie, czy zabudowania pełniące specjalne funkcje – np. łaźnie.

Największe grody odznaczały się w XI–XII w. już dosyć rozbudowanym układem komunikacyjnym. Pomiędzy głównymi strefami zabudowy mieszkalnej i innymi częściami infrastruktury grodowej o znaczeniu militarnym lub reprezentacyjnym zakładano ciągi ulic. Ponieważ podłoże wnętrza grodu, w miarę jego zamieszkiwania, stawało się coraz bardziej grząskie i niestabilne, wykonywane z desek nawierzchnie ulic wspierały się na masywnych podkładach z belek. Dzięki takiemu rozwiązaniu uzyskiwano w miarę równe powierzchnie ulic, o szerokości dochodzącej do 3,5 m. Przemierzały je typowe dla tych czasów dwukołowe wozy ciągnięte przez woły lub konie.

Dość istotną rolę w topografii grodu pełniły place. Były to miejsca spotkań, wymiany informacji, zawierania transakcji handlowych, rozładunku i podziału sprowadzanych z zewnątrz dóbr. Można przypuszczać, z uwagi na ciasnotę budynków mieszkalnych, że to właśnie na placach i ulicach grodu uwidaczniała się cała różnorodność i koloryt życia codziennego wczesnośredniowiecznych mieszkańców grodu. Potwierdzają to wykopaliska archeologiczne – pod deskami ulic nierzadko znajdowano zagubione najprzeróżniejsze przedmioty. Były wśród nich monety, drewniane i kościane fujarki, gwizdki, igły i szydła, strzępy skórzanego obuwia, rogowe grzebienie, szklane pierścionki i paciorki czy kościane łyżwy.

▲ ZABUDOWA WNĘTRZA GRODU WROCŁAWSKIEGO
składała się z różnych konstrukcyjnie, acz podobnych wielkością budynków. Jej główną cechę stanowił krótki (do 15 lat) okres użytkowania. Nowe domy stawiano wyżej, na narosłej uprzednio warstwie śmieci. W ten sposób poziom powierzchni użytkowej w ciągu 300 lat podniósł się o kilka metrów.
XI–XII W., WG C. LASOTY, Z UZUPEŁNIENIAMI, RYS. AKW

▼ ZACHOWANY W NIEMAL PIERWOTNEJ WYSOKOŚCI WAŁ
jest przykładem oszczędnego gospodarowania – przy jego wznoszeniu wykorzystano pozostałości umocnień z wczesnej epoki brązu. Ważną rolę przy budowie grodów pełniły też naturalne wzniesienia lub przeszkody terenowe.
TRZCINICA POW. JASŁO, OK. 770–1030, FOT. JGAN

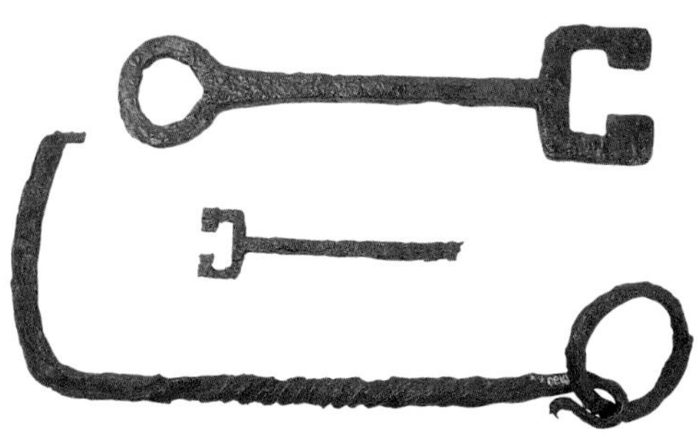

◄▲ KLUCZE
licznie znajdowane w grodziskach świadczą, że nie pozostawiano domów otworem, bez opieki. Obok kluczy prostych, podobnych do dzisiejszych wytrychów, zdarzały się też klucze o skomplikowanej budowie.
OPOLE, OK. POŁ. XII W., IAiE PAN WROCŁAW, DEPOZYT W MŚO OPOLE; OSTRÓW LEDNICKI POW. GNIEZNO, POŁ. X–POŁ. XI W., MPP NA LEDNICY; FOT. RS

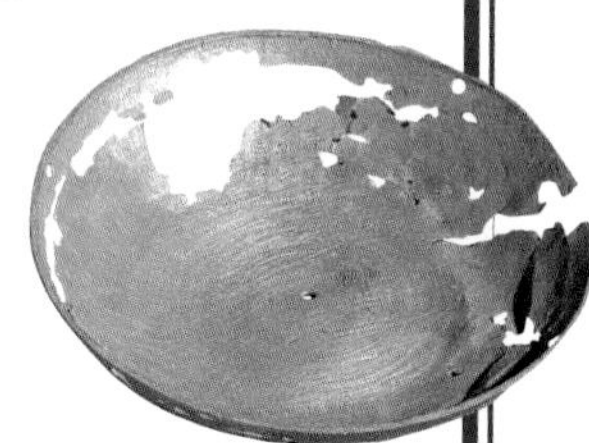

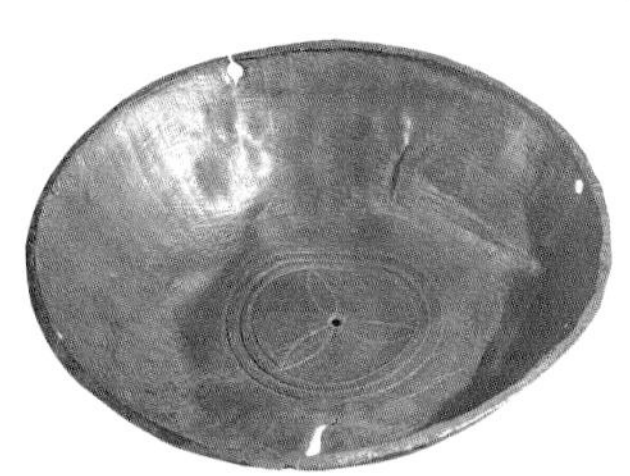

▲ CECHOWANY ODWAŻNIK I SZALKI WAGI,
niezbędne do zawierania wielu transakcji handlowych, poświadczają co najmniej okresową obecność kupców we wczesnośredniowiecznych grodach.
GIECZ, WCZESNE ŚREDNIOWIECZE, MPP NA LEDNICY O/GIECZ, FOT. RS; WROCŁAW OSTRÓW TUMSKI, 3 ĆW. XI W., IA UWR, FOT. MM

NACZYNIA ▼►
były często dekorowane: drewniane – głównie nacięciami i plastycznymi ornamentami zoomorficznymi, a gliniane – rytym dookolnym ornamentem, wykonywanym za pomocą rylca lub grzebyka.
OPOLE, WCZESNE ŚREDNIOWIECZE, IAiE PAN WROCŁAW, DEPOZYT W MŚO OPOLE, FOT. RS; OZORKÓW POW. ZGIERZ, OK. 1025?, MAiE ŁÓDŹ, FOT. PC

▲ ZABAWKI
były wykonywane z najtańszych i najbardziej dostępnych materiałów: ścinków skóry i tkanin, a także kory.
OPOLE, KON. X W., IAiE PAN WROCŁAW, DEPOZYT W MŚO OPOLE; GDAŃSK, OK. 1000–1020, MA GDAŃSK; OPOLE, WCZESNE ŚREDNIOWIECZE, IAiE PAN WROCŁAW, DEPOZYT W MŚO OPOLE; FOT. RS

▲ SZCZYPCE ŻELAZNE
są raczej śladem zajęć domowych, a nie, jak dawniej sądzono, rzemieślniczego charakteru grodu opolskiego.
OPOLE, WCZESNE ŚREDNIOWIECZE, IAiE PAN WROCŁAW, DEPOZYT W MŚO OPOLE, FOT. RS

► TRALKI MEBLA,
zapewne łoża. W Opolu zachował się unikalny zespół fragmentów mebli. Poszczególne elementy sprzętów domowych chętnie zdobiono: albo w procesie toczenia, albo ornamentem wycinanym (jak np. boczne ściany tego łoża).
OPOLE, 2 POŁ. XI W., IAiE PAN WROCŁAW, DEPOZYT W MŚO OPOLE, FOT. RS

▲► SKARB SREBRNY
pospiesznie ukryty w pobliżu wału, zapewne krótko przed zajęciem grodu przez wrogów, nie został już podjęty przez właściciela. Grodu nigdy nie odbudowano. Potężne fortyfikacje nie zapewniały przeto mieszkańcom pełnego bezpieczeństwa.
TRZCINICA POW. JASŁO, PO 1026, FOT. MM

W STRONĘ MORZA

BRACIA

**„A niechby się obecni
i przyszli wystrzegali
by równi, a zwaśnieni
Królestwem nie władali”**

▲ RELIKTY PAŁACU
w Płocku, w formie wieży mieszkalnej, wiązanego z osobą Władysława Hermana. Tego typu rezydencje pojawiają się w Europie w XI w., jednak ich upowszechnienie przypada na czasy późniejsze. Także materiał budowlany (oprócz granitowej kostki cegła bizantyjska) sugeruje przeniesienie datowania wieży na czasy rządów synów, a być może nawet wnuków Hermana.
4 ĆW. XI–POŁ. XII W., FOT. MM

▲ DENARY WŁADYSŁAWA HERMANA
nawiązywały do monet jego starszego brata. Umieszczenie na nich motywów skopiowanych z denarów królewskich Bolesława Szczodrego – wyobrażeń głowy księcia i trójwieżowej budowli – świadczy o znaczeniu, jakie Herman przywiązywał do legitymizacji zdobytej władzy.
1079–1102, MAiE ŁÓDŹ, FOT. MM

Płock grodem naczelnym

Według Galla Anonima książę Władysław „zawsze najchętniej przemieszkiwał na swym Mazowszu” – a więc w Płocku, gdzie też został pochowany. Zatem za jego rządów to Płock, a nie Kraków, spełniał rolę stolicy Polski. Kronikarz zawsze wymienia najważniejsze grody Polski („*sedes regni principales*”) razem, żadnego nie wyróżniając. Były to stolice prowincji państwa, w czasach Władysława Hermana w liczbie pięciu (Gniezno, Kraków, Płock, Sandomierz, Wrocław), zarządzane bądź przez członków dynastii – książąt panujących – bądź przez komesów-namiestników możnowładczego pochodzenia. Władca, często objeżdżający kraj, obierał sobie dowolnie główną siedzibę. Wybór Płocka przez Władysława nie był więc naruszeniem zwyczaju. Na jego decyzję wpłynął fakt, że był to naczelny gród jego dzielnicy. Z takich samych względów Bolesław Krzywousty ustalił później stolicę swojego państwa w Krakowie. Dopiero jego statut regulujący następstwo tronu, w którym na siedzibę władcy zwierzchniego wyznaczono Kraków, miał utrwalić stołeczność podwawelskiego grodu.

Zaniechana korona

Objęcie władzy przez Władysława Hermana przypadło na czas przełomu w walce o inwestyturę między niemieckim królem (a od 1084 r. cesarzem) Henrykiem IV a papieżem Grzegorzem VII. Pierwszy z nich, po pokucie w Canossie uwolniony od klątwy, wykorzystał to do rozprawienia się z opozycją w Niemczech, a następnie wystąpił przeciw papieżowi, wkraczając z wojskiem do Włoch. Grzegorz VII, nie mogąc utrzymać się w Rzymie, uciekł do Salerno.

Ideowa strona tej walki była chyba obojętna Kościołowi w Polsce, działającemu na kresach chrześcijaństwa i pozostającemu Kościołem państwowym, w którym jeszcze przez 100 lat biskupów powoływać miał monarcha. Dla polityki dworu piastowskiego liczyła się natomiast siła władzy cesarza w Niemczech. Zwycięstwa Henryka IV zmieniły kierunek tej polityki. Inaczej niż starszy brat, Władysław nie myślał się koronować. Po śmierci Bolesława Szczodrego utrzymanie chwilowo zdobytej przez niego korony nie było możliwe. W opinii polskiej elity politycznej Królestwo Polskie trwało jednak nadal, nawet pod niekoronowanymi władcami. Zawsze królestwem zwie Polskę Gall Anonim, a za nim późniejsi kronikarze.

WRATYSŁAW II ► w dowód uznania zasług oddanych cesarzowi Henrykowi IV otrzymał od niego w 1085 r. na synodzie w Moguncji, jako pierwszy z władców czeskich, dożywotni tytuł królewski.
ROTUNDA ŚW. KATARZYNY W ZNOJMIE, CZECHY, PO 1134

Groźba dla Piastów

Zmienionej sytuacji odpowiadały dwa małżeństwa Władysława, lokujące go w obozie cesarskim. Pierwsze zawarł z Judytą Czeską, córką księcia (potem króla) czeskiego Wratysława II, gorliwego stronnika Henryka IV. Była to matka Bolesława zwanego Krzywoustym, po którego urodzeniu (w 1086 r.) wkrótce zmarła. W 1088 r. pojął znaną nam już Judytę Salicką, siostrę Henryka IV i wdowę po węgierskim królu Salomonie. Miał z nią trzy córki.

Między jednym a drugim ślubem wszedł jednak Władysław w porozumienie ze sprzymierzeńcem papieży, królem węgierskim Władysławem. W 1086 r. wezwał do kraju swego bratanka, Mieszka, jedynego syna Bolesława Szczodrego, przebywającego na dworze węgierskim od czasu wygnania ojca. Uznał jego prawa dynastyczne i wyswatał z księżniczką ruską. Sojusz z Rusią i Węgrami jest sygnałem podjęcia próby bardziej samodzielnej, niezależnej od Niemiec polityki polskiego dworu. Trwała ona wszakże krótko, a kolejny zwrot sygnalizuje małżeństwo Władysława z Judytą Salicką oraz tajemnicza śmierć Mieszka już w 1089 r. – królewicz zmarł nagle, podczas uczty, co wywołało podejrzenie o otrucie. Gall Anonim o zamordowanie Mieszka oskarża stronnictwo dawnych przeciwników Szczodrego, obawiających się zemsty syna za krzywdy ojca. Na ich czele stał wszechwładny wojewoda Sieciech, domniemany buntownik przeciwko władzy króla Bolesława. Z nim właśnie związała się politycznie Judyta Salicka, a ich wspólne działania doprowadziły do usunięcia z kraju najstarszego syna Władysława Hermana, zrodzonego z nałożnicy Zbigniewa, który został odesłany – pod pretekstem kształcenia – do klasztoru w Saksonii. Wydarzenia te były początkiem wstrząsów w łonie dynastii. Przybierały one niekiedy postać wojny domowej. Wichrom, które rozpętały się nad krajem, nie umiał zapobiec dobroduszny, jak się zdaje, lecz nieudolny władca.

W opinii informatorów Galla Anonima Sieciech, kierowany chciwością, sprawował władzę okrutnie i niesprawiedliwie, ingerując w zarząd prowincjami. Stosowane przezeń represje wzbudziły opór;

O synu Bolesława

„Miał król Bolesław syna, Mieszkiem nazwanego, / Który zacnością dosiągłby swych przodków chwały, / Gdyby Parki zawistne mu w młodzieńczych latach / Nici żywota srogim cięciem nie przerwały. / Tegoż chłopca władca węgierski Władysław / Po ojca zgonie na swym dworze godnie chował / I jak syna własnego, ojcowską mu łaskę / We wszystkim okazując, wielce umiłował. / Przedziwnie chłopiec ów swych rówieśników / Pięknem i szlachetnością, Węgrów i Polaków / Przewyższał, serca wszystkich skłaniając ku sobie / Wśród widocznych przyszłego panowania znaków. / Przeto książę Władysław, stryj jego rodzony / Przywołał go do Polski, z Rusinką zaślubił. / On, mądrze zachowując przodków obyczaje / Zyskał miłość Polaków; Mieszkiem kraj się chlubił. / Lecz los, wrogi śmiertelnym, w radość ból wprowadził / I nadzieję lat młodych bezlitośnie zgładził. / Mówią bowiem, że jacyś zawistni rywale, / By nie mógł mścić krzywd ojca, trucizną zabili / Młodzieńca tylu zalet! i takich zdolności! / I ledwie uszli śmierci ci, którzy z nim pili" – pisał prozą rymowaną o jedynym synu Bolesława Szczodrego Gall Anonim.

▼ TZW. DOKUMENT PRASKI, wystawiony przez cesarza Henryka IV w 1086 r. Od dawna jest obiektem dyskusji naukowych, których celem jest datacja zawartego w dokumencie opisu granic praskiej diecezji. Przypuszcza się, że opis został przejęty ze starszego o wiek dokumentu i odpowiada stanowi z lat 70.–80. X w. Zawiera m.in. wykaz nazw plemion śląskich.
BSA WÜRZBURG

◄ KOŚCIÓŁ ŚW. IDZIEGO W INOWŁODZU
stanowi zapewne jedną z fundacji dziękczynnych Władysława Hermana po narodzinach długo oczekiwanego syna. Wierzono, że książę dostąpił łaski po tym, jak wysłał do grobu świętego „posąg ze złota wielkości dziecka".
WIDOK OD PŁD. ZACH., XI/XII W., FOT. RS

▲ OFIAROWANIE W ŚWIĄTYNI
na miniaturze z *Ewangeliarza kruszwickiego*. Dzieci, które miały się urodzić w sposób cudowny, w wyniku interwencji Najwyższego, uznawano za stworzone do wielkich zadań. Mistrz Wincenty tak pisał o długo oczekiwanym przyjściu na świat Bolesława Krzywoustego: „wschodzi więc gwiazda o niezwykłym blasku, wydobywa się złota kolumna, rodzi się trzeci Bolesław".
SAKSONIA, NIEMCY, OK. 1160–1170, AA GNIEZNO, FOT. RS

◄ PIECZĘĆ WŁADYSŁAWA HERMANA
przypomina denar Bolesława Szczodrego. W obu wypadkach przedstawiono tronującego władcę z obnażonym mieczem na kolanach. Zapewne podobnie wyglądały niezachowane pieczęcie Bolesława Krzywoustego i jego synów.
1087–1095?, BSA BAMBERG

▼ KOLEGIATA ŚW. PIOTRA W KRUSZWICY
Mieszkańcy Kruszwicy drogo zapłacili za poparcie udzielone Zbigniewowi w walce z ojcem. Według Galla Anonima „Kruszwica, opływająca przedtem w bogactwa i w rycerstwo, zamieniła się nieomal w pustynię". Jej odrodzenie wiąże się z powstaniem w czasach Bolesława Krzywoustego katedry (potem kolegiaty) i rozwojem rzemiosł. Jednak zniszczonych w 1096 r. wałów grodu nigdy nie odbudowano.
WIDOK OD PŁD. WSCH., 2 ĆW. XII W., FOT. RS

wygnańcy i uchodźcy potajemnie wydostali z klasztoru Zbigniewa jako sztandar swej opozycji. Dzięki poparciu komesa wrocławskiego Magnusa uzyskali w 1093 r. Śląsk, gdzie Zbigniew objął rządy w roli księcia dzielnicowego. Po nieudanej próbie orężnego stłumienia buntu ojciec niechętnie uznał panowanie syna, w końcu jednak podkopał je Sieciech – intrygą, przeciągając na swą stronę większość wielmożów śląskich. W obliczu nowej wyprawy zbrojnej księcia Władysława, nie wierząc w możliwość oporu, Zbigniew zbiegł chyłkiem do Kruszwicy, gdzie go gorliwie przyjęto.

Kruszwicki ów epizod skończył się jednak pogromem w 1096 r., a nieszczęsny junior znalazł się w niewoli ojcowskiej. Więziony czas jakiś, został uwolniony na prośbę biskupów i dostojników podczas ponownej konsekracji katedry gnieźnieńskiej w 1097 r. Niebawem Władysław, ustępując wspólnemu żądaniu obu synów, wyznaczył im dzielnice: Zbigniewowi Wielkopolskę, Bolesławowi Śląsk. Było to zgodne ze zwyczajem; wbrew niemu natomiast książę uchylił się od wskazania następcy, zarządzając równy podział państwa po swej śmierci. Zbigniew miał uzupełnić swój dział Mazowszem, Bolesław zaś Małopolską. Postanowienie to zmieniało na przyszłość Polskę z monarchii w diarchię (dwuwładztwo).

Zanim jednak do tego doszło, kraj przeżył jeszcze jedną wojnę domową. Wszczęli ją obaj synowie książęcy, dążąc do usunięcia Sieciecha. Wojewoda ograniczał bowiem władzę juniorów w dzielnicach, mianując bez ich zgody urzędników. Wywołane tym poczucie zagrożenia skwapliwie podtrzymywało drużynnicze otoczenie młodych książąt. W usta jego przedstawicieli Gall Anonim kładzie oskarżenie Sieciecha o zamiar wygubienia całego rodu Piastów, aby po śmierci Hermana przejąć pełnię władzy. Głównym przeciwnikiem Sieciecha w otoczeniu Bolesława był Skarbimir, piastun młodego księcia. Działania wojenne (w tym zajęcie przez wojska Bolesława Sandomierza i Krakowa) przerywały układy między ojcem a synami, w których Władysław zobowiązywał się do zdjęcia Sieciecha z urzędu, a których jednak nie dotrzymywał. Ostatecznie w 1100 r. młodzi książęta zmusili ojca do wygnania Sieciecha z Polski.

Dwuwładza

Zgoda i współdziałanie Zbigniewa i Bolesława zakończyły się z chwilą śmierci ojca, 4 VI 1102 r. Jeszcze przed pogrzebem powstał między nimi spór – „o podział skarbów i Królestwa", jak pisze Gall Anonim. Wówczas pogodził ich arcybiskup Marcin, ściśle według zarządzeń zmarłego księcia. Każdy z braci przejął więc połowę Polski – Zbigniew północną, Bolesław południową. Przyszłość tak rozdwojonego państwa (uważanego wciąż za jedną całość) zależała od dalszego stosunku do siebie obu równych sobie współrządców.

Obaj jednak, a głównie ich doradcy, zmierzali do analogicznego, a tym samym przeciwnego celu. Było nim zastąpienie niewygodnej diarchii jedynowładztwem, przy ograniczeniu władzy brata najwyżej do dzielnicy. Drogą do tego celu były dla każdej ze stron przymierza z sąsiadami. Już w listopadzie 1102 r. wielki książę kijowski Świętopełk II wyprawił do Polski córkę Zbysławę, która poślubiła 16-letniego Bolesława. Zbigniew zawarł sojusz z książętami: czeskim (Borzywojem II) i morawskim (Świętopełkiem), których wojska wtargnęły na Śląsk. Jednak jego sojusz z Czechami chwilowo rozerwał Skarbimir, pierwszy dostojnik Bolesława, sumą 1000 grzywien. Stałymi sprzymierzeńcami Zbigniewa byli pogańscy Pomorzanie, na dworze Bolesława uważani za głównych wrogów. Bolesław natomiast, prócz Rusi, szukał przyjaźni z Węgrami, gdzie jednak trwał konflikt między braćmi: królem Kolomanem i Almosem. Ostatecznie Krzywousty zawarł układ z Kolomanem.

Poświęcona czynom Bolesława kronika Galla Anonima, kreśląc dzieje dwuwładzy, przeciwstawia walki tegoż księcia z Czechami i Pomorzanami w obronie całości państwa wojskowej bierności i dyplomatycznym intrygom Zbigniewa, tajnie zachęcającego owych wrogów do napaści na ziemie brata. Można wierzyć kronikarzowi, że aktywność Bolesława na Pomorzu i przeszkody stawiane mu przez brata stały się przyczyną wzrostu popularności pierwszego z nich oraz niechęci społeczeństwa polskiego do drugiego.

Do decydującej rozprawy doszło w 1106 r. Według Galla Anonima sprowokował ją Zbigniew, zebrawszy wojsko i zwróciwszy się o pomoc do swych sojuszników – księcia czeskiego Borzywoja i Pomorzan. Na wieść o tym Bolesław postąpił podobnie, gromadząc wojów i prosząc o posiłki swego teścia, Świętopełka kijowskiego, oraz króla węgierskiego Kolomana. Zawarłszy pokój z Czechami, uderzył na ziemie brata i przez Kalisz oraz Spicymierz dotarł do jego nowej siedziby – Łęczycy – z której Zbigniew uszedł. Bez walki uznała władzę Bolesława większość Wielkopolski. Tymczasem przybyły doń posiłki ruskie i węgierskie. Dzięki ruskiemu pośrednictwu zawarto pokój, w którym Zbigniew uznał zwierzchnictwo brata, zadowalając się dzielnicą mazowiecką. Dwuwładza dobiegła końca.

▶ KOŚCIÓŁ ŚW. ANDRZEJA W KRAKOWIE,
fundacja wojewody Sieciecha, datowany jest na schyłek XI w. Zarówno plan tej miniaturowej bazyliki, jak i jej fasada zachodnia z horyzontalnym łącznikiem pomiędzy ośmiobocznymi wieżami nawiązują do kościołów Goslaru, rezydencjonalnego miasta cesarskiego. Świadczy to o skali aspiracji fundatora.
WIDOK OD PŁN. ZACH., FOT. MM

▼ DENAR BOLESŁAWA KRZYWOUSTEGO
z pierwszych lat panowania. Książę ukazany został w pozie majestatycznej (na tronie) – wielu Piastów takim właśnie wizerunkiem na pieczęciach i monetach podkreślało fakt objęcia władzy. Napis na obu stronach brzmi: „Denar księcia Bolesława".
MAiE ŁÓDŹ, FOT. MM

▲ WOJNY OJCA Z DORASTAJĄCYMI SYNAMI
nie były specyfiką polską. Na miniaturze widać walczące ze sobą oddziały cesarza Henryka IV z aspirującym do władzy jego najmłodszym synem, późniejszym Henrykiem V.
OTTO Z FRYZYNGI, „KRONIKA, CZYLI HISTORIA DWÓCH PAŃSTW", NIEMCY, 1157–1185, TULB JENA

▼ GRÓD ŁĘCZYCKI
wzniesiony jeszcze w czasach plemiennych, gruntownie przebudowany w X–XI w. W jego pobliżu Zbigniew wzniósł swoją rezydencję. Po jej zajęciu w 1106 r. Bolesław kazał naprawić umocnienia starego, nieużywanego przez brata grodu, który odtąd miał osłaniać jego władztwo od strony Mazowsza.
TUM POD ŁĘCZYCĄ, FOT. RS

▲ WSPÓŁRZĄDY OJCA I SYNÓW
zdarzały się też w cesarstwie. Miniaturzysta przedstawił tu Henryka IV z insygniami władzy cesarskiej oraz jego dwóch synów noszących tytuły królewskie, Henryka (V) i Konrada.
„EWANGELIARZ EMMERAMSKI", RATYZBONA, NIEMCY, 1099–1106 LUB 1106–1111, AKM KRAKÓW, FOT. SM

▲ RELIKTY ROMAŃSKIEJ KOLEGIATY GŁOGOWSKIEJ,
zapewne jedynego kościoła w tym ważnym grodzie. Jak zapisał Gall Anonim, głogowianie zostali zaskoczeni przeprawą wojsk cesarskich przez Odrę, gdyż pamiętnego dnia 1109 r. (w uroczystość św. Bartłomieja, 24 VIII) „cały lud miasta słuchał wówczas mszy świętej".
XI/XII W., FOT. PC

O starodawną wolność

Nowy stan rzeczy trwał krótko. Zbigniew nie udzielił pomocy w pomorskiej wyprawie Bolesława; nie zburzył też grodu w Kurowie, do czego zobowiązał go wspomniany pokój. Krzywousty przeto, znów z pomocą ruską i węgierską, na przełomie lat 1107 i 1108 zabrał bratu Mazowsze i wypędził go z kraju. Wygnaniec udał się do Czech, do księcia Świętopełka, który wcześniej usunął z tronu pogodzonego z Bolesławem Borzywoja. Otworzyło to drogę wojnie czesko-polskiej, toczonej przemiennie z działaniami na granicy z Pomorzem.

Okazało się, że sprawa jedności kraju wiąże się z kwestią jego niezależności. Wykorzystując wypędzonych z Węgier i Polski pretendentów, Almosa i Zbigniewa, król niemiecki (a od 1111 r. cesarz) Henryk V zamierzał obu tym państwom narzucić swoje zwierzchnictwo. W tej sytuacji Koloman i Bolesław ułożyli się, iż w razie inwazji niemieckiej na jednego z nich drugi uderzy na Czechy. We wrześniu 1108 r., gdy wojska niemiecko-czeskie najechały na Węgry i obległy Preszburg (dzisiejszą Bratysławę), siły polskie uderzyły na Czechy, zmuszając najeźdźców do odwrotu.

W rezultacie doszło w roku następnym do wielkiej wyprawy niemiecko-czeskiej na Polskę. Wojnę poprzedziła wymiana poselstw. Henryk V domagał się od Bolesława uznania się za jego lennika i oddania Zbigniewowi „połowy królestwa" (czyli powrotu do dwuwładzy lat 1102–1106), dla siebie zaś trybutu 300 grzywien rocznie lub tyluż ciężkozbrojnych wojów. W odpowiedzi książę polski proponował jedynie dobrowolną pomoc pieniężną lub wojskową dla dobra Kościoła, co nie zadowoliło Henryka.

Wojna polsko-niemiecka toczyła się w sierpniu i wrześniu 1109 r., a jej obszarem był Śląsk. Szczegółowy opis zawdzięczamy Gallowi Anonimowi, który przedstawił ją jako walkę o ocalenie „starodawnej wolności Polski". Najważniejszym epizodem wojny była długotrwała, bohaterska i skuteczna obrona Głogowa, gdy tymczasem główne siły polskie pod wodzą samego księcia, znajdujące się zawsze nieopodal wojsk niemiecko-czeskich, rozbijały oddziały wroga wysyłane po łup i żywność. Wreszcie z częścią sił postąpił Henryk V pod Wrocław; tu doszło do jakiejś niepomyślnej dla niego potyczki, przez późniejsze kroniki polskie rozsławionej jako zwycięstwo na Psim Polu.

Zmęczenie najeźdźców, jesienne chłody, a także ciągnący się wciąż spór o inwestyturę skłoniły króla niemieckiego do odwrotu. Przyczyną bezpośrednią stało się dokonane w obozie wojskowym zabójstwo czeskiego księcia Świętopełka – zemsta za ini-

Psie Pole

„To posłyszawszy, na Wrocław cesarz się wyprawił, / Gdzie nic nie zyskał, tylko poległych zostawił" – krótkie to zdanie z kroniki Galla Anonima dało początek epopei Psiego Pola w późniejszym dziejopisarstwie polskim. Mistrz Wincenty rozbudował je w obszerne opowiadanie o bitwie tam właśnie stoczonej. Miało ono wyjaśnić genezę nazwy, którą owa podwrocławska wieś nosiła już w XIII w. Otóż „dzielni Ślężanie", odmówiwszy najeźdźcy trybutu, pod wodzą Krzywoustego rozpoczęli walkę o świcie jakiegoś dnia, którego kronikarz datą nie określił. W bitwie tej Niemcy górowali liczbą, Polacy odwagą. Przełomowym epizodem okazała się symulowana ucieczka jakiegoś śląskiego oddziału, który zwabił ścigających go wrogów w zasadzkę, doprowadzając do zamieszania w szykach najeźdźców. Rozpoczęła się rzeź i bezładna ucieczka tychże wojsk. Reszty dopełniły zatrute strzały Połowców, których Wincenty umieścił w szeregach Bolesława, choć Gall nic o tym nie wspominał. W efekcie „zbiegła się tam niezmierna sfora psów, które pożerając tyle trupów wpadły w jakąś szaloną dzikość, tak że nikt nie śmiał tamtędy przejść, i dlatego owo miejsce nazywa się Psim Polem".

cjowaną przez niego rzeź czeskiego rodu Wrszowców. Badacze nie są zgodni, czy wojnę tę zakończył jakiś układ pokojowy. Źródła o nim milczą; Gall Anonim wspomina, że Henryk nie otrzymał żądanego trybutu, rocznikarze niemieccy zaś, że z najechanej Polski wywiózł łupy.

Nieodwracalna szkoda

Po fiasku nadziei związanych z wyprawą Henryka V Zbigniew ze swymi stronnikami znalazł się znów w Czechach, gdzie po śmierci Świętopełka tron objął kontynuujący jego politykę Władysław, brat Borzywoja. Ponieważ przychylny Krzywoustemu Borzywoj został uwięziony w Niemczech, książę polski poparł najmłodszego brata obu tych książąt, Sobiesława, który zbiegł do Polski. Bolesław domagał się dzielnicy dla niego, a Władysław czeski – dla Zbigniewa. Obaj pretendenci walczyli wówczas w wojskach swych protektorów. Najlepiej znanym ze źródeł epizodem tej wojny jest wyprawa polska do Czech jesienią 1110 r., zakończona zwycięstwem nad Trutiną.

Obie strony porozumiały się na początku 1111 r. Władysław wydzielił młodszemu bratu dzielnicę żatecką; równocześnie do Polski wrócił Zbigniew, aby tu dostać jakieś grody. Powrót ten okazał się jednak dlań tragedią. Już bowiem trzeciego dnia został pochwycony i oślepiony z rozkazu Bolesława, za namową „jakichś rozumnych", którzy rzucili nań podejrzenie o przygotowywanie zamachu na brata. Prawdopodobnie chodzi tu o dawnych wrogów Zbigniewa – ród Awdańców z wojewodą Skarbimirem na czele. Fakt oślepienia znamy z czeskiej kroniki Kosmasa; Gall Anonim pisze tylko o „nieodwracalnej szkodzie", za którą Bolesław, uniesiony wówczas gniewem, zawsze miał żałować.

„Nieodwracalność" owej szkody skłoniła wielu badaczy do przekonania, że w wyniku zadanego mu kalectwa Zbigniew niebawem zmarł. Ani milczenie o tym Kosmasa, ani słowa Galla Anonima (m.in. o pojednaniu się braci) nie pozwalają na taki wniosek. Uwzględniając późniejszą kronikę mistrza Wincentego, można przyjąć, że po odzyskaniu wolności Zbigniew znów opuścił Polskę, tym razem na zawsze.

Oślepienie Zbigniewa wywołało wzburzenie w kraju. Z retorycznego wywodu Galla Anonima wynika, że Krzywousty podległ cenzurom kościelnym (ekskomunice?), co mogło nań sprowadzić utratę tronu. Wówczas odbył pielgrzymkę pokutną na Węgry, głównie do grobu św. Stefana w Székesfehérvár i do opactwa św. Idziego w Somogyvár. Po powrocie do kraju zakończył swą pokutę u grobu św. Wojciecha w Gnieźnie na Wielkanoc 1112 r.

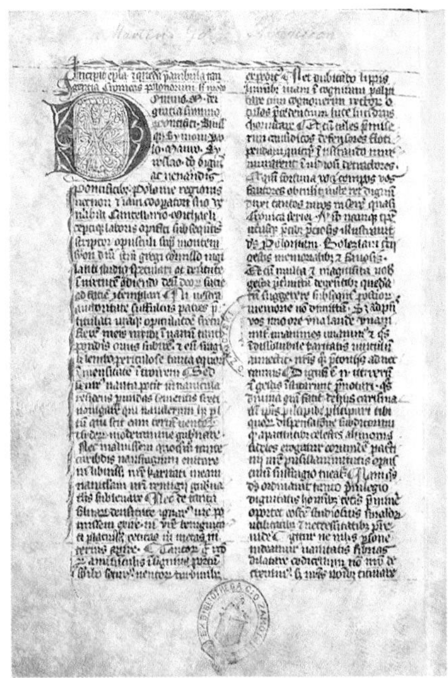

▲ GALL ANONIM
w pełni zasługuje na miano ojca polskiego kronikarstwa, jednak jego kronika przetrwała do naszych czasów w zaledwie trzech rękopisach średniowiecznych. Ta karta pochodzi z najstarszego z nich, datowanego na czas po 1340 r. Korzystali z niego m.in. XV-wieczni dziejopisarze Sędziwój z Czechła i Jan Długosz.
PIERWSZA STRONA KRONIKI GALLA ANONIMA, „KODEKS ZAMOYSKICH", XIV W., BOZ WARSZAWA, DEPOZYT W BN WARSZAWA

◄ BRAKTEAT PROTEKCYJNY
Bolesława Krzywoustego przedstawia księcia oddającego się pod opiekę św. Wojciecha (imiona obu zawarte są w legendzie). To niezwykłe w owym czasie przedstawienie wiązane jest z kryzysem władzy w ostatnich latach rządów Bolesława.
1135–1138, MAiE ŁÓDŹ, FOT. MM

Krzywousty w opinii przyjaciół i wrogów

Według Galla Anonima „Bolesław wielki książę, w królestwie swym panuje / I gotów jest do wojny jak lew, gdy wroga czuje. / Kto stawi opór, przegra; nic go nie uratuje. [...] Dla niego nie ma wroga, który go przemóc zdoła. / Ani, że jest mu równy, nikt jawnie nie zawoła. / Pokoju z nim chcą wszyscy książęta dookoła. / On bowiem jest przedziwnym zwycięzcą nad wrogami".

Podobnie pochlebną opinię wystawił księciu mnich bamberski Herbord, autor *Żywotu św. Ottona*, biskupa bamberskiego: „Bolesław, mąż dzielny, przemyślny i sławny przyrodzoną, od swych przodków przejętą szlachetną godnością, panował w księstwie polskim. Ponieważ zaś zapobiegliwie i mądrze sobie poczynał, wszystkie rubieże swojej ziemi, za jego poprzedników najeżdżane i niepokojone przemocą wrogów, oraz grody i miasta władzy jego odjęte mocnym ramieniem był w stanie odzyskać".

Diametralnie różnie ocenił Bolesława jeden ze współczesnych kronikarzy czeskich, tzw. Kanonik wyszehradzki: „W roku od wcielenia Pańskiego 1134 nieszczęsna Polska będąca pod ochroną nieprzezornego księcia Bolesława, już częściej przez Czechów i Morawian nieprzyjacielsko pustoszona, znowu była najechana przez wspomniane obydwa wojska. [...] O godna pożałowania kraino, poddana błazeńskiemu księciu!"

GROBY DOSTOJNIKÓW

W średniowiecznej Europie chrześcijan można było grzebać tylko w świątyni lub na poświęconym cmentarzu. Ustawodawstwo kościelne wcześnie określiło możliwości pochówku w kościele. Moguncki synod z 813 r. zezwolił na ten przywilej jedynie dostojnikom kościelnym (biskupom, opatom i księżom) oraz świeckim, tzw. *fideles laici*, czyli władcom, których sakra stawiała na równi z biskupami, oraz fundatorom i hojnym darczyńcom.

We wczesnośredniowiecznej Polsce wybór miejsca ostatecznego spoczynku zależał od znaczenia poszczególnych ośrodków i świątyń. Pierwsi Piastowie zostali pochowani w katedrze poznańskiej, zaś Władysław Herman i Bolesław Krzywousty zapewne w Płocku. Biskupi byli grzebani przeważnie w ich katedrach, ale mogli też wybrać na miejsce pochówku kościoły klasztorów, z których się wywodzili. Wyboru takiego nie mieli zakonnicy, którzy musieli być grzebani w klasztorze macierzystym.

Najbardziej uprzywilejowanym miejscem w kościele było *in medio ecclesiae*. Pod pojęciem tym rozumiano nie tylko środek kościoła, ale również chór świątyni, co wiązało się z wiarą, że pochówek blisko relikwii świętego wpłynie na pewniejszy dostęp zmarłego do zbawienia. W ten sposób zostały usytuowane m.in.: przypisywany Mieszkowi I grób z pierwszej połowy XI w. na środku nawy głównej katedry poznańskiej czy umieszczony w chórze kościoła Benedyktynów na wrocławskim Ołbinie grób fundatorów klasztoru. Niekiedy zasłużonych zmarłych chowano w krużgankach klasztornych (Lubiń), kapitularzu (Wąchock) lub przy wejściu do kościoła. Według legendy św. Stanisław, wskrzeszając Piotrawina, „wyszedł przed drzwi kościoła, tam gdzie pochowane było ciało".

Groby polskich dostojników kościelnych i świeckich z XI w. często były budowane z kamienia i przykrywane gipsowymi płytami pozbawionymi inskrypcji. Wyjątkiem jest częściowo zachowana płyta z katedry gnieźnieńskiej z inskrypcją mówiącą o złożonych pod nią „kościach rycerzy Chrystusowych". W kolejnych wiekach groby zaczęto w różnorodny sposób oznaczać. W wawelskiej rotundzie „B" kamienną trumnę przykrywała płyta z wyrytym krzyżem jako Drzewem Życia.

Ciała w grobach umieszczano wzdłuż osi wschód–zachód, głową zwrócone w kierunku ołtarza. Choć nakazywano krzyżowanie rąk zmarłym, na początku XII w. metropolita ruski Nicefor odnotował, że „łacinnicy" chowali zmarłych z rękami niezłożonymi, w przeciwieństwie do Greków. Niekiedy, zgodnie z biblijnym opisem zwłok Łazarza, ciała bandażowano i owijano w całun, jednak w Polsce wczesnośredniowiecznej przeważał zwyczaj chowania duchownych w stroju, w jakim służyli Kościołowi.

▲ KIELICH I PATENA
często były wkładane (prawdopodobnie wraz z hostią i winem) do grobów biskupów, opatów i kanoników. Zwyczaj ten, nazywany komunią zmarłych, zakazany był wprawdzie już w IV w., ale powszechnie stosowano go do XIII w., a sporadycznie nawet do XVIII w.

KATEDRA W POZNANIU, 2 POŁ. XI–1 POŁ. XII W., IAiE PAN POZNAŃ, DEPOZYT W MN POZNAŃ, FOT. MM

▲ ZAWODZENIA ŻAŁOBNE
towarzyszyły obrzędom pogrzebowym. Potępiał je już mistrz Wincenty, według którego biskup krakowski Pełka miał powiedzieć podczas pogrzebu Kazimierza Sprawiedliwego: „Wprawdzie zbożnie bolejemy, niebożnie wszak tracimy rozum od boleści".

„PONTYFIKAŁ RZESZOWSKIEGO", WŁOCHY, 2 POŁ. XIII W., AA GNIEZNO, FOT. RS

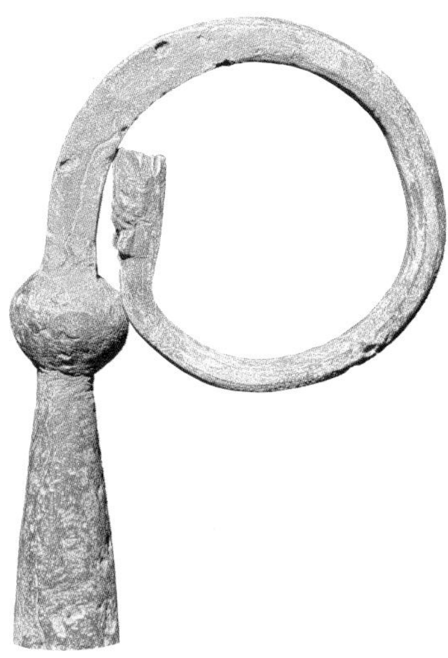

◄ PASTORAŁY
składane były do grobów biskupów i opatów jako oznaka sprawowanej przez nich godności. Były to albo „prawdziwe" pastorały, używane przez zmarłych za życia, albo ich imitacje, specjalnie do celów sepulkralnych wykonane z drewna, ołowiu lub miedzi.

KATEDRA W POZNANIU, 2 POŁ. XI–1 POŁ. XII W., IAiE PAN POZNAŃ, FOT. MM

▲ ANIOŁY UNOSZĄCE DUSZĘ ZMARŁEGO DO NIEBA
z zachowanej, górnej części nagrobka – jednego z trzech zaledwie znanych z obszaru ziem Polski nagrobków romańskich z przedstawieniem postaci zmarłego.

KOŚCIÓŁ ŚW. PROKOPA W STRZELNIE, XII/XIII W.?, FOT. RS

▲► NAGROBEK Z PRZEDSTAWIENIEM PASTORAŁU
z kapitularza opactwa cysterskiego w Wąchocku. Początkowo właśnie kapitularz był miejscem pochówku opatów i zasłużonych zakonników – ich pochówki w kościołach klasztornych stają się powszechniejsze od XIII w. Groby tylko niektórych opatów upamiętniano płytą.

2 ĆW. XIII W., FOT. MM

▼ GRÓB BISKUPA
krakowskiego Maura odkryto w krypcie św. Leonarda w 1938 r. Zawierał szkielet wysokiego mężczyzny (około 180 cm wzrostu), pochowanego bez trumny. U jego boku leżały srebrny, pozłacany kielich z pateną i złoty pierścień z inskrypcją, a za głową – ołowiana tablica z inskrypcją.

KATEDRA W KRAKOWIE, 1118, FOT. ARCHIWALNA AE, ARCHIWUM ZKW KRAKÓW

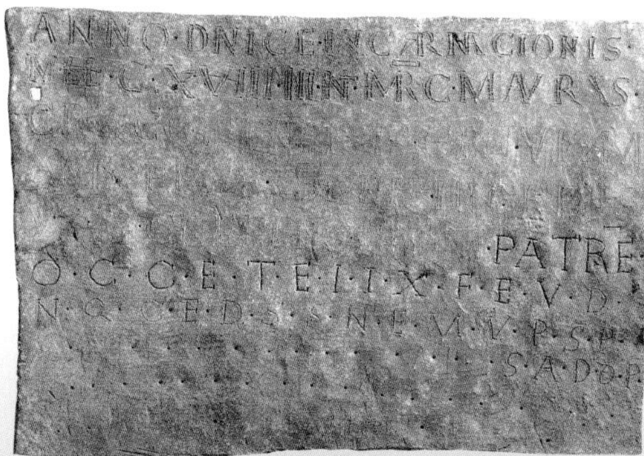

▲ INSKRYPCJA NA OŁOWIANEJ TABLICY
z grobu biskupa krakowskiego Maura zawiera m.in. tekst wyznania wiary. Tekst *Credo*, mający chronić zmarłego w dniu Sądu Ostatecznego, bywał też spisywany na pergaminie (czasami jeszcze za życia zmarłego, przez niego samego) i wkładany do ręki zmarłego lub umieszczany na jego głowie.

KATEDRA W KRAKOWIE, KRYPTA ŚW. LEONARDA, 1118, SKW KRAKÓW, FOT. SM

▲ KRZYŻ
był najpopularniejszym motywem zdobniczym stosowanym na nagrobkach romańskich, co wiąże się z jego eschatologiczną symboliką. Mogły mu towarzyszyć inne elementy, jak np. podstawa symbolizująca Golgotę; m.in. takie połączenie nazywamy Drzewem Życia.

STARE MIASTO POW. KONIN, XIII W., FOT. RS

WALKA O POMORZE

„Aż dotąd Polska była przez wrogów deptana, lecz przy tym chłopcu moc jej będzie odzyskana"

▲ NAŚLADOWNICTWO ŁUPAWSKIE
– mianem tym określa się denary bite na Pomorzu Środkowym (w Słupsku?), wzorowane m.in. na saskich denarach krzyżowych i starszych denarach Ottona III i Adelajdy. Budowla na awersie nawiązuje do denarów cesarskich, a pseudonapis świadczy o kopiowaniu inskrypcji bez zrozumienia ich treści.
2 POŁ. XI W., MAiE ŁÓDŹ, FOT. MM

◄ TRZEWIK POCHWY MIECZA,
bogato zdobiony, jest pochodzenia obcego, najprawdopodobniej bałtyjskiego. Należał zapewne do jakiegoś kupca; ukazuje zasięg i jeden z kierunków kontaktów handlowych Szczecina.
PRZED 1143, ZKP PA SZCZECIN, FOT. RS

▼ WOJENNY OKRĘT SŁOWIAŃSKI
od statków handlowych różnił się proporcjami (był węższy i dłuższy) oraz większą liczbą wioseł. Zapewne takich okrętów użył w 1135 r. zachodniopomorski książę Racibor, atakując norweski gród Konungahelę. Wypłynęło ich wówczas 300, a każdy zabrał po 44 wojów i 2 konie.
GDAŃSK ORUNIA, XI/XII W., MA GDAŃSK, FOT. RS

Płonąca granica

Przywrócone przez Kazimierza Odnowiciela zwierzchnictwo nad częścią Pomorza utracił Bolesław Szczodry. Odtąd długo miało ono pozostawać w niezależności i pogaństwie. Wewnętrzne jego podziały nie są całkiem jasne; źródła z początku XII w. wymieniają drobnych książąt plemiennych i jednego potężniejszego, rezydującego w Białogardzie.

Według Galla Anonima „przeciwko tym krajom [Pomorzanom, Lucicom i Prusom] książę polski ustawicznie walczy, aby je na wiarę nawrócić"; jednakże ani duchowny „miecz nauczania", ani też świecki „miecz ujarzmiania" nie były dotąd w stanie tego dokonać. Wprost przeciwnie – Pomorzanie zdołali wedrzeć się nawet w głąb północnej Wielkopolski, skoro Polacy na przełomie XI i XII w. musieli odbijać grody na południowym brzegu Noteci. Widocznie po kryzysie lat 30. XI w., który dotknął głównie Wielkopolskę, były to okolice słabo zaludnione, o słabej też zdolności obronnej. W drugiej monarchii polskiej, której granice były już stabilne, tylko północna sprawiała wrażenie nieustannie płonącej, m.in. za sprawą częstych obustronnych wypraw łupieżczych. Toteż jej definitywne uspokojenie poprzez uzależnienie i chrystianizację Pomorza stało się dla Bolesława Krzywoustego i jego otoczenia zadaniem priorytetowym.

„Miecz ujarzmiania"

Próbę przywrócenia polskiej władzy na Pomorzu Wschodnim podjął już Władysław Herman w latach 1090–1091. Skończyła się ona niepowodzeniem. Wprawdzie na zdobyte obszary Sieciech wprowadził urzędników z Polski, jednak zmiotło ich ogólne powstanie, a wyprawy odwetowe nie przyniosły rezultatu.

Zbigniew, wdzięczny za pomoc Pomorzan w czasie buntu kruszwickiego, starał się utrzymywać z nimi pokój i przyjaźń. Z kolei Bolesław prowadził z nimi walki już w okresie swych młodzieńczych rządów na Śląsku. Zdobył wtedy grody w Międzyrzeczu i Lubuszu. Ponieważ Krzywousty w chwili swego wejścia do polityki był chłopcem, realizowany wówczas program trzeba przypisać jego piastunowi, a potem długoletniemu wojewodzie – Skarbimirowi. Nieudaną próbę Sieciecha objęcia zdobywanych ziem pomorskich zwykłą polską administracją zastąpił on planem kolejnego uzależniania drobnych książąt pomorskich, a wejście Polski na Pomorze miało odbywać się w trzech etapach.

Pierwszy z nich dokonywał się, gdy w Wielkopolsce, oddzielającej Pomorze od władztwa Bolesława, rządził jeszcze Zbigniew. Krzywousty i Skarbimir prowadzili wtedy wyprawy w głąb Pomorza, celem osłabienia przeciwnika, a równocześnie zyskania sympatii Wielkopolan. Wzięto wówczas i złupiono: dwukrotnie Białogard (w latach 1102 i 1107), podgrodzie kołobrzeskie (w 1103 r.) oraz Bytów i inny, nienazwany gród (w 1105 r.). Oczywiście Pomorzanie brali odwet na ziemiach polskich.

Następnym etapem, możliwym do realizacji dopiero po przywróceniu jedności państwa, było opanowanie pasa nadnoteckiego. Bolesław uzależnił więc i ochrzcił w 1108 r. drobnego księcia na Czarnkowie, Gniewomira, który jednak zwierzchnictwo to zrzucił i zajął podstępem Ujście. Kolejna wyprawa polska zdobyła Wieleń. Szczególnie doniosłym epizodem było zwycięstwo pod Nakłem, odniesione dzięki oskrzydlającemu manewrowi Skarbimira 10 VIII 1109 r., tuż przed wkroczeniem do Polski wojsk Henryka V. Konieczność odparcia wyprawy niemieckiej nie pozwoliła na wykorzystanie tego sukcesu. Uzyskane wówczas siedem grodów (z naczelnym w Nakle) powierzył Krzywousty spokrewnionemu z Piastami księciu pomorskiemu Świętopełkowi, wziąwszy odeń przysięgę wierności, której ten – korzystając z trudności Bolesława po oślepieniu Zbigniewa – nie dochował. Dopiero kolejne wyprawy zdołały przywrócić tam polskie panowanie: w 1112 r. wzięto Wyszogród i Bydgoszcz, a w 1113 r. Nakło i jakieś inne grody. Na opisie tych wydarzeń urywa się fabuła kroniki Galla Anonima.

Trzeci etap to podbój Pomorza. W 1116 r. Bolesław zdobył dwa grody; jednym z nich było zapewne Świecie, wzdłuż Wisły bowiem posuwać się było najłatwiej. W 1119 r. zwyciężył dwóch książąt pomorskich; jednego z nich uzależnił, drugiego wypędził. Tym razem chodzi już chyba o ziemie nad morzem: gdańską i sławieńską. Do opanowania pozostało jeszcze najpotężniejsze z księstw pomorskich – nadodrzańskie, na wschodzie sięgające aż po okolice Białogardu. Na zachodzie walczyło ono równocześnie z ekspansją saską, zbliżającą się już do ujścia Odry. Wyprawa polska rozgromiła Pomorzan pod Nakłem (innym niż w 1109 r.; miejscowość ta później zanikła), a zimą 1121/22 r. obległa i zdobyła Szczecin. Po spustoszeniu znacznych połaci kraju zawarto pokój. Książę pomorski Warcisław uznał zwierzchnictwo Bolesława, przyrzekając mu trybut i posiłki wojskowe.

„Miecz nauczania"

Pokój między Pomorzem a Polską miał zależeć w dużej mierze od dwóch tradycyjnie przedsiębranych środków: niwelacji różnic wyznaniowych po-

◄ NOSZONE NA SZYI KAPTORGI służyły do przechowywania talizmanów lub kosztowności. Przyjęcie chrześcijaństwa wpłynęło tylko na zmianę wkładanych do nich przedmiotów. Trwałość dawnych zwyczajów ukazuje ta kaptorga, zdobiona wizerunkiem ptaka – zapewne gołębicy symbolizującej Ducha Świętego.

GDAŃSK, OK. 980–1000, MA GDAŃSK, FOT. RS

▲ NÓŻ DO SKROBANIA RYB jest przykładem rzadkiego znaleziska związanego z obróbką ryb. Pomorskie miasta były głównymi eksporterami morskich ryb, szczególnie śledzi. Z Gdańska w głąb lądu transportowano je Wisłą, ze Szczecina – Odrą. Zapotrzebowanie na ryby wzrosło gwałtownie wraz z upowszechnianiem się chrześcijaństwa i wymaganymi przez nie postami.

GDAŃSK, WCZESNE ŚREDNIOWIECZE, MA GDAŃSK, FOT. RS

◄ WIZERUNEK I IMIĘ ŚW. WOJCIECHA umieszczane na książęcych monetach świadczą o szczególnej roli świętego męczennika, apostoła Prusów, w monarchii piastowskiej. Być może święty był uważany przez Bolesława Krzywoustego za patrona i opiekuna jego pomorskich wypraw.

DENAR BOLESŁAWA KRZYWOUSTEGO, PO 1113, MAiE ŁÓDŹ, FOT. MM

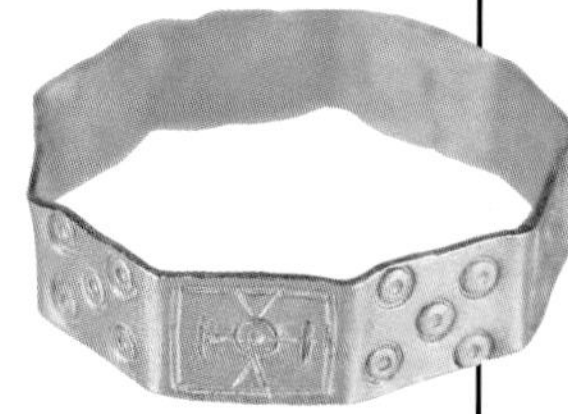

ZŁOTY PIERŚCIONEK ► jest przykładem znaleziska świadczącego o zamożności mieszkańców pomorskich grodów. Źródłem ich bogactwa były nie tylko handel i rzemiosło, ale i łupieżcze wyprawy.

SZCZECIN, PO 1110, ZKP PA SZCZECIN, FOT. RS

Nieudana misja

Perypetie jednego z misjonarzy Pomorza Zachodniego, eremity i biskupa Bernarda, znane dzięki *Żywotowi św. Ottona biskupa bamberskiego* pióra Ebona, wiele mówią o mentalności współczesnych mu pogan i ich stosunku do bogów. Przybyły w orszaku legata Idziego Bernard z polecenia Krzywoustego w 1123 lub na początku 1124 r. wyruszył do pogańskiego Wolina. Wkroczył do niego, „wzgardziwszy ubiorem, z gołymi stopami [...]. Mieszkańcy zaś z samego ubioru lekceważąc go, [...] mówią: »Jakżeż możemy wierzyć, żeś ty zwiastunem Boga Najwyższego, skoro on chwalebny jest i wszelkiego bogactwa pełen, ty zaś wzgardy godny i tak ubogi, że nawet obuwia mieć nie możesz? Nie przyjmiemy cię ani słuchać nie będziemy. Najwyższy bowiem Bóg nigdy by tak nikczemnego posła do nas nie skierował; ale jeśli naprawdę chce naszego nawrócenia, przez odpowiedniego i godnego swej władzy sługę nas odwiedzi. Ty zaś, jeżeli życie swoje cało chcesz unieść, jak najspieszniej wracaj, skądeś przybył, i nie opowiadaj, żeś posłany został dla sprawy Boga Najwyższego, gdyż po to jedynie, by ulżyć swojej niedoli żebraczej, tutaj przybyłeś«". W efekcie nic, poza śmiechem i kilkoma kuksańcami, Bernard nie osiągnął. Pomorze Zachodnie schrystianizował kilka lat później biskup Otto z Bambergu, który wyruszył na misję w pełnym majestacie i bogactwie władzy.

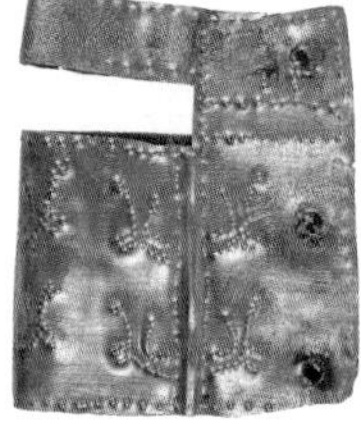

◄▼ OKUCIA POCHEWEK NOŻY charakterystyczne dla Słowian. Noże były noszone zarówno przez mężczyzn i kobiety, jak i dzieci. Skórzane (rzadziej drewniane) pochewki miały różne formy: od prostych, bez okuć, po zdobione złotymi lub złoconymi plakietkami.
ZŁOTO; 1 POŁ. XI W.; KON. XI W.; ZKP PA SZCZECIN; FOT. RS

◄ OTTO Z BAMBERGU przybył w 1088 r. na dwór polski w orszaku Judyty Salickiej. Po 1097 r. znalazł się na dworze Henryka IV, od którego w 1102 r. otrzymał biskupstwo w Bambergu. Zmarł w 1139 r. Jego kult jako apostoła Pomorza szerzyli m.in. benedyktyni z opactw w Prüfening (w latach 1040–1046 powstał tu jego pierwszy, anonimowy żywot) i Michelsbergu pod Bambergiem (gdzie w latach 50. Ebo i Herbord napisali kolejne dwa żywoty).
BSB BAMBERG

Misja – prestiż i wydatki

Cytowana poniżej relacja, zawarta w *Żywocie św. Ottona* pióra Herborda, dobrze ukazuje wkład władcy w kosztowne dzieło chrystianizacji Pomorza: „Ponadto książę sam i wszyscy polscy dostojnicy, około dwustu kroków od miasta Gniezna boso przechodząc, biskupa Ottona z wielką czcią przyjęli i odprowadzili aż do katedry. Książę [...] siedem dni ciesząc się jego obecnością [...] ze szczególną troską przygotowywał wszystko niezbędne na drogę. Dał memu panu ze swego narodu towarzyszy biegłych w słowiańskiej i niemieckiej mowie na różne jego posługi, aby przez nieznajomość języka nie znosił on w obcym kraju jakichś niewygód. [...] Wozy i kwadrygi w długim szeregu wiozące żywność i wszystkie nasze ciężary, także pieniądze swego kraju darował nam ze wspaniałej hojności [...], zamyślał bowiem wszystkie potrzeby tej drogi zapewnić własnym nakładem. Dołączył wreszcie do świty biskupa trzech swych przybocznych kapelanów, aby pomogli mu w kazaniach, oraz pewnego kasztelana imieniem Pawlik, męża dzielnego i katolika, który także z łatwością umiał przemawiać do ludu".

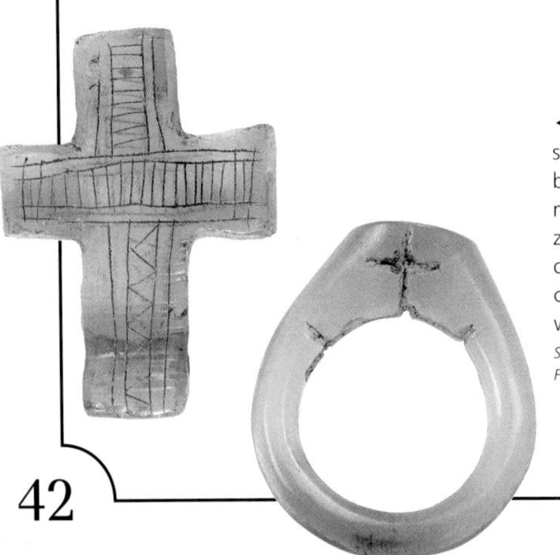

◄ BIŻUTERIA Z BURSZTYNU stanowiła jeden z wyznaczników bogactwa. Pojawienie się wśród niej wyrobów związanych z chrześcijaństwem świadczy o postępach ewangelizacji co najmniej wśród wyższych warstw społecznych.
SZCZECIN; PO 1110; PO 1036; ZKP PA SZCZECIN; FOT. RS

przez chrystianizację Pomorza oraz zawierania rodzinnych koligacji, łączących książąt i możnowładztwo obu bliskich językowo ziem. Takich koligacji znamy w XII w. co najmniej kilka; w XIII w. liczba ich jeszcze wzrośnie. Przede wszystkim jednak należało przeprowadzić jak najszybszą chrystianizację.

Na podzielonym między drobniejszych książąt Pomorzu Wschodnim zadanie to wzięło na siebie duchowieństwo polskie. Zgodnie z nowymi potrzebami, przebywający w Polsce w latach 1123–1124 legat papieski Idzi dokonał zmiany granic organizacji kościelnej, erygując dwa nowe biskupstwa położone blisko rubieży Pomorza: kujawskie i lubuskie. Do pierwszego z nich włączono Pomorze Wschodnie. Pomorze Zachodnie miało natomiast przypaść biskupstwu lubuskiemu, stało się jednak inaczej. Krzyżowały się tu bowiem interesy polskie z dążeniami miejscowych książąt do uzyskania własnego biskupstwa i zamierzeniami Sasów podporządkowania tych ziem arcybiskupstwom hamburskiemu i magdeburskiemu.

W tej sytuacji Bolesław zwrócił się z prośbą o podjęcie misji na Pomorzu Zachodnim do biskupa bamberskiego Ottona. Dostojnik ten, poważany na dworze cesarza Henryka V, był dobrze znany w Polsce – przed laty przebywał tu jako kapelan Judyty Salickiej. Początkowe wahania Ottona spowodowały wysłanie na misję eremity Bernarda Hiszpana, która nie przyniosła powodzenia. Wówczas Otto, uzyskawszy zgodę cesarza, wyruszył do Gniezna i spotkał się z Bolesławem. Obdarowany przezeń, otrzymał też eskortę pod wodzą kasztelana santockiego Pawła; doprowadziła ona orszak biskupa na Pomorze Zachodnie, gdzie powitał go książę Warcisław. Misja Ottona przebywała tu od czerwca 1124 do lutego 1125 r. Ciesząc się poparciem Warcisława, odwiedziła kolejno Pyrzyce, stołeczny Kamień, Wolin, Szczecin, Gardziec, Lubin, Kłodzień, Kołobrzeg i Białogard, a jej efektem były masowe chrzty.

Zewnętrzne trudności

Misja ta nie objęła zaodrzańskiej części księstwa Warcisława. Otto udał się do niej w 1128 r., ale już bez związku z Krzywoustym, lecz z polecenia nowego króla niemieckiego Lotara, którego zwierzchność uznał tymczasem książę zachodniopomorski. Zerwanie Warcisława z Polską wyraziło się łupieżczym najazdem, podczas którego wyciągnięto z grobowców i rozsypano kości jakichś przodków Krzywoustego. Gniew Bolesława starał się uśmierzyć biskup Otto, chroniąc Warcisława jako wasala króla niemieckiego. Nie na długo – już w 1129 r. książę polski sprzymierzył się z królem duńskim Nielsem (Mikołajem), wydając za jego syna Magnusa swą córkę Ryksę. Sojusznicy uderzyli na ziemie Warcisława, zmuszając go do zawarcia pokoju, który dzielił zwierzchnictwo nad jego księstwem między Polskę (Przedodrze) i Danię (Zaodrze).

Polska dyplomacja nie mogła jednak uchronić się przed tworzoną przez Niemcy koalicją. Głównym wrogiem Bolesława stał się czeski książę Sobiesław I, niegdyś uchodźca w Polsce, który sprzymierzył się ze swoim szwagrem, królem Węgier Belą II Ślepym. Książę polski poparł więc rywala Beli, Borysa, syna Kolomana i księżniczki ruskiej Eufemii. Licząc na jego osadzenie na tronie, Krzywousty podjął w 1132 r. wyprawę na Węgry, doznał jednak porażki nad rzeką Sajó. Od tej pory kilkakrotnie pustoszyły Śląsk napady czeskie, Węgrzy zaś w 1135 r. spalili Wiślicę.

Zagrożona została także niezależność Kościoła w Polsce. Zabiegający o poparcie Lotara papież Innocenty II w 1133 r. koronował go na cesarza i uznał pretensje arcybiskupa magdeburskiego Norberta do zwierzchnictwa nad wszystkimi diecezjami polskimi. Postanowienie to, oznaczające zniesienie metropolii gnieźnieńskiej, nigdy nie weszło w życie.

Najpoważniejszym jednak niepowodzeniem Krzywoustego okazała się utrata przymierza z Danią. Pretendent do tamtejszego tronu, Eryk Emune, z pomocą niemiecką objął w 1134 r. władzę. W trakcie rozgorzałej wówczas wojny zginął zięć Bolesława Magnus. Po stronie Polski stało już natomiast Pomorze Zachodnie. Krzywousty uzgodnił z Warcisławem, że – w zamian za wsparcie – całe księstwo tegoż otrzyma własne biskupstwo. Brat i następca Warcisława, Racibor, wyprawiał się w 1135 r. przeciwko Erykowi Emune.

Przewaga wroga zmusiła wszakże Bolesława do daleko idącego kompromisu. Po dłuższych rokowaniach książę polski przybył w sierpniu 1135 r. na dwór cesarski do Merseburga, niósł miecz przed Lotarem i uznał się za jego lennika, uzyskując w zamian zgodę na zwierzchnictwo Polski nad Pomorzem Zachodnim, a nawet Rugią – z tych ziem miał jednak płacić trybut. Pośrednictwo cesarskie zażegnało spór polsko-węgierski; konflikt z Czechami zakończył się 2 lata później pokojem w Kłodzku.

W chwili śmierci Krzywoustego (28 X 1138 r.) państwo jego nie było z nikim w stanie wojny. Chwilowo zagrożone arcybiskupstwo gnieźnieńskie otrzymało w 1136 r. od Innocentego II bullę protekcyjną. Takąż samą uzyskało w 1140 r., już po zgonie Bolesława, obejmujące Pomorze Zachodnie biskupstwo w Wolinie.

◄ NORBERT Z XANTEN, po uzyskaniu w 1126 r. godności arcybiskupa magdeburskiego, wykorzystał założony przez siebie 6 lat wcześniej zakon norbertanów (zwanych też, od ich pierwszego klasztoru w Prémontré, premonstratensami) do rozwoju akcji chrystianizacyjnej na należących do metropolii ziemiach słowiańskich. W drugiej połowie XII w. norbertanie wzięli też udział w ewangelizacji Pomorza Zachodniego.

„ŚW. NORBERT OTRZYMUJE OD ŚW. AUGUSTYNA REGUŁĘ" W „ŻYWOCIE ŚW. NORBERTA", SCHÄFTLARN, NIEMCY, 1180–1200, BSB MÜNCHEN

► ZDOBIONE OSTROGI, takie jak ta, inkrustowana srebrem i miedzią, stanowiły widomą oznakę wysokiego statusu majątkowego i społecznego osób ich używających.

UNIRADZE POW. KARTUZY, XI W., MA GDAŃSK, FOT. RS

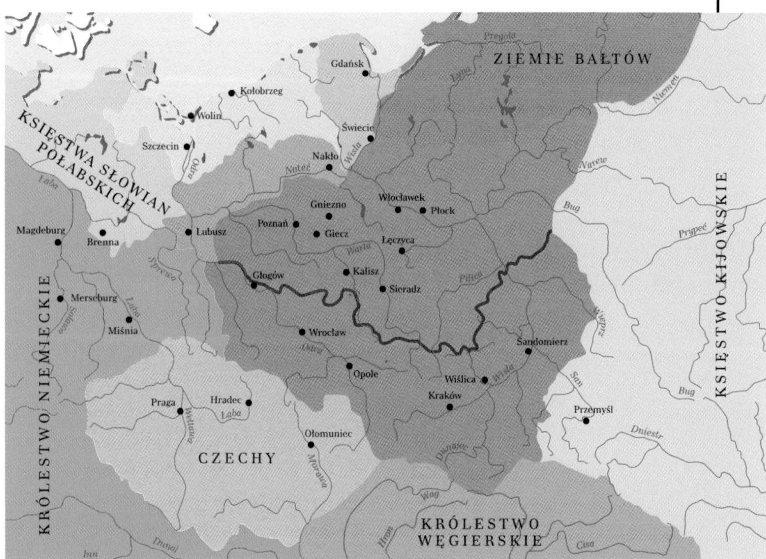

granice działów Zbigniewa i Bolesława Krzywoustego w 1102 r.

obszar państwa Bolesława Krzywoustego w 1109 r.

ziemie opanowane w latach 1109–1113

ziemie opanowane w latach 1116–1119

ziemie zhołdowane w latach 1121–1122

▲ POLSKA CZASÓW BOLESŁAWA KRZYWOUSTEGO

RYS. JG

Rogownictwo we wczesnym średniowieczu

Jedną z bardziej interesujących dziedzin rzemiosła na ziemiach polskich we wczesnym średniowieczu było rogownictwo. Rogownicy, wykorzystujący najczęściej jelenie poroże, rzadziej zaś kości zwierzęce, wytwarzali najrozmaitsze pod względem formy i funkcji przedmioty.

Wyspecjalizowane pracownie rogownicze pojawiły się na terenie dzisiejszej Polski już w IX w. Relikty najstarszych warsztatów odkryto na Srebrnym Wzgórzu w Wolinie. Wczesną, bo X-wieczną metrykę mają też pracownie znajdujące się w innych nadbałtyckich i pomorskich ośrodkach, m.in. w Kołobrzegu, pobliskim Kędrzynie i Szczecinie. Chociaż dotychczas nie udało się archeologom natrafić na datowane na X i początek XI w. pozostałości podobnych pracowni w innych rejonach Polski, to jednak charakterystyczne cechy przedmiotów rogowych odkrywanych w Wielkopolsce, na Kujawach i na Dolnym Śląsku zdają się wskazywać na obecność na tych terenach rzemiosła rogowniczego w owym czasie.

Podstawowym produktem pracowni rogowniczych były bogato zdobione grzebienie rogowe oraz efektowne pochewki zapobiegające wyłamywaniu się ich delikatnych ząbków. Znacznie rzadziej wytwarzano różnorodnie zdobione okładziny, oprawki, kostki i pionki do gier planszowych czy nawet rogowe stilusy służące do pisania na nawoskowanych drewnianych tabliczkach.

Badania resztek surowca znajdowanego w pomorskich pracowniach pozwoliły ustalić, że rzemieślnicy wykorzystywali zarówno poroże upolowanych jeleni, jak i tzw. zrzutki, znajdowane w lasach. W największych pracowniach przeważał ten drugi sposób pozyskiwania surowca. Rogownicy sporadycznie obrabiali też inne rodzaje tworzywa; m.in. obróbką bursztynu trudniono się w jednej z pracowni wolińskich. Pod koniec wczesnego średniowiecza dominujący dotąd surowiec – jelenie poroże – został niemal całkowicie zastąpiony przez traktowane wcześniej marginalnie kości bydlęce. W późnym średniowieczu kości i róg bydła stanowiły podstawowy surowiec wykorzystywany przez rogowników, produkujących zeń m.in. grzebienie, grzebienie tkackie, pionki warcabów i sześcienne kostki do gry, a także np. paciorki różańca.

Przy opisie wczesnośredniowiecznego rzemiosła rogowniczego trzeba wspomnieć o najróżniejszych wyrobach kościanych i rogowych, które powstawały w ramach produkcji przydomowej na użytek ich twórców. Wykorzystując naturalne kształty różnych rodzajów kości, wyrabiano proste przedmioty codziennego użytku: kolce, szydła, igły, gwizdki, rękojeści noży, kościane guziki (tzw. hetki) i łyżwy.

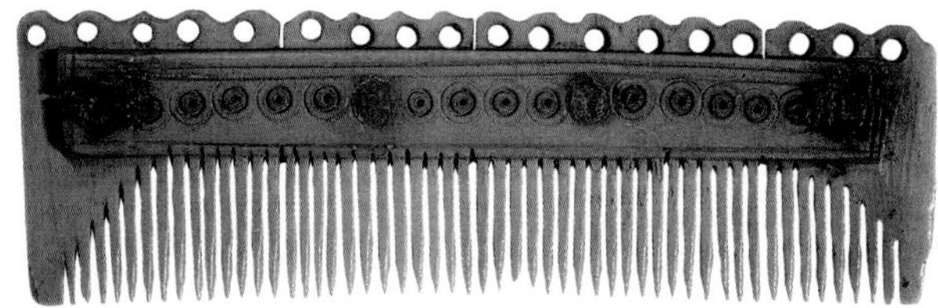

▲ GRZEBIEŃ ROGOWY
o typowo pomorskiej formie połączonej z ornamentyką wielkopolsko-kujawską znaleziono... na Ostrowie Tumskim we Wrocławiu. Podobnej kombinacji cech dotąd nie spotkano – również wśród zabytków z obszaru Pomorza, Wielkopolski i Kujaw.
WROCŁAW OSTRÓW TUMSKI, 1 POŁ. XI W., IA UWR, FOT. MM

◄▲ ROGOWE I KOŚCIANE OKŁADZINY
zwracają uwagę dzięki bogatej dekoracji. Służyły do przyozdabiania m.in. szkatułek, rękojeści noży czy składanych sierpów.
SZCZECIN, XI W., MN SZCZECIN, FOT. RS; WROCŁAW OSTRÓW TUMSKI, 1 POŁ. XI W., IA UWR, FOT. MM

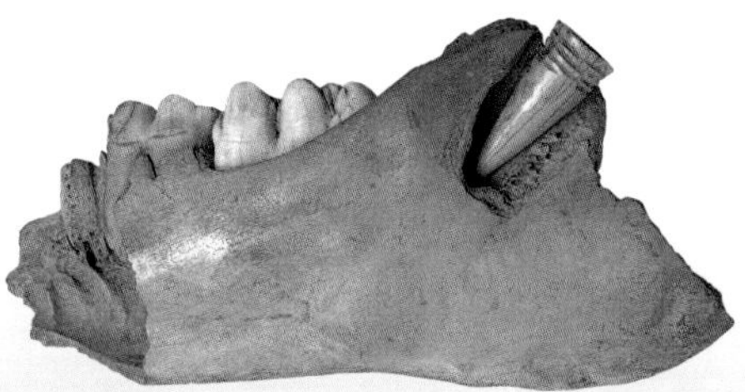

▲ GROTY STRZAŁ
wykonane z poroża jelenia były śmiercionośną bronią. Podczas badań w Wolinie odkryto żuchwę dzika z tkwiącym w niej rogowym grotem.
WOLIN, 1 POŁ. X W., IAiE PAN WOLIN, FOT. RS

▲▼ ROGOWE OKŁADZINY
zdobiły broń, oporządzenie i wyposażenie jeździeckie członków drużyny. Obok rogowych gałek i jelców mieczy używano składanych sierpów (do pozyskiwania pokarmu dla koni), okładzinami dekorowano też siodła. Przedmioty te powstawały w wyspecjalizowanych pracowniach.
WROCŁAW OSTRÓW TUMSKI, 1 POŁ. XI W., IA UWR, FOT. MM; GNIEZNO, XII–XIII W., MA POZNAŃ, FOT. RS

▶▼ PLASTYKA FIGURALNA
przekonuje o znacznych umiejętnościach rzemieślników trudniących się obróbką poroża. Z tego surowca wykonywano m.in. przedstawiające postać kobiety rękojeści luksusowych noży, figurki (tu widoczne stopy) oraz plakiety.
SZCZECIN (IMPORT Z NADRENII, NIEMCY, LUB FRANCJI), XIII W., MN SZCZECIN; GIECZ, XI–XIII W., MPP NA LEDNICY O/GIECZ; WROCŁAW OSTRÓW TUMSKI, 2 POŁ. XII W., IA UWR; FOT. RS

▲ FIGURY SZACHOWE I PIONY DO GIER
rzeźbiono najczęściej w porożu lub drewnie. Jedynie luksusowe, na ogół importowane, były zrobione z kości słoniowej.
KONIKI SZACHOWE – GDAŃSK, WCZESNE ŚREDNIOWIECZE, MA GDAŃSK, FOT. RS; WROCŁAW OSTRÓW TUMSKI, 1 POŁ. XI W., IA UWR, FOT. MM; PION? – GDAŃSK, WCZESNE ŚREDNIOWIECZE, MA GDAŃSK, FOT. RS

▼ ZGRZEBŁA
sporządzano najczęściej z poroża jelenia, niekiedy z łopat łosia. Prostota konstrukcji pozwalała je wykonywać w warsztatach przydomowych. Prawdopodobnie służyły nie tylko do wyczesywania koni, ale też np. do zdejmowania ze zwierząt rzeźnych skóry i jej obróbki.
GNIEZNO, XII W., MA POZNAŃ, FOT. RS

▲ GWIZDKI
i piszczałki kościane wytwarzano z lekkich i pustych wewnątrz kości dzikich gęsi. Służyły nie tylko jako zabawki dla dzieci; używano ich też podczas polowań do wabienia zwierzyny.
WROCŁAW OSTRÓW TUMSKI, 1 POŁ. XI W., IA UWR, FOT. MM

▼ SZYDEŁKA,
podobnie jak i inne drobne sprzęty domowego użytku – np. igły i przęśliki – znajdowały się w niemal każdym domu.
WROCŁAW OSTRÓW TUMSKI, 2 POŁ. XI W., IA UWR, FOT. MM

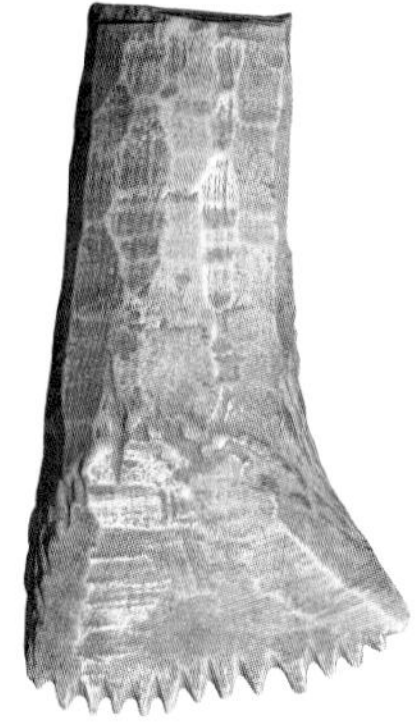

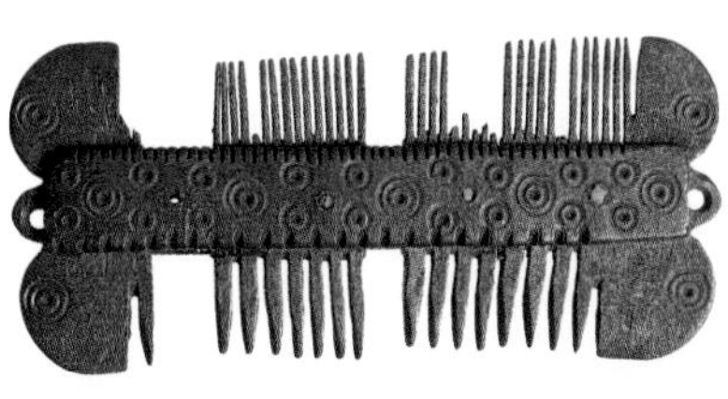

◀▼ GRZEBIENIE DWUSTRONNE,
zarówno te prostsze – wykonane z jednej płytki rogowej, jak i te bardziej skomplikowane – trójwarstwowe, miały dwojaką funkcję. Do układania włosów służyły ząbki grubsze, cienkimi zaś wyczesywano insekty.
GDAŃSK; 2 POŁ. XIII–POCZ. XIV W.; OK. POŁ. XII W.; MA GDAŃSK; FOT. RS

KOŚCIANE ŁYŻWY ▶
wytwarzano niemal wyłącznie z kości koni. Zapewne były nieodzownym sprzętem w osadach i grodach położonych w pobliżu zbiorników wodnych – niemal całkowicie starte spody płóz wielu odkrywanych okazów świadczą o ich intensywnym użytkowaniu.
WROCŁAW OSTRÓW TUMSKI, 1 POŁ. XI W., IA UWR, FOT. MM

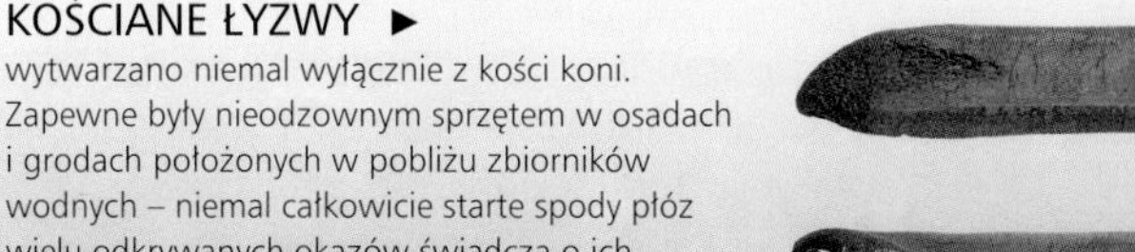

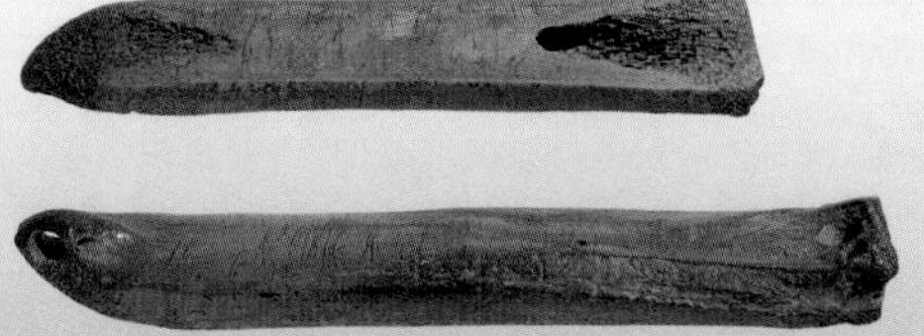

SZTUKA ROMAŃSKA

Sztuka romańska wkracza do Polski w okresie rządów Kazimierza Odnowiciela

◄▲ KOLUMNA I JEJ GŁOWICA
z krypty tzw. kościoła św. Gereona na Wawelu, zapewne pałacowej kaplicy Kazimierza Odnowiciela, pierwszej budowli romańskiej w Polsce. Ściany z ciosów piaskowcowych i zintegrowane konstrukcyjnie kolumienki przyścienne wskazują na postęp techniki budowlanej.
OK. POŁ. XI W., ZKW KRAKÓW, FOT. SM

▲ PODWIEŻOWA KRYPTA ZACHODNIA
kościoła klasztornego opactwa benedyktyńskiego w Mogilnie z lat 50. lub wczesnych 60. XI w. powtarza rozwiązania architektury kraju nadmozańskiego. Sklepienia krzyżowe z łamanego kamienia wydzielają pasy ciosowe wsparte na centralnym filarze.
FOT. ZŚ

Architektura okresu odbudowy

W zmienionych i trudnych warunkach kraju zniszczonego kryzysem lat 30. XI w. wypadło podjąć dzieło odbudowy spalonych grodów, zrujnowanych palatiów i kościołów, głównie wielkopolskich; jego widocznym wyrazem było, powolne co prawda, podźwignięcie katedr w Gnieźnie i Poznaniu. Już w nich, a szczególnie w nowo powstających budowlach, widać silne wpływy zachodzących wówczas w Europie Zachodniej zmian sposobów budowania. Dobrym tego przykładem jest wzniesiony u schyłku panowania Kazimierza Odnowiciela tzw. kościół św. Gereona na Wawelu oraz kościoły klasztorne powstających wówczas opactw benedyktyńskich.

Tzw. kościół św. Gereona, którego kult właśnie w tym czasie przeżywał renesans w Nadrenii, został wzniesiony koło tzw. Sali o 24 słupach, stanowiącej zapewne rezydencję Kazimierza. Był bazyliką transeptową o trzech nawach i dwuwieżowej fasadzie zachodniej, z trójnawową kryptą pod wyniesionym prezbiterium. Zróżnicowanie funkcjonalno-przestrzenne tej wczesnoromańskiej budowli wawelskiej odróżnia ją od bardzo prostych układów katedralnych bazylik w Gnieźnie i Poznaniu. Zamiast względnie łatwego murowania z płaskich okrzesków użyto ciosów starannie opracowanych, a głowice i trzony kolumn ozdobiono reliefem. Jest to pierwszy w Polsce – obok pięknie profilowanych cokołów filarowych odbudowanej katedry poznańskiej – przykład tak doskonałej kamieniarki.

Dwukolumnowe empory przy ścianach szczytowych transeptu są echem architektury ottońskiej, a nisze w ścianach krypty to motyw nadreński, zastosowany przez ekipę, która mogła uczestniczyć w początkach budowy kościoła klasztornego w Tyńcu, a następnie brała udział w budowie katedry praskiej.

Najważniejszy kościół klasztorny powstał w ufundowanym przez Kazimierza benedyktyńskim opactwie w Mogilnie. Bazylika z kaplicami po obu stronach części wschodniej, tworzącymi rodzaj niskiego transeptu, z wielką, kwadratową wieżą zachodnią poszerzoną o aneksy schodowe, z kryptą w przyziemiu wieży i kryptą wschodnią pod prezbiterium, powstała na wzór kościołów benedyktyńskich wzniesionych w latach 30. XI w. między Mozą i Skaldą. Ten model, wierny tradycji architektury ottońskiej, w warunkach polskich okazał się na tyle atrakcyjny, że 100 lat później zostanie powtórzony w zredukowanej postaci przez budowniczych drugiego kościoła klasztornego w Lubiniu.

Architektura książęca i możnowładcza

Postępująca emancypacja grupy możnowładczej pomnożyła szeregi fundatorów. Fundacje wojewodów Sieciecha czy Piotra Włostowica dorównują książęcym, a nawet przewyższają je. Każdy prawie z książąt dzielnicowych posiadał rezydencję, kaplicę lub kościół dworski; wielu fundowało klasztory (często pełniące rolę rodzinnych nekropolii), obdarzając je cennymi sprzętami liturgicznymi.

Największą budowlą XI w. była katedra na Wawelu, rozpoczęta może już przez Bolesława Szczodrego około 1078 r., kończona jednak za czasów Władysława Hermana i Bolesława Krzywoustego. Była to długa na 56 m trójnawowa bazylika z emporami ponad nawami bocznymi i z dwoma przeciwstawnymi, zakończonymi apsydalnie chórami kryjącymi w dolnych partiach krypty ze sklepieniami wspartymi na kolumnach. Szeroki rozstaw masywnych, czworograniastych wież zachodnich umożliwiał dostęp do naw bocznych, a schody w okrągłej wieżyczce przy wschodnim krańcu nawy południowej zapewniały komunikację z emporą. Dwuchórowa koncepcja liturgiczno-przestrzenna świątyni, motyw szeroko rozstawionych wież zachodnich oraz halowa, trójnawowa krypta św. Leonarda o kolumnach z głowicami kostkowymi (w 1118 r. został tu pogrzebany biskup Maur) wskazują, że wzorzec stanowiły cesarskie katedry nad Renem. Prace przy katedrze krakowskiej trwały długo – dopiero w 1142 r. nastąpiła jej ostateczna konsekracja.

Wkrótce po tym, być może przy udziale ostatniej budowlanej ekipy wawelskiej, rozpoczęto w Łęczycy (obecnie Tum pod Łęczycą) budowę kolegiaty – nieco skróconą wersję katedry krakowskiej. Uzasadniona hipoteza upatruje w tej zbieżności polityczny podtekst, zamiar stworzenia oprawy dla łęczyckich wieców młodszych książąt, występujących wraz z matką Salomeą przeciwko przyrodniemu bratu, seniorowi Władysławowi. Wielka apsyda zachodnia dzieli się na dwie kondygnacje dokładnie na wysokości empor. W dolnej, obok ołtarza, odnaleziono grób dostojnika kościelnego wysokiej rangi, może współfundatora, arcybiskupa gnieźnieńskiego. W ścisłym związku z tym pochówkiem pozostaje ołtarz, przy którym odprawiano modlitwy za duszę zmarłego, a także malowidło konchy apsydalnej. Jego tematem jest apokaliptyczna wizja Chrystusa Sędziego tronującego na tle gwiaździstego nieba w otoczeniu orędowników: Marii i Jana Chrzciciela oraz kolegium apostolskiego. Monumentalne, niestety bardzo źle zacho-

KRYPTA ŚW. LEONARDA ▶ – trójnawowa, sklepiona hala kolumnowa, imponujący relikt zachodniej części romańskiej katedry na Wawelu, była ukończona przed 1118 r. Długi okres budowy katedry, rozpoczętej już przez Władysława Hermana, potwierdzają różnice średnicy i formy baz kolumn z XI i XII w.
FOT. ZŚ

KOLEGIATA W TUMIE POD ŁĘCZYCĄ ▶ została konsekrowana w 1161 r. Ta dwuchórowa bazylika emporowa powtarza układ przestrzenny katedry krakowskiej. Korpus nawowy z ciosów granitowych, ujęty wieżami zachodnimi i okrągłymi wieżyczkami schodowymi, stwarza iluzję obronności.
WIDOK OD PŁD. ZACH., FOT. RS

Empora

Empora – wyodrębniona część budowli sakralnej, wyniesiona ponad poziom wnętrza – jest jednym z ważniejszych elementów funkcjonalnych i przestrzennych architektury wczesnego średniowiecza. W polskich budowlach występuje kilka jej odmian: 1 – ponad nawami bocznymi bazylik emporowych (np. kolegiata w Tumie pod Łęczycą). Ten typ budowli o genezie starochrześcijańskiej, służący pierwotnie separacji płci, dotarł za pośrednictwem Nadrenii; 2 – empora zakonna w kościołach klasztorów żeńskich ogólnie dostępnych. Jedną z najokazalszych była empora kościoła klasztornego w Trzebnicy, oparta o ściany nawy głównej i jeden rząd filarów biegnących jej środkiem; 3 – empory przy ścianach szczytowych transeptu, występujące tylko w tzw. kościele św. Gereona na Wawelu, pełniły funkcję trybun dla chórów; 4 – empory zachodnie. Stanowią najliczniejszą grupę w katedrach, kolegiatach i kościołach klasztornych, pełniąc raczej funkcje liturgiczne. W kościołach stanowiących własność fundatora, na ogół jednonawowych, były miejscem zastrzeżonym dla niego i jego potomków – tu przebywając, uczestniczyli w liturgii odprawianej w prezbiterium lub przy ołtarzu na emporze.

▼ EMPORY ZACHODNIE w kościołach św. Mikołaja w Żarnowie i Wysocicach – pierwsza jest otwarta na nawę szeroką arkadą, a druga tylko małymi okienkami – pokazują zróżnicowanie organizacji przestrzennej romańskich świątyń z emporami. Ta z Żarnowa jest jedynym w Polsce przykładem zachowanej empory zachodniej z podporą na osi kościoła.
POŁ. XII W.; 1 ĆW. XIII W.; FOT. ZŚ

◄ *DEESIS*
Wokół postaci tronującego Chrystusa dwie pary cherubinów, opisanych w wizji Ezechiela. Sposób ich przedstawienia został zaczerpnięty ze sztuki bizantyjskiej. Cała kompozycja wskazuje na głęboką wiedzę teologiczną jej inspiratora.
KOLEGIATA NMP I ŚW. ALEKSEGO W TUMIE POD ŁĘCZYCĄ, OK. 1160?, FOT. RS

▲ KOLEGIATA W KRUSZWICY
została ukształtowana na wzór kościołów benedyktynów zrzeszonych w kongregacji z Hirsau. Ascetyczna, antycesarska tendencja tego ruchu reformy monastycznej znalazła wyraz w powściągliwych, surowych formach bazyliki filarowej i rezygnacji z ornamentu.
2 ĆW. XII W.; FOT. RS, FOT. ZŚ

DRZWI Z CZERWIŃSKA ►
są doskonałym przykładem romańskich drewnianych drzwi zdobionych metalowymi okuciami w formie floralnej. Tego typu okucia pełniły funkcję nie tylko wzmacniającą konstrukcję, ale także zdobniczą.
KOŚCIÓŁ ZWIASTOWANIA NMP W CZERWIŃSKU POW. PŁOŃSK, XII–XIII W.?, FOT. ZŚ

◄ CIESZYŃSKA ROTUNDA ŚW. MIKOŁAJA,
z około połowy XI w., pełniła funkcję kaplicy grodu kasztelańskiego. Ten modelowy przykład rotundy prostej z ciosów wapienia wyróżnia się poziomem realizacji, kopułą nawy, unikalną emporą wspartą na kolumnach (częściowo odtworzoną) oraz wykuszem z prowadzącymi na nią schodami.
FOT. ZŚ

wane malowidło w kolegiacie pokazuje istotną rolę malarstwa w obrębie architektury.

Kościół opactwa Benedyktynów na wrocławskim Ołbinie był ogromną budowlą o wieloprzęsłowym korpusie nawowym. Konstrukcję ścian międzynawowych dźwigały kolumny o trzonach z jednej sztuki kamienia i głowicach kostkowych z charakterystycznym motywem dwu półkoli zaznaczonych płytkim reliefem. Identyczne były kolumny kościoła klasztornego Kanoników Regularnych w Trzemesznie, ukończonego zapewne w tym samym czasie. W obu wypadkach chodzi o bardzo specyficzny typ architektury związanej z benedyktyńskim ruchem reformy. Jest to architektura surowa, programowo antycesarska, przeciwstawna bogactwu form nadreńskich katedr. Do Polski dotarła wraz ze zgromadzeniami zakonnymi, przede wszystkim kanonickimi, rzecznikami reformy i odnowy Kościoła. Specyficzna forma głowic wskazuje, że działające na Śląsku i w Wielkopolsce warsztaty zatrudniały rzemieślników z leżącej na południe od Dolnej Saksonii Turyngii.

Typ rozwiązania przestrzennego – bryły o piramidalnym spiętrzeniu aneksów i apsyd po bokach dominującego masywu prezbiterium – z jakim spotykamy się w budownictwie tego kręgu, zdeterminował rozwiązanie wschodniej partii kolegiaty w Kruszwicy oraz rozplanowanie kościoła Norbertanek w Strzelnie, późnej budowli z przełomu XII i XIII w., słynnej z powodu unikalnego wystroju rzeźbiarskiego, o charakterze zresztą także saskim. Można powiedzieć, że obok nurtu reńsko-mozańskiego nurt saski wycisnął najmocniejsze piętno na architekturze XII w.

Niestety, z tego okresu zachowało się tylko kilka kościołów niebędących katedrami, kolegiatami lub świątyniami klasztornymi. Należy do nich wzniesiony na trasie częstych podróży Władysława Hermana jednonawowy, emporowy kościół z okrągłą wieżą w Inowłodzu, z przełomu XI i XII w., o saskim rodowodzie. Jednonawowy kościół powstał w pierwszej ćwierci XII w. w Prandocinie, przy dworze Prandoty Starego. Znakomita, niezwykle precyzyjna kamieniarka tej unikalnej budowli z przeciwstawnymi apsydami i ośmioboczną wieżą zachodnią jednoznacznie wskazuje na warsztat z Nadrenii.

Poza tą elitarną grupą obiektów wykonanych przez warsztaty sprowadzone z najlepszych ośrodków północno-zachodniej Europy powstały liczne budowle, przede wszystkim w mniejszych, prowincjonalnych grodach kasztelańskich i osiedlach targowych; niewielkie, sprowadzone niekiedy do najprostszej przestrzennej formy, znajdują się poza głównymi nurtami sztuki romańskiej. W Polsce południowej wciąż trwa tradycja czesko-morawskich rotund prostych okresu przedromańskiego. Obok XI-wiecznej ciosowej kaplicy grodu cieszyńskiego (sklepionej kopułą, z emporą zachodnią) i przemyskiej rotundy św. Mikołaja (z obejściem, zapewne piętrowej) są to budowle wznoszone najczęściej prymitywną techniką z kamienia łamanego, jak rotundy w Strzelinie i śląskiej Stroni z XIII w. czy w Grzegorzowicach z lat 30. XIV w. Równie często podejmuje się także przedromański typ bezwieżowej budowli salowej z apsydą, np. w Siewierzu i dwu Kościelcach, Kolskim i Kaliskim. Dopiero na przełomie XII i XIII w. zostaną zbudowane w dobrach rycerskich bardziej okazałe kościoły w Kościelcu Kujawskim i Wysocicach. Realizują one pełny program z wyodrębnionym prezbiterium, wieżą zachodnią i emporą, względnie górną kaplicą.

Rzeźba architektoniczna

Kolegiata łęczycka jest także przykładem znaczenia rzeźby architektonicznej w okresie apogeum sztuki romańskiej. Główny portal (umieszczony wyjątkowo po stronie północnej z uwagi na położenie kolegiaty względem grodu) uderza bogactwem rzeźby figuralnej, zwierzęcej i ornamentalnej znakomicie współgrającej z architektoniczną ramą. Masywne trzony zewnętrznej pary kolumn wieńczą wielkie kapitele naśladujące kompozytowe głowice antyczne. Na ich abakusach lew i gryf triumfują nad pokonanymi ofiarami, tworząc wraz z ozdobnymi archiwoltami odświętną ramę dla tympanonu. Dwa anioły z berłem i krzyżykiem umieszczone po bokach Madonny nadają scenie podwójny sens – zwiastowania narodzin Chrystusa i Jego śmierci na krzyżu. Podobny wystrój cesarskich katedr pozwala sądzić, że przy dekoracji tumskiej kolegiaty pracowali rzeźbiarze północnowłoscy, przybyli zapewne wraz z ekipą nadreńską. Łęczycki portal wykonano przed 1161 r. (data uroczystej konsekracji). Z tego samego czasu pochodzi znakomita rzeźba Chrystusa Pantokratora, dzieło rzeźbiarza z Burgundii, zapewne fragment ołtarza.

Z kręgu uczniów i naśladowców wielkiego Wiligelma z Modeny wywodził się mistrz, który wykonał portal zachodni kościoła klasztornego w Czerwińsku, o złożonym programie inspirowanym portalami kościołów kluniackich; natomiast portal kościoła klasztornego na Ołbinie we Wrocławiu wskazuje na lombardzkie pochodzenie autorów. Występowanie italianizującej rzeźby przy budowlach o genezie nadreńskiej i mozańskiej jest czymś naturalnym. Dlatego nie powinno dziwić jej pojawienie się w kolegiacie łęczyckiej, w górnoreńskiej architek-

◄ POŁUDNIOWY PORTAL TRANSEPTU
kolegiaty św. Piotra w Kruszwicy nie jest osadzony w niszy, co może świadczyć, że był pierwotnie obudowany. Elementami umożliwiającymi datację są kostkowe głowice kolumn oraz bazy z charakterystycznymi „żabkami".
2 ĆW. XII W., FOT. RS

▲ DEKORACJA RZEŹBIARSKA
kolegiaty NMP i św. Aleksego w Tumie pod Łęczycą przepychem form ożywia monumentalną, surową bryłę bazyliki wzniesionej z bloków granitu. Krystaliczny wapień pozwolił rzeźbiarzom warsztatu północnowłoskiego i burgundzkiemu autorowi rzeźby Pantokratora na osiągnięcie doskonałości artystycznej.
OK. 1160?; CHRYSTUS PANTOKRATOR – FOT. ZŚ; PORTAL PŁN. – FOT. RS

◄ MADONNA Z GOŹLIC
– ta rzeźba o twardym, surowym konturze wykonana została z piaskowca, zaś źrenice wypełniono ołowiem. Typ i cechy stylu wskazują na wzorce francuskie, które mogły dotrzeć na te tereny dzięki cystersom sprowadzonym z Burgundii do pobliskiego opactwa w Koprzywnicy.
2 ĆW. XIII W., MDSK SANDOMIERZ, FOT. ZŚ

FRESKI Z CZERWIŃSKA ▼►
wypełniające kaplicę południową kościoła klasztornego Zwiastowania NMP są największym i najlepiej zachowanym tego typu zespołem w Polsce. Przedstawiają dzieje biblijne oraz męczenników Kościoła. Bogatemu programowi nie dorównuje wykonanie. Prawdopodobnie malowidło wykonał malarz dekorujący na co dzień rękopisy, niemający doświadczenia w malarstwie ściennym.
1 POŁ. XIII W., FOT. ZŚ

◄ RZEŹBA MARII Z DZIECIĄTKIEM
wysokości 40 cm, z drewna lipowego, polichromowana, pochodzi z kościoła opactwa Cysterek w Ołoboku, wzniesionego w 1213 r. Cechą charakterystyczną jest dysproporcja między górną partią tułowia a niskim tronem, właściwa Madonnom z południowej Francji.
2 POŁ. XII W., MN WARSZAWA, FOT. ZŚ

◄▲ PRZYKŁADY ROMAŃSKIEGO ODLEWNICTWA
powstałe prawdopodobnie na pograniczu niemiecko-francuskim. Ich klasa artystyczna sugeruje, że pierwotnie znajdowały się nie w wiejskim kościele parafialnym, ale w którymś z kościołów krakowskich. Jednak co najmniej dwa ostatnie najprawdopodobniej od samego początku przeznaczone były do kościoła parafialnego w Luborzycy – fundacji biskupa krakowskiego Iwona Odrowąża.
AKWAMANILA (NACZYNIE DO OBMYWANIA RĄK) Z KOŚCIOŁA W KONIUSZY POW. PROSZOWICE – 2 POŁ. XII W., SKW KRAKÓW; KOCIOŁEK I ANTABA – XII/XIII W., KOŚCIÓŁ ZNALEZIENIA I PODWYŻSZENIA KRZYŻA ŚW. W LUBORZYCY POW. KRAKÓW; FOT. SM

◄ „ŚWIĘTY" BISKUP
– fragment stuły z kolegiaty kruszwickiej. Pierwotnie postaci tych było zapewne szesnaście, czyli tyle, ilu jest proroków Starego Testamentu. Haft wykonano nićmi złotymi i jedwabnymi na tkaninie pochodzenia wschodniego, prawdopodobnie bizantyjskiej.
REJON SALZBURGA LUB TYROLU, AUSTRIA, EWENTUALNIE POLSKA POD WPŁYWEM TEGO OBSZARU, XII/XIII W., IAiE POZNAŃ

turze kolegiaty opatowskiej czy nadmozańskiej kościoła klasztornego w Czerwińsku. Inaczej miała się rzecz z benedyktyńskim kościołem NMP i św. Wincentego na Ołbinie we Wrocławiu. Tu włoski ozdobny portal był obcym wtrętem, został włączony w obręb architektury o pół wieku wcześniejszej (konsekracja w 1145 r.), o zupełnie odmiennych założeniach.

Drewniane figury kultowe

Obraz sztuki romańskiej byłby wypaczony, gdyby w dziełach rzeźby drewnianej, złotnictwa, miniatorstwa widzieć tylko dopełnienie architektury i rzeźby monumentalnej, ruchomy „wystrój", jak się zwykło mówić. Przeciwnie, to architektura jest materialną osłoną eucharystycznego misterium, a także przedmiotów służących jego sprawowaniu, określanych wspólnym mianem świętych naczyń i ksiąg. Relikwiarz, figura czy obraz słynący cudami są często przedmiotem kultu, siłą sprawczą budowy ogromnych świątyń. Miejsce szczególne zajmowały drewniane figury, polichromowane albo od początku przygotowane do pokrycia srebrną lub złotą blachą powtarzającą wszystkie szczegóły rzeźby. Zachował się zaledwie znikomy odsetek figur kultowych; w Polsce przetrwały tylko dwie romańskie figury tronujących Madonn z XII w., w Ołoboku i Bardzie, jedyne zresztą w Europie Środkowowschodniej.

Drewnianą polichromowaną figurą, która stała na ołtarzu, ale była także noszona na procesjach, jest Madonna z klasztoru Cysterek w Ołoboku, prawdziwa figura kultowa – prostokątna nisza wycięta w jej plecach zawierała niegdyś relikwie. Dzieciątko tronuje, siedząc na kolanach Matki, a ręce Marii biegną obok Jezusa jak poręcze. Takie przedstawienie ilustruje przenośnie teologów, którzy nazywali Bogurodzicę najdoskonalszym tronem Boga. Rzeźba ołobocka, pochodząca z Francji południowej, ma odpowiedniki w rzeźbie kamiennej. Drewniane figury, które pojawiły się wcześniej, wywarły ogromny wpływ na przedstawienia tronującej Marii, o czym można się przekonać, oglądając piaskowcowe rzeźby związane z architekturą kościołów w Wysocicach, Goźlicach i Starym Zamku.

Złotnictwo na usługach liturgii

Vasa sacra – naczynia liturgiczne kute w złocie i srebrze – były najbardziej narażone na grabież wojenną, pospolitą kradzież, a także przetopienie w celu pozyskania materiału do wykonania nowych dzieł. Pomimo to, pośród nielicznych dzieł złotni-

Kielichy mszalne

Pośród naczyń służących sprawowaniu mszy najważniejszy jest kielich wraz z towarzyszącą mu pateną. Swą formę – z trójpodziałem na stopę, czaszę i osadzony pomiędzy nimi wypukły nodus – zawdzięcza najbardziej funkcjonalnej odmianie biesiadnego naczynia starożytności. W XI i XII w. zachodzi ewolucja polegająca na stopniowym powiększaniu średnicy czaszy i spłaszczaniu stopy. Ewolucję tę ilustrują doskonale polskie zabytki. Szczerozłoty kielich z grobu opata w Tyńcu o stromej, stożkowatej stopie i kulistym nodusie, odnaleziony wraz z pateną, różni od przedromańskich tylko bardziej rozszerzona czasza.

W stosunku do kształtu tego naczynia z połowy XI w. ogrom przemian ukazują najlepiej oba kielichy trzemeszeńskie, z lat 70. XII w., o płytszych, mocno rozchylonych czaszach i spłaszczonych stopach i nodusach. Zarówno repusowane reliefy figuralne tzw. Kielicha Królewskiego, jak grawerowane i niellowane sceny tzw. Kielicha Typologicznego uderzają perfekcyjną, wyrafinowaną techniką wykonania i bogactwem teologicznych treści przesłania, usystematyzowanego poprzez układ kompozycyjny i kolejność scen.

czych z XII w., w skarbcach polskich kościołów zachowały się dwa o najwyższym poziomie sztuki złotniczej, oba z Trzemeszna.

Tzw. Kielich Królewski – wspaniałe naczynie o niezwykle harmonijnie wyważonych proporcjach – odznacza się niezrównanym bogactwem plastycznym i treściowym reliefów. W polach podziałów czaszy i stopy widnieje dwanaście scen z Ksiąg Królewskich Starego Testamentu. Na przykładzie monarchów i proroków Izraela przedstawiono zagadnienie absorbujące najtęższe umysły średniowiecza: relacji władzy królów do duchowej mocy kleru, bardzo aktualne w Polsce lat 70. XII w., kiedy powstały oba kielichy.

Drugi kielich trzemeszeński, tzw. Typologiczny, został wykonany inną techniką. Przedstawienia figuralne grawerowane i złocone wraz z podziałami umownej architektury odcinają się od czerni uzyskanej techniką niello. W scenach czaszy i stopy przejawiła się porządkująca metoda scholastycznej myśli w zestawianiu ważnych scen Nowego Testamentu z zapowiadającymi je wydarzeniami Starego Testamentu. Wraz z tzw. Pateną Kaliską zaginionego kielicha, daru Mieszka Starego dla opactwa Cystersów w Lądzie, dzieła te świadczą o wyrobieniu artystycznym fundatorów.

Złota i srebra używano również do dekoracji tkanin liturgicznych: haftowano je cieniutkimi metalowymi drucikami. Z mniej szlachetnych kruszców, głównie z brązu, wykonywano inne przedmioty liturgiczne – kociołki na wodę święconą, naczynia do obmywania rąk podczas mszy, świeczniki itp. Drzwi kościelne wzmacniano i dekorowano fantazyjnymi okuciami, zachowały się także antaby, czyli ozdobne kołatki, często o kształcie głowy drapieżnika.

Rękopisy iluminowane

Trafną orientacją fundatorzy wykazywali się również w zakresie malarstwa rękopisów iluminowanych. Pośród niewielu zachowanych XI-wiecznych przeważają najcenniejsze – tzw. złote kodeksy. Z kolei późniejszy o 100 lat *Ewangeliarz kruszwicki*, bardzo dobry przykład XII-wiecznego stylu narracyjnego, obfitujący w realia swego czasu, reprezentuje szkołę saskich rękopisów iluminowanych z kręgu Henryka Lwa. Niestety, główne dzieło iluminatorstwa znad Mozy w Polsce – *Biblia czerwińska* – spłonęło podczas powstania warszawskiego. Z tej samej szkoły pochodzą jednobarwne, bardzo piękne inicjały w *Perykopach płockich*. Wysokiej jakości omówionych rękopisów dorównuje złotnicza, także nadmozańska oprawa psałterza księżnej Anastazji, córki Mieszka Starego.

◄▲ KIELICH TZW. TYPOLOGICZNY I PATENA

z opactwa Kanoników Regularnych w Trzemesznie. Kute w srebrze naczynia wykonane zostały przez złotnika pochodzącego z któregoś z przodujących warsztatów Europy Zachodniej.

KOŚCIÓŁ NMP W TRZEMESZNIE, LATA 70. XII W., DEPOZYT W MAD GNIEZNO, FOT. RS

PERYKOPY EWANGELICZNE ▼

sprowadzone do katedry płockiej z kraju nadmozańskiego, prawdopodobnie za sprawą biskupa Aleksandra z Malonne, należą do najlepszych importów z tego rejonu. Inicjały, wykonane piórkiem (cztery figuralno-roślinne i trzynaście roślinnych), cechuje harmonia proporcji i ruchu postaci oraz umiejętność oddawania draperii.

OK. 1160, BSD PŁOCK, FOT. PC

◄ OPRAWA *EWANGELIARZA ANASTAZJI*

– najcenniejsze księgi oprawiano w płytki z kości słoniowej lub ze szlachetnych metali. Inwentarz katedry krakowskiej z 1110 r. wymienia dwa rękopisy w złotych i trzy w srebrnych okładkach. Obecnie w całej Europie zachowały się jedynie trzy srebrne romańskie oprawy.

KRAJ NADMOZAŃSKI, OK. 1160–1170, BOZ WARSZAWA, DEPOZYT W BN WARSZAWA, FOT. SF

Praca w skryptorium

Kodeksy wykonywano z pergaminu – wygładzonej i nasączonej kredą błony ze skór młodych zwierząt. Po naniesieniu wstępnego szkicu rysunki pokrywano farbą na bazie białek jaj, po czym nakładano warstwy płatkowego złota, wygładzanego agatem bądź zębem dzika lub wilka. Na koniec nanoszono ostateczną warstwę malarską, uzyskując pożądane odcienie i szczegóły. Cenne egzemplarze najczęściej ozdabiano figuralnymi miniaturami umieszczanymi na całych kartach bądź włączanymi w kolumny tekstu. Szczególnie dekorowano inicjały ważniejszych części ksiąg, często stosując ornamenty geometryczne, roślinne i zwierzęce. O procesie powstawania kodeksów mówią nam najwięcej ślady pozostawione na samych rękopisach, zachowane narzędzia pisarskie oraz wyobrażenia ewangelistów jako pisarzy przy pracy. W *Ewangeliarzu kruszwickim* uderza dokładność oddania realiów pracy w skryptorium. W osobach ewangelistów, z którymi identyfikuje się malarz, pokazano kolejne etapy pracy pisarza. Jan, pełen skupienia, wyraża moment koncentracji przed rozpoczęciem pracy, Mateusz pomiędzy dwoma pulpitami jest pokazany przy pracy kopisty: prawą ręką pisze, lewą przytrzymuje kartę kopiowanego rękopisu futerałem na pióra. Marek przerwał pracę, by zaostrzyć nożem pióro, a Łukasz odczytuje zapisaną stronę.

TYNIEC

Wapienne wzgórza tynieckie, niegdyś pokryte lasami, to wyodrębniona grupa skał wśród zakoli wiślanych. Etymologia nazwy („tyn" znaczy płot, ogrodzenie) wskazuje, że od zawsze było to ufortyfikowane miejsce, chroniące zapewne przeprawę na Wiśle. W średniowieczu umocnienie to stanowiło element systemu obronnego pobliskiego Krakowa i miało na celu ryglować drogę z Czech. Lokalizacja opactwa w tym miejscu nie była przypadkowa: zapewniała mnichom odseparowanie od świata zewnętrznego, a równocześnie stały kontakt z biskupem rezydującym w pobliskim Krakowie.

Opactwo ufundował prawdopodobnie w latach 40. XI w. Kazimierz Odnowiciel; fundacja wiązała się z reformą otoczenia biskupa krakowskiego, które zostało przekształcone w kapitułę katedralną, a należących do niego dotychczas (obok kleru świeckiego) mnichów osadzono w odległym od Wawelu o około 2 godziny marszu Tyńcu.

Najstarsze zabudowania były drewniane. Wsparcie ze strony Bolesława Szczodrego umożliwiło wzniesienie murowanego trójnawowego kościoła, przy którego budowie pracował miejscowy warsztat budowlany, działający wcześniej w Krakowie. Na przełomie XI i XII w., zapewne dzięki funduszom uzyskanym od Judyty Salickiej, wdowy po Władysławie Hermanie, przy południowej ścianie kościoła wzniesiono wokół czterobocznego wirydarza klasztor. Wirydarz otaczały krużganki otwarte do wewnątrz arkadami opartymi na charakterystycznych dla architektury północnych Włoch zdwojonych kolumnach z bliźniaczymi głowicami. Przylegały do nich pomieszczenia klasztorne. Zgodnie z obowiązującym zwyczajem refektarz (czyli klasztorną jadalnię) z przylegającą doń kuchnią umieszczono po stronie południowej, najdalej od kościoła.

Początkowo podstawę egzystencji mnichów stanowiły dochody z sześciu wsi położonych w najbliższej okolicy, przeprawy wiślanej i karczmy przy rzece (do dziś nadbrzeżna część Tyńca nazywa się Karczmisko) oraz nadania pieniężne od księcia. Z czasem własność tyniecka stawała się coraz bardziej potężna, obejmowała także udziały w produkcji soli w Wieliczce, Sidzinie i Kolanowie. Dzięki opiece dynastii piastowskiej Tyniec urósł do rangi najważniejszego i najbogatszego średniowiecznego opactwa na ziemiach polskich.

W XII w. zostały mu podporządkowane opactwa na Łysej Górze, a następnie w Sieciechowie. Powstała w ten sposób „federacja" zarządzana przez opata tynieckiego, uzupełniona w XIII w. o opactwo w Orłowej pod Cieszynem i kilka mniejszych prepozytur zakonnych, przetrwała do końca XIV w.

▲ OPACTWO TYNIECKIE
„Jak ryba bez wody, tak mnich bez klasztoru nie może żyć bezpiecznie" – streścił w 1331 r. biskup krakowski Jan Grotowic myśl reguły benedyktyńskiej, nakazującej mnichom życie w klasztorze, który zaspokaja wszystkie ich potrzeby duchowe i materialne.
WIDOK ZZA WISŁY, FOT. RS

◄ PIECZĘĆ KAPITUŁY TYNIECKIEJ
ukazuje św. Piotra. Motyw ten nawiązuje do słów „Ty jesteś Piotr, czyli skała, i na tej skale zbuduję Kościół mój" (Mt. 16, 18). To właśnie ten „książę apostołów" patronował zbudowanej na skalistym wzgórzu tynieckiej świątyni.
PRZY DOKUMENCIE Z 6 VII 1233, AP WROCŁAW, FOT. MM

MANIPULARZ ►
i stuła znalezione w jednym z grobów w klasztorze należą do najstarszych znalezisk tkanin z szat liturgicznych na ziemiach polskich. Sporządzone na Sycylii, z wyraźnymi śladami wpływów szkockich lub nordhumbryjskich, zwracają uwagę przepychem i starannością wykonania.
POŁ. XII W., KLASZTOR BENEDYKTYNÓW W TYŃCU, DEPOZYT W ZKW KRAKÓW, FOT. SM

▼ WSPORNIK Z KRUŻGANKA
przedstawia głowę kobiety w *corona muralis* jako personifikację bogini Tyche. Motyw ten, popularny w sztuce hellenistycznej i rzymskiej, odrodził się w sztuce romańskiej.
XIII W., FOT. PC

▲ *SAKRAMENTARZ TYNIECKI*
Ten luksusowy rękopis uzyskali benedyktyni tynieccy być może w darze od Bolesława Szczodrego, ich dobroczyńcy i inicjatora budowy murowanego kościoła klasztornego. Za pierwotną oprawę kodeksu bywa uznawana zaginiona płytka z kości słoniowej z przedstawieniem Ukrzyżowania.
KOLONIA, NIEMCY, LUB KRAJ NADMOZAŃSKI, OK. 1060, BOZ WARSZAWA, DEPOZYT W BN WARSZAWA, FOT. SF

ZŁOTY KIELICH PODRÓŻNY Z PATENĄ ►
z grobu opata. Podobne szczerozłote zestawy znane są jedynie z grobów arcybiskupów trewirskich. Tam też należy szukać wzorców naczyń tynieckich, choć dosyć prymitywna technika wykonania wydaje się wskazywać na produkcję miejscową.
XI W., KLASZTOR BENEDYKTYNÓW W TYŃCU, DEPOZYT W ZKW KRAKÓW, FOT. SM

▼ GŁOWICE BLIŹNIACZE
pochodzą z przeźroczy romańskiego krużganka. Wszystkie dotąd odnalezione (cztery całe i dziewięć połówek) są dekorowane ornamentem roślinnym, w który wplatano niekiedy motywy geometryczne lub zoomorficzne. Najbliższą analogię tynieckich stanowią głowice z opactwa San Tommaso w Genui.
OK. 1100, FOT. PC

ZEWNĘTRZNA POŁUDNIOWA ŚCIANA ►
klasztornego kościoła romańskiego zachowała pierwotne wejście łączące krużganek ze świątynią. Gotyckie sklepienia pochodzą z XV w.
3 ĆW. XI W., FOT. PC

Na rozdrożu

Statut Krzywoustego

„Ściśle przestrzegać praw, a Królestwo całe zachowywać w trwałym pokoju"

▲ WAWEL
w połowie XII w. skupiał kilkanaście lub więcej murowanych budowli tworzących kilka zespołów: rezydencję książęcą (aula pałacowa, wieża obronna, co najmniej trzy kaplice), zespół katedry, a także liczne obiekty towarzyszące – w tym zapewne rezydencje możnowładcze z własnymi kaplicami. Ten niemający na ziemiach polskich odpowiedników gród był główną siedzibą Bolesława Krzywoustego.
MAKIETA WZGÓRZA, WIDOK OD PŁD., WG Z. PIANOWSKIEGO WYKONAŁ R. GAWEŁ, FOT. MM

Źródła o statucie

Mistrz Wincenty, gorliwy stronnik Kazimierza Sprawiedliwego, pisał o statucie z punktu widzenia losów tego księcia. Większą część jego narracji zajmuje więc rzekome proroctwo ojca, że kiedyś Kazimierz zajmie miejsce czterech starszych braci, którzy już otrzymali dzielnice. O samym dokumencie kronikarz podał tylko, że zawsze przy najstarszym „miało pozostać i księstwo dzielnicy krakowskiej, i władza zwierzchnia". Dokładniej ujął rzecz list Innocentego III, pisany na prośbę „księcia śląskiego" [był nim wówczas Henryk Brodaty], który dostarczył papieżowi odpowiednich wiadomości. Według tego listu Krzywousty zarządził, by stołeczny gród Kraków dzierżył „zawsze ten, który z jego rodu będzie starszy urodzeniem", a „jeśliby najstarszy umarł lub zrzekł się prawa swego, ma wejść w posiadanie tego grodu ten, kto po nim będzie najstarszy z całego rodu". Zasada ta, potwierdzona przez Stolicę Apostolską, miała obowiązywać „na wieczne czasy". Obydwa źródła, przedstawiając statut podobnie, piszą o nim z różnych pozycji politycznych. Dla kronikarza statut jest tylko przeszłością, przekreśloną przez rządy w Krakowie, najpierw Kazimierza Sprawiedliwego, a po nim Leszka Białego, z pominięciem starszych Piastów. Henryk Brodaty zaś, czując się pokrzywdzony tym stanem rzeczy, zmierzał do przywrócenia senioralnego następstwa tronu.

Co uważano?

W dawniejszych dziejach, również polskich, są pewne ważne epizody, które ze względu na niedostatek i niejasność wiadomości źródłowych różnie bywają określane przez badaczy. Statut Bolesława Krzywoustego, rozstrzygający sprawę następstwa tronu na najdalszą możliwą przyszłość, do takich właśnie epizodów należy. Niestety, nie zachował się on w postaci dokumentu, w którym wszystkie postanowienia byłyby jasno wyłożone. Opisują go tylko dwa źródła o kilkadziesiąt lat późniejsze: kronika mistrza Wincentego oraz pisany w 1210 r. list papieża Innocentego III do arcybiskupa gnieźnieńskiego Henryka Kietlicza. Parę uzupełniających wiadomości przynoszą bliscy czasowo statutowi dziejopisowie niemieccy; reszty można dociec z samego stanu rzeczy w Polsce tuż po śmierci Krzywoustego, gdyż musiał on odpowiadać jego woli.

W powszechnej dotąd opinii statut ten zapoczątkował podział państwa, ponieważ wyznaczył dzielnice dla książęcych synów, tym samym zaś otworzył nowy okres, nazwany rozbiciem dzielnicowym. Wprowadzał zwierzchnictwo najstarszego z Piastów nad młodszymi, oparte na: bezpośredniej władzy nad rozległą dzielnicą senioralną, obejmującą środkowy pas ziem polskich od ziemi krakowskiej (ze stołecznym Krakowem) przez łęczycką i gnieźnieńską do Kujaw, oraz na dużych uprawnieniach władczych – do inwestytury biskupów, mianowania komesów, pobierania dochodów z całego państwa i prowadzenia polityki zagranicznej. Pierwszym seniorem został najstarszy syn, Władysław, zwany później Wygnańcem, który równocześnie jako dzielnicę dziedziczną otrzymał Śląsk. Trzej młodsi synowie (juniorzy) uzyskali natomiast trzy inne dzielnice: Bolesław Kędzierzawy – Mazowsze, Mieszko, zwany później Starym – część Wielkopolski z Poznaniem, a Henryk – Sandomierskie. Za czas ustanowienia statutu uznawano ostatni rok rządów Krzywoustego, więc 1138 – za mistrzem Wincentym, który mówi o testamencie spisanym już na łożu śmierci.

Z czasem poglądy były zmieniane. Według jednej z ważniejszych hipotez po zgonie Bolesława dzielnice posiadało nie czterech, lecz tylko trzech jego synów: Henryk, jako małoletni, nie miał wtedy Sandomierza. Właśnie zaś z ziem krakowskiej i sandomierskiej miała się składać dzielnica senioralna. Hipoteza ta wywołała dyskusję, w której geografii działów seniora i juniorów dotąd w szczegółach nie uzgodniono.

Co na pewno wiemy?

Jednomyślna treść głównych źródeł pozwala uznać z pewnością, że statut Bolesława Krzywoustego ustanawiał „na zawsze" sukcesję tronu w osobie najstarszego wiekiem w całym rodzie Piastów (seniora). Senior ów miał rezydować w Krakowie i sprawować osobiste rządy w ziemi krakowskiej, która stawała się stołeczną dzielnicą państwa. Z niej miał sprawować zwierzchnictwo nad dzielnicami przydzielonymi innym Piastom, a także nad Pomorzem, pozostającym we władaniu dynastii miejscowych. Statut ten został ogłoszony na ogólnopaństwowym wiecu, zaprzysiężony przez obecnych tam biskupów i dostojników świeckich, w pisemnej zaś formie przekazany do Stolicy Apostolskiej celem jego zatwierdzenia przez papieża, co też nastąpiło.

Tak zredagowany akt prawny miał na celu zapewnienie monarchii polskiej trwałego pokoju wewnętrznego. W opinii jego twórców dalsze walki między Piastami staną się zbędne, skoro każdy z nich ma szansę – o ile dożyje – na osiągnięcie godności zwierzchniego księcia. Pokój ów miały przy tym zapewnić przysięgi na dotrzymanie statutu, a wreszcie groźba klątwy kościelnej w razie jego złamania.

Wiemy dziś również i to, że po śmierci Krzywoustego dzielnice polskie znajdowały się w rękach trzech tylko jego synów. Wymienia je zapiska wrocławska z 1139 r., według której Władysław panował wtedy w Krakowie, Bolesław na Mazowszu, a Mieszko w Poznaniu. Henryk, zapewne już z woli ojca, miał otrzymać Sandomierz, lecz dopiero w przyszłości – po dojściu do lat sprawnych. Podobnie było z najmłodszym, Kazimierzem, któremu jednak nie wyznaczono konkretnej dzielnicy. Nie znamy dokładnych granic dzielnic. Sam statut mógł ich zresztą wcale nie wymieniać, skoro nie zakładano ich dziedziczności. Ustawy prawne mają bowiem moc obliczoną na długie trwanie, a liczba dzielnic miała się zmieniać w zależności od liczby uprawnionych do sprawowania władzy członków dynastii.

Jak było u sąsiadów?

Prawidłowa analiza polskiej ustawy sukcesyjnej nie może obejść się bez porównań. Ustawa taka

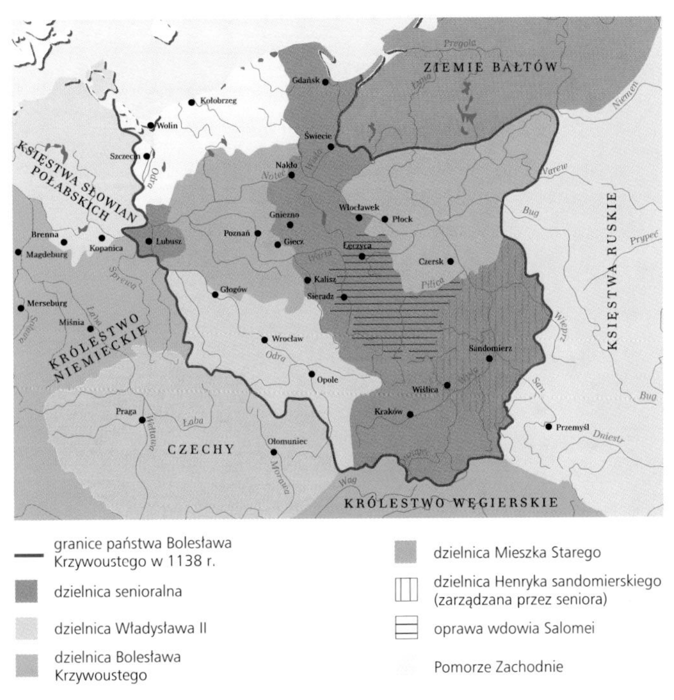

▲ ZIEMIE POLSKIE W LATACH 1138–1144

RYS. JG

▲ GENEALOGIA WŁADCÓW NIEMIEC, podobnie jak inne sporządzane w tym czasie, służyła uzasadnieniu praw do dzierżenia władzy. Tu ukazano pochodzenie – od założycieli najstarszej dynastii niemieckiej, Ludolfingów – panujących w pierwszej połowie XIII w. cesarzy i ich krewnych z dynastii Hohenstaufów i Welfów. Widoczne są koligacje zarówno po mieczu, jak i po kądzieli, a godności poszczególnych osób opisano oraz oznaczono za pomocą atrybutów.

„KRONIKA KOŚCIOŁA ŚW. PANTALEONA", ZACH. NIEMCY, 1240, BRA BRUXELLES

◄ CESARZ Z SYNAMI
Fryderyk I Barbarossa dopuścił do sprawowania władzy swoich synów. Młodszy, Fryderyk, został księciem szwabskim; starszy, Henryk, dzięki małżeństwu miał zostać królem Sycylii, a w czasie udziału ojca w wyprawie krzyżowej objął rządy regencyjne w cesarstwie.
„DZIEJE WELFÓW", WEINGARTEN, NIEMCY, 1185–1191, HLB FULDA

Seniorat na Rusi

Jarosław Mądry, książę kijowski, umierając w 1054 r., miał – jak podaje latopis – zalecić synom pokój i zgodę wzajemną; następstwo po sobie dał najstarszemu z nich, Izjasławowi, a pozostałym zmienił już wydzielone lub wyznaczył nowe dzielnice. Ulubionemu zaś synowi Wsiewołodowi miał powiedzieć, że jeśli obejmie tron po swych braciach prawnie, a nie przemocą, to po śmierci ma być pochowany obok niego. Dwa te zdania latopisu, a także kolejność panowań w Kijowie przez najbliższe kilkadziesiąt lat, dowodzą ustanowienia na Rusi senioralnego porządku władania. Nie uchroniło to zresztą kraju od walk o dzielnice, zagarniane niekiedy siłą, wbrew woli wielkiego księcia kijowskiego. Wnuk Jarosława, Włodzimierz Monomach, obsadzając dzielnice licznymi synami, doszedł do tak wielkiej potęgi, że przekazał sukcesję najstarszemu z nich (lecz nie z całego rodu) – Mścisławowi. Ograniczenie praw wielkoksiążęcych do jednej tylko linii wywołało w następnych pokoleniach ciągłe wojny domowe, w których liczyła się już wyłącznie siła, a nie zasady prawne.

▲ GALERIA PRZODKÓW
przedstawiona na freskach w kaplicy zamkowej w Znojmie (Czechy) jest swoistą manifestacją polityczną tutejszych książąt: wszyscy władcy, zarówno prascy, jak i niewielkich dzielnic morawskich, zostali przedstawieni jako równi. Dlatego też jednoznacznie zidentyfikować na niej możemy tylko króla Wratysława II.
PO 1134, FOT. PP

musiała bowiem odpowiadać zwyczajom swego czasu i mentalności ówczesnych ludzi. O tych zaś sprawach można niekiedy dowiedzieć się więcej ze źródeł obcych, jeżeli są obfitsze. Tak właśnie ma się rzecz ze źródłami ruskimi i czeskimi. Przedstawiają one dokładniej dzieje wzajemnych stosunków między władcami zwierzchnimi a książętami dzielnic.

W krajach słowiańskich model zarządu terytorialnego prezentował się odmiennie niż w Europie Zachodniej. Decentralizacja monarchii karolińskiej (a potem państw sukcesyjnych tej monarchii, Francji i Niemiec) postępowała na skutek przejmowania przez hrabiów, w pierwszym okresie każdorazowo mianowanych przez króla, praw dziedzicznych na obszarze swoich hrabstw. W ten sposób z królewskich urzędników terytorialnych stawali się oni nieusuwalnymi lennikami monarchy, który to stosunek przechodził na ich potomków. Ich liczebność i częste bunty powodowały poważne osłabienie władzy królewskiej, która szukała ratunku w nadawaniu wygasłych lenn członkom własnej dynastii.

Tymczasem na Rusi czy w Czechach zarząd dzielnic znajdował się właśnie w ręku dynastii panującej. Mimo zdarzających się i tam zatargów, związanych z rywalizacją o tron zwierzchni, rozwiązanie takie uważano za korzystne dla jedności państwa. Zabezpieczało je bowiem przed odradzaniem się dawnych plemiennych separatyzmów. Dzielnice nie były dziedziczne. Przydział ziem pozostawał w gestii zwierzchnich książąt, siedzących w Kijowie czy Pradze; dzielnice były więc tylko jednostkami zarządu w jeszcze niepodzielnym państwie. Na Rusi występowała nawet hierarchia księstw dzielnicowych; niektórzy książęta przechodzili z biegiem lat na bardziej zaszczytne terytorium.

Stołeczny tron natomiast w obu państwach przekazywano na zasadzie senioratu. Zasadę tę na Rusi ustanowił już Jarosław Mądry, zmarły w 1054 r., w Czechach zaś – zmarły rok później Brzetysław I. Każdy z nich bowiem zostawił wielu synów, co powodowało konieczność uporządkowania następstwa. Seniorat długo spełniał swe zadania – walki o najwyższą władzę stały się o wiele rzadsze. W obu państwach jego podstawy podkopało jednak rozrodzenie dynastii, gdy liczba chętnych do dzielnic zaczęła przeważać nad ziemiami gotowymi do przydziału. W tej sytuacji każdy sprawujący zwierzchnią władzę starał się wykorzystać dany mu czas, aby jak największą liczbę dzielnic obsadzić najbliższymi krewnymi, nie dbając o dalszych. Szczęśliwsze, a przez to potężniejsze linie dynastii zaczęły zmierzać do ograniczenia senioratu – przez wieczyste zamknięcie linii słabszych w dziedzicznych dla nich dzielnicach, bez prawa dalszego ubiegania się o stolicę państwa. W ten sposób usunięte na bok ziemie (na Rusi najwcześniej połocka) wraz z ich książętami traciły stopniowo powiązanie z centrum, prowadząc samodzielną, partykularną politykę. O stolicę tymczasem toczyły się walki między liniami najpotężniejszymi, gdyż każda chciała ją mieć wyłącznie dla siebie. Stan taki oznaczał już rzeczywisty podział państwa.

Podział czy zarząd?

Odpowiedź na tak postawione pytanie zależy od tego, czy statut Bolesława Krzywoustego wprowadził dziedziczność dzielnic dla poszczególnych linii piastowskich. Takie dziedziczne dzielnice oznaczałyby bowiem podział. Jeszcze w kronice Galla Anonima wyrażana jest myśl, że cały ród Piastów to „przyrodzeni panowie" całej Polski. Ale już dla mistrza Wincentego synowie księcia wielkopolskiego to w Krakowie „obce kurczęta"; z kolei poznański rocznikarz z połowy XIII w. wyłącznie linię wielkopolską uznawał za „prawych dziedziców" swej dzielnicy, a w końcu tego stulecia biskup wrocławski nazwał już Piastów pozaśląskich „obcymi" książętami. Z biegiem czasu ugruntowało się przeto w świadomości społecznej poczucie Polski trwale podzielonej dzielnicowo. Czy za ten stan rzeczy trzeba winić już statut Krzywoustego?

Podobnie jak na Rusi i w Czechach, również polscy książęta byli w XII w. zarządcami swych dzielnic, a nie ich dziedzicznymi władcami. Wskazują na to co najmniej trzy przesłanki. Po pierwsze, wobec niewielkiej liczby żyjących Piastów częste były wypadki przekazywania zarządu dzielnicami komesom-namiestnikom, a zakres ich władzy nie różnił się od uprawnień książąt dzielnicowych. Po drugie, na porządku dziennym było wydzielanie dzielnic jeszcze za życia ojca sprawnym do rządów synom (oraz innym bliskim krewnym). Postępowali tak niemal wszyscy znani nam wcześniejsi władcy Polski. Już po uchwaleniu statutu Bolesława Krzywoustego podobnie uczynił Władysław Wygnaniec, czyniąc księciem śląskim swego najstarszego syna, Bolesława Wysokiego, oraz np. Mieszko Stary. Po trzecie wreszcie, prawie do końca XII w. nie wydzielano ziem małoletnim książętom, w tym również najmłodszym synom Krzywoustego: Henrykowi i Kazimierzowi Sprawiedliwemu. Pierwszymi z takich, których dziedzictwo uznano, byli synowie tegoż Kazimierza: Leszek Biały i Konrad. Stało się to jednak dopiero w 1194 r., i to po silnym oporze, uzasadnianym tym, że dzieciom rządy nie przystoją.

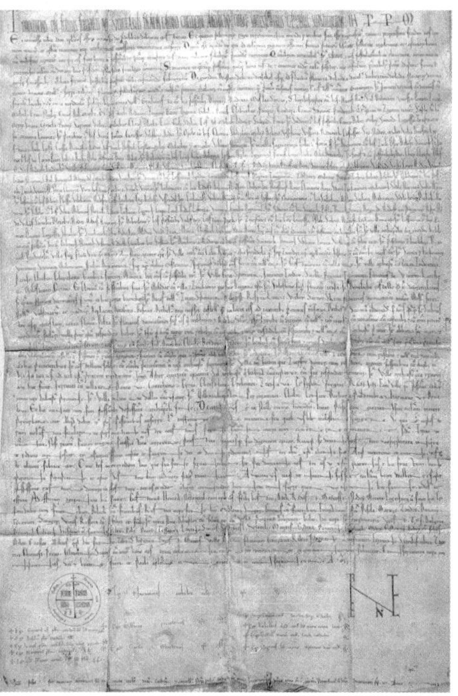

▲ BULLA GNIEŹNIEŃSKA
papieża Innocentego II z 1136 r. ostatecznie sankcjonowała samodzielność metropolii gnieźnieńskiej, przekreślając starania arcybiskupstwa magdeburskiego o przejęcie zwierzchnictwa nad Kościołem polskim. Był to niewątpliwie wielki sukces ostatnich lat panowania Bolesława Krzywoustego.
AA GNIEZNO, FOT. RS

APOTEOZA JEDNOŚCI ►
– tak można by nazwać program ideologiczny denara Bolesława Kędzierzawego. Ukazany na rewersie senior z mieczem podkreśla konieczność zachowania jedności władzy. Płynące z niej korzyści wyobraża na awersie zastawiony stół, przy którym zasiada zapewne senior z braćmi (Mieszkiem Starym i Henrykiem lub Kazimierzem Sprawiedliwym).
BITY 1164–1170, ZE SKARBU Z GŁOGOWA UKRYTEGO PO 1201, MAH GŁOGÓW, FOT. PC

Polska po śmierci Krzywoustego

Trzy niezależne relacje stanowią podstawę rekonstrukcji wydarzeń po śmierci Bolesława Krzywoustego. Jak z nich wynika, wszystkich pięciu jego synów, którzy przeżyli ojca, miało otrzymać dzielnice. Jednak w 1138 r. uzyskało je tylko trzech, już w tym czasie pełnoletnich. Najmłodsi Henryk i Kazimierz musieli poczekać, aż osiągną lata sprawne. W *Roczniku magdeburskim* zapisano: „1138. Tego roku umarł Bolesław, książę Polaków, pozostawiając pięciu synów, między których dzieli swe dziedzictwo wobec biskupów i dostojników owej ziemi. Z których to Bolesław [mylnie zamiast Władysław], ponieważ był najstarszym i szwagrem króla Konrada, otrzymał księstwo owej ziemi". Pomieszczony w *Roczniku pöhldeńskim* opis wojny Władysława Wygnańca z braćmi (do niej odnosi się data zapiski) został poprzedzony krótką informacją: „1146. Polski książę Bolesław, między trzech synów swoich podzieliwszy dziedzictwo, umierając przekazał księstwo starszemu". W zapisce wrocławskiej czytamy natomiast o nadaniu kaplicy św. Michała benedyktyńskiemu opactwu na Ołbinie: „Roku od wcielenia Pańskiego 1139 [...], po śmierci księcia Polski Bolesława III, kiedy zamiast niego rządzili jego synowie: Władysław w Krakowie, Bolesław na Mazowszu, Mieszko w Poznaniu".

◄▼ WYPOSAŻENIE GROBOWE
na ziemiach polskich pozostawało do końca XIII w. stosunkowo bogate. Wyraźny przełom nastąpił natomiast w lokalizacji cmentarzy: położone poza osadami cmentarze rzędowe zostały zastąpione przez nekropolie przykościelne. Wiązało się to z rozwojem sieci parafialnej.
DOBRZYŃ NAD WISŁĄ POW. LIPNO, XI–XIII W., IA UŁ, FOT. MM

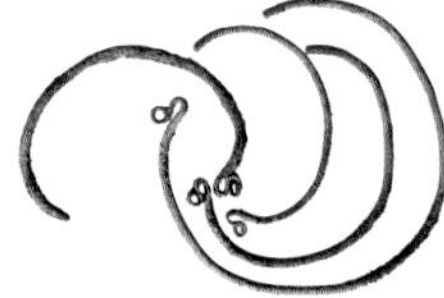

▼ NEKROPOLIA CESARSKA W SPIRZE
daje wyobrażenie o tym, jak mogły wyglądać groby ówczesnych władców Polski. Piastowie, podobnie jak władcy Niemiec, nie mieli jednej nekropolii, a ciągłość pochówków sięgała zapewne nie więcej niż dwóch-trzech pokoleń. Od lewej groby: Berty, żony Henryka IV (otwarty), Gizeli, żony Konrada II, Konrada II, Henryka III (otwarty), w głębi – Henryka IV.
WIDOK OD WSCH. NA GROBY W PREZBITERIUM, XI–XII W., FOT. ARCHIWALNA Z 1900

▼ ZŁOŻENIE DO GROBU
Według Jana Długosza płocki „biskup Aleksander Bolesława króla Krzywoustym zwanego [...] w swojej katedrze pośród uroczystej wspaniałości [...] pogrzebał". Płock jako miejsce pochówku tego władcy jest jednak zapewne tylko domysłem kronikarza – bardziej prawdopodobne jest, że prochy króla spoczęły w jego głównej siedzibie, Krakowie.
„EWANGELIARZ KRUSZWICKI", SAKSONIA, NIEMCY, OK. 1160–1170, AA GNIEZNO, FOT. ZŚ

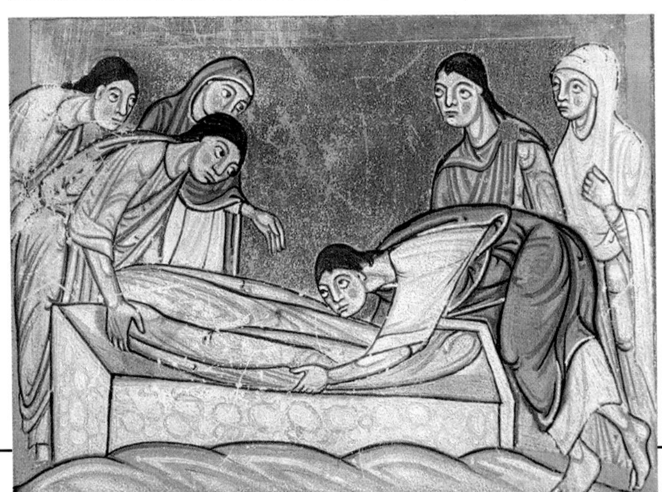

Gdyby więc statut Krzywoustego zawierał jakikolwiek zwrot o dziedziczności jakichś dzielnic dla jakichś linii, rozmijałby się z miejscowymi zwyczajami i stanem świadomości społecznej. Jak wcześniej, tak i po 1138 r. dzielnice w Polsce obejmowali Piastowie w zarząd w miarę dorastania, a nie dopiero po śmierci ojca.

Czy nowa epoka?

Wyznaczenie stałej zasady następstwa tronu i przydzielenie przyszłym książętom zwierzchnim stałej dzielnicy stołecznej wyczerpywało przeto treść statutu Bolesława Krzywoustego. Geografią dzielnic jego autorzy w ogóle się nie zajmowali, ich wydzielanie odbywało się bowiem wcześniej i później według z dawna ustalonego zwyczaju. Tym samym statut ten stanowił tylko usprawnienie, kodyfikację reguł przejmowania władzy. Nie dzieląc państwa, nie inicjował w jego dziejach żadnego kolejnego okresu. Był odpowiedzią na zwiększającą się wtedy liczbę dynastów, taką jak wcześniejsze o kilkadziesiąt lat postanowienia Jarosława Mądrego na Rusi i Brzetysława I w Czechach.

Rok 1138 jako słup milowy w dziejach Polski nie ma zatem żadnego uzasadnienia. Życie kraju toczyło się przed nim i po nim w analogicznych warunkach ustrojowych. Dopiero w ostatniej ćwierci XII w. dojdzie do radykalnych zmian, na które zresztą wpłynie właśnie złamanie statutu. Toteż cezury wyróżniające drugie państwo polskie od około 1040 r. do schyłku XII w. wydaje się najbardziej racjonalną periodyzacją wczesnych naszych dziejów. Periodyzację taką przyjęła również niniejsza panorama dziejów polskich.

Kiedy to mogło być?

Skoro statut nie był testamentem, nic nie każe go wiązać z łożem śmierci twórcy. Mógł on powstać w dowolnym momencie rządów Bolesława III, gdy tylko uregulowanie spraw sukcesyjnych uznano za potrzebne. Potrzeba taka mogła się pojawić w miarę przychodzenia na świat kolejnych synów księcia.

Bolesław Krzywousty żonaty był dwukrotnie: najpierw z Rusinką Zbysławą, a następnie z Niemką Salomeą, córką hrabiego Bergu (w Szwabii), Henryka. Pierwsza żona obdarzyła go tylko jednym synem – Władysławem, urodzonym w 1105 r. Z drugiej książę polski miał liczne potomstwo, w tym sześciu synów, z których dwóch zmarło jeszcze za życia ojca. Najstarszym z nich był Leszek, urodzony w 1115 r. I właśnie tę datę trzeba przyjąć za początek możliwego czasu uchwalenia statutu. Od tej bowiem chwili dorastało w młodszym pokoleniu Piastów dwóch przyrodnich braci – a więc powtarzała się sytuacja z młodości Krzywoustego i Zbigniewa. Między narodzinami drugiego syna a zgonem ojca, czyli między 1115 a 1138 r., w grę może wchodzić właściwie każdy rok. Lata wcześniejsze wydają się bardziej prawdopodobne. Po pierwsze dlatego, że pojawienie się czwartego czy piątego syna nie stanowiło nowej jakości; zabezpieczenia wymagała już mniejsza ich liczba. Po wtóre, ponieważ u sąsiadów system senioralny funkcjonował lepiej około 1120 niż około 1135 r. Dotyczy to zwłaszcza Rusi. Od zgonu Jarosława Mądrego aż po śmierć Włodzimierza Monomacha w 1125 r. był on tylko dwa razy na krótko zakłócony (wygnania Izjasława w latach 1068 i 1073). Wypełniał więc dobrze swe zadanie jako wzór. W końcu życia Krzywoustego Rusią wstrząsała już wojna domowa, wywołana właśnie ograniczeniem do jednej linii książęcej praw senioralnych, z czym nie zgadzali się inni członkowie dynastii. Po trzecie wreszcie, gdyż powstaniem statutu można wyjaśnić pewne zdarzenie z dziejów Polski, którego w żaden inny sposób zrozumieć się nie da.

Chodzi o nieudany bunt wojewody Skarbimira przeciw księciu Bolesławowi w 1118 r., za co wojewoda poniósł karę oślepienia. Bunt ten wybuchł po 20 latach niezmąconej współpracy. Jego genezę można widzieć tylko w nagle powstałej różnicy zdań co do dalszego kierowania państwem. Na powód takiego konfliktu statut Krzywoustego nadaje się wyjątkowo dobrze. Wprowadzenie bowiem prawa senioratu niweczyło swego rodzaju elekcyjność, polegającą na poparciu jednego z kandydatów przez rządzący obóz możnych. W przeszłości właśnie Skarbimir utorował drogę do tronu Bolesławowi, odsuwając Zbigniewa; można sądzić, że rozstrzyganie przyszłych sukcesji chciał on zostawić kręgowi wielmożów skupionych wokół siebie. Zapewne nie przypadkiem Piotr Włostowic, który po klęsce Skarbimira zajął jego urząd, okazał się następnie głową stronnictwa broniącego postanowień statutu.

Jeśli więc wystąpienie Skarbimira było podyktowane sprzeciwem wobec senioralnego następstwa tronu, to ogłoszenie i zaprzysiężenie statutu można datować na 1117 r., chyba na Boże Narodzenie. Tłumienie buntu trwało bowiem zapewne w samych początkach 1118 r., skoro właśnie wówczas wysłane przez wielkiego księcia kijowskiego Włodzimierza Monomacha wojsko łatwo wygnało z Wołynia księcia Jarosława, sojusznika Krzywoustego, a ten – widocznie zajęty sprawami wewnętrznymi – nie mógł udzielić mu pomocy.

PAŃSTWA BOŻE I ZIEMSKIE ▲
opisane w traktatach św. Augustyna symbolizowały odwieczną sprzeczność między miłosiernymi ludźmi, przeznaczonymi do zbawienia, a chciwymi potępieńcami, żyjącymi na ziemi według grzesznych praw ludzkich.
„PAŃSTWO BOŻE", OK. 1180, BL PFORTA

► OPACTWO BENEDYKTYNÓW W LUBINIU,
ufundowane przez Bolesława Szczodrego zapewne z okazji koronacji w 1076 r., wkrótce podupadło. Powtórną fundację zawdzięcza Bolesławowi Krzywoustemu i wspierającym go możnym, szczególnie Awdańcom.
KOŚCIÓŁ NARODZENIA NMP, WIDOK OD PŁD. ZACH., POŁ. XII W. (PRZEBUDOWYWANY), FOT. RS

▲ PRZEKAZANIE WŁADZY
poprzez ceremonialne wręczenie insygniów. Na miniaturze cesarz Henryk IV oddaje Henrykowi V krzyż oraz jabłko. Na kielichu tzw. Królewskim z Trzemeszna ukazano uroczyste nałożenie korony w scenie koronacji Dawida przez Joaba i Natana.
EKKEHARD Z AURY, „HISTORIA ŚWIATA", PO OK. 1125, SB SPKB BERLIN; OK. 1170, KOŚCIÓŁ NMP W TRZEMESZNIE, DEPOZYT W MAD GNIEZNO, FOT. RS

Dawne drzewa genealogiczne Piastów śląskich

Przez dziesięć pierwszych pokoleń (po części legendarnych) ród Piastów rozwijał się w miarę harmonijnie, stanowiąc dynastyczny fundament polskiej państwowości. Po pogwałceniu statutu Krzywoustego doszło jednak do załamania się senioralnej władzy zwierzchniej i rozbicia jednolitego dotąd rodu na linie dzielnicowe, w rywalizacji o prymat uciekające się często do pomocy z zewnątrz. Linia wielkopolska, wywodząca się od Mieszka Starego, i małopolska, biorąca swój początek od Kazimierza Sprawiedliwego, wygasły stosunkowo szybko, jeszcze przed końcem XIII w. Dłużej przetrwała mazowiecka linia potomków syna Kazimierza, Konrada Mazowieckiego, i pochodna od niej linia kujawska, z której wywodzili się Władysław Łokietek i Kazimierz Wielki, ostatni Piastowie na polskim tronie królewskim.

Najdłużej, bo aż do drugiej połowy XVII w., istniała linia śląska, założona przez najstarszego syna Bolesława Krzywoustego, Władysława Wygnańca. Już w pierwszym pokoleniu podzieliła się ona na linie wrocławską – spadkobierców Bolesława Wysokiego, i opolską – spadkobierców Mieszka Plątonogiego. Ta druga w swym odgałęzieniu głównym przetrwała do 1532 r., a w bocznym, cieszyńsko-oświęcimskim, do 1625 r. Z pierwszej, rozdzielonej z czasem na linie wrocławską i legnicko-brzeską, wyodrębniły się w XIII w. dalsze linie boczne: świdnicko-ziębicka i głogowsko-żagańska (z odgałęzieniem oleśnickim), wygasłe u schyłku średniowiecza.

Wszystkie linie śląskich Piastów podporządkowane zostały w XIV w. Koronie Czeskiej i utraciły więź polityczną z Polską. Wraz z przejęciem w 1526 r. władzy w Czechach przez austriackich Habsburgów przedstawiciele najważniejszej i najbardziej trwałej linii, legnicko-brzeskiej, coraz częściej zaczęli się powoływać na polski, „królewski" rodowód: dla przywódców protestanckiej opozycji stanowej względem katolickich Habsburgów piastowska legenda stała się ważnym elementem walki o jak najszerszy zakres autonomii Śląska. Utrwalaniu tej legendy służyło pierwsze wielkie drzewo genealogiczne Piastów legnicko-brzeskich, namalowane na początku lat 80. XVI w. w kościele zamkowym w Brzegu. Znamy je tylko z późniejszego przekazu.

U schyłku panowania książąt legnicko-brzeskich, a zwłaszcza po śmierci ostatniego z nich, Jerzego Wilhelma w 1675 r., splendor rodu Piastów stał się niezbywalnym elementem tożsamości kulturowej Śląska. Drzewa genealogiczne różnych śląskich linii domu piastowskiego wprzęgnięto z czasem w tryby polityczno-konfesyjnego sporu, toczonego na Śląsku z różnym natężeniem w XVII i pierwszej połowie XVIII w.

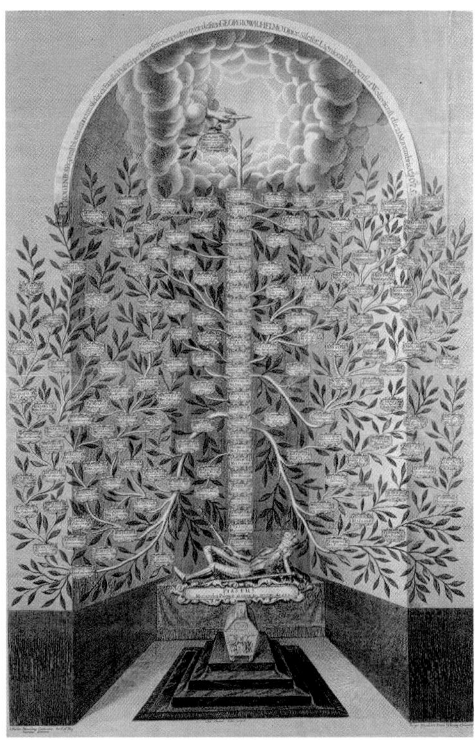

▲ DRZEWO GENEALOGICZNE PIASTÓW LEGNICKO-BRZESKICH
wsparte na figurze założyciela rodu powstało w styczniu 1676 r. nad trumną Jerzego Wilhelma, ostatniego Piasta, w kościele zamkowym św. Jadwigi w Brzegu. Uroczystości żałobne odbywały się nocą, tabliczki z imionami królów i książąt były oświetlone niewielkimi lampkami.
MIEDZIORYT, DAWID TSCHERNING, 1676–1678, MPŚ BRZEG, FOT. PC

▼ DRZEWO GENEALOGICZNE POTOMKÓW KSIĘCIA JERZEGO II
i jego żony Barbary, namalowane w latach 1583–1584 na ścianie dawnej biblioteki zamku w Brzegu przez nadwornego artystę Baltazara Latomusa, miało przypominać zasługi piastowskiego rodu dla rozwoju nauk i sztuk.
FOT. PC

▲ DRZEWO GENEALOGICZNE PIASTÓW OPOLSKICH – z imaginacyjnymi portretami i napisami objaśniającymi – powstało około 1700 r. dla kolegiaty św. Krzyża w Opolu. Ponieważ ostatni przedstawiciel linii, książę Jan III Dobry, pozostał w dobie reformacji wierny Kościołowi, odwołanie się do piastowskiej tradycji było ważnym elementem propagandowej ofensywy opolskiej misji jezuickiej.
KATEDRA W OPOLU, DEPOZYT W MD OPOLE

WOJNA I POKÓJ

„Nie ma bowiem na szczycie spokoju, a jeśliby nawet był, króciutko trwa i pogodną swą ciszą zwiastuje bliską burzę"

▲ ŁĘCZYCA
stała się główną rezydencją Salomei jako księżnej wdowy. Jej zaletą było centralne położenie oraz możliwość stałych kontaktów z posiadającym tu swoje dobra arcybiskupem gnieźnieńskim. Dobre z nim stosunki miały się okazać dla sprawy juniorów nieocenione. Przypuszcza się, że wyrazem wdzięczności za okazaną w trudnych chwilach pomoc było ufundowanie przez nich wspaniałej kolegiaty w Łęczycy (obecnie Tum pod Łęczycą).

APSYDA Z KATEDRĄ BISKUPIĄ; WIDOK OD PŁD.; OK. 1140–1161; FOT. RS

W imieniu prawa

„Piotr komes, któremu Bolesław powierzył pieczę nad całym Królestwem", po zgonie swego ulubionego władcy znalazł się w obliczu narastającego konfliktu między nowym księciem zwierzchnim a jego macochą i przyrodnimi braćmi. Księżna wdowa Salomea miała go za oszusta i intryganta, który ożenił się z ruską księżniczką (miał ją wyswatać innemu polskiemu wielmoży), potem zaś pojmał podstępem ruskiego księcia, choć wcześniej przysięgał mu wierność i trzymał jego syna do chrztu. Porwanie przemyskiego Wołodara oceniała więc odmiennie niż jej mąż, który taki sposób unieszkodliwienia groźnego wroga w pełni zaakceptował. Na niechęć Salomei do Piotra Włostowica wpłynęło opowiedzenie się tegoż po stronie Władysława Wygnańca, głównie zaś wyswatanie Bolesława Wysokiego z córką Wsiewołoda Olegowicza. W wojnie domowej 1145 r. Piotr nie wziął jednak udziału; przeciwnie, na czele dostojników państwa wzywał księcia do zawarcia pokoju z juniorami, co miał przypłacić kalectwem i przejściowym wygnaniem na Ruś. Nie była to zmiana polityki, jaką zarzucało mu wielu badaczy. Wojewoda, jako zwolennik statutu, konsekwentnie przeciwstawiał się wszelkim próbom jego naruszenia, niezależnie od tego, kto je podejmował. Mimo ślepoty był czynny do śmierci: po przywróceniu mu urzędu przez Kędzierzawego kazał postawić słup w Koninie wskazujący połowę drogi z Kalisza do Kruszwicy, sygnował też swym imieniem zaproszenie Bernarda z Clairvaux do Polski.

Statut naruszony

Tylko przez krótki czas po śmierci Krzywoustego panował w Polsce pokój. Odpowiedzialnością za jego złamanie źródła polskie obciążają żonę Władysława II (zwanego Wygnańcem), Agnieszkę. Miała ona namawiać męża do wypędzenia przyrodnich braci. Jednakże pierwszy przejaw nielojalności wykazała księżna wdowa, Salomea, zwołując na początku 1141 r. do swej wdowiej siedziby – Łęczycy – zjazd możnych z dzielnic swoich synów.

Obie strony szukały korzystnych sojuszy, umocnionych związkami małżeńskimi. Pożądanym celem zabiegów stał się nowy władca Kijowa, Wsiewołod Olegowicz, którego siostra Maria była żoną polskiego wojewody Piotra Włostowica. Ten, dochowując wierności seniorowi, Władysławowi II, wyswatał jego syna Bolesława Wysokiego ze Zwinisławą, córką Wsiewołoda. Zjazd łęczycki nastąpił właśnie w trakcie owych swatów; rzucono tam myśl, by 3-letnią zaledwie córkę Salomei Agnieszkę zaręczyć z synem Wsiewołodowym. Samowolna polityka Salomei spotkała się z represją; zimą 1142/43 r. wojska seniora z pomocą ruską spustoszyły część Mazowsza. W lipcu 1144 r. księżna Salomea zmarła. Nie przyczyniło się to do uspokojenia atmosfery w kraju.

Inicjatywę przejął Władysław, zmierzając – może rzeczywiście za podszeptem żony – do wygnania przyrodnich braci. Pretekstem do wojny było zajęcie przez synów Salomei, wbrew prawom seniora, części jej oprawy wdowiej wraz z Łęczycą. Można sądzić, że chcieli przez to wymusić na seniorze wydanie dzielnicy sandomierskiej swemu bratu Henrykowi. Władysław II ponownie otrzymał posiłki ruskie. W obronie statutu i pokoju wystąpili wówczas biskupi i dostojnicy świeccy, z wojewodą Piotrem na czele. Ostatecznie pokój zawarto latem 1145 r., „na błotach w środku ziemi polskiej" (więc zapewne w Łęczyckiem), za pośrednictwem wodza ruskich wojsk posiłkowych, Igora Olegowicza, brata Wsiewołoda. Juniorzy zwrócili seniorowi cztery grody – widocznie zatrzymaną przez nich część matczynej oprawy. Za właściwego twórcę porozumienia trzeba uważać Piotra Włostowica.

Układ, korzystny dla interesów państwa, nie zadowolił Władysława, który dążył do usunięcia braci. W końcu 1145 r. polecił pojmać, oślepić i wygnać z kraju wojewodę Piotra, głównego obrońcę postanowień statutu i orędownika porozumienia z juniorami. Z początkiem roku następnego uderzył na ziemie braci. Obległ Poznań, został wszakże pobity przez odsiecz nadciągającą z ich dzielnic. Udał się więc do Niemiec, do króla Konrada III, przyrodniego brata swej żony, prosząc go o pomoc. Tymczasem powstali przeciw niemu zwolennicy oślepionego Piotra Włostowica, zajmując Małopolskę i Śląsk. Pierwszy senior z całą swą rodziną znalazł się na wygnaniu.

Braterska zgoda

Wojna domowa nie doprowadziła do obalenia statutu. Na tronie zasiadł następny senior – Bolesław Kędzierzawy. Czołowy rzecznik porządku ustanowionego statutem, okaleczony Piotr Włostowic, powrócił do kraju, a nawet do sprawowanej godności. Polityczną odpowiedzialność poniosła strona winna, i to wraz z potomstwem: Władysław II, chcąc wyzuć z praw dynastycznych przyrodnich braci, w efekcie pozbawił ich swoich własnych synów. Statut Krzywoustego, z wyłączeniem jednej linii rodu Piastów, obowiązywał dalej.

Rządy Kędzierzawego, a w każdym razie ich większa część (lata 1146–1163), to czas idealnego funkcjonowania systemu wprowadzonego statutem. Henryk otrzymał wreszcie Sandomierskie. Symboliczny wyraz przyjaźni między sprawującymi władzę braćmi (Bolesławem, Mieszkiem i Henrykiem) stanowią monety Kędzierzawego, na rewersie których występują trzy postacie ucztujące przy stole lub dwie trzymające wspólnie jabłko – oznakę władzy. Wspólną też prowadzili bracia politykę zagraniczną.

Pomyślność państwa mąciła groźba interwencji niemieckiej na rzecz przywrócenia Władysława II. Wyprawę taką podjął już w sierpniu 1146 r. Konrad III; przeprowadzona pospiesznie, z niewielkimi siłami, nie przekroczyła nawet Odry. Pokój zawarto za pośrednictwem margrabiów saskich; książęta polscy obiecali zapłacić zaległy trybut i stawić się przed królem. Obietnic tych nie dotrzymali. Bolesław próbował nawet wzmocnić swą pozycję w Niemczech, wydając dwie siostry za synów margrabiów saskich i zawierając z nimi w 1148 r. przymierze w Kruszwicy.

Zręczna taktyka Kędzierzawego nie zdołała zapobiec ponownej interwencji zbrojnej, podjętej w sierpniu 1157 r. przez cesarza Fryderyka Barbarossę, następcę Konrada III. Wyprawa, prowadzona większymi siłami, dotarła aż do Poznania. Pod tym grodem, w Krzyszkowie, doszło do pokoju. Bolesław złożył Fryderykowi hołd lenny, obiecał posiłki na wyprawę włoską oraz 3220 grzywien w złocie i srebrze. Przyrzekł także stawić się w Magdeburgu, aby tam odpowiedzieć na zarzuty Władysława. Podobnie jak w 1146 r., warunków tych nie dopełnił. Władysław II zmarł 2 lata później na wygnaniu.

DENAR WŁADYSŁAWA II WYGNAŃCA ▶
– z wizerunkami księcia unoszącego miecz nad pokonanym przeciwnikiem na awersie oraz orła atakującego zająca na rewersie – nawiązuje do konfliktu księcia z juniorami.
BITY 1144–1146, ZE SKARBU Z GŁOGOWA UKRYTEGO PO 1201, MAH GŁOGÓW, FOT. PC

▲ TZW. TYMPANON MARII I ŚWIĘTOSŁAWA
Fundatorem opactwa Kanoników Regularnych na Piasku we Wrocławiu był Piotr Włostowic, jednak po jego śmierci budowę świątyni finansowali żona i syn, dlatego to oni zostali uwiecznieni na tympanonie.
PO OK. 1150, FOT. SA

◀ ARCYBISKUP JAN (JANIK)
pochodził z rodu Świebodów-Gryfów. Był biskupem wrocławskim, a od 1149 r. – arcybiskupem gnieźnieńskim. Mistrz Wincenty musiał go uważać za osobę bardzo wykształconą, skoro ułożył swoją kronikę na kanwie dialogu tego właśnie duchownego z Mateuszem, biskupem krakowskim.
PIECZĘĆ PRZY DOKUMENCIE Z 1153, AP POZNAŃ, FOT. MM

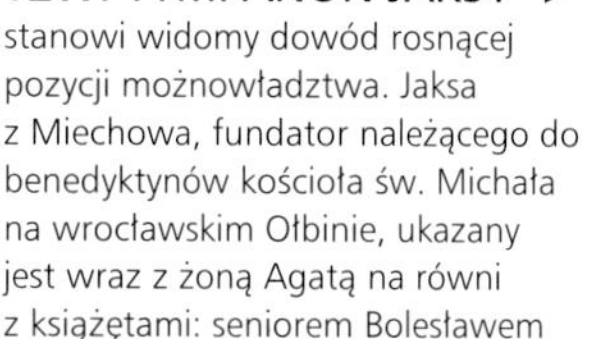

TZW. TYMPANON JAKSY ▶
stanowi widomy dowód rosnącej pozycji możnowładztwa. Jaksa z Miechowa, fundator należącego do benedyktynów kościoła św. Michała na wrocławskim Ołbinie, ukazany jest wraz z żoną Agatą na równi z książętami: seniorem Bolesławem Kędzierzawym i jego synem Leszkiem, ofiarowującymi ołbińskim czarnym mnichom kościół św. Małgorzaty w Bytomiu.
1160–1163, MUZ. ARCHIT. WROCŁAW, FOT. SA

WIZERUNEK CESARZA ▶
na denarze Bolesława Kędzierzawego sygnalizuje zależność lenną księcia wynikającą z hołdu złożonego w Krzyszkowie. Bolesław miał wtedy boso i z mieczem uwiązanym do szyi złożyć przysięgę wierności Fryderykowi Barbarossie. O księciu wspomina tylko legenda na rewersie monety.
BITY 1157–1164, ZE SKARBU Z GŁOGOWA UKRYTEGO PO 1201, MAH GŁOGÓW, FOT. PC

◄ DENAR MIESZKA PLĄTONOGIEGO:
napis LODIZLAUS (w krzyżu) oznacza jego ojca, Władysława II, a gest uchwycony na stronie drugiej – przekazanie władzy. W ten sposób Mieszko podkreślał, że władzę sprawuje z racji dziedziczenia, a nie z woli seniora. Symbolika ta musiała być atrakcyjna dla Władysławiców, skoro po pewnym czasie podobne denary zaczął bić Bolesław Wysoki.
BITY OK. 1190–1200, ZE SKARBU Z GŁOGOWA UKRYTEGO PO 1201, MAH GŁOGÓW, FOT. PC

▲ CIĘŻKOZBROJNI
byli w XII w. główną siłą rozstrzygającą losy bitew. Podstawowym ekwipunkiem rycerza był kolczy pancerz nakładany na szatę. Głowę chronił otwarty hełm, a lewy bok osłaniała duża, migdałowata tarcza. Nadal najpopularniejszą bronią zaczepną były włócznie, topory i miecze.
„BIBLIA PŁOCKA", 2 ĆW. XII W., BSD PŁOCK, DEPOZYT W MD PŁOCK, FOT. PC; KIELICH TZW. KRÓLEWSKI Z TRZEMESZNA, OK. 1170, KOŚCIÓŁ NMP W TRZEMESZNIE, DEPOZYT W MAD GNIEZNO, FOT. RS

◄ WŁADYSŁAW WYGNANIEC I BOLESŁAW KĘDZIERZAWY
przez umieszczenie na swych denarach wizerunku tronującego władcy świadomie nawiązywali do ikonografii monet ojca, Bolesława Krzywoustego, a nawet stryjecznego dziada, Bolesława Szczodrego. Jako kolejni seniorzy podkreślali w ten sposób swoje prawa do władzy zwierzchniej w państwie.
BITE 1138–1140, 1143–1173, ZE SKARBU Z GŁOGOWA UKRYTEGO PO 1201, MAH GŁOGÓW, FOT. PC

KSIĄŻĘ NA KONIU ▼
z krzyżem nad postacią władcy – motyw ten nawiązuje do wypraw krzyżowych przeciw pogańskim Prusom. Kronikarz Marcin Murinius zanotował, że „był król w Polszcze imieniem Bolesław, Crispus od kędzierzawych włos rzeczony, ten z wojskiem wielkim do Prusów pogańskich się ruszył, wszerz i wzdłuż ogniem i mieczem okrutnie ziemię zwojował".
DENAR BOLESŁAWA KĘDZIERZAWEGO, PO 1160, MN KRAKÓW, FOT. MM

Wówczas dopiero Kędzierzawy zgodził się na zwrot Śląska jego najstarszemu synowi, Bolesławowi Wysokiemu, który w 1163 r. wrócił do swej dawnej dzielnicy wraz z bratem, Mieszkiem Plątonogim.

Zamknięta gałąź

Rok 1163 stanowi przełom w szczęśliwym dotąd panowaniu Bolesława Kędzierzawego. Zgoda na powrót Władysławiców wznowiła grę sprzecznych interesów między starszą a młodszą gałęzią domu piastowskiego. Oddając Śląsk, zwierzchni książę odjął od tej dzielnicy jakieś kasztelanie. Synowie Władysława II zajęli je jednak, korzystając z klęski poniesionej przez seniora od Prusów w 1166 r., w której odniósł śmiertelne rany książę sandomierski Henryk. Odtąd Kędzierzawy musiał toczyć wojnę równocześnie przeciw Prusom i przeciw własnym bratankom. W walkach tych – jak pisze mistrz Wincenty – omijały go już zwycięstwa.

Spór między dwiema liniami Piastów miał jednak głębsze podłoże. Wiązał się ze wzrostem liczby dynastów, dla których zaczynało brakować gotowych dzielnic. Synowie Władysława II domagali się przywrócenia im pełnych praw dynastycznych, a więc dostępu do senioratu i wolnych dzielnic na równi z potomkami Salomei. Ci zaś, do siebie tylko ograniczając pojęcie przyrodzonych panów kraju, uznali Śląsk za nadaną Władysławicom tytułem dobrodziejstwa dzielnicę, której posiadaniem winni się na zawsze kontentować. Takie właśnie zamykanie słabszych politycznie linii w terytorialnie ograniczonych ojcowiznach, powszechne już wówczas na Rusi, prowadziło do dziedziczności dzielnic. W tym zaś przypadku nakładało na Bolesława Wysokiego obowiązek wydzielenia braciom (Mieszkowi i Konradowi) części swego księstwa, gdy tymczasem cała reszta państwa wraz z dostępem do godności senioralnej pozostawałaby dalej w ręku tylko linii młodszej, pochodzącej z drugiego małżeństwa Krzywoustego.

Rozstrzygnięcie problemu nastąpiło w 1172 r. Nieco wcześniej udało się zwierzchniemu księciu doprowadzić do rozłamu w obrębie linii Władysławiców. Mianowicie Mieszko Plątonogi, brat Bolesława Wysokiego, oraz Jarosław, syn Bolesława z pierwszego małżeństwa, niezadowoleni z niewydzielenia im dzielnic, wypędzili Bolesława ze Śląska. W jego obronie urządził najazd cesarz Barbarossa; w rezultacie doszło do ugody, na mocy której Wysoki odzyskał Śląsk, musiał jednak wyznaczyć dzielnice Mieszkowi (Racibórz), Jarosławowi (Opole) i Konradowi (Głogów). Oznaczało to trwałe zamknięcie potomstwa Władysławowego w obrębie Śląska, równocześnie zaś pierwszy podział tej dzielnicy. Tak ograniczoną terytorialnie linię śląską dopuszczono jednak do uczestnictwa w ogólnopolskim prawie senioratu.

Statut złamany

W 1173 r. zmarł Bolesław Kędzierzawy. Następstwo po nim przeszło na kolejnego seniora rodu, Mieszka Starego, dotąd księcia na Gnieźnie. Również jako książę zwierzchni nie przeniósł się do Krakowa (wbrew założeniom ojcowskiego statutu), utrzymując jednak władzę w całym państwie. W 1177 r. stracił w wyniku buntu władzę w ziemi krakowskiej, a w 1179 r. został wyparty także z Wielkopolski. Do tej ostatniej powrócił zresztą już 2 lata później, po czym na nowo podjął starania o odzyskanie władzy zwierzchniej.

Przyczyny usunięcia Mieszka otoczone są mgłą tajemnicy. Mistrz Wincenty tłumaczy je uciskiem fiskalnym, stosowanym przez kasztelana krakowskiego. Był nim mianowany przez Mieszka Henryk Kietlicz. Popełniane nadużycia miały wywołać opór miejscowych możnych z biskupem krakowskim Giedką na czele, którzy przywołali z Sandomierza najmłodszego z synów Krzywoustego, Kazimierza Sprawiedliwego, oddając mu rządy. Tylko że – Kazimierz zatrzymał Henryka Kietlicza na urzędzie przez następne 14 lat. Skarbowe kompetencje tego dostojnika cenili widocznie obydwaj książęta, a opowiadanie mistrza Wincentego miało na celu usprawiedliwienie buntu. Chociaż więc dotychczas motyw upadku Mieszka widziano w rzekomo specyficznym „systemie jego rządów", naprawdę musimy szukać innych uzasadnień. Wydaje się, że chodziło o rywalizację Krakowa z Gnieznem. Możni małopolscy nie mogli pogodzić się z przywróconą stołecznością wielkopolskiego grodu i z wielkopolskim głównie otoczeniem seniora.

Dla dalszej jedności państwa skutki buntu 1177 r. były fatalne. W najbliższych latach, wśród toczących się walk, o tron zwierzchni ubiegało się aż trzech pretendentów – oprócz Mieszka Bolesław Wysoki i Kazimierz Sprawiedliwy. Ostatnim chyba wyrazem gasnącej jedności był zjazd łęczycki w 1180 r., na którym za władcę całego państwa uznano Kazimierza. Następnym krokiem tego księcia było ograniczenie prawa senioratu do własnej gałęzi, na co uzyskał zgodę papieża i cesarza. Stanowiło to już złamanie statutu Krzywoustego i wywołało powszechny sprzeciw pozostałych Piastów. W kolejnej dekadzie Polska była znów diarchią – w Krakowie siedział Kazimierz, w Gnieźnie zaś Mieszko, uznawany przez większość książąt dzielnicowych. Odtąd droga wiodła już tylko ku głębszemu rozbiciu.

WIZERUNKI KSIĘCIA I ŚW. WOJCIECHA ▼▶
pojawiające się na monetach synów Bolesława Krzywoustego mają wyraźną wymowę ideologiczną: Władysław Wygnaniec, Bolesław Kędzierzawy i Mieszko Stary w swoich zmaganiach o tron senioralny powoływali się na opiekę patrona archidiecezji i całego państwa.
DENARY: WŁADYSŁAWA WYGNAŃCA – BITY 1140–1142; BOLESŁAWA KĘDZIERZAWEGO – BITY 1146–1152; ZE SKARBU Z GŁOGOWA UKRYTEGO PO 1201; MAH GŁOGÓW; FOT. PC; BRAKTEAT MIESZKA STAREGO – 2 POŁ. XII W., MN KRAKÓW, FOT. MM

Psucie monety

Zwierzchność nad monetą stanowiła regale władcy: do 1177 r. monetę bili wyłącznie książęta zwierzchni (i Sieciech), później prawo to zdobyli książęta dzielnicowi. Produkcja monet miała przynosić władcom zysk. Aby to osiągnąć, pogarszano jakość kolejnych emisji, zmniejszając wagę monet lub obniżając w nich próbę srebra, czyli proporcję tego metalu i mniej wartościowych domieszek, głównie miedzi. W efekcie wybijano coraz więcej monet z tej samej jednostki wagowej kruszcu. Szczególnie złej jakości były denary Bolesława Szczodrego z ostatnich lat jego rządów (zwane królewskimi), co mogło nawet przyczynić się do jego wygnania, skoro Władysław Herman rozpoczął panowanie właśnie od przywrócenia dobrej monety. Z czasem zaczęto stosować przymusową wymianę monet na nowe, połączoną z pobieraniem opłaty; ów system renowacji monety wprowadził Bolesław Krzywousty. Wszystkie te działania były rodzajem podatku ściąganego z ludności używającej pieniądza. Władysław Wygnaniec wymieniał monetę co 2 lata, a Bolesław Kędzierzawy – co 6. Monety Mieszka Starego były już tak cienkie, że stemplowano tylko jedną ich stronę, miały jednak dobrą próbę srebra. W początkach XIII w. monetę wymieniano aż trzykrotnie w ciągu roku. Podobne praktyki znane były od dawna w innych krajach.

PŁYTKI CERAMICZNE ▼▶
pochodzące ze zrujnowanego przez pożar warsztatu odkrytego na Wzgórzu Lecha w Gnieźnie. Kilkadziesiąt (spośród kilkuset znalezionych) ma dekorację figuralną. Jej „władcza" symbolika oraz brak tematów typowo religijnych pozwalają przypuszczać, że płytki miały stanowić dekorację ścian zamku, a nie katedry.
KON. XII–POCZ. XIII W., MPPP GNIEZNO, FOT. RS

Drzwi brązowe

Spośród tuzina zachowanych romańskich drzwi brązowych dwoje zostało wykonanych dla polskich katedr w Płocku i Gnieźnie. Tzw. Drzwi Płockie, dziś w soborze św. Zofii w Nowogrodzie Wielkim, powstały w latach 1152–1154 na zamówienie biskupa płockiego Aleksandra z Malonne. Odlane w magdeburskim warsztacie przez mistrza Riquina, składają się z kilkudziesięciu plakiet. Pomimo zmian kolejności niektórych kwater myśl przewodnia jest czytelna. Sceny z cyklu zbawienia, począwszy od stworzenia pierwszego człowieka poprzez dzieciństwo i mękę Jezusa aż po Chrystusa Sędziego na tronie, ilustrują *Skład apostolski*. Oprócz scen związanych z tą modlitwą występują fragmenty innych cyklów. Ognisty wóz proroka Eliasza pojawia się jako prefiguracja Wniebowstąpienia Pańskiego, a ciężkozbrojne personifikacje cnót triumfujących nad pokonanymi występkami zostały zaczerpnięte z cyklu *Psychomachii* – dzieła często ilustrowanego przez miniatorów średniowiecznych. Znalazł się nadto mocny akcent współczesny – „portrety" biskupów: płockiego Aleksandra i magdeburskiego Wichmanna, któremu podlegała tamtejsza gisernia, oraz mistrza Riquina i jego pomocnika Waismutha. Reliefy Drzwi Płockich atakują widza tumultem wydarzeń opowiedzianych dosadnie, z ekspresją nieomal brutalną, dając obraz heroicznych zmagań ze złem w różnych postaciach.

Drzwi katedry metropolitalnej w Gnieźnie powstały zapewne na przełomie trzeciej i czwartej ćwierci XII w., w okresie gnieźnieńskich rządów Mieszka Starego. Osiemnaście prostokątnych pól, wypełnionych wielofigurowymi reliefami, ilustruje dzieje św. Wojciecha, patrona katedry i państwa polskiego. Kwatery figuralne otacza szeroka, bogata bordiura z motywem wici roślinnej. Opowieść o życiu Wojciecha otwiera dolne pole lewego skrzydła ze sceną narodzin świętego, a zamyka korespondujący z nim naprzeciwległy relief prawego skrzydła przedstawiający uroczyste złożenie zwłok męczennika w grobowcu w katedrze gnieźnieńskiej. Pomiędzy tymi wydarzeniami mieści się istota życiorysu św. Wojciecha, zwolennika benedyktyńskiej ascezy, misjonarza i męczennika. XII-wieczny Polak odnajdował w Drzwiach Gnieźnieńskich potwierdzenie świętości patrona Polski, a jednocześnie wezwanie do chrystianizacji pogańskich Prusów. Trudną w warunkach technologii średniowiecznej pracę wykonali dwaj lub trzej modelarze-odlewnicy znad Mozy. Ich harmonijne dzieło tchnie humanizmem i prawdą.

▲ DRZWI GNIEŹNIEŃSKIE
Odświętny charakter tych wrót odpowiadał ich przeznaczeniu. Otwierano je bowiem podczas najważniejszych ceremonii kościelnych i państwowych, takich jak: koronacje i pogrzeby władców oraz inne uroczystości dynastyczne.
KATEDRA W GNIEŹNIE, 3–4 ĆW. XII W., FOT. SKL

◄▲ BORDIURA
obiegająca Drzwi Gnieźnieńskie była także nośnikiem określonych treści. Ukazano tu, obok motywów ze świata realnej i baśniowej fauny i flory, również niewielkie sceny rodzajowe uzupełniające przedstawienia główne w kwaterach.
FOT. RS

▲ ANTABY
na drzwiach z Płocka i Gniezna mają kształt lwich głów; należy je interpretować nie jako symbol zwycięskiej walki ze złem, ale raczej jako ostrzeżenie grzeszników przed „paszczą piekielną".
DRZWI PŁOCKIE, KOPIA METALOPLASTYCZNA, FOT. PC; DRZWI GNIEŹNIEŃSKIE, FOT. RS

▲ FUNDATOR,
biskup płocki Aleksander z Malonne, ukazany w ceremonialnych szatach liturgicznych, został celowo wyróżniony: przedstawiono go górującego wzrostem ponad towarzyszącymi mu w szczególnych uroczystościach diakonami.
DRZWI PŁOCKIE, KOPIA METALOPLASTYCZNA, FOT. PC

▲ *MAIESTAS DOMINI*
– kwatera z cyklu zbawienia ukazuje tronującego Chrystusa Sędziego w otoczeniu ewangelistów.
DRZWI PŁOCKIE, KOPIA METALOPLASTYCZNA, FOT. PC

▲ PORTRETY TWÓRCÓW
Drzwi Płockie zachowały przedstawienia wykonawców odlewu. Można ich poznać zarówno po trzymanych narzędziach używanych w warsztacie odlewnika, jak i po odpowiednich inskrypcjach: „RIQVIN ME FEC[it]" (Riqvin mnie zrobił), „VVAISMVTh", „Abraham".
DRZWI PŁOCKIE, KOPIA METALOPLASTYCZNA, FOT. PC

▲ DRZWI PŁOCKIE
nie są odlewem jednolitym. Wykonano je z kilkudziesięciu elementów przytwierdzonych do drewnianego podłoża i unieruchomionych ramą. Nie wiadomo, w jaki sposób znalazły się w Nowogrodzie Wielkim. Jedna z prawdopodobniejszych hipotez zakłada, że po zdemontowaniu (wiemy, że je „przeskładano") zostały wywiezione przez oddziały prusko-litewskie po zdobyciu Płocka w 1262 r. i podarowane Nowogrodzianom w zamian za pomoc w walce z zakonem krzyżackim.
MAGDEBURG, NIEMCY, 1152–1154, KOPIA METALOPLASTYCZNA W KATEDRZE W PŁOCKU, FOT. PC

MOŻNI I RYCERZE

„Władcy nie zarządzają bowiem państwem na własną rękę, ale przy pomocy urzędników"

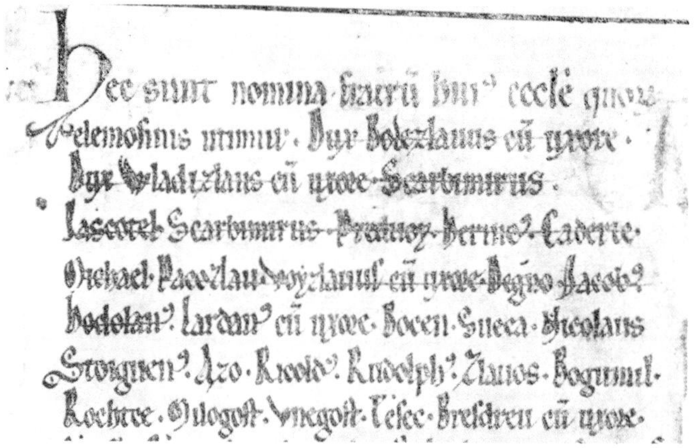

▲ KSIĘGA BRACKA,
zwana też księgą żywych lub wspominkową, zawiera spisy osób związanych z daną wspólnotą zakonną związkami braterstwa duchowego, czyli konfraternią. Tę, jedyną zachowaną na ziemiach polskich, prowadzono w opactwie Benedyktynów w Lubiniu od XII do początku XIV w. na kartach perykop ewangelicznych. Na pierwszym miejscu wymieniono rodzinę książęcych fundatorów i współpracujących z nimi członków rodu Awdańców.
BN WARSZAWA, RĘKOPIS SPŁONĄŁ W 1944, FOT. ARCHIWALNA

Dynastyczne koligacje polskich wielmożów

„Jedna z nich na Rusi męża poślubiła, druga święty welon na głowę włożyła, z trzecią zaś połączył się ktoś z jej narodu". W tych słowach przedstawił Gall Anonim losy córek Władysława Hermana i Judyty Salickiej. Imienia owego polskiego wielmoży nie znamy; z Piastówną wyswatał go widocznie Krzywousty, do którego stronników i przyjaciół musiał się zaliczać. Chyba synem tej pary był „Władysław Lach", bojar wielkich książąt kijowskich znany z lat 1166–1173. Ruską księżniczkę Marię pojął Piotr Włostowic. Pierwotnie zresztą starał się o nią inny polski możny, którego Piotr był dziewosłębem. Maria uczestniczyła w fundacjach męża; oboje przeżyli wygnanie i zostali pochowani w opactwie św. Wincentego we Wrocławiu. W 1124 r. za stryjecznego brata Marii, księcia muromskiego Wsiewołoda Dawidowicza, wyszła jakaś „Lachowica". Polscy możni wchodzili też w związki małżeńskie z panującymi domami na Pomorzu i Połabiu. Siostra wojewody mazowieckiego Żyry (córka Janusza Wojsławica) wyszła za Sobiesława, protoplastę dynastii książąt gdańskich. Wcześniej jakichś powinowatych wśród możnych polskich (zapewne wielkopolskich Leszczyców) miał książę Pomorza południowo-wschodniego Świętopełk. Wreszcie siostrzeńcem ostatniego ze słowiańskich książąt Brenny, Przybysława, był Jaksa z Miechowa.

Stan źródeł

Omawianie konkretnych postaci i grup społeczeństwa polskiego poza samą dynastią piastowską staje się możliwe dopiero od końca XI w., dzięki kronice Galla Anonima. W wiekach wcześniejszych mamy do czynienia tylko z nieprzejrzystą, anonimową zbiorowością, znaną jedynie od strony kultury materialnej dzięki wykopaliskom archeologicznym. Dotyczy to nawet najwyższego piętra hierarchii społecznej – współrządzącej elity otaczającej kolejnych władców. I tak w kronice Thietmara pojawiają się tylko trzy imiona polskich wielmożów, zawsze w jednym epizodzie ich życia. Jedynie Miecław, samozwańczy książę na Mazowszu, prócz poświęconego mu rozdziału kroniki Galla Anonima znany jest XI-wiecznemu źródłu ruskiemu.

Kronika Galla Anonima wymienia już kilku świeckich dostojników z przełomu XI i XII w. (Sieciech, Magnus, Wojsław, Żelisław, Michał, Skarbimir, Dzierżek). Nie omija też imion drobnych dynastów pomorskich, których losy zetknęły z państwem piastowskim (Świętobor, Gniewomir, Świętopełk). Zawdzięczamy jej nadto pierwszą charakterystykę, zresztą negatywną, Sieciecha.

Od tego czasu pojawiają się także inne, i to różnorodne źródła. Wzmianki o buncie Skarbimira, jerozolimskiej pielgrzymce Jaksy oraz śmierci kilku możnych zamieszczają najstarsze roczniki polskie, obok liczniejszych wiadomości o biskupach. Wyjątkowo szczęśliwie zachowany tekst księgi brackiej opactwa benedyktyńskiego w wielkopolskim Lubiniu zawiera kilkaset imion dobrodziejów tegoż opactwa, w większości z XII w. Więcej zachowało się nekrologów klasztornych, gdzie zapisywano imiona i – z pominięciem roku – dzienne daty zgonów. W coraz liczniejszych, choć jeszcze stosunkowo rzadkich dokumentach możni i rycerze występują bądź w roli świadków, bądź dobrodziejów instytucji kościelnych. W tym drugim wypadku przekazy owe przytaczają nazwy darowanych przez nich wsi. Pojedynczych polskich dostojników można znaleźć wreszcie w źródłach obcych (niemieckich, ruskich, czeskich, a nawet prowansalskich).

Szczególne bogactwo informacji źródłowych oświetla dwóch polskich wielmożów z XII w.: wojewodę Piotra Włostowica i jego zięcia Jaksę. Piotr stał się nawet bohaterem osobnego utworu, powstałego w drugiej połowie tego stulecia w fundowanym przez niego opactwie św. Wincentego we Wrocławiu i zwanego (od imienia autora) *Pieśnią Maura*. Wierszowany ów utwór zaginął, treść jego stała się wszakże podstawą dzieła z początku XVI w. – *Kroniki o komesie Piotrze*.

Podstawy majątkowe

Dochody wielmożów brały się głównie z dwóch źródeł: z własnych majątków ziemskich oraz z uposażenia związanego z posiadanymi urzędami. Trzecim, niestałym źródłem były łupy wojenne.

Wielkości tych dochodów dadzą się ustalić tylko wyjątkowo i nigdy dokładnie. Przede wszystkim, brak nam przekazów przedstawiających całą fortunę prywatną któregokolwiek możnowładcy. Ponieważ pismem w tym czasie posługiwał się głównie Kościół, a kościelne archiwa najlepiej przechowały swój zasób źródłowy, przeważnie znamy tylko te wsie świeckich właścicieli, które przekazali w drodze fundacji, nadań czy testamentów biskupstwom i klasztorom. O uposażeniu zaś ówczesnych urzędów dowiadujemy się na podstawie analogii krajów sąsiednich – dzięki temu wiemy np., że kasztelan ze swojego okręgu grodowego zatrzymywał 1/3 dochodów władcy.

W 1190 r. wielmoża Dzierżek rozporządził w testamencie częścią Buska oraz dziewięciu innymi wsiami; z wyjątkiem jednej, zapisanej żonie, miały one przejść na rzecz ufundowanego przezeń wcześniej klasztoru Norbertanek w Busku. Była to reszta większej niegdyś fortuny, pozostała po dokonaniu tej fundacji klasztornej. Posiadłości tak wybitnych dygnitarzy, jak Wojsław i Piotr Włostowic, obejmowały z pewnością kilkadziesiąt wsi. Ci jednak należeli do najbogatszych; o trudnościach w utrzymaniu swej pozycji społecznej przez niektórych drobnych rycerzyków pisze wymownie autor śląskiej *Księgi henrykowskiej*.

Udział możnych we władzy

Niezależnie od wielkości prywatnych dóbr wielmożów w XII w. duże znaczenie gospodarcze miały piastowane przez nich godności państwowe. Poważne uczestnictwo w korzyściach płynących ze współrządzenia monarchią oznacza, że poczuwali się do wspólnoty z nią i że zależało im na jak największej jej pomyślności. Mimo tej świadomości rozwijała się między grupami możnych rywalizacja o urzędy i wpływy.

Nie należy więc sądzić – przenosząc na czasy wczesnopolskie realia XVII–XVIII w. – że możnowładcy, w tym również dostojnicy państwowi, byli wrogami potęgi monarchii oraz siłą sprawczą rozbicia dzielnicowego. W dziedzinie politycznej możni dostojnicy na podziale państwa tracili, zmniejszał się bowiem obszar ich wpływów i kompetencji, a zyskowny urząd komesa dzielnicy w ogóle znikał z mapy kraju. Natomiast w dziedzinie gospodarczej

▲◄► OPACTWA CYSTERSKIE w Polsce w większości swoje powstanie zawdzięczają możnowładztwu. Za fundatora opactwa w Koprzywnicy uważa się Mikołaja z rodu Bogoriów, wspieranego przez Kazimierza Sprawiedliwego. Do Wąchocka zaś zakonników sprowadzono w 1179 r. na polecenie biskupa Giedki z rodu Powałów-Ogończyków.

KOŚCIÓŁ NMP I ŚW. FLORIANA W KOPRZYWNICY POW. SANDOMIERZ – WIDOK OD PŁD., 1 ĆW. XIII W.; KOŚCIÓŁ NMP I ŚW. FLORIANA W WĄCHOCKU POW. STARACHOWICE – FASADA ZACH. I KRUŻGANEK, 2 ĆW. XIII W.; FOT. MM

► WŁASNE DRUŻYNY, podobnie jak książęta, posiadali również możnowładcy. Stanowiły one ważki argument w rywalizacji z innymi możnymi i znacząco podnosiły ich prestiż.

DRZWI PŁOCKIE, MAGDEBURG, NIEMCY, 1152–1154, KOPIA METALOPLASTYCZNA W KATEDRZE W PŁOCKU, FOT. PC

BROŃ PARADNA ▼ podkreślała wysoki status społeczny możnego. Bogato zdobiona i droga, dla zwykłych wojów i rycerzy była nieosiągalna. Żeleźce skandynawskiego topora znalezionego w Żaganiu platerowane jest srebrem, natomiast głowicę miecza z Czerska ozdabiała – wzorowana na luksusowych wyrobach ruskich – nakładka.

XI–XII W., MWP WARSZAWA, DEPOZYT W PMA WARSZAWA, FOT. TB; 2 POŁ. XI W.?, PMA WARSZAWA, FOT. BT

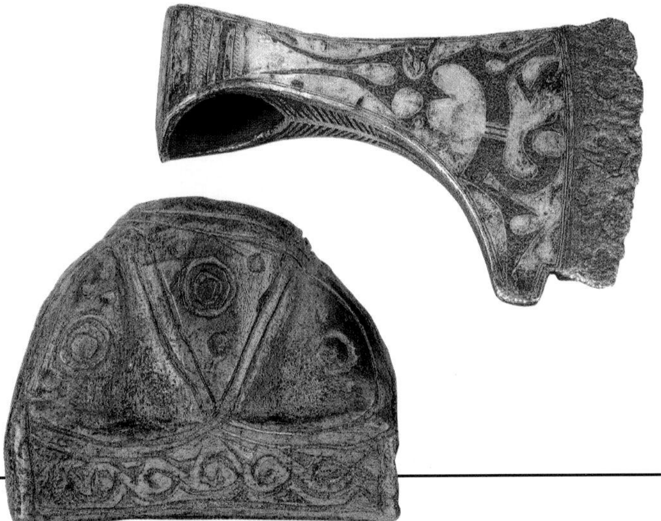

KOŚCI DO GRY ▲
Pierwotnie do gry używano rzeczywiście prawdziwych kości, wyważonych ołowiem (pierwsza z prawej). Środkowe stanowią przykład kości powszechnie stosowanych, a pierwsza z lewej, wykonana z kości słoniowej, to egzemplarz luksusowy, pochodzący z pałacu biskupiego. O popularności tej gry i emocjach, jakie budziła, świadczy opowieść mistrza Wincentego o słudze, który po przegranej spoliczkował Kazimierza Sprawiedliwego.
WROCŁAW, IA UWR; XII–XIII W., FOT. MM; DEPOZYT W MPPP GNIEZNO, FOT. RS; 1 ĆW. XI W., FOT. MM

GRY PLANSZOWE ▲
Pod koniec XII w. szachy zadomowiły się na dworach książęcych i możnowładczych. Dużą popularnością cieszyły się też mniej skomplikowane warcaby i inne gry tablicowe (szczególnie tzw. młynek).
SANDOMIERZ, POŁ. XIII W., MO SANDOMIERZ, KOPIA W MPPP GNIEZNO; SZCZECIN, 1 POŁ. XI W., ZKP PA SZCZECIN; FOT. RS; CZERSK, XI/XII W., PMA WARSZAWA, FOT. BT

▲◄ MODA DWORSKA
w XII w. charakteryzowała się wprowadzeniem klinów, marszczeń, wydłużonych rękawów, co było spowodowane zastosowaniem szerokiego i długiego materiału. Świadectwa pisane, ikonograficzne i archeologiczne wskazują na szybkie przyswajanie w Polsce nowinek z dworów niemieckich i francuskich.
POSTACIE Z KOLUMN – KON. XII–POCZ. XIII W., KOŚCIÓŁ ŚW. TRÓJCY W STRZELNIE, FOT. MŁ; PROROK OZJASZ I JEGO ŻONA GOMER – „GLOSA NA TEMAT DWUNASTU PROROKÓW", XII W., BSD PELPLIN, FOT. PC

książęta całej, niepodzielnej Polski mieli więcej do rozdania i łatwiej było im dzielić się z wiernymi współpracownikami. Wreszcie majątki możnych, położone w różnych dzielnicach, pod jednym władcą zażywały pokoju, podległe zaś różnym książętom mogły snadnie narażać się na zniszczenie w razie wojen domowych.

Do powyższych argumentów trzeba dorzucić na koniec i ten: jakim sposobem monarchia – w Polsce czy gdzie indziej – mogłaby wciąż trwać i przeżywać czasem pomyślne okresy, gdyby była ciągle szarpana od wewnątrz? W nowszej historiografii zafascynowanie rzekomym absolutyzmem książąt zdaje się już mijać. Zaczyna ona traktować ustrój ówczesnego państwa jako formę współrządów władcy ze swym otoczeniem, pochodzącym z możnych rodzin. To właśnie możnowładztwo stanowiło wtedy „naród polityczny", związany z państwem, którego dobro uważało za własne. Liczba urzędów, nawet duża, nie wystarczała jednak dla wszystkich szlachetnie urodzonych. Dla poszczególnych grup rodzinnych ważne więc było, aby nie wypaść z kręgu władzy bądź też doń się dostać. Wiązało to owe grupy z konkretnymi Piastami, których chciano widzieć na tronie. Współzawodnictwo takich stronnictw politycznych tworzy wewnętrzną historię drugiej monarchii piastowskiej.

W czasach Galla Anonima

Kronika Galla Anonima wymienia czterech dostojników przewodzących obozom politycznym tego czasu. Są nimi: Sieciech, Wojsław, Skarbimir oraz arcybiskup Marcin. Piąty obóz stanowili zwolennicy Zbigniewa, kierowani zapewne przez krewnych jego matki.

Sieciech, przodek rodu Toporów, był wojewodą Władysława Hermana co najmniej od 1090 do 1100 r. Miał ogromny wpływ na księcia i rządził państwem w jego imieniu. Obsadzając urzędy krewnymi i ludźmi od siebie zależnymi, odsuwał od znaczenia niezwiązane z nim domy możnowładcze. Bił własne monety, co wobec istnienia menniczego regale było zjawiskiem wyjątkowym, podkreślającym ogrom jego władzy. Posiadał własne grody w Sieciechowie nad Wisłą i w Sieciechowie na Mazowszu. Prześladowanie przezeń politycznych konkurentów wywołało silną opozycję, która wysunęła zarzut, że Sieciech dybie na życie synów Hermana, aby po śmierci starego księcia samemu przejąć tron. Wygnany w 1100 r., miał wprawdzie wrócić jeszcze do kraju, lecz nigdy już nie uczestniczył w sprawowaniu władzy. Badacze nie są zgodni, który z Sieciechów (on czy jego wnuk, cześnik Krzywoustego) fundował kościół św. Andrzeja na Okole pod Wawelem oraz opactwo Benedyktynów w Sieciechowie. W tym ostatnim wypadku znana kolejność powstawania klasztorów małopolskich (sieciechowski po łysogórskim) wskazuje raczej na cześnika.

Krewnym Sieciecha po kądzieli był Wojsław, od którego wywodzi się ród Powałów-Ogończyków. Zaczął on karierę jako komes wrocławski i piastun małoletniego Krzywoustego; odznaczył się przy zdobywaniu Międzyrzecza (gdzie odniósł ciężką ranę głowy), usunęli go jednak od władzy przeciwnicy Sieciecha. Po jakimś czasie przywrócony do łask, został stolnikiem Krzywoustego. W latach 20. XII w. jeszcze awansował, skoro w ówczesnych źródłach zajmuje drugie miejsce po Skarbimirze. Był dobrodziejem wielu kościołów; najbardziej liczy się współfundacja z księciem opactwa Benedyktynów na Łysej Górze oraz darowizna dziesięciu wsi dla żony Dobiechny, która wyposażyła nimi kościół NMP na podgrodziu płockim (później siedzibę norbertanek).

Skarbimir wreszcie to drugi po księciu Bolesławie bohater kroniki Galla Anonima. Był przodkiem rodu Awdańców, synem Michała Starego i bratem kanclerza Michała, inicjatora i informatora tejże kroniki. Jego rodzina, związana niegdyś z Bolesławem Szczodrym, później zwalczała rządy Sieciecha i zbliżyła się do Krzywoustego. Po usunięciu Wojsława piastunem młodego księcia został właśnie Skarbimir, którego sukcesy w wojnie domowej przyczyniły się do obalenia Sieciecha. Skarbimira można uważać za twórcę polityki realizowanej we wczesnych latach Bolesława. Przewidywała ona zjednoczenie państwa w ręku tego księcia oraz przyłączenie Pomorza poprzez uzależnienie tamtejszych książąt. W tym celu Polska miała korzystać z pokoju na pozostałych granicach. Właśnie Skarbimir zawarł w 1103 r. pokój z Czechami, posiłkującymi Zbigniewa. Był jednak przede wszystkim świetnym wodzem; prowadził wyprawy na Pomorzan sam bądź wspólnie z księciem, a jego manewr przyniósł Polakom zwycięstwo w wielkiej bitwie pod Nakłem w 1109 r. Bezzwłocznie po zjednoczeniu Krzywousty mianował Skarbimira wojewodą. Jako główny doradca księcia, a przeciwnik Zbigniewa, przyczynił się chyba do wymierzonej temu ostatniemu kary.

Współpraca Skarbimira z Bolesławem przetrwała do końca kroniki Galla Anonima. Pod 1118 r. anonimowy rocznikarz zanotował, że wojewoda powstał przeciw księciu i za to utracił wzrok – co mogło być związane z kontrowersjami wokół statutu Krzywoustego. Niełaska nie była wszakże ostateczna i po kilku latach Krzywousty przywrócił Skarbimirowi urząd.

▲ KOŚCIÓŁ W PRANDOCINIE
powstał w pierwszej ćwierci XII w. z fundacji komesa Prandoty Starszego z rodu Odrowążów. Zdobiona archiwolta z jego portalu, analogiczna do ornamentów cesarskich katedr w Moguncji, Spirze czy Wormacji, potwierdza wysoką klasę artystyczną tej możnowładczej fundacji.
WIDOK OD PŁD. ZACH.; PORTAL GŁÓWNY; FOT. MM

▲▶ NA TYMPANONIE FUNDACYJNYM
kościoła w Wysocicach, fundowanego przez Iwona Odrowąża jako biskupa krakowskiego, widnieje nie patron świątyni, św. Mikołaj, lecz św. Norbert, patron pobliskiego klasztoru Norbertanek w Imbramowicach, które także zostało ufundowane przez Iwona.
1 ĆW. XIII W.; TYMPANON FUNDACYJNY – FOT. ZŚ; WIDOK KOŚCIOŁA OD PŁD. – FOT. RS

Awdańcy

Awdańcy – ród normańskiego pochodzenia, jak wskazuje nazwa (od imienia Audun, wyprowadzonego od „audr" – „skarb"), przybył do Polski zapewne z Rusi. Z nazwą zrosła się później legenda o „hab dank" („dzięki"), rzekomych słowach króla niemieckiego Henryka V do posła polskiego Skarbka (tożsamego oczywiście z wojewodą Skarbimirem), który mówiąc „idź złoto do złota", rzucił swój pierścień do ostentacyjnie pokazywanego mu skarbca.
Gall Anonim nazwał kanclerza Michała (syna zmarłego w 1113 r. Michała Starego) swym współpracownikiem i sprawcą pisanego przezeń dzieła; od niego pochodzi więc treść kroniki, stylistycznie opracowana przez wprawnego pisarza cudzoziemskiego. Opinia kronikarza o poszczególnych zdarzeniach stanowi wyborny przewodnik do tego, jakie miejsce w nich zajmowali Awdańcy; podobnie obfitość lub, odwrotnie, brak informacji wskazują na ich udział bądź nieobecność w tychże wydarzeniach. Otóż o pierwszych latach rządów Władysława Hermana kronika nie mówi nic, rozpisuje się za to o spotkaniu zdetronizowanego Bolesława z królem węgierskim. Michał Stary z synami przebywał więc u boku wygnańca na Węgrzech. Wrócił do kraju w 1086 r. wraz z Mieszkiem Bolesławicem, odtąd bowiem rozpoczynają się znów wiadomości Galla Anonima dotyczące Polski. Najlepszy czas dla Awdańców miał jednak dopiero nadejść – za Krzywoustego.

◄▼ SŁUP MILOWY
postawiony przez wojewodę Piotra Włostowica w połowie drogi między Kruszwicą a Kaliszem pełnił funkcje nie tylko utylitarne. Dzięki wymownej inskrypcji informującej o fundacji głosił także sławę wojewody.
KONIN, 1151, FOT. RS

▼ KAMIENNY LEW
pochodzący ze ślężańskiego opactwa Kanoników Regularnych. Sprowadził ich tu i osadził na szczycie lub u jego podnóża (kwestia to ciągle dyskusyjna) Piotr Włostowic, do którego pierwotnie należał cały masyw Ślęży z przyległymi obszarami. Lew należy do zespołu romańskich rzeźb znajdujących się wokół Ślęży, a pochodzących z nieistniejącego dziś kościoła klasztornego.
XII W., KOŚCIÓŁ ŚW. JAKUBA STARSZEGO W SOBÓTCE POW. WROCŁAW, FOT. PC

◄ PIERŚCIEŃ Z INSKRYPCJĄ
znaleziony na cmentarzysku przyklasztornym na Ołbinie wyróżnia się bardzo starannym pismem. Treść inskrypcji można odczytać jako „Dzięki pierścieniowi zanika bojaźń". Pełnił więc rolę amuletu zapewniającego właścicielowi odwagę.
2 POŁ. XII W., MAMM WROCŁAW, FOT. RS

▲ PRZEDSTAWIENIE NA SYGNECIE
rodu Borków, podobne do tych widniejących na ówczesnych monetach i pieczęciach książąt zachodniopomorskich, wskazuje na wysokie aspiracje członków rodu.
PĘZINO POW. STARGARD SZCZECIŃSKI, XII-POCZ. XIII W., MN SZCZECIN, FOT. PC

Obrońcy statutu

Zwolennicy wewnętrznego pokoju w Polsce, gwarantowanego statutem Krzywoustego, stanowili główną siłę polityczną przez prawie 40 lat. Na ich czele stali kolejno: wojewoda Piotr Włostowic oraz jego zięć i następca na urzędzie Jaksa z Miechowa. Pierwszy z nich, mąż księżniczki czernihowskiej Marii i przodek rodu Łabędziów, wsławił się wielu fundacjami kościelnymi, według wczesnej tradycji sięgającymi aż siedemdziesięciu obiektów; najważniejszymi były śląskie opactwa św. Wincentego na wrocławskim Ołbinie (pierwotnie benedyktyńskie, później norbertańskie) oraz NMP na Ślęży, szybko przeniesione na wrocławską Wyspę Piaskową (kanoników regularnych św. Augustyna). Środków na owe fundacje dostarczył mu okup księcia przemyskiego Wołodara, porwanego podstępnie przez Piotra za jego napady na Polskę. Wielmoża ten cieszył się szczególnymi względami Krzywoustego, który na łożu śmierci powierzył mu pieczę nad pokojem w kraju.

Spokrewniony z późniejszymi rodami Gryfów i Lisów Jaksa był synem księżniczki z połabskiego plemienia Stodoran; po wygaśnięciu męskiej linii tamtejszej dynastii podjął, z pomocą polskich posiłków, walkę o matczyne dziedzictwo. Wyparty ostatecznie z Brenny (dzisiejszy Brandenburg) przez margrabiego Albrechta Niedźwiedzia, utrzymał małe księstwo kopanickie nad Sprewą, gdzie bił własne monety. W 1162 r. odbył pielgrzymkę do Jerozolimy. Sprowadził stamtąd bożogrobców, dla których następnie założył klasztor w Miechowie. Był także fundatorem zwierzynieckiego opactwa Norbertanek i dobrodziejem benedyktynów sieciechowskich.

Jedynie konsekwentną postawą obrońcy statutu Krzywoustego, z tej perspektywy oceniającego postępowanie książąt, można wyjaśnić perypetie wojewody Piotra Włostowica za rządów Władysława II. Przedstawiony w 1141 r. negatywnie przez matkę juniorów, księżną Salomeę, jej gościom, benedyktynom ze szwabskiego opactwa w Zwiefalten, po upływie 4 lat, gdy wstawił się za juniorami, został z rozkazu księcia seniora oślepiony i wygnany. Jako zwolennik utrzymania prawa i pokoju zwalczał równocześnie dwa skrajne zagrożenia: nieposłuszeństwo juniorów wobec seniora i próby seniora wypędzenia juniorów z kraju. Opowiadał się zatem każdorazowo za tymi spośród dynastów, którzy w danych warunkach nie naruszali postanowień Krzywoustego.

Za czasów Bolesława Kędzierzawego możni – zwolennicy statutu – sprawowali władzę w państwie, piastując najwyższe urzędy. Obóz ten rozpadł się rok po śmierci Jaksy: w spisku przeciwko Mieszkowi Staremu (1177 r.) wzięła udział część tego stronnictwa. Nigdy też już więcej nie występowało ono jako zwarta, ogólnopolska całość.

Starzy i nowi

Jak już ustaliliśmy, XII-wieczne możnowładztwo polskie nie zyskiwało, a tylko traciło na podziale państwa. Skoro jednak podział taki na przełomie stuleci doszedł do skutku, musiały się za nim opowiedzieć jakieś siły społeczne.

Warstwa naszych XIII-wiecznych wielmożów pod względem pochodzenia składała się z dwóch wyraźnie różnych, choć już mieszających się grup. Możemy je nazwać możnowładztwem „starszym" i „młodszym". Pierwsze to potomkowie rodzin dygnitarzy z czasów drugiej monarchii piastowskiej, a więc Sieciecha (Toporczycy), Skarbimira (Awdańcy), Wojsława (Ogończycy), Piotra Włostowica (Łabędzie) oraz kilku jeszcze innych. Wyróżniają się posiadaniem dóbr ziemskich we wszystkich lub większości dzielnic państwa. Ich przodkowie bowiem, jako wysocy dostojnicy ogólnopolskich władców, mieli do dyspozycji całe podległe tym władcom terytorium, na którym otrzymywali hojne nadania.

Już w końcu XII w. czy nieco później występują na dworach książąt dzielnicowych dostojnicy z całkiem nowych rodzin, związanych majątkowo z jedną tylko okolicą. Wzrost ich fortun zależał od pomyślności księstw, w których żyli i działali. Im właśnie potrzebne było przybliżenie władzy, czyli książęta dzielnicowi, przy których powstawała sieć miejscowych urzędów z ich uposażeniem. Urzędy te były dla zdolnych „ludzi nowych" w pełni dostępne. Co więcej, jako poddani jednego księcia, cieszyli się oni na ogół większym jego zaufaniem niż przedstawiciele starszych ogólnopolskich rodów, wciąż związanych z większą połacią kraju. Wystarczy przypomnieć świetną karierę wielkopolskiego rodu Zarębów, którzy przy miejscowej linii Piastów stale pięli się ku górze w ciągu XIII w., aby pod jego koniec przejąć większość najwyższych urzędów tej ziemi. Podobnie na Mazowszu do wielkiego znaczenia doszły miejscowe rody Prawdziców i Junoszów, na Kujawach – Pomianów, w Małopolsce zaś – Półkoziców czy – zwłaszcza później – Leliwów.

Na przełomie XIII i XIV w. zdecydowana większość możnowładztwa poprze już zjednoczenie Polski, które także młodszym rodom otworzy nowe drogi ekspansji majątkowej. Wśród dygnitarzy Łokietka widzimy potomków zarówno międzydzielnicowych, jak i lokalnych wielmożów.

▲ MONETY PIOTRA WSZEBORZYCA,
wojewody kujawskiego i kasztelana kruszwickiego, na awersie zawierają przedstawienie jeźdźca – zapewne księcia jako pana menniczego. Na rewersie bito monogram wojewody, PETRUS, znany też z grobowca jego dziada Piotra Włostowica i kolumn w kościele klasztornym w Strzelnie, fundacji Wszeborzyca. Zapewne w związku z koniecznością jej sfinansowania Wszeborzyc uzyskał prawo bicia monety.
DENAR – BITY 1195–1200, ZE SKARBU Z GŁOGOWA UKRYTEGO PO 1201, MAH GŁOGÓW, FOT. PĆ; BRAKTEAT – 1195–1200, MAiE ŁÓDŹ, FOT. MM

▲ MONETA BISKUPIA
Iwona Odrowąża nawiązuje do wcześniejszych monet biskupów ołomunieckich. Na awersie przedstawiono władcę, na rewersie zaś – biskupa. W legendzie występuje imię św. Wacława, patrona katedry krakowskiej.
PO 1218, MAiE ŁÓDŹ, FOT. MM

PROTOHERBY ►
Zanim zaczęto posługiwać się herbami, używano osobistych znaków rozpoznawczo-własnościowych. Niektóre z nich przeniesiono później na tarczę, dzięki czemu ze znaku osobistego stały się herbem całego rodu.
PIECZĘĆ ZBROSŁAWA ZE ŚMICZA PRZY DOKUMENCIE Z 25 V 1259, AP WROCŁAW, FOT. MM

▼ PŁYTY NAGROBNE
z Wąchocka wiąże się czasami z udziałem pogrzebanych tu osób w wyprawach krzyżowych. Wyryty na nich miecz wskazuje na rycerskie pochodzenie zmarłego, a miecz i siekiera (lub czekan) mogą oznaczać miejsce spoczynku dwóch osób.
XIII W., KOŚCIÓŁ NMP I ŚW. FLORIANA, FOT. MM

OŁBIN ROMAŃSKI

Na początku XII w. Ołbin należał do najbardziej rozwiniętych osad tworzących wczesnośredniowieczny Wrocław. Wschodnia część stanowiła własność wojewody Piotra Włostowica, a zachodnia należała do jego powinowatego – komesa Mikory. Około 1126 r. Piotr osadził w pobliżu swojego dworu benedyktynów, a w 1145 r. przywiózł dla nich z Magdeburga relikwie św. Wincentego, biskupa-męczennika. Konsekrowany w 1149 r. kościół klasztorny był najprawdopodobniej największą świątynią romańską na ziemiach polskich: jego boczna nawa miała około 55 m długości. Tym ogromem zachwycano się jeszcze na początku doby nowożytnej, gdy od dawna stały już wielkie kościoły gotyckie. Do jego wykonania i ozdobienia sprowadzono rzemieślników z najsłynniejszych ośrodków południowofrancuskich, turyńskich i dolnoreńskich; przy pracach pomocniczych wykorzystywano zapewne Rusinów – wskazują na to typowe dla Rusi, a niespotykane na zachodzie Europy formy ceramiki budowlanej i pieców wapienniczych. Kierunki oddziaływania wzorów artystycznych związanych z tą fazą budowy opactwa w pełni pokrywają się ze znanymi ze źródeł pisanych kontaktami Piotra Włostowica. Fundacja ołbińska była dobitną manifestacją jego znaczenia i ambicji.

Po powrocie synów Władysława Wygnańca na Śląsk benedyktyni zostali z Ołbina usunięci (około 1190 r.), oficjalnie z uwagi na niemoralne prowadzenie się i trwonienie dóbr, faktycznie zaś zapewne z powodu ich opowiedzenia się po stronie Piotra Włostowica i juniorów w okresie wojny domowej w latach 1145–1146. Ich miejsce zajęli sprowadzeni z Kościelnej Wsi pod Kaliszem norbertanie, którzy wkrótce wznieśli nowy klasztor; to z niego prowadził do kościoła zachowany do dziś portal.

Zespół budowli ołbińskich był rozbudowywany przez całe średniowiecze. Na początku XVI w. składał się z otoczonych wspólnym murem trzech kościołów, blisko pięćdziesięciu budynków i siedmiu podwórców. 14 X 1529 r. rozpoczęła się zarządzona przez protestancką radę miejską rozbiórka zabudowań opactwa; jako uzasadnienie podano możliwość jego przejęcia przez wojska tureckie i wykorzystania jako twierdzę. Zakonników przeniesiono do miasta, a na terenie dawnego zespołu klasztornego powstała mała prepozytura klasztorna z drewnianym kościołem. Materiał rozbiórkowy rada zakupiła za 500 florenów. Zużyto go m.in. do brukowania Nowego Targu, umocnienia skarp nad fosami i Odrą oraz budowy domu Rybischa. Część detali rzeźbiarskich umieszczono na fasadach budynków publicznych.

▲ PORTAL
prowadzący pierwotnie z krużganka do kościoła klasztornego. Na jego archiwoltach i głowicach kolumn przestawiono grzech pierworodny oraz dzieje Marii i Chrystusa, od chwili zwiastowania do chrztu w Jordanie. Wraz ze zwieńczającym go tympanonem przekazywał wchodzącym do kościoła norbertanom określony program teologiczny: grzech pierworodny zmazany przez życie i śmierć Zbawiciela.
WARSZTAT PÓŁNOCNOWŁOSKI, KON. XII W., OD 1546 W ŚCIANIE KOŚCIOŁA ŚW. MARII MAGDALENY WE WROCŁAWIU, FOT. SA

▲ ZAŚNIĘCIE MARII
z rewersu tympanonu pierwotnie stanowiącego część portalu łączącego krużganek z kościołem klasztornym. Kompozycja słabo zachowanego awersu nawiązuje do dzieł najwybitniejszego rzeźbiarza włoskiego tego czasu – Benedetta Antelamiego.
KON. XII W., MN WROCŁAW, FOT. EW

▲ POPIERSIE PROROKA,
pochodzące być może z portalu lub przegrody chórowej jeszcze benedyktyńskiego kościoła klasztornego, nawiązuje do najlepszych przykładów ówczesnej rzeźby południowofrancuskiej.

2–3 ĆW. XII W., MN WROCŁAW, FOT. EW

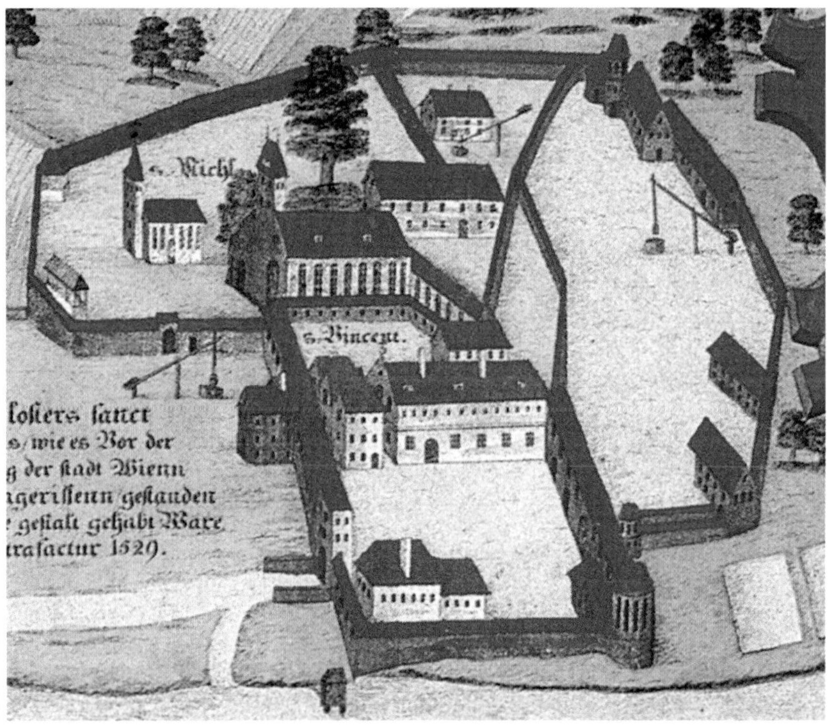

▲ WIDOK OŁBIŃSKIEGO ZESPOŁU KLASZTORNEGO
na planie Wrocławia z 1562 r. Opactwo nie istniało już wówczas od kilkudziesięciu lat, zatem do wiernego (jak wskazują badania archeologiczne) odwzorowania zabudowań musiał posłużyć wcześniejszy rysunek, być może powstały właśnie przy ich burzeniu.

BARTHEL WEINER, ORYGINAŁ ZAGINIONY, REPRODUKCJA LITOGRAFICZNA, CHRISTIAN FRIEDRICH PARITIUS, 1826, BUWR, FOT. SKL

▲ RYCINA
przedstawiająca umieszczoną na środku prezbiterium kościoła klasztornego tumbę grobową Piotra Włostowica i jego żony Marii, ufundowaną dla założycieli opactwa przez opata Wilhelma zapewne około 1288 r. Rycina ta powstała w oparciu o rysunek wykonany w 1529 r. dla Heinricha Rybischa, wrocławskiego patrycjusza i syndyka.

BUWR WROCŁAW

▲ GŁOWICE KOLUMN MIĘDZYNAWOWYCH,
koryncka i kostkowa, pochodzące z kościoła klasztornego. Proporcje zachowanych głowic wskazują, że kolumny miały około 20 m wysokości.

WARSZTAT TURYŃSKI?, 2–3 ĆW. XII W., MUZ. ARCHIT. WROCŁAW, FOT. SA

DOKUMENT ▶
wystawiony przez opatów benedyktyńskich klasztorów w Tyńcu, na Łyścu i w Mogilnie. Zobowiązują się w nim do uznania wyroku rozjemców w sporze z norbertanami o odzyskanie opactwa ołbińskiego.

SIEWIERZ, 6 VII 1233, AP WROCŁAW, FOT. MM

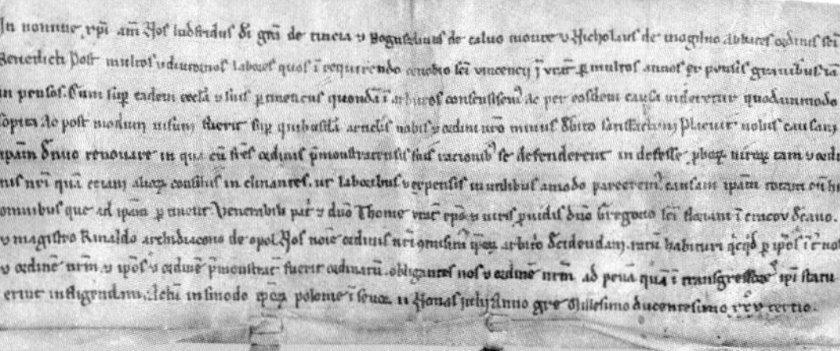

Rozbicie dzielnicowe

Lata około 1180–1306

Wygnanie Mieszka Starego z Krakowa, zaakceptowane na zjeździe łęczyckim w 1180 r., oznaczało kolejne, tym razem już ostateczne złamanie statutu Bolesława Krzywoustego. Po śmierci Kazimierza Sprawiedliwego tron krakowski stał się jednym z licznych, choć ciągle najbardziej pożądanym tronem książęcym w Polsce. Rozpoczął się okres rozbicia dzielnicowego. Nad tendencjami dośrodkowymi górę wzięły narastające konflikty wewnątrz dynastii oraz zmiana nastawienia przedstawicieli elit władzy. Uznali oni, że podziały dzielnicowe sprzyjają ich interesom: poszerzają możliwości kariery i ułatwiają uzyskiwanie nadań, immunitetów i przywilejów. W końcu XII w. naprawdę zainteresowani utrzymaniem jedności kraju byli jedynie seniorzy dynastii (z racji nadziei na objęcie władzy zwierzchniej) oraz ich bezpośrednie otoczenie.

Szybko okazało się, że podziały dzielnicowe są korzystne dla rozwoju poszczególnych ziem. Przy ówczesnych możliwościach komunikacyjnych i administracyjnych łatwiej było efektywnie zarządzać niewielkim terytorium. To z kolei sprzyjało rozwojowi gospodarczo-społecznemu i kulturowemu.

Rozwój kolonizacji wewnętrznej i zewnętrznej gruntownie zmienił oblicze ziem polskich. Powstawaniu nowych miast i wsi, klasztorów, kościołów i parafii towarzyszyło ożywienie gospodarcze i intelektualne. Pod naporem ekspansji prawa niemieckiego i jego lokalnych odmian upadał porządek prawa książęcego, rodziły się natomiast podwaliny monarchii stanowej. Najszybciej status rządzącego się własnymi prawami stanu uzyskało duchowieństwo, kroczyło jednak tą drogą także rycerstwo, a nawet mieszczaństwo i chłopstwo, cieszące się w coraz większym zakresie własnym samorządem. Procesy te miały się pogłębić w XIV w.

Pod koniec XIII w. nastawienie wobec rozbicia dzielnicowego zmieniło się. Uzyskawszy podstawowe prawa i przywileje, przedstawiciele elit społecznych i ekonomicznych potrzebowali bezpieczeństwa zewnętrznego i wewnętrznego, zapewniającego spokojną konsumpcję rezultatów XIII-wiecznego rozwoju gospodarczego i kulturowego. Tymczasem narastające lawinowo po 1241 r. podziały i konflikty dzielnicowe wyraźnie oczekiwaniom tym nie sprzyjały. Skutki osłabienia politycznego państwa – ciągle uważanego za jedność – zaczęły być coraz bardziej odczuwalne. Zwaśnieni nierzadko książęta nie potrafili obronić swoich poddanych przed niebezpieczeństwami ze wschodu (najazdy Litwinów, Rusinów i Tatarów) i północnego zachodu (ekspansja Marchii Brandenburskiej) ani wesprzeć ich dalekosiężnych interesów ekonomicznych i handlowych.

W efekcie u schyłku XIII w. idea zjednoczenia państwa i odnowy Królestwa Polskiego miała już powszechne poparcie. Jej realizacja przeciągnęła się jednak aż do początku XIV w. – brakło bowiem braku zgody co do tego, który z książąt dzielnicowych ma dokonać zjednoczenia. Dlatego właśnie tak wielkie szanse miał nieuwikłany w lokalne konflikty Przemyślida, Wacław II. Jego wielkie dokonania na tym polu uczyniły proces zjednoczeniowy nieodwracalnym; zakończyć go mieli, nie bez trudności i strat, Władysław Łokietek i jego syn Kazimierz.

Rozbicie dzielnicowe

W kręgu kultury dworskiej

Polityka książąt w okresie drugiej monarchii piastowskiej sprzyjała integracji ziem polskich z kulturą Zachodu

▲ ŚWIAT
w wyobraźni ludzi średniowiecza. Centrum stanowi „ziemskie Jeruzalem" – miejsce śmierci Chrystusa. Polska (ale także Niemcy) znajdują się na jego skraju.
MAPA ŚWIATA, KLASZTOR W EBSTORF, 1208–1218?, ORYGINAŁ SPŁONĄŁ W 1943, KOPIA W LMOP KULMBACH

Przybysze z Zachodu i Wschodu

Choć Gall Anonim pisał, że „kraj Polaków oddalony jest od szlaków pielgrzymich i mało komu znany poza osobami zmierzającymi na Ruś w celach handlowych", to jednak już sama jego obecność na dworze Bolesława Krzywoustego dowodzi czegoś innego. Stopniowo w XII w. ziemie polskie stały się obszarem coraz częściej odwiedzanym przez cudzoziemców, a od końca tego stulecia także terenem akcji kolonizacyjnej.

Kształtujące się państwo Piastów, z powstającymi dopiero dworem, instytucjami administracyjno-skarbowymi i kościelnymi, sąsiadujące z pogańskimi plemionami bałtyjskimi, przyciągało ambitnych, dążących do kariery przybyszów z różnych stron Europy, w tym zwłaszcza duchownych. Kupców wabiły przecinające ziemie polskie ważne szlaki handlowe wiodące do Kijowa i bogatych miast nadczarnomorskich, rzemieślników i rozmaitych specjalistów – duże zapotrzebowanie na osoby znające najnowsze osiągnięcia cywilizacyjne, osadników – olbrzymie tereny nadające się pod kolonizację oraz zasobne w drzewo i zwierzynę lasy i puszcze.

Zapoczątkowany przyjęciem chrześcijaństwa proces okcydentalizacji kultury ziem polskich, polegający na ich włączaniu w krąg łacińskiej kultury zachodnioeuropejskiej, przybierał na sile od połowy XI w. Przyspieszeniu temu sprzyjał szybki rozwój społeczno-gospodarczy i kulturowy Europy Zachodniej w XII w.

Mimo zdecydowanego wejścia w obręb cywilizacji zachodnioeuropejskiej położenie państwa Piastów na jej peryferiach powodowało, że żywe były również kontakty z wschodnioeuropejskim, bizantyjsko-słowiańskim kręgiem kulturowym, reprezentowanym głównie przez Ruś kijowską. Liczne małżeństwa dynastyczne między Piastami i Rurykowiczami, kontakty możnowładztwa i kupców obu krajów, ściągani z Rusi rzemieślnicy, nieliczni duchowni i misjonarze działający w Kijowie i na pograniczu z Pieczyngami, a następnie Połowcami, brani podczas działań wojennych jeńcy – oto niektóre z czynników ożywiających bliskie w tym czasie stosunki. Nie widać, aby większy wpływ na te kontakty miał zapoczątkowany symboliczną datą 1054 r. podział chrześcijaństwa na zachodnie – katolickie i łacińskie, oraz wschodnie – ortodoksyjne i greckie. Znaczącą cezurę stanowił natomiast podbój Rusi przez Mongołów, choć i po nim stosunki polityczne i kulturowe między Rusią halicko-włodzimierską a ziemiami polskimi, zwłaszcza Mazowszem i Małopolską, pozostawały ożywione.

Związki dynastyczne

Przedstawicielki domów panujących Europy Zachodniej, przybywając na dwór Piastów, przywoziły poza materialnymi wytworami kultury krajów rodzinnych oraz licznym dworem także wzorce osobowe, normy postępowania, obyczajowość, poczucie piękna. Drugiej żonie Krzywoustego, Salomei z Bergu, dwór polski zawdzięczał kontakty z opactwem benedyktyńskim w Zwiefalten. Relację ze swojej wizyty w Polsce w 1141 r. spisał tamtejszy mnich, Otto ze Stuzzelingen. Wstąpiła też do tego klasztoru córka pary książęcej, Gertruda.

Podobną rolę na dworach polskich spełniały liczne tu księżniczki ruskie. Możliwości, jakie wiązały się z takimi małżeństwami, ukazuje przykład Piotra Włostowica i jego rodziny, w której rola ruskich małżonek była znaczna także na polu kulturowym. Wydaje się jednak, że z powodu pogłębiającego się rozłamu religijnego i uprzedzeń pod tym względem ich pozycja i możliwości oddziaływania na dworach polskich mogły być gorsze, a reprezentowana przez nie kultura – mniej atrakcyjna.

Przenikaniu wpływów kultury polskiej na dwory zachodnioeuropejskie sprzyjały małżeństwa Piastówien. Znamienne są losy trzech córek Bolesława Krzywoustego: Ryksy – żony Magnusa, króla Szwecji, następnie Włodzimierza Wsiewołodowicza, księcia nowogrodzkiego, i wreszcie kolejnego władcy szwedzkiego, Swerkera I; Judyty – żony Ottona I, margrabiego brandenburskiego; Dobroniegi-Ludgardy – żony Dytryka, margrabiego Dolnych Łużyc; a także córki Władysława Wygnańca, Ryksy, która została cesarzową dalekiej Hiszpanii. Wraz ze swym najbliższym otoczeniem stawały się one przedstawicielkami kultury polskiej w krajach zachodnioeuropejskich.

Rola obcego duchowieństwa

Młody Kościół polski oraz władcy potrzebowali ludzi wykształconych do działalności administracyjnej i dyplomatycznej, obsadzania stanowisk kościelnych oraz rozwijania działalności ewangelizacyjnej i misyjnej. Dlatego starano się zachęcić do przybycia duchownych, często zakonników, którzy

▲ RODZINA ŚW. JADWIGI
jest przykładem budowania potęgi rodu opartej na koligacjach rodzinnych. Ojciec świętej, książę Meranii Bertold VI, pojął za żonę Agnieszkę z rodu Wettinów. Dwie siostry Jadwigi zostały królowymi: Francji – Agnieszka, i Węgier – Gertruda. Z czterech braci dwóch (Otto i Henryk) objęło lenna w Meranii i Istrii, Bertold został patriarchą akwilejskim, a Egbert – biskupem bamberskim.
„ŻYWOT ŚW. JADWIGI" W „KODEKSIE OSTROWSKIM", LUBIN, 1353, GM MALIBU

Cesarzowa Ryksa

Była córką księcia Władysława Wygnańca i Agnieszki, córki margrabiego austriackiego Leopolda III. Po wygnaniu ojca z Krakowa udała się wraz z matką i braćmi na dwór cesarza Konrada III. Za sprawą kuzyna, króla niemieckiego Fryderyka Barbarossy, w 1152 r. została wydana za króla Kastylii Alfonsa VII. Ponieważ jej mąż tytułował się cesarzem Hiszpanii, również i jego słowiańska żona – Ryksa – nosiła tytuł cesarzowej. Po śmierci męża opuściła Kastylię i osiadła w Aragonii. Z małżeństwa z Alfonsem VII narodziła się księżniczka Sancha (czyli Sancja), późniejsza żona Alfonsa II, króla Aragonii, i książę Ferdynand, który zmarł w dzieciństwie. Ryksa po śmierci pierwszego męża jeszcze dwukrotnie wychodziła za mąż, poślubiając hrabiego Prowansji Rajmunda Berengara II, a następnie Albrechta II, hrabiego Everstein. Zmarła zapewne w 1185 r.

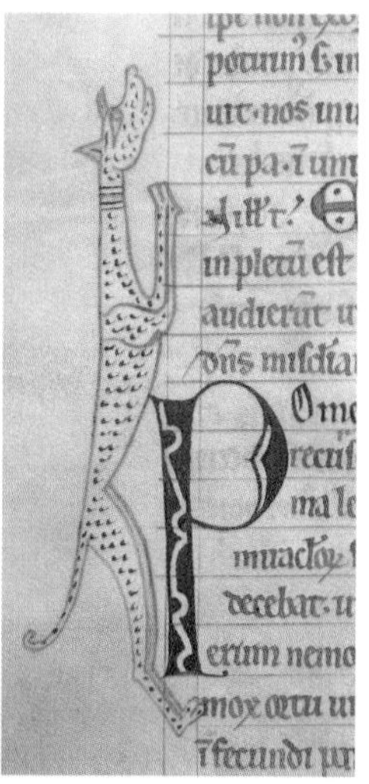

▲► WYOBRAŻENIA ZWIERZĄT
Średniowieczne kodeksy ozdabiano przedstawieniami ilustrującymi tekst. Gryf, połączenie dwóch szlachetnych zwierząt (orła i lwa), najczęściej był symbolem chrystologicznym, leoparda zaś uważano za stworzenie sprzyjające wszystkim zwierzętom oprócz smoka.
„DEKRET GRACJANA", SENS, FRANCJA, 1170–1180, BG PAN GDAŃSK; HOMILIARZ Z PELPLINA, XII/XIII W., BSD PELPLIN; FOT. PC

Pierwsza kronika

Kroniki, najpopularniejszy średniowieczny gatunek historiograficzny, przedstawiały w porządku chronologicznym dzieje powszechne lub lokalne (często dynastii, osoby lub miejsca). Do tych ostatnich, tzw. kronik regionalnych, należy najstarsza polska kronika, spisana zapewne w latach 1113–1116 przez anonimowego autora, od XVI w. zwanego Gallem. Pisana łacińską prozą rytmiczną (często rymowaną), przedstawia dzieje dynastii Piastów, od legendarnych początków do czynów i cnót Bolesława Krzywoustego, jej głównego bohatera. Doprowadzona do 1113 r. urywa się na opisie zdobycia Nakła i kilku innych grodów w walce z Pomorzanami. Autor kroniki – zapewne mnich benedyktyński – wywodził się z kręgu kultury romańskiej (najprawdopodobniej z opactwa Saint-Gilles), zmieniał jednak często miejsce pobytu: możemy o nim powiedzieć, że bywał w Prowansji, Włoszech, na Węgrzech i w Polsce. W 1112 r. był naocznym świadkiem pielgrzymki pokutnej Krzywoustego do opactwa Somogyvár na Węgrzech. Wtedy też najprawdopodobniej trafił do otoczenia księcia polskiego.

▲► NAPŁYW DZIEŁ I ARTYSTÓW
W połowie XII w. do Polski trafiło co najmniej kilka kodeksów powstałych w kraju nadmozańskim, co należy wiązać z osobą biskupa płockiego Aleksandra. Jego brat Walter, biskup wrocławski, sprowadził z rodzinnych stron mistrzów, którzy pracowali przy wystroju rzeźbiarskim wrocławskiej katedry.
„BIBLIA PŁOCKA", 2 ĆW. XII W., BSD PŁOCK, DEPOZYT W MD PŁOCK, FOT. PC; FIGURA ŚW. JANA CHRZCICIELA – 3 ĆW. XII W., MAD WROCŁAW, FOT. RS

◄▼ RELIKWIARZE
– bardzo poszukiwane były emaliowane, wyrabiane nieomal seryjnie w Nadrenii i kraju nadmozańskim. Ceniono też piękne skrzyneczki orientalne, przywożone z Ziemi Świętej. Wkładano do nich ziemię z Jerozolimy lub inne pamiątki, a następnie ofiarowywano różnym kościołom, gdzie były wykorzystywane jako relikwiarze.
SKRZYNKA TZW. SARACEŃSKO-SYCYLIJSKA – BLISKI WSCHÓD LUB SYCYLIA, XII W.?, SKW KRAKÓW, FOT. SM; TZW. RELIKWIARZ KRUSZWICKI – NADRENIA, NIEMCY, KON. XII W., MN KRAKÓW, FOT. MM

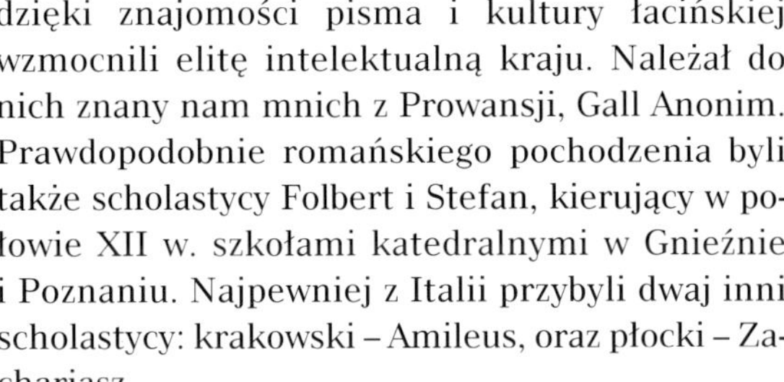

dzięki znajomości pisma i kultury łacińskiej wzmocnili elitę intelektualną kraju. Należał do nich znany nam mnich z Prowansji, Gall Anonim. Prawdopodobnie romańskiego pochodzenia byli także scholastycy Folbert i Stefan, kierujący w połowie XII w. szkołami katedralnymi w Gnieźnie i Poznaniu. Najpewniej z Italii przybyli dwaj inni scholastycy: krakowski – Amileus, oraz płocki – Zachariasz.

Większość biskupów z tego okresu była obcego pochodzenia. Z okolic Liège, z kraju nadmozańskiego, wywodzili się bracia Aleksander i Walter z Malonne. Pierwszy z nich jako biskup płocki przyczynił się do rozwoju kulturowego płockiego środowiska kościelnego. Podobną działalność prowadził na Śląsku Walter, absolwent słynnej szkoły w Laon, który jako biskup wrocławski zbudował nową, romańską katedrę. Zapewne z okolic Kolonii pochodził biskup krakowski Lambert, a o jego następcach z początku XII w., Baldwinie i Maurze, sądzi się, że zdobyli wykształcenie w jednej ze szkół północnofrancuskich. Chyba z Irlandii wywodził się biskup poznański Pean. Z ośrodkiem kościelnym w Bambergu najprawdopodobniej związani byli biskupi: kujawski – Swidger, i płocki – Werner.

Pielgrzymki i kult świętych

Zetknięciu się z innymi kulturami sprzyjał coraz żywszy udział mieszkańców ziem polskich, początkowo głównie książąt i możnowładców, w ruchu krucjatowym i pielgrzymkach do najważniejszych miejsc chrześcijaństwa: Jerozolimy, Rzymu i Santiago de Compostela. Książę sandomierski Henryk wyruszył w 1154 r. do Jerozolimy, a po powrocie ufundował w Zagości nad Nidą pierwszy na ziemiach polskich klasztor joannitów. Ziemię Świętą odwiedził także w 1162 r. wielmoża Jaksa z Miechowa, zakładając następnie w swoich włościach klasztor dla sprowadzonych z Jerozolimy kanoników Bożego Grobu (bożogrobców).

Władysław Herman i Judyta Czeska, nie mogąc się doczekać potomka, wysłali poselstwo do benedyktyńskiego opactwa Saint-Gilles nad Rodanem, prosząc mnichów o modlitwę wstawienniczą u grobu św. Idziego. Gdy w 1086 r. urodził się długo oczekiwany syn, para książęca jako wotum dziękczynne ufundowała kościół św. Idziego w Krakowie, a do końca XII w. powstało ponad dwadzieścia kościołów i kaplic pod wezwaniem tego świętego. Kilku możnowładców podjęło własne pielgrzymki do Saint-Gilles.

Rozwój kultów różnych świętych pozwala prześledzić kierunki kontaktów. Bliskich związków z Saksonią dowodzi szybko rosnąca w Polsce popularność kultu św. Gotarda, którego grób odwiedził w 1135 r., przy okazji zjazdu w Merseburgu, Bolesław Krzywousty. Kościoły pod wezwaniem św. Gotarda powstały m.in. w Poznaniu, Kaliszu, Kruszwicy, Szpetalu pod Włocławkiem i Wrocławiu. W 1145 r. Piotr Włostowic przywiózł z Magdeburga dla fundowanego przez siebie benedyktyńskiego opactwa na Ołbinie we Wrocławiu relikwie św. Wincentego. Również połowy XII w. sięga rozwój kultu św. Zygmunta (króla burgundzkiego), którego relikwie sprowadzono w tym czasie do Płocka. W końcu XII w. biskup krakowski Giedka sprowadził z Włoch do Krakowa relikwie św. Floriana, składając je w ufundowanej przez siebie kolegiacie. Kult św. Floriana miał prawdopodobnie stać się głównym kultem diecezji krakowskiej i przeciwwagą dla rozwiniętego w Gnieźnie kultu św. Wojciecha. Zamiar ten udaremniła jednak mała popularność św. Floriana oraz szybki rozwój kultu rodzimego świętego – Stanisława.

Szkoły

Ważną rolę odgrywali rodzimi przedstawiciele duchowieństwa, którzy kształcili się w szkołach i na właśnie powstających uniwersytetach Europy Zachodniej. Należał do nich kronikarz i biskup krakowski Wincenty zwany Kadłubkiem. W środowisku paryskim i bolońskim zdobył też wykształcenie jego reformatorski następca na stolcu biskupim, Iwo Odrowąż. Zagraniczne peregrynacje stały się też udziałem pierwszych polskich dominikanów (m.in. Jacka, późniejszego świętego), a także wybitnego XIII-wiecznego krakowskiego jurysty Jakuba ze Skaryszewa.

Przenoszenie zdobytego za granicą doświadczenia na teren Polski przez duchownych wykształconych na Zachodzie, obcego i polskiego pochodzenia, owocowało rozwojem szkół, zwłaszcza katedralnych, czyli usytuowanych przy katedrach biskupich. Z nielicznych źródeł możemy wnosić o ich istnieniu co najmniej od połowy XII w. w Gnieźnie, Krakowie, Płocku, Poznaniu i Wrocławiu. Niewykluczone jednak, że ich początki są wcześniejsze, skoro wymagały tego szybko rosnące potrzeby rozwijającej się organizacji kościelnej i państwowej. Na funkcjonowanie krakowskiej szkoły katedralnej już co najmniej od końca XI w. wskazuje sporządzony w 1110 r. inwentarz biblioteki katedralnej krakowskiej. Wśród kilkudziesięciu wymienionych w nim woluminów, poza dominującymi we wszystkich ówczesnych księgozbiorach księgami liturgicznymi i teologicznymi, znalazły się też rękopisy z za-

◄ MUSZLA PRZEGRZEBKA
jest pamiątką po pielgrzymce do grobu św. Jakuba w Santiago de Compostela, jednej z trzech wielkich pielgrzymek chrześcijaństwa. Przywiązywano do niej dużą wagę – przywiezioną z wyprawy muszlę włożono pielgrzymowi do grobu.
OSTRÓW LEDNICKI POW. GNIEZNO, XII/XIII W.?, MPPP GNIEZNO, FOT. RS

▼ INWENTARZ SKARBCA KATEDRY KRAKOWSKIEJ
wymienia czterdzieści osiem woluminów, potraktowanych na równi z kosztownościami. Księgozbiór miał praktyczny charakter i zawierał tylko księgi cieszące się w tym okresie największą popularnością. Stosunkowo liczne (siedem woluminów) dzieła autorów rzymskich służyły do nauki łaciny.
1110, AKM KRAKÓW, FOT. SM

Mistrz Wincenty

Wincenty zwany Kadłubkiem był jednym z najwybitniejszych polskich intelektualistów przełomu XII i XIII w. W młodości odbył studia w Paryżu i w Bolonii, po czym sprawował funkcje kancelaryjne na dworze Kazimierza Sprawiedliwego, przez pewien czas nauczał też w szkole katedralnej w Krakowie. W 1208 r. objął biskupstwo krakowskie – była to pierwsza w Polsce elekcja dokonana przez kapitułę katedralną. Z godności tej zrezygnował w 1218 r. i osiadł w cysterskim opactwie w Jędrzejowie, gdzie zmarł 8 III 1223 r. Pozostawił po sobie kronikę napisaną w latach 1189–1223, świadczącą o ogromnej erudycji autora, zwłaszcza o jego znajomości ówczesnych konwencji tworzenia dzieł historycznych. Obejmuje dzieje Polski od czasów legendarnych do 1202 r., przedstawione w atrakcyjnej formie dialogu. Wywarła duży wpływ na sposób widzenia najstarszych dziejów polskich w późniejszym kronikarstwie, a opatrzona w XV w. komentarzami Jana z Dąbrówki, profesora Uniwersytetu Krakowskiego, pełniła rolę podręcznika uniwersyteckiego.

▼ PRZYSWAJANIE NAUKI
odbywało się stopniowo, w oparciu o funkcjonujący do końca średniowiecza podział dyscyplin szkolnych na *trivium* – gramatykę, retorykę i dialektykę, oraz *quadrivium* – arytmetykę, geometrię, muzykę i astronomię. Jednak na ziemiach polskich nawet szkoły katedralne nie realizowały pełnego cyklu nauki (zwanego siedmioma sztukami wyzwolonymi), poprzestając na *trivium* i ewentualnie elementach *quadrivium*. Zmieniło się to dopiero z chwilą fundacji Uniwersytetu Krakowskiego.
KOMENTARZ PIOTRA AUREOLI DO „SENTENCJI" PIOTRA LOMBARDA, 1317; ZBIÓR TRAKTATÓW MEDYCZNYCH, XIII/XIV W.; BSD PELPLIN; FOT. PC

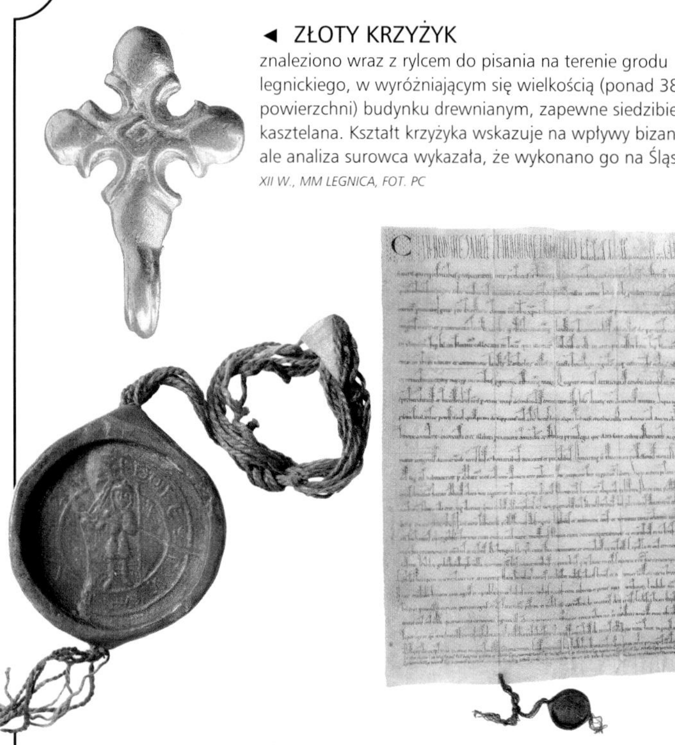

◄ ZŁOTY KRZYŻYK
znaleziono wraz z rylcem do pisania na terenie grodu legnickiego, w wyróżniającym się wielkością (ponad 38 m^2 powierzchni) budynku drewnianym, zapewne siedzibie kasztelana. Kształt krzyżyka wskazuje na wpływy bizantyjskie, ale analiza surowca wykazała, że wykonano go na Śląsku.
XII W., MM LEGNICA, FOT. PC

▲ DOKUMENT FUNDACYJNY
opactwa Cystersów w Lubiążu zawiera najstarszą wzmiankę o zamiarze sprowadzenia na ziemie polskie niemieckich kolonistów. Przywieszona doń pieczęć Bolesława Wysokiego jest tak prymitywna (wyobrażenie na odcisku przypomina ówczesne brakteaty), że gdy cystersi później zaczęli sporządzać falsyfikaty dokumentów tego władcy, wykonali nowy, znacznie staranniejszy tłok.
1175, AP WROCŁAW, FOT. MM

◄ PRODUKTY PRZYKATEDRALNYCH WARSZTATÓW
Budowa, przebudowy, renowacje i upiększanie dużego kościoła dawały zatrudnienie warsztatom parającym się obróbką metali i szkła.
KATEDRA W GNIEŹNIE; FORMA ODLEWNICZA – XII/XIII W.; PŁYTKA DACHOWA – XI/XII W.; SZYBKI WITRAŻOWE – 2 POŁ. XI–XII W.; MPPP GNIEZNO; FOT. RS

▼ PIECZĘCIE KAPITUŁ KATEDRALNYCH
były widomym znakiem osobowości prawnej tych instytucji. Traktowano je, na równi z pieczęciami władców suwerennych, jako tzw. pieczęcie autentyczne (*sigilla authentica*), czyli nadające dokumentom pełną wiarygodność i moc prawną. Najczęściej zawierają przedstawienia patrona danej kapituły albo wizerunek katedry.
PIECZĘĆ KAPITUŁY PŁOCKIEJ – PRZY DOKUMENCIE Z 3 II 1392, AD PŁOCK; PIECZĘĆ KAPITUŁY KRAKOWSKIEJ – PRZY DOKUMENCIE Z 10 V 1264, AD WŁOCŁAWEK; FOT. MM

kresu prawa oraz podręczniki szkolne autorów starożytnych i średniowiecznych.

Dwory, katedry, klasztory

Ważnym miejscem skupiającym wykształcony kler cudzoziemski i – z biegiem czasu coraz liczniejszy – rodzimy była kaplica dworska. Tworzyli ją kapelani książęcy, którzy poza posługą duchową i liturgiczną władcy oraz jego dworu pełnili wiele funkcji administracyjnych i skarbowych. Do ich ważnych zadań należało zwłaszcza spisywanie lub tylko nadzorowanie spisywania całej dokumentacji powstającej na dworze księcia.

Z tego czasu zachowały się tylko pojedyncze dokumenty książęce. Najstarszy z nich, wystawiony przez Władysława Hermana, dotyczy zwrotu katedrze w Bambergu należących do niej, a zrabowanych niegdyś na ziemiach polskich przedmiotów, m.in. dwóch złotych krzyży. W ciągu XII w. powoli wzrastało zapotrzebowanie na pisemne świadectwa różnych czynności prawnych (nadań, zamian, zwolnień immunitetowych itp.) w postaci opieczętowanych dokumentów książęcych – dotychczas wystarczała publiczna dyspozycja ustna. Początkowo dokumenty takie przygotowywał ich odbiorca, a kapelani książęcy, po weryfikacji, przystawiali doń pieczęć książęcą.

Szybki wzrost znaczenia pieczęci i dokumentu, a także rozrost administracji spowodowały, że od trzeciej dekady XIII w. z kaplic dworskich książąt dzielnicowych zaczęły wyodrębniać się specjalne urzędy – kancelarie. Na ich czele stanęli kanclerze (urząd znany co najmniej od początku XII w.), którym podlegali: podkanclerzy, a także notariusze i pisarze, zajmujący się spisywaniem i pieczętowaniem dokumentów książęcych oraz odpowiedzialni za różnorodne zadania administracyjne. Kanclerz nadzorował też stosunki władcy z ziemiami i krajami ościennymi.

Ważną rolę kulturową odgrywało duchowieństwo skupione przy katedrach biskupich. W tym czasie z pierwotnego szerokiego otoczenia biskupa – grupującego kler obsługujący zarówno katedrę biskupią, jak i inne kościoły oraz klasztory miasta biskupiego i jego okolicy – stopniowo zaczęły wyodrębniać się kapituły katedralne; proces ten zakończył się na początku XIII w. Stały się one wówczas autonomicznymi korporacjami duchowieństwa katedralnego, stanowiącymi ciało doradcze biskupa. Członkowie kapituły uczestniczyli w zarządzie diecezją, administrowali nią w okresie wakatu na stolicy biskupiej i dokonywali elekcji nowego biskupa (w Polsce po raz pierwszy w 1207 r. w Krakowie).

W ich skład wchodzili kanonicy oraz prałaci: prepozyt, dziekan, archidiakon, scholastyk, kustosz, kantor, kanclerz. Kapituły posiadały odrębne uposażenie, w ramach którego kanonicy i prałaci dysponowali wyodrębnionym majątkiem, czyli tzw. prebendami.

Podobną rolę kulturotwórczą odgrywały powstające od drugiej połowy XII w. kapituły kolegiackie. W przeciwieństwie do katedr, związanych z głównymi ośrodkami organizacji kościelnej, kolegiaty zakładano często na terenach oddalonych od ówczesnych centrów kulturowych, tworząc z nich w ten sposób oazy życia religijnego i kulturalnego.

Istotne uzupełnienie panoramy kulturowej Polski XII-wiecznej stanowiły środowiska zakonne. Stulecie to obfitowało bowiem w fundacje klasztorne. Tym samym poszerzał się krąg twórców i odbiorców kultury łacińskiej, pieczołowicie pielęgnowanej w przyklasztornych kościołach, szkołach, bibliotekach i skryptoriach. Poza nowymi opactwami benedyktyńskimi (m.in. we Wrocławiu na Ołbinie, na Świętym Krzyżu, w Sieciechowie, Płocku i ponowną fundacją w Lubiniu), wielkim powodzeniem cieszyli się cystersi, którzy w latach 40. XII w. uzyskali dwa pierwsze opactwa (w Jędrzejowie i Łeknie), a do końca tego stulecia dalszych siedem. W drugiej ćwierci XII w. powstały pierwsze na ziemiach polskich opactwa kanoników regularnych św. Augustyna (w Trzemesznie, Czerwińsku i Wrocławiu).

Do grupy zakonów kanonickich, żyjących według wskazań reguły św. Augustyna oraz własnych konstytucji, należeli szybko rozprzestrzeniający się od drugiej połowy XII w. norbertanie, których najważniejsze opactwa powstały na Ołbinie we Wrocławiu (skąd wyparli benedyktynów) i w Brzesku (męskie) oraz na Zwierzyńcu w Krakowie (żeńskie). W tym samym czasie zaczęły powstawać klasztory zakonów rycerskich, najwcześniej joannitów (m.in. w Zagości, Poznaniu oraz liczne na Śląsku i Pomorzu) oraz bożogrobców (w Miechowie, z ważnymi filiami w Gnieźnie i Nysie).

Wszystkie powyższe czynniki wpływały na powstanie i rozwój elity intelektualnej państwa polskiego. Jednak proces ten obejmował jedynie wąską grupę *litterati*, do której należeli niektórzy członkowie rodziny książęcej oraz przedstawiciele duchowieństwa i możnowładztwa. Dotyczył zatem kultury elitarnej, związanej z ośrodkami kościelnymi (duchowieństwo katedralne i klasztory) i książęcymi (dwory), w niewielkim stopniu wpływając na kulturę masową, pozostającą ciągle pod silnym oddziaływaniem tradycyjnej kultury słowiańskiej. Owi nieuczestniczący w kulturze pisma *idiotae* długo będą stanowić olbrzymią większość społeczeństwa.

TYMPANON FUNDACYJNY ►
pierwotnie znajdował się nad wejściem głównym do kościoła klasztornego Norbertanek w Strzelnie. Św. Annę z Marią na ręku adorują fundator, Piotr Wszeborzyc, z modelem kościoła w ręku, oraz kobieta trzymająca księgę (regułę zgromadzenia?) – zapewne jego córka Beatrycza, pierwsza ksieni norbertanek, która wspomniana jest w dokumencie z 1193 r.

KON. XII–POCZ. XIII W., KOŚCIÓŁ ŚW. TRÓJCY W STRZELNIE, FOT. RS

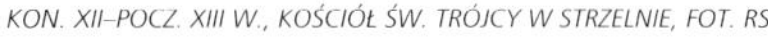

Fundator i jego przedstawienia

Siłą sprawczą powstawania dzieł sztuki średniowiecznej był fundator. W warunkach polskiego wczesnego średniowiecza był nim książę, a zaczynając od schyłku XI w. – także osoby z kręgu elity możnowładczej. Jedną z motywacji tych, którzy łożyli na budowę kościoła, wykonanie naczynia liturgicznego czy cennej księgi iluminowanej, była chęć utrwalenia pamięci darczyńcy. Służyły temu napisy towarzyszące przedstawieniom fundatora, rzeźbionym w kamieniu, rytym w metalu czy malowanym. W Polsce zachowały się cztery tympanony fundacyjne osadzane w nadprożu portalu, najbardziej spektakularna forma upamiętnienia, związana, jak w cesarstwie niemieckim, z uprzywilejowaną pozycją fundatora.

Typ wyobrażenia fundatora wręczającego model świętemu patronowi, przejęty z bizantyjskiego malarstwa mozaikowego, odnajdujemy w reliefach wrocławskich i strzelneńskich. Unikatowy tzw. tympanon Jaksy ukazuje dwu fundatorów, Jaksę z modelem kościoła św. Michała na Ołbinie we Wrocławiu i Bolesława Kędzierzawego z modelem kościoła w Bytomiu. Książęcych fundatorów można oglądać na posadzce kolegiaty wiślickiej i na patenach kielichów ofiarowanych przez Mieszka Starego i Konrada Mazowieckiego.

INSTRUMENTY MUZYCZNE ▲
poznajemy dzięki przedstawieniom ikonograficznym i nielicznie zachowanym oryginałom. Na miniaturze przedstawiono Dawida trzymającego harfę, Pitagorasa uderzającego w dzwonki, Tubalkaina uderzającego młotkami w kowadło i Jubala grającego na fletni. Widoczne obok szczątki gęśli pozwoliły na rekonstrukcję instrumentu.

„BIBLIA PŁOCKA", 2 ĆW. XII W., BSD PŁOCK, DEPOZYT W MD PŁOCK, FOT. PC; GDAŃSK, XIII W.?, MA GDAŃSK, FOT. RS

CYSTERSI

Już w latach 40. XII w. przedstawiciele elit polskich zapraszali sławnego opata Bernarda z Clairvaux do podjęcia tutaj działalności misyjnej, zapewniając go, że „nie tylko na Rusi, która jest jak drugi świat, ale także w Polsce i w Czechach, albo według potocznego określenia na Słowiańszczyźnie, która wiele krajów obejmuje, uczynicie przyjemnym Bogu tak wielki owoc".

Choć Bernard do Polski nie przybył, powstały w tym czasie dwa opactwa cysterskie, w Łeknie i Jędrzejowie. W ostatniej ćwierci XII w., gdy do głosu doszło nowe pokolenie fundatorów, powstało siedem opactw, a do początku XIV w. – jeszcze szesnaście. Podstawę organizacji zakonu stanowiły więzy filiacyjne między opactwem matką a opactwami córkami. Polskie klasztory należały do linii filiacyjnych Clairvaux (pomorskie) i Morimondu (pozostałe), bezpośrednich filii Cîteaux, macierzy zakonu. Popularność cystersi zawdzięczali rozpowszechnianym tu innowacjom: nowemu typowi pobożności i organizacji zakonnej oraz licznym rozwiązaniom technicznym, m.in. w zakresie melioracji, metalurgii i architektury.

Bernard z Clairvaux był zwolennikiem prostoty; wspomagany fachową wiedzą bliskiego ucznia, architekta Acharda, wykreował wzorzec cysterskiego kościoła klasztornego. Sklepiona bazylika filarowa z transeptem i prosto zamkniętym prezbiterium z kaplicami po bokach stała się normą dla budownictwa cystersów, zwłaszcza na rubieżach cywilizacji zachodnioeuropejskiej. Tak zaplanowano najwcześniejsze świątynie czterech małopolskich opactw, bezpośrednich filii Morimondu. Przyjęto w nich układ przestrzenny modelowego kościoła opactwa w Fontenay, jednak, zamiast kolebki o lekko zaznaczonym łuku ostrym, zastosowano sklepienia krzyżowo-żebrowe ujęte masywnymi gurtami, co już zwiastowało gotyk.

W pomorskim Kołbaczu i jego oliwskiej filii pojawiła się, za pośrednictwem duńskiego opactwa w Esrøm, ceglana wersja typowego układu. W Henrykowie z kolei, pod wpływem opactw niemieckich, powstał w latach 30. XIII w. wielki prostokątny chór trójnawowy z przylegającymi rzędami kaplic, zaprojektowany na użytek licznych konwentów. Ten wariant, wypróbowany w Morimondzie, miał się przyjąć na Śląsku i Pomorzu oraz wpłynąć na kształt niektórych katedr.

Cystersi odegrali także znaczącą rolę w rozwoju miniatorstwa gotyckiego na ziemiach polskich, tak poprzez import rękopisów, jak i poprzez działalność klasztornych skryptoriów. Już przed połową XIII w. pojawiła się w nich „protogotycka" stylizacja, a krótko potem – ornamenty rysowane piórkiem, które można uznać za zapowiedź gotyckich filigranów.

▲ KOŚCIÓŁ W KOŁBACZU

Bryła tej świątyni, filii opactwa w Esrøm, uderza ogromem. Jej wschodnia, romańska partia – obejmująca prezbiterium, transept z kaplicami i pierwsze przęsło korpusu nawowego – rozpoczęta jeszcze u schyłku XII w., była kontynuowana w formach wczesnogotyckich.

WIDOK OD PŁD., XII/XIII W. I OK. 1250–OK. 1350, FOT. PC

▲ NAWA GŁÓWNA KOŚCIOŁA KLASZTORNEGO W SULEJOWIE
doskonale oddaje charakter wnętrza świątyni cysterskiej. Burgundzki system sklepień żebrowych, służek nadwieszonych i gurtów wyznacza rytm przęseł. Architekturze towarzyszy jedynie oszczędny ornament liściasty i plecionkowy.
WIDOK Z CHÓRU NA NAWĘ, PRZED 1232, FOT. ZŚ

▲ REFEKTARZ
był u cystersów osobnym budynkiem dostępnym z krużganka, ustawionym pod kątem prostym w stosunku do południowego skrzydła klasztoru. Ten, w opactwie wąchockim, nie ma współczesnego odpowiednika w Polsce. Gurty wydzielające przęsła wsparte są na trapezoidalnych konsolach.
WIDOK OD PŁN., 2 TERCJA XIII W., FOT. MM

◄ PIECZĘĆ KONWENTU Z LUBIĄŻA
świadczy, jak głębokim kultem darzyli cystersi Matkę Bożą. Była pierwszą patronką wszystkich ich kościołów klasztornych, a Jej wizerunkiem ozdabiano klasztorne pieczęcie.
PRZY DOKUMENCIE Z 28 VI 1341, AP WROCŁAW, FOT. MM

KARCER W OPACTWIE WĄCHOCKIM ►
– od 1206 r. kolejne kapituły generalne początkowo dozwalają, a następnie nakazują budowanie celek więziennych dla występnych mnichów. Lokalizowano je obok kapitularza, pod schodami prowadzącymi z krużganku do dormitorium.
WIDOK OD ZACH., 1 POŁ. XIII W., FOT. MM

◄▼ KAPITULARZ W WĄCHOCKU
z motywami zwierzęcymi. Jego wnętrze, o kamieniarce bardziej ozdobnej, aniżeli dozwalały zalecenia kapituły generalnej, udekorowane zostało zapewne przez konwersów pochodzenia włoskiego.
WIDOK OD ZACH.; DETALE BAZ I GŁOWICA KOLUMNY; OK. 1220–1240; FOT. MM

▲ *VIR DOLORUM* \ *MATER MISERICORDIAE*
Cystersi w swoich miniaturach wprowadzali nowe typy ujęć ikonograficznych, o tematyce głównie chrystologicznej i maryjnej. Dekoracja obu tych rękopisów ma już charakter gotycki (np. gotyckie motywy architektoniczne), acz z pewnymi reminiscencjami romańskimi.
ANTYFONARZ LUBIĄSKI, OK. 1280–1290; GRADUAŁ LUBIĄSKI, OK. 1320–1330; BUWR WROCŁAW

W OBRONIE SENIORATU

Wysiłki zmierzające do przywrócenia senioratu i zachowania władzy zwierzchniej księcia krakowskiego przekreśliła tragedia w Gąsawie

Kazimierz Sprawiedliwy

Idealny portret Kazimierza, najmłodszego syna Bolesława Krzywoustego i Salomei, skreślił w swej kronice blisko z nim związany mistrz Wincenty. Przebywając w latach 1157–1161 jako zakładnik na dworze cesarza Fryderyka Barbarossy, Kazimierz miał okazję poznać tamtejsze środowisko i nawiązać wiele kontaktów. Dzięki małżeństwu z Heleną – córką panującego w Znojmie (Morawy) Konrada II i Marii, powiązanej z dynastią żupanów serbskich i królów węgierskich – na jego dwór przeniknęły zwyczaje dworów czeskiego i, zwłaszcza, węgierskiego, który w tym czasie znajdował się pod silnym oddziaływaniem francuskiego kręgu kultury rycerskiej. Miał więc Kazimierz wszelkie podstawy, aby być władcą w europejskim stylu.

Już jako książę wiślicki, a następnie sandomierski okazał się dobrym gospodarzem i hojnym fundatorem – jego dziełem były: rozbudowa zespołu pałacowego i kolegiaty w Wiślicy oraz klasztoru Joannitów w Zagości, a także fundacja opactwa Cystersów w Sulejowie. Na wiślickim dworze wychowywał się siostrzeniec Kazimierza, Roman, późniejszy książę wołyński i halicki, a najprawdopodobniej także jego dwaj młodsi bracia – Wsiewołod i Włodzimierz.

Kazimierz był zręcznym politykiem, który potrafił docenić i wykorzystać siłę i aspiracje możnowładztwa małopolskiego. Decydując się w 1177 r. na zajęcie Krakowa i tym samym łamiąc zasady senioratu, musiał swą władzę oprzeć na innych niż statut Krzywoustego podstawach prawnych. Dokonało się to w czasie zjazdu łęczyckiego w 1180 r., na którym, w zamian za liczne ustępstwa, zwłaszcza na rzecz Kościoła, uzyskał uznanie swojej władzy zwierzchniej. Kolejnym krokiem było otrzymanie od papieża Aleksandra III i cesarza Fryderyka Barbarossy zgody na przeniesienie senioratu na jego linię dynastyczną. Pozycja Kazimierza musiała być silna, skoro w 1186 r. udało mu się po bezpotomnej śmierci Leszka, syna Bolesława Kędzierzawego, przejąć władzę nad Kujawami i Mazowszem.

Interwencje na Rusi

W polityce zagranicznej Kazimierz najwięcej uwagi poświęcił sprawom sąsiadującej z Małopolską Rusi halicko-włodzimierskiej, którą jednak za swój obszar wpływów uważali także Węgrzy. W tej sytuacji napięcie między dworami krakowskim i budzińskim było nieuniknione; do otwartego konfliktu doszło w latach 1187–1189. Po śmierci w 1187 r. księcia halickiego Jarosława Ośmiomysła z linii Ro-

◄ CESARZ KRZYŻOWIEC
Przebywając na cesarskim dworze, młody Kazimierz był zapewne świadkiem realizacji przez Fryderyka Barbarossę i jego kanclerza Rajmunda z Dassel koncepcji uniwersalizmu cesarskiego. Doprowadziła ona do długiego sporu cesarstwa z papiestwem, nie przeszkodziła jednak Fryderykowi wziąć udziału w trzeciej wyprawie krzyżowej.
„HISTORIA JEROZOLIMSKA", SCHÄFTLARN, NIEMCY, 1188–1189, BAV CV ROMA

▼ DRZEWO ŻYCIA PODTRZYMYWANE PRZEZ GRYFY,
pozostałość tympanonu z zapewne głównego portalu ufundowanej przez księcia sandomierskiego Henryka kolegiaty NMP w Wiślicy.
OK. POŁ. XII W., FOT. MM

◄▼ KRYPTA KOLEGIATY NMP W WIŚLICY
została około 1170 r. pokryta posadzką z gipsu. Ta tzw. Płyta Wiślicka przedstawia modlące się rodziny fundatorów, Henryka i Kazimierza Sprawiedliwego. O chrześcijańskiej pokorze orantów i nadziei na pośmiertną nagrodę informuje łaciński napis: „Ci pragną być deptani, aby kiedyś móc wznieść się do gwiazd".
FOT. MM

ścisławowiczów Kazimierz poparł kandydaturę Olega Rościsławowicza. Gdy jednak ten został otruty przez bojarów, osadził w Haliczu swojego siostrzeńca, Romana, księcia brzesko-włodzimierskiego, który wygnał brata Olega, Włodzimierza. Ten schronił się na Węgrzech, gdzie zdobył poparcie Beli III. Król węgierski zajął Halicz, lecz wkrótce uwięził Włodzimierza, a na stolcu książęcym osadził swego syna Andrzeja. Po ucieczce z więzienia Włodzimierz zwrócił się o pomoc do Fryderyka Barbarossy. Cesarska interwencja spowodowała, że Kazimierz cofnął poparcie dla Romana i w 1189 r. zbrojnie wprowadził Włodzimierza na tron halicki. Efektem polityki Kazimierza było umocnienie polskich wpływów na Rusi halicko-włodzimierskiej. Wywoływała ona jednak wiele kontrowersji, głównie z powodu zerwania dobrych stosunków z Węgrami i zbytniej uległości wobec cesarza.

Tymczasem w kraju narastała wobec Kazimierza opozycja innych członków dynastii piastowskiej. Na jej czele stał senior rodu, Mieszko Stary, który już w 1181 r. odzyskał Wielkopolskę. Wykorzystując niezadowolenie części możnowładztwa małopolskiego z ruskiej polityki księcia, zajął w 1191 r. Kraków. Kazimierz, przy wsparciu książąt ruskich, zdołał wygnać rywala i stłumić bunt. Sytuacja jednak stale się zaostrzała. W 1194 r. Kazimierz zmarł nagle, może, jak sugeruje w swej kronice mistrz Wincenty, otruty w czasie uczty.

Walka o tron krakowski

Śmierć Kazimierza wywołała spore poruszenie nie tylko w Krakowie. Helenie, księżnej wdowie, udało się jednak doprowadzić do porozumienia z możnowładztwem małopolskim, które uznało prawa sukcesyjne jej nieletnich synów, Leszka i Konrada. Do czasu uzyskania przez nich lat sprawnych władzę miała sprawować rada regencyjna złożona z Heleny, biskupa krakowskiego Pełki i wojewody krakowskiego Mikołaja. Zaistniałą sytuację postanowił wykorzystać Mieszko Stary, który upomniał się o swoje prawa senioralne i tron krakowski. Jego sojusznikami byli dwaj książęta śląscy, opolski Jarosław i raciborski Mieszko Plątonogi. Krwawa, nierozstrzygnięta bitwa nad Mozgawą koło Jędrzejowa w 1195 r. zmusiła Mieszka Starego do wycofania się do Wielkopolski.

Skoro działania militarne nie przyniosły efektu, Mieszko rozpoczął zabiegi dyplomatyczne. W zamian za uznanie Leszka za swojego następcę w dzielnicy senioralnej doszedł do porozumienia z księżną Heleną i na przełomie lat 1198 i 1199 odzyskał krakowski tron. Wkrótce jednak, wskutek

▲► KOLEGIATA W OPATOWIE
została ufundowana zapewne przez księcia sandomierskiego Henryka. Wznieśli ją budowniczowie z Nadrenii, a dekorowali północnowłoscy rzeźbiarze.
WIDOK OD PŁD. WSCH. I OD ZACH., FOT. MM

▲ KOŚCIOŁY JOANNITÓW
– najstarsze fundacje tego zakonu w Małopolsce i Wielkopolsce, których powstanie ściśle wiąże się z ruchem krucjatowym. Do Zagości zakonników sprowadził, zapewne krótko po swym udziale w drugiej krucjacie, Henryk sandomierski. Natomiast podarowanie im w 1187 r. przez Mieszka Starego szpitala w Poznaniu wiąże się z szokiem po upadku Jerozolimy i przygotowaniami do trzeciej krucjaty.
KOŚCIÓŁ NARODZENIA ŚW. JANA CHRZCICIELA W ZAGOŚCI – WIDOK OD PŁD. WSCH., 2 POŁ. XII W. (PRZEBUDOWANY), FOT. MM; KOŚCIÓŁ ŚW. JANA CHRZCICIELA W POZNANIU – WIDOK OD ZACH., POŁ. XIII W. (PRZEBUDOWANY), FOT. RS

WŁADCA RYCERZ ►
obyczajem zachodnioeuropejskim osobiście brał udział w bitwie. Zdarzało się, że prowadził swoje wojska, jako pierwszy ruszając do ataku. Taki system dowodzenia armiami sprawiał, że wielu władców odnosiło rany lub ginęło na polach bitew.
PIOTR LOMBARD, „KOMENTARZ DO KSIĘGI PSALMÓW", OK. 1180, BSB BAMBERG

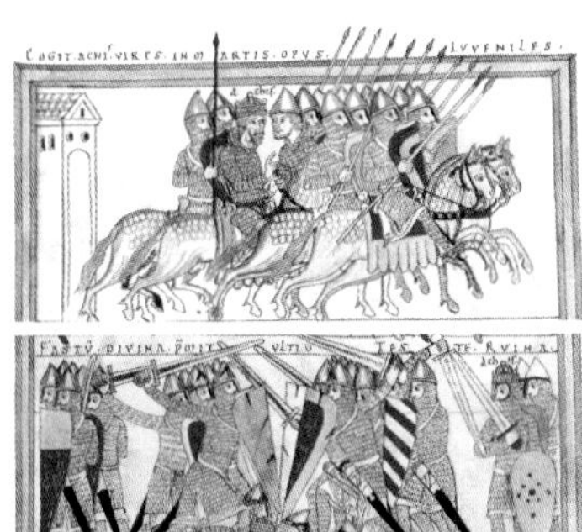

Bitwa nad Mozgawą

13 IX 1195 r. rozegrała się jedna z najbardziej krwawych bitew doby dzielnicowej, w której wojska małopolskie dowodzone przez wojewodę krakowskiego Mikołaja i wspierane przez oddziały księcia brzesko-włodzimierskiego Romana pokonały siły Mieszka Starego; książę ledwo uszedł z życiem, a jego syn Bolesław zginął przebity włócznią. Gdy wreszcie nadciągnęły z odsieczą spóźnione oddziały Ślązaków pod dowództwem księcia opolskiego Jarosława, wywiązała się druga bitwa, tym razem z wojskami wojewody sandomierskiego Goworka, które zostały pokonane. Bitwa, a właściwie dwie bitwy nad rzeką Mozgawą, poza wymiarem militarnym miała też swój wymiar polityczny. Zderzyły się tu bowiem ze sobą dwie koncepcje władzy książęcej: jedna nawiązująca do zasady senioratu wyrażonej w statucie Krzywoustego, przy której mocno trwał Mieszko Stary, oraz druga, uwzględniająca prawa możnowładztwa do wyboru panującego, którą reprezentowali panowie małopolscy.

◄ TZW. PATENA KALISKA
była pierwotnie przeznaczona wraz z kielichem dla opactwa Cystersów w Lądzie. Przedstawiono na niej jego fundatora, księcia Mieszka Starego, oraz opata Szymona adorujących postać św. Mikołaja, drugiego, po NMP, patrona lądzkiego kościoła klasztornego. W dolnej części ukazano zakonnika Konrada – artystę, który wykonał to dzieło.
1193–1202, SK KALISZ, FOT. WKRY I TPR

◄ BRAKTEAT MIESZKA STAREGO
jest przykładem zastosowania najprostszych środków manifestacji władzy. Umieszczono na nim głowę księcia oraz napis DUX MISICO. Monety Mieszka charakteryzowały się dobrą próbą srebra oraz względną (w porównaniu ze współczesnymi polskimi emisjami) starannością wykonania.
1173–1202, MN KRAKÓW, FOT. MM

▲ BRAKTEATY MIESZKA STAREGO Z HEBRAJSKIMI NAPISAMI
wiążą się prawdopodobnie z powierzeniem mennic żydowskim przedsiębiorcom.
LEW I NAPIS HEBRAJSKI „MSZKA KRÓL POLSKI"; DWA PTAKI POD PALMĄ I NAPIS HEBRAJSKI „BRACHA" (BŁOGOSŁAWIEŃSTWO); 1173–1202; MN KRAKÓW; FOT. MM

◄► ROTA I PIECZĘĆ HENRYKA KIETLICZA
Walka tego wybitnego arcybiskupa gnieźnieńskiego o wprowadzenie w Kościele polskim reform gregoriańskich (m.in. wyboru biskupów przez kapituły) i rozszerzenie immunitetu uczyniła go naturalnym sprzymierzeńcem „młodszych" książąt, walczących przeciw silnej władzy księcia krakowskiego.
PRZY DOKUMENCIE Z 1208, AP WROCŁAW, FOT. MM

◄ SREBRNY KRZYŻ PROCESYJNY
z grobu w kolegiacie łęczyckiej. Przywilej noszenia przed sobą takiego krzyża otrzymał od papieża Innocentego III w 1207 r. arcybiskup Henryk Kietlicz, zapewne jako legat papieski. Ponownie podobny przywilej uzyskał dla siebie i następców dopiero Mikołaj Trąba na początku XV w. Dlatego też grób ten, wyraźnie biskupi (zawierał m.in. pierścień z szafirem i kielich z pateną), uznaje się za miejsce pochowania Kietlicza.
PŁN. WŁOCHY (LOMBARDIA?), POCZ. XIII W., MUZ. ŁĘCZYCA, FOT. ZŚ

nieprzestrzegania warunków umowy oraz niechęci części możnowładztwa małopolskiego, musiał znowu opuścić Kraków. Odzyskał go jednak w 1201 r. i utrzymał aż do śmierci w roku następnym.

Leszek Biały

Po śmierci Mieszka, zgodnie z wcześniejszym porozumieniem, władzę w Krakowie miał przejąć Leszek. Ponieważ jednak nie zgodził się na warunek postawiony mu przez wojewodę krakowskiego Mikołaja i jego zwolenników – usunięcie z urzędu wojewody sandomierskiego Goworka (rywala politycznego Mikołaja) – możni krakowscy ofiarowali książęcy stolec na Wawelu jedynemu żyjącemu synowi Mieszka Starego, Władysławowi Laskonogiemu. Mimo to Leszek nie przestał zabiegać o władzę w Małopolsce. W tym samym, 1202 r. zmarł ambitny wojewoda Mikołaj, Władysław Laskonogi został wygnany z Krakowa, a na Wawel zaproszono Leszka (zwanego Białym), nie stawiając mu tym razem żadnych warunków.

W tej sytuacji utworzyły się w Polsce dwa stronnictwa, „starszych" i „młodszych" książąt. Na czele pierwszego stanęli Władysław Laskonogi i Mieszko Plątonogi. Domagali się oni przywrócenia pierwotnych rozporządzeń statutu Krzywoustego w kwestii senioratu. Drugie ugrupowanie, uznające legalność przeniesienia senioratu na linię dynastyczną Kazimierza Sprawiedliwego, skupiało się wokół jego synów, Leszka Białego i Konrada, nazywanego później Mazowieckim (w schedzie po ojcu objął Mazowsze i Kujawy), a składało się głównie z możnowładztwa małopolskiego oraz części episkopatu polskiego, z arcybiskupem gnieźnieńskim Henrykiem Kietliczem na czele.

Leszek bez przeszkód władał Krakowem do 1210 r., gdy dzięki zabiegom „starszych" książąt papież Innocenty III w specjalnej bulli przywrócił pierwotne zasady senioratu, obejmując nią wszystkich aktualnie żyjących Piastowiczów. Umożliwiło to przejęcie w tym roku władzy w Krakowie przez ówczesnego seniora rodu – Mieszka Plątonogiego. Jego szybka śmierć (16 V 1211 r.) oraz poparcie Kościoła polskiego, okupione przyznaniem mu licznych swobód, umożliwiły Leszkowi Białemu powrót do Krakowa.

Aby uzyskać wsparcie episkopatu, Leszek nadał Kościołowi liczne immunitety, które stały się podstawą jego potęgi. Książę sprzyjał też rozwojowi organizacji kościelnej i nowym fundacjom klasztornym. Zainteresowany rozwojem gospodarczym swojej dzielnicy, popierał napływ osadników z Zachodu i lokował w Małopolsce nowe osady. Dziełem Leszka była pierwsza próba lokacji Krakowa na prawie magdeburskim oraz ordynacja górnicza dla sprowadzonych do Małopolski górników z terenu Niemiec i Francji.

Leszek nie zaniechał starań o odbudowę władzy księcia krakowskiego nad całym terytorium kraju. W 1217 r. zawarł na wiecu w Dankowie układ z księciem śląskim Henrykiem Brodatym, a wkrótce potem podobny układ z panującym w Wielkopolsce Władysławem Laskonogim; w myśl tych traktatów dłużej żyjący książę miał przejąć dziedzictwo po wcześniej zmarłym. Zapewniwszy sobie w ten sposób poparcie tych książąt, wyprawił się Leszek w 1217 r. na Pomorze Gdańskie (Wschodnie), przywracając zwierzchność Krakowa nad tą emancypującą się pod rządami Świętopełka dzielnicą.

W sprawach polityki ruskiej Leszek początkowo kontynuował program ojca, wspierając księcia halickiego Romana Mścisławica. Ten jednak w 1205 r. wiarołomnie najechał Małopolskę. W bitwie pod Zawichostem Roman poległ, a Ruś halicko-włodzimierska ponownie stała się przedmiotem sporu polsko-węgierskiego. Próbą kompromisu był układ w 1214 r. z królem węgierskim Andrzejem II, przypieczętowany planem małżeństwa jego syna Kolomana z córką Leszka Salomeą, zawartego 4 lata później. Rządy młodej pary w nowo utworzonym królestwie halickim trwały jednak tylko do 1221 r.

Sporo uwagi książę poświęcał też pogańskim Prusom. Już w czasie zjazdu w Mąkolnie w 1212 r., na który stawili się także brat Leszka Konrad i książę wschodniopomorski Mściwoj I, dyskutowano nad organizacją misji pruskiej. Początkowo Leszek Biały zamierzał nawiązać pokojowe kontakty handlowe z Prusami i tą drogą szerzyć wśród nich wiarę chrześcijańską. Do realizacji tego planu jednak nie doszło, co spowodowało nasilenie walk na pograniczu prusko-mazowieckim.

Gdy w 1227 r. sytuacja w Wielkopolsce coraz bardziej się komplikowała wskutek walk między Władysławem Laskonogim a jego bratankiem, Władysławem Odonicem, Leszek Biały zwołał wiec książąt i biskupów do Gąsawy koło Żnina. Jednak już po jego zakończeniu zginął w napadzie przygotowanym przez Odonica i sprzymierzonego z nim księcia gdańskiego Świętopełka. Wraz ze śmiercią Leszka upadło znaczenie władzy zwierzchniej księcia krakowskiego.

Mimo że w polityce zewnętrznej Leszek Biały nie odniósł większych sukcesów, horyzontami przewyższał wielu późniejszych władców, dostrzegając najważniejsze problemy polityki ogólnopolskiej: Prusy, Pomorze Gdańskie i Ruś. Był ostatnim księciem, którego władzę zwierzchnią – chociażby tylko nominalnie – uznawali inni książęta piastowscy.

KAPITULARZ OPACTWA ► Cystersów w Sulejowie powstałego około 1177 r. z fundacji Kazimierza Sprawiedliwego, który nadał cystersom m.in. wieś Sulejów z przyległościami i ludnością zależną, a także targ. Kościół klasztorny wznoszono przez następne kilkadziesiąt lat, kończąc prace w 1232 r.

2 ĆW. XIII W., FOT. RS

◄ ZNAK ZWYCIĘSKIEGO ORŁA pojawił się w kronice mistrza Wincentego jako godło Kazimierza Sprawiedliwego. Być może orzeł ze zwornika sklepiennego w kościele klasztornym opactwa Cystersów w Koprzywnicy, podobny do wizerunków z monety księcia oraz pieczęci jego syna Leszka Białego, również związany jest z osobą Kazimierza.

1 ĆW. XIII W., FOT. ZŚ

◄ SYGNET KSIĘCIA GDAŃSKIEGO ŚWIĘTOPEŁKA nie pełnił roli tłoka pieczętnego, gdyż po odciśnięciu w wosku napis ukazałby się w negatywie. Mógł być jednak przekazywany posłańcom lub posłom jako widomy znak wykonywania woli księcia.

KORZECZNIK POW. KOŁO, 1 POŁ. XIII W., MN KRAKÓW, FOT. MM

► ORNAT DZWONOWATY, który w tradycji klasztoru w Żukowie zwany jest Płaszczem Świętopełka. Z pewnością jednak nie jest szatą tego księcia, lecz zapewne jego donacją dla tutejszych norbertanek. Obowiązkiem władców było nie tylko fundowanie nowych kościołów i klasztorów, ale i troska o ich należyte wyposażenie w sprzęty liturgiczne.

1 POŁ. XIII W., MN GDAŃSK, FOT. MŁ

Zbrodnia w Gąsawie

W listopadzie 1227 r. w Gąsawie odbywał się wiec skierowany przeciw księciu wielkopolskiemu Władysławowi Odonicowi i księciu gdańskiemu Świętopełkowi. Rankiem 23 lub 24 XI oddziały obu zagrożonych książąt znienacka uderzyły na wiecujących dostojników. Leszek Biały, zaatakowany w łaźni, zdołał z niej wybiec, dopaść konia i ratować się ucieczką w kierunku pobliskiego Marcinkowa, gdzie jednak dogonili go i zamordowali ludzie Świętopełka. Henryka Brodatego napastnicy zaskoczyli jeszcze w łożu. Księcia osłonił własnym ciałem jego rycerz, Peregryn z Wiesenburga, który w wyniku obrażeń zmarł. Henryk odniósł tylko rany. Wydarzenia te oznaczały praktyczny koniec władzy zwierzchniej książąt krakowskich nad innymi dzielnicami oraz usamodzielnienie się Pomorza Gdańskiego, rządzonego przez rodzimą, niepiastowską dynastię.

Strzelno romańskie

Około 1190 r. wojewoda Piotr Wszeborzyc ufundował opactwo Norbertanek w Strzelnie. Do pierwotnej zabudowy należą dwa kościoły: bazylika klasztorna św. Trójcy i rotunda św. Krzyża, obecnie św. Prokopa, pełniąca zapewne funkcje kaplicy fundatora i kościoła parafialnego. Oba zostały wzniesione równocześnie na niewielkim wyniesieniu. Koniec budowy wyznacza 1216 r., data konsekracji kościoła św. Trójcy.

Dwuwieżowa i trójnawowa bazylika kolumnowa z transeptem i dwiema kaplicami po bokach prezbiterium zakończonego apsydą naśladuje świątynie reformowanych benedyktynów. O niezwykłości założenia stanowiła para dziś nieistniejących okrągłych wież wschodnich. Ściany nawy głównej podtrzymują kolumny o kapitelach kostkowych; na rzeźbionych trzonach wschodniej pary w trzech rzędach arkadek wyobrażono postacie kobiece i męskie. Są to personifikacje – cnót na kolumnie południowej, przywar na północnej – a ich identyfikacji służą atrybuty albo charakterystyczne gesty. I tak np. Sprawiedliwość trzyma wagę, Pokora, królowa cnót, krzyżuje ręce na piersiach, Obżarstwo je łapczywie.

Nasycona bogatą treścią rzeźba nie ogranicza się do kolumn. Ci sami rzeźbiarze wykonali tympanony fundacyjne, podczas gdy pełne ekspresji nadproże północnego wejścia, w którym aż pięć wątków ikonograficznych splotło się wokół centralnej postaci Chrystusa, jest dziełem innego warsztatu. Liczne fragmenty wskazują, że pierwotny stan był jeszcze bogatszy; obejmował m.in. cykl przedstawień na przegrodach chóru klasztornego przed prezbiterium.

Program rzeźb strzelneńskich, oparty o dogłębne studia pism mistyków i moralizatorów, to dzieło intelektualistek w habitach lub ich duchowego opiekuna. Figurki cnót i przywar, monumentalne pomimo niewielkich rozmiarów, korzystają z lekcji rzeźby antycznej – Rozwiązłość ilustruje naga postać o pozie Wenus Wstydliwej. Styl rzeźby i architektury wskazuje na saskie środowisko artystyczne.

Rotunda św. Prokopa wyłamuje się z prób zaszeregowania unikatowym rozwiązaniem układu przestrzennego i niezwykłą konstrukcją sklepień. Do kolistej nawy przylega od zachodu okrągła wieża, od wschodu – prosto zamknięte, obszerne prezbiterium, a od północy – dwie apsydy. Nawę tej największej w Polsce romańskiej budowli centralnej przykrywa kopuła z płaskich cegieł wzmocniona ośmioma pasami sklepiennymi. Takie same pasy, skrzyżowane w prezbiterium z około 1200 r., są obok kruszwickich najwcześniejszymi w Polsce przykładami protogotyckich rozwiązań niezależnych od warsztatów cysterskich.

▲ ZESPÓŁ KLASZTORNY
– po lewej stronie widoczna jest rotunda św. Prokopa; w ciągu wieków jej wygląd uległ nieznacznym tylko zmianom. Klasztorny kościół bazylikowy Norbertanek (po prawej stronie) utracił wieże wschodnie i uległ transformacji po dobudowaniu gotyckiej kaplicy i barokowej fasady zachodniej.
WIDOK Z LOTU PTAKA, KON. XII–POCZ. XIII W., FOT. WS

▲ ROTUNDA ŚW. PROKOPA
nosi to wezwanie dopiero od połowy XVIII w. Murowaną budowlę z ciosów granitowych przekształcono na barokową furtę. Zdewastowana w XIX w., utraciła górne piętro wieży z prześwitami i apsydy po stronie północnej, zrekonstruowane częściowo po 1945 r.
WIDOK OD ZACH., FOT. ZŚ

▲ WNĘTRZE KORPUSU NAWOWEGO
kościoła klasztornego św. Trójcy. Na pierwszym planie kolumna z wizerunkami cnót, jedyna z głowicą figuralną. Zwracają uwagę różnorodne rozwiązania podpór, formy pozostałych głowic i trzonów. Kolumna zachodnia po stronie południowej ma trzon wrzecionowato profilowany.
KON. XII–POCZ. XIII W., FOT. ZŚ

▲ PERSONIFIKACJE PRZYWAR
– Gniew ukazano jako kobietę wyrywającą sobie włosy, Zabójstwo jako młodzieńca z mieczem w ręku, a Rozwiązłość jako nagą kobietę osłaniającą wstydliwym gestem oznaki płci. Wyeksponowane dłonie czynią bardziej czytelnymi gesty i atrybuty trzymane przez postacie.
KOŚCIÓŁ ŚW. TRÓJCY W STRZELNIE, KON. XII–POCZ. XIII W., FOT. ZŚ; MŁ; LPE

SCENA ZWIASTOWANIA ►
na tympanonie południowej ściany transeptu (?) to bardzo rzadkie przedstawienie Marii z gołębicą zbliżającą się do Jej ucha. Motyw ten, zwany *conceptio per aurem*, wyobraża niepokalane poczęcie przez ucho.
KOŚCIÓŁ ŚW. TRÓJCY W STRZELNIE, KON. XII–POCZ. XIII W., FOT. RS

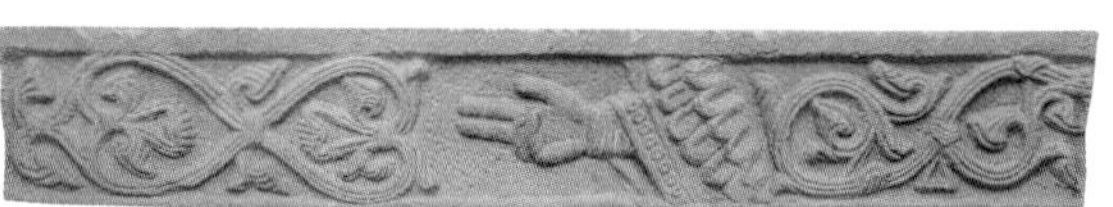

▲ *MANUS DEI*
– Ręka Boża z tympanonu fundacyjnego kościoła św. Trójcy to symbol Bożej obecności, wszechmocy i łaski. Prawdopodobnie w ten sposób podkreślono wpływ błogosławieństwa spływającego na fundatora klasztoru.
KON. XII–POCZ. XIII W., FOT. RS

▲ PŁYTA Z MATKĄ BOSKĄ Z DZIECIĄTKIEM
prawdopodobnie element chórowej przegrody kościoła Norbertanek. Postać Marii otaczają przedstawienia proroków, którzy zapowiadali przyjście na świat Mesjasza. W arkadach znajdują się wizerunki Izajasza i Jana Chrzciciela.
KOŚCIÓŁ ŚW. TRÓJCY W STRZELNIE, KON. XII–POCZ. XIII W., FOT. RS

◄ WNĘTRZE ROTUNDY ŚW. PROKOPA
z widokiem na odtworzoną emporę i sklepienia kopuły z gurtami. Po stronie północnej nawy, w pobliżu apsyd, odnaleziono pusty grób, zapewne przeznaczony dla fundatora. Być może był przykryty zachowaną fragmentarycznie płytą z wyobrażeniem zmarłego.
KON. XII–POCZ. XIII W., FOT. ZŚ

PÓŁNOCNY PORTAL ►
łączy aż pięć różnych tematów ikonograficznych: Trójcę Świętą, Chrystusa na majestacie w otoczeniu ewangelistów, Chrystusa Triumfującego, Wniebowstąpienie i przekazanie praw św. Piotrowi i Pawłowi.
KOŚCIÓŁ ŚW. TRÓJCY W STRZELNIE, POCZ. XIII W., FOT. RS

PRUSOWIE I KRZYŻACY

Niszczycielskie najazdy Prusów skłoniły Konrada Mazowieckiego do osadzenia na zagrożonym pograniczu Krzyżaków

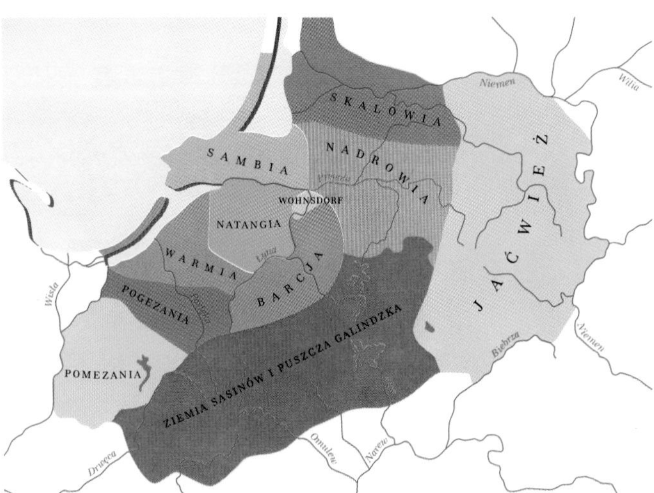

▲ PLEMIONA PRUSKIE I JAĆWIEŻ NA POCZĄTKU XIII W.
WG KRONIKI PIOTRA Z DUSBURGA OPRACOWAŁ H. ŁOWMIAŃSKI, RYS. JD

Z relacji naocznego świadka

„Wisła ta jest wielką rzeką i przez to dzieli Witland i kraj Słowian. A Witland należy do Estów [Prusów]. A taż Wisła wypływa z ziem Słowian i spływa do Zalewu Estyjskiego [Wiślanego], a ten Zalew Estyjski jest co najmniej piętnaście mil szeroki. Od wschodu spływa tutaj do Zalewu Estyjskiego rzeka Ilfing [Elbląg] – z tego jeziora, nad którego brzegiem stoi Truso. I schodzą się tutaj w Zalewie Estyjskim od wschodu rzeka Ilfing z kraju Estów i od południa Wisła z kraju Słowian. [...]. Kraj Estów jest bardzo duży i jest tam dużo miast [grodów], a w każdym mieście jest król. A jest tam bardzo dużo miodu i rybitwy. A król i najmożniejsi piją kobyle mleko, ubodzy zaś i niewolni piją miód. Jest tam między nimi dużo wojen" (fragment relacji żeglarza Wulfstana z IX w.).

Prusowie

Po raz pierwszy nazwa „Bruzi" pojawiła się w połowie IX w. w *Geografie Bawarskim*. Pierwotnie oznaczała zapewne nazwę tylko jednego z wielu plemion pruskich, sąsiadującego bezpośrednio z terytorium Polski – Pomezanów. Za ich pośrednictwem nazwą Prusów objęto ogół ludności spokrewnionej z Pomezanami, a następnie obszar Galindii oraz nienależącej do Prusów Jaćwieży (Sudowii).

W XI–XII w. Prusowie podzieleni byli na dziesięć plemion. Zachodnią część kraju zasiedlały plemiona Pomezanów, Pogezanów i Sasinów, do których od wschodu przylegały graniczące z Mazowszem i mocno już wyludnione ziemie Galindów. Środkową część kraju zajmowali Warmowie oraz Natangowie i Bartowie, Sambię – potężni Sambowie, rubieże wschodnie, aż po dolny Niemen – Nadrowowie i Skalowowie.

Osadnictwo ziem pruskich, którego podstawy kształtowały się na przełomie V i VI w. między Wisłą a Pasłęką, zwłaszcza na terenie Galindii, rozwijało się w następnych stuleciach (do VIII w.) najintensywniej na ziemiach między rzeką Elbląg, jeziorem Druzno i rzeką Dzierzgoń, o czym świadczą znajdowane tu liczne cmentarzyska z grobami ciałopalnymi oraz osady, użytkowane niekiedy także w następnych wiekach.

Zaawansowaniu gospodarczemu sprzyjało położenie geograficzne tego obszaru oraz tradycja kontaktów interregionalnych opartych na wymianie towarowej. Obok gospodarki hodowlanej i rolnej rozwijało się rzemiosło, zwłaszcza kowalstwo i odlewnictwo metali szlachetnych i kolorowych. Umiejętność budowy łodzi klepkowych przystosowanych do żeglugi morskiej i śródrzecznej pozwalała na dalekosiężne podróże i rozległe kontakty handlowe, a także na organizację wypraw zbrojnych. Prusowie bowiem, którzy przywiązywali wiele uwagi do dobytku złożonego z dóbr ruchomych – zwierząt, skór, broni, ozdób czy niewolników – organizowali, zwłaszcza od XII w., liczne wyprawy łupieżcze na okoliczne ziemie.

Datujące się już od VI w. początki związków handlowych Prusów i Kurów ze środkową Szwecją i Gotlandią, a także z Danią i Rusią, doprowadziły do powstania dużych emporiów handlowych, takich jak Wiskiauty w Sambii i, najznaczniejsze z nich, Truso nad jeziorem Druzno na pograniczu pomorsko-pruskim. Handlowano tu m.in. bursztynem, skórami, woskiem i niewolnikami, w zamian otrzymując żelazo, brąz, metale szlachetne, a także sól, tkaniny oraz gotowe wyroby, często o charakterze luksusowym. Kruszce szlachetne uzyskiwano głównie od kupców z Rusi, docierających tu zapewne szlakiem rzecznym prowadzącym Wisłą, Narwią i Bugiem, oraz ze Skandynawii i Europy Zachodniej. Wykonywane z nich biżuteria, zdobiona broń oraz rzędy końskie świadczą nie tylko o wysokich umiejętnościach rzemieślniczych Prusów, ale także o ich niezwykłym poczuciu piękna. Od Skandynawów przejęli umiejętność posługiwania się na potrzeby ważenia kruszców systemem wagowym, którego podstawą była jednostka równa ciężarowi dirhema arabskiego (około 4 g).

Słabo zasiedlony w X w. teren między Nogatem, Dzierzgoniem i Ossą był zapewne tylko penetrowany gospodarczo przez osadników słowiańskich (zwłaszcza z Pomorza) i pruskich dzięki przebiegającym tędy szlakom handlowym i nielicznym osadom targowym. Przypuszcza się, że w południowej części Żuław Elbląskich, w zabagnionej dolinie Dzierzgonia, we wczesnym średniowieczu wykorzystywano stare ciągi pomostów zbudowane jeszcze w okresie rzymskim na potrzeby szlaku bursztynowego. Dotychczas odkryto dwa odcinki takich pomostów (o długości 640 i 1230 m), zbudowane z drewna sosnowego, dębowego oraz faszyny, ze śladami licznych reperacji i nadbudowywań.

Osadnictwo i obyczaje

Struktura osadnicza Prusów wczesnośredniowiecznych była oparta głównie na organizacji rodowej. Siedlisko, zakładane przez właściciela i jego rodzinę w formie jednodworczego gospodarstwa, sytuowano z reguły nad zbiornikiem wodnym lub na zboczu wyniesienia. Kilka takich siedlisk z polami i pastwiskami tworzyło wspólnoty osadniczo-terytorialne, znane pod pruską nazwą *lauks*, które z kolei tworzyły większe jednostki o nazwie *pulka*, te zaś – związek społeczno-terytorialny zwany ziemią lub włością, stanowiący etap pośredni między *pulka* i plemieniem. Władzę sprawowały wiece ludzi wolnych. Pomiędzy skupieniami osadniczymi rozpościerały się tereny niezasiedlone, często puszczańskie lub bagienne. Zarówno warunki naturalne, jak i system organizacji społecznej nie sprzyjały powstaniu jednego, silnego ośrodka ponadplemiennego.

Utrwalony podział rodowo-plemienny oraz brak organizacji państwowej nie były przeszkodą w wykształceniu się możnowładztwa pruskiego, dysponującego znacznym majątkiem, wyższą pozycją w hierarchii społecznej oraz niewielkimi zbrojnymi drużynami. Relacja podróżnika anglosaskiego Wulfstana z IX w. zawiera informację o istnieniu na ziemiach pruskich licznych grodów ze stojącymi na ich czele „królami".

Truso

Pomimo opisu Wulfstana wiernie oddającego topografię terenu i położenie portowo-handlowej osady pruskiej Truso, rozstrzygnięcie lokalizacji tego emporium handlowego nastąpiło dopiero w 1982 r. w rezultacie badań archeologicznych na terenie Janowa koło Elbląga. Odkryto wówczas relikty osady, leżącej niegdyś nad zatoką morską i zajmującej około 10 ha, od strony lądu chronionej półkolistym wałem i fosą. W pasie przybrzeżnym skupiała się działalność rzemieślnicza oraz handlowa mieszkańców Truso, zasiedlonego nie tylko przez ludność pruską, ale i zapewne skandynawską. Odkryto liczne ślady miejscowej produkcji, w tym warsztaty rogowiarskie, bursztyniarskie, szklarskie, złotnicze, a także przedmioty świadczące o dalekosiężnych (wschodni kalifat) oraz bliższych, obejmujących basen bałtycki (Skandynawia), kontaktach handlowych. W strefie portowej odkryto wrakowisko łodzi klepkowych oraz relikty pomostów służących do ich cumowania. Kres portowemu i handlowo-rzemieślniczemu znaczeniu Truso położył na początku X w. napad piracki, kiedy osada została strawiona wielkim pożarem.

▲ NABRZEŻE PORTOWE TRUSO
– osada była położona na polderach przedzielonych ciekami wodnymi.
2 POŁ. IX W., WG H. JAGODZIŃSKIEGO, FOT. MM

BURSZTYNOWE PACIORKI I MŁOTECZEK THORA ►
Handel wyrobami bursztynowymi był jednym z filarów potęgi Truso. Młoteczek mógł zostać wykonany jako wyrób eksportowy do Skandynawii lub dla lokalnych czcicieli tego bóstwa.
JANOWO POW. ELBLĄG, IX–POCZ. X W., MUZ. ELBLĄG, FOT. MJAG

► SREBRNE MONETY:
arabskie dynastii Abbasydów oraz zachodnioeuropejskie, w tym jedna bita w 825 r. w Haithabu na Jutlandii, jednej z najważniejszych ówczesnych osad nadbałtyckich. Odkryte w Janowie, potwierdzają znaczenie Truso jako liczącego się nadbałtyckiego ośrodka handlowego.
MUZ. ELBLĄG, FOT. BT

▼► ODWAŻNIKI TYPU SKANDYNAWSKIEGO
z charakterystycznymi oznaczeniami typu i ciężaru, używane w IX w. w Truso do ważenia kruszców.
JANOWO POW. ELBLĄG, MUZ. ELBLĄG, FOT. BT

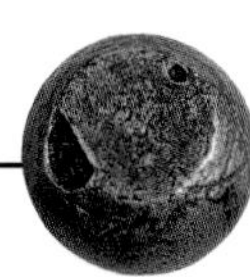

◄ GRANITOWE FIGURY TZW. BAB KAMIENNYCH występują na obszarze od wschodnich Mazur aż po ujście Wisły. Ich geneza i funkcja pozostają dyskusyjne. Zapewne wiążą się z wpływami wierzeń ludów stepowych zamieszkujących południowo-wschodnią Europę.

BARCIANY POW. KĘTRZYN, MWM OLSZTYN, FOT. AR

▼ GRODZISKO PRUSKIE położone na galindzkim obszarze plemiennym świadczy o ponownym wykorzystywaniu osiedli obronnych z wczesnej epoki żelaza.

JEZIORKO POW. GIŻYCKO, FOT. TB

◄ KOLIA Z LUNULĄ stanowi przykład typowego dla Prusów łączenia różnych materiałów do wyrobu ozdób. Lunula jest pochodzenia słowiańskiego.

JANOWO POW. ELBLĄG, IX–X W., MUZ. ELBLĄG, FOT. AR

PAZURY NIEDŹWIEDZI I KŁY DZIKÓW ▲ często pełniły funkcję amuletów. Były powszechnie noszone z różnego typu zawieszkami brązowymi jeszcze w XIII i XIV w.

RÓWNINA DOLNA POW. KĘTRZYN, XIII–XIV W., MWM OLSZTYN, FOT. TB

Organizacja osadnictwa w formie odizolowanych jednostek plemienno-terytorialnych sprzyjała trwaniu ludności pruskiej w wierze pogańskiej, opartej na czci sił przyrody. Formą obrządku pogrzebowego było ciałopalenie. Świadectwo zwyczajów pogrzebowych Prusów dają nie tylko ich pochówki, ale i stosunkowo liczne przekazy pisane, w tym kronika krzyżacka Piotra z Dusburga. Zamożni Prusowie byli po śmierci paleni na stosie wraz z bronią, wierzchowcami, sokołami i psami myśliwskimi, służbą i żonami. Konie, podobnie jak u innych ludów bałtyjskich, były częstym elementem towarzyszącym pochówkom męskim; niekiedy chowano je osobno. Sporadycznie – jak w Nowince koło Elbląga – umieszczano spalone ludzkie szczątki na siodle nad pochówkiem konia, przy którym składano broń, okute rogi do picia i różne precjoza.

Polska i Prusowie

Obyczaje te, anachroniczne na tle chrześcijańskiej Europy, utrwaliły pogląd uznający pruskie plemiona pogańskie za nieoświecone, prymitywne i barbarzyńskie. Ziemie pruskie, jak i obszar Jaćwieży, coraz częściej stawały się przedmiotem zainteresowania politycznego i militarnego sąsiadów. Organizowane przez władców piastowskich pokojowe wyprawy misyjne na Prusy przerodziły się, po męczeńskiej śmierci najpierw biskupa Wojciecha, a następnie Brunona z Kwerfurtu, w najazdy zbrojne. Wyprawy te w XI i na początku XII w. spowodowały wyludnienie południowych ziem pruskich. Krzywousty, jak pisał Jan Długosz, „kazał bydło i ludzi zabierać do niewoli, tak, że do Polski wrócił z jeńcami wieloma [...]; brańców pruskich porozsyłał tedy na osady i przeznaczył do uprawy roli. W ten sposób zaludnił Prusami wiele wsi, które od nich wziąwszy nazwiska po dziś dzień je zatrzymują".

Pierwsze poważne próby uzależnienia ziem pruskich od Polski podjął Bolesław Kędzierzawy, który zimą 1146/47 r. i 1165/66 r. zorganizował dwie wyprawy przeciw Prusom i Jaćwingom. Druga z nich zakończyła się klęską i śmiercią księcia sandomierskiego Henryka. Od przełomu XII i XIII w. nasiliły się grabieżcze najazdy poszczególnych plemion i możnych pruskich i jaćwieskich na okoliczne ziemie. Wywoływały one odwetowe wyprawy zagrożonych sąsiadów: polskie, ruskie i litewskie, które stopniowo wyludniały przygraniczne ziemie i sięgały coraz głębiej.

Na ziemiach polskich problem zagrożenia najazdami pruskimi i jaćwieskimi przybrał na sile na początku XIII w. Początkowo podjęto wysiłki zmierzające z jednej strony do chrystianizacji Prusów, z drugiej – do wzmocnienia obrony granic. Jednak kolejne wyprawy misyjne, kierowane od 1207 r. przez cysterskich opatów z wielkopolskiego Łekna, najpierw Godfryda, potem Chrystiana, nie przyniosły spodziewanych rezultatów. Mało skuteczna okazała się też kolonizacja pogranicznej ziemi chełmińskiej, prowadzona przez wojewodę mazowieckiego Krystyna.

W tej sytuacji władający zagrożonymi ziemiami Konrad Mazowiecki zwrócił się o pomoc do innych książąt piastowskich. W latach 1222–1223 doszło do dwóch zatwierdzonych przez papieża wypraw krzyżowych przeciw Prusom, w których wzięli udział biskupi polscy oraz Konrad, Leszek Biały i Henryk Brodaty, a w drugiej z nich – także książęta Pomorza Gdańskiego, Świętopełk i Warcisław. Wtedy też powołano stałą stróżę rycerską granic Mazowsza oraz ziem dobrzyńskiej i chełmińskiej. Pełnili ją rotacyjnie przedstawiciele rodów rycerskich z wszystkich dzielnic państwa piastowskiego, którzy osiadali w obronnych dworach (gródkach) otoczonych wałem i częstokołem. Brak współpracy między książętami oraz niesnaski między rodami, których przedstawiciele przybywali na pogranicze, spowodowały szybkie załamanie się tej organizacji obrony granicy.

W tych okolicznościach Konrad Mazowiecki, zajęty już wówczas walką o tron krakowski pusty po śmierci jego brata, Leszka Białego, postanowił na miejsce stróży rycerskiej powołać stróżę złożoną z rycerzy zakonnych. Zaraz po 1216 r. znany nam już Chrystian, który tymczasem został biskupem misyjnym Prus, osadził w należącym doń grodzie w Zantyrze, usytuowanym w widłach Wisły i Nogatu, kilkunastu rycerzy zwerbowanych w Meklemburgii i Dolnej Saksonii, tworząc z nich zakon rycerzy Chrystusowych. Miał on stanowić „milicję” biskupa, wspomagającą go w misji pruskiej. W 1222 r. Konrad nadał Chrystianowi duże posiadłości w ziemi chełmińskiej, a w 1228 r. ofiarował zakonowi, liczącemu wówczas szesnastu rycerzy, Dobrzyń z okręgiem (stąd pochodzi druga nazwa zakonu, bracia dobrzyńscy). Rychłe przybycie Krzyżaków oraz dostanie się do niewoli pruskiej Chrystiana uniemożliwiło rozwój rycerzy Chrystusowych. Już w 1235 r. większość z nich przyłączyła się do Krzyżaków. Pozostali, z mistrzem Brunonem na czele, uzyskali w 1237 r. od Konrada pograniczny gród w Drohiczynie, który rok później został zdobyty przez Rusinów; obrońcy dostali się do niewoli, a po wykupieniu przyłączyli się do templariuszy.

Sprowadzenie Krzyżaków

Znacznie trwalsza i brzemienna w skutki okazała się kolejna decyzja Konrada Mazowieckiego, dotycząca sprowadzenia na pogranicze pruskie inne-

KOŚCIÓŁ ŚW. BARTŁOMIEJA W WABCZU ►
należy do najstarszych wiejskich kościołów parafialnych na ziemi chełmińskiej. Jest świadectwem stosunkowo późnego – przeszło pół wieku po zajęciu tych terenów – podjęcia przez Krzyżaków systematycznej akcji ewangelizacyjnej.
WIDOK OD PŁD. WSCH., PRZED 1288, FOT. RS

▲ NAJSTARSZE BRAKTEATY KRZYŻACKIE
przedstawiają ramię trzymające proporzec z krzyżem lub postać z tarczą i proporcem. W 1233 r. wprowadzono jednolitą monetę pruską, która miała być wymieniana co 10 lat w stosunku 12 nowych za 14 starych denarów. Aż do połowy XIV w. brakteaty były jedynymi monetami bitymi na terenie państwa zakonnego.
ZE SKARBU Z RADZANOWA POW. PŁOCK UKRYTEGO W 4 ĆW. XIII W., MM PŁOCK, FOT. MM

Chrystian

Chrystian, łekneński cysters, w 1208 r. poświęcił się działalności misyjnej wśród Prusów. W czasie soboru laterańskiego IV otrzymał od papieża Innocentego III nominację na biskupa misyjnego Prus. Był założycielem zakonu rycerzy Chrystusowych, lecz nie zdołał zapewnić mu rozwoju. W umowach z Krzyżakami z lat 1230–1231 najpierw odstąpił im, w zamian za pomoc w nawracaniu Prusów oraz określone świadczenia, swoje posiadłości w ziemi chełmińskiej, a następnie, występując – z łaski papieża – jako właściciel Prus, zgodził się, aby 1/3 podbitych ziem pruskich należała do zakonu. Brak poparcia i niechęć ze strony władz rodzimego zakonu, a zwłaszcza długoletnie uwięzienie Chrystiana przez Sambów, osłabiły jego wpływy, a inicjatywę przejęli Krzyżacy. Gdy w 1243 r. papież utworzył na obszarze ziemi chełmińskiej oraz ziem pruskich podbitych przez zakon krzyżacki podporządkowaną arcybiskupstwu w Rydze organizację diecezjalną (biskupstwa: chełmińskie, pomezańskie, warmińskie i sambijskie), Chrystianowi zaproponowano zaledwie objęcie jednego z nich. Uważając ciągle siebie za biskupa całych Prus, odmówił. Zmarł w 1245 r.

▼► OPACTWO W ŁEKNIE
zostało ufundowane w 1153 r. na obszarze dawnego grodu. Wzniesiony na miejscu rotundy grodowej kościół klasztorny cystersi rozbudowali na początku XIII w., kiedy podjęli misję pruską. Osiadanie gruntu, powodujące stopniowe niszczenie kościoła, było jedną z przyczyn przeniesienia na przełomie XIV i XV w. konwentu do Wągrowca.
WIDOK ROTUNDY I KOŚCIOŁA KLASZTORNEGO – FOT. PN; WIDOK KOŚCIOŁA I KLASZTORU – „KRONIKA ALTENBERSKA”, OK. 1517, NWHSA DÜSSELDORF

KSIĄŻĘ JAKO KRZYŻOWIEC ►
Działaniom politycznym Konrada Mazowieckiego towarzyszyła ofensywa ideologiczna. Od czasów krucjat pruskich z lat 1222–1223 książę używał nowej pieczęci, przedstawiającej go na koniu, z krzyżem misyjnym w ręku. Od 1228 r. (data nadania ziemi chełmińskiej Krzyżakom) książę zaprzestał jej używania, zapewne jako nieaktualnej.
FALSYFIKAT PIECZĘCI (NIEMAL IDENTYCZNY Z ORYGINAŁEM) PRZY DOKUMENCIE RZEKOMO Z 1203, AD PŁOCK, DEPOZYT W MD PŁOCK, FOT. MM

go zakonu rycerskiego: Krzyżaków. Już w 1222 r. książę śląski Henryk Brodaty nadał im wieś Łasucice w ziemi namysłowskiej. Fundacja ta nie odpowiadała jednak aspiracjom politycznym zakonu, który zmierzał do utworzenia państwa zakonnego w tzw. ziemi Borsa w Siedmiogrodzie. Po upadku tych planów i usunięciu Krzyżaków z Węgier przez króla Andrzeja II w 1225 r. terenem odpowiednim do realizacji planów zakonu wydawało się właśnie pogranicze pruskie. Pomysł sprowadzenia tu Krzyżaków i nadania im w wieczyste posiadanie ziemi chełmińskiej mógł wyjść właśnie od Henryka Brodatego – być może już w 1222 r. jacyś rycerze krzyżaccy towarzyszyli mu w krucjacie pruskiej.

Do realizacji tego projektu przystąpiono jednak nie wcześniej niż w 1228 r., gdy Konrad nadał Krzyżakom ziemię chełmińską. Wiosną 1230 r. przybył nad Wisłę pierwszy mały oddział, złożony z trzech rycerzy zakonnych pod dowództwem Hermana Balka. Gdy zimą 1233/34 r. biskup Chrystian dostał się do niewoli Sambów, Krzyżacy wykorzystali sytuację: zdobyli od papieża i cesarza potwierdzenie nadania im ziemi chełmińskiej przez księcia Konrada oraz umocnili swoje władztwo w Prusach.

Krzyżacy

Bracia popularnie zwani Krzyżakami – od czarnego krzyża na białym płaszczu zakonnym – tworzyli rycerski Zakon Szpitala Najświętszej Marii Panny Domu Niemieckiego w Jerozolimie. Jego początki sięgają 1190 r., kiedy przy szpitalu w Jerozolimie kupcy z Bremy i Lubeki założyli dla ochrony niemieckich pielgrzymów bractwo szpitalne. W 1198 r. uzyskało ono status zakonu rycerskiego, który w sprawach rycerskich miał się rządzić statutami templariuszy, a w sprawach szpitalnych – joannitów.
Na jego czele stał wielki mistrz wraz z kapitułą, składającą się z siedmiu mistrzów krajowych oraz wielkiego komtura, wielkiego marszałka, wielkiego szpitalnika, wielkiego szatnego, wielkiego skarbnika. Po nieudanej próbie stworzenia niezależnego państwa zakonnego w Siedmiogrodzie udało się to Krzyżakom na terenie ziemi chełmińskiej i Prus. W 1309 r. do pruskiego Malborka została przeniesiona z Wenecji siedziba wielkiego mistrza. Mimo XVI-wiecznych sekularyzacji gałęzi pruskiej i inflanckiej zakon przetrwał na terenie cesarstwa. W 1923 r. został przekształcony w zgromadzenie prowadzące działalność charytatywno-oświatową (istniejące do dziś Zgromadzenie Braci Zakonu Niemieckiego).

Narodziny państwa zakonnego

W ten sposób w latach 1228–1234, dzięki dalekowzrocznej polityce wielkiego mistrza Hermana von Salza i pierwszego mistrza krajowego pruskiego Hermana Balka, a także dzięki protekcji ze strony papieża i cesarza, zaistniały warunki do powstania państwa zakonnego w Prusach. Krzyżacy, coraz silniejsi liczebnie (w 1235 r. przyłączyła się do nich część braci dobrzyńskich, a 2 lata później Krzyżacy zawarli unię z zakonem kawalerów mieczowych w Inflantach), z roku na rok podbijali nowe obszary zamieszkane przez plemiona pruskie i jaćwieskie, posuwając się początkowo wzdłuż Wisły w kierunku północnym, a następnie wzdłuż Mierzei Wiślanej na wschód. Rozpoczął się systematyczny podbój ziem pruskich, które liczyły w tym czasie około 42 tysięcy km^2 i około 170 tysięcy mieszkańców.

W walkach tych wspierali ich książęta polscy, a także liczne zastępy krzyżowców z całej Europy (m.in. książęta i margrabiowie z obszaru cesarstwa oraz król czeski Przemysł Ottokar II). Dzięki temu, w latach 1231–1283, mimo dwóch dużych powstań ludności pruskiej i wojen z zagrożonym szybkimi postępami Krzyżaków księciem gdańskim Świętopełkiem, udało się zakonowi podbić zamieszkane przez ludność pruską Pomezanię, Pogezanię, Warmię, Natangię, Barcję i Sambię oraz Jaćwież. Podjęta na przełomie XIII i XIV w. próba uzależnienia

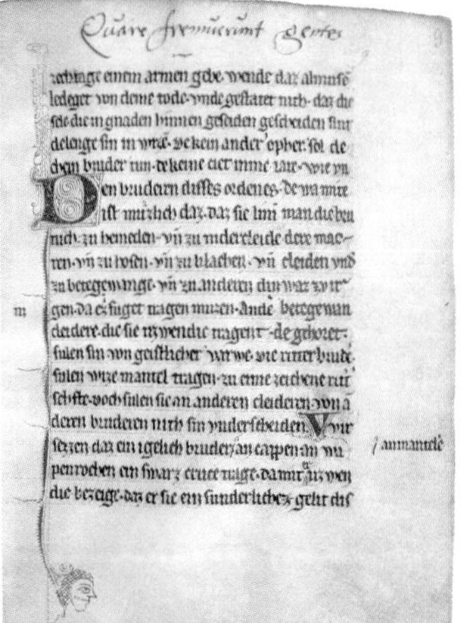

Quare fremuerunt gentes

◄ KRZYŻACKA REGUŁA ZAKONNA
spisana została po francusku i niemiecku, czyli w językach zrozumiałych dla rycerzy nieznających łaciny. Jej tekst winien znajdować się w każdym konwencie, przepisano więc ją w co najmniej kilkudziesięciu egzemplarzach. Ten posiada subtelną dekorację filigranową, wykonaną przez artystę przybyłego zapewne z Europy Zachodniej.
XIV W., BUMK TORUŃ, FOT. MM

PIECZĘCIE KRZYŻACKIE ►
eksponowały tematykę maryjną. Na pieczęci mistrza krajowego Prus widzimy ucieczkę do Egiptu, a na pieczęci kapituły zakonnej – Koronację (Triumf) Marii. Ten drugi motyw występuje najczęściej w dziełach powstałych z inicjatywy zakonu.
PRZY DOKUMENTACH Z 6 XII 1289 I 17 VI 1402, AD TORUŃ, FOT. MM

Żmudzi rozpoczęła okres długotrwałych walk z pogańską Litwą.

W tym okresie Krzyżacy rozwijali też ekspansję na Pomorzu, podporządkowując sobie na stałe (np. ziemię bytowską) lub okresowo (np. ziemię słupską) część Pomorza Środkowego. Największym jednak ich sukcesem było zdobycie w 1308 r. Gdańska i Tczewa, a w roku następnym – całego Pomorza Gdańskiego.

Na uzyskiwanych w formie darowizn i na podbijanych terenach Krzyżacy od razu organizowali sprawną administrację opartą na członkach swojego zakonu oraz budowali obronne zamki. Licznie zakładane wsie i miasta sprzyjały rozwojowi gospodarki towarowo-pieniężnej i wymiany handlowej. Dzięki sile militarnej i ekonomicznej oraz zhierarchizowanej i scentralizowanej administracji, dopuszczającej istnienie jedynie samorządu miejskiego i wiejskiego w ramach prawa niemieckiego (chełmińskiego), polskiego i pruskiego, a także znacznemu podporządkowaniu sobie organizacji kościelnej, powstało potężne państwo zakonne, stanowiące przez ponad 200 lat jedną z najważniejszych potęg tego regionu Europy.

Koniec niezawisłości

Status prawny podbijanej ludności pruskiej i jaćwieskiej regulowała kończąca pierwsze antykrzyżackie powstanie pruskie ugoda w Dzierzgoniu z 1249 r. Dzięki staraniom legata papieskiego Jakuba z Leodium Prusowie – w zamian za obietnicę dochowania wiary chrześcijańskiej, odbudowy zburzonych kościołów i płacenia dziesięciny – otrzymali zapewnienie utrzymania wolności osobistej, prawo do wolnego handlu, własności ziemi i obrotu nią, dziedziczenia, swobodnego wyboru małżonka, własnych sądów na (wybranym przez stronę pruską) prawie „polskim", uzyskiwania godności kościelnych oraz pasowania na rycerzy przedstawicieli „szlachetnych rodów". Postanowienia te sankcjonowały obecność zakonu na ziemiach pruskich i przekreślały możliwość stworzenia własnego państwa przez ludność rodzimą. W latach późniejszych, choć nie zawsze przez stronę krzyżacką przestrzegane, były, w miarę dalszych podbojów, rozciągane na pozostałą ludność pruską (i jaćwieską). Jej włączenie w struktury państwa zakonnego oraz szybka, często brutalna chrystianizacja, niszcząca tradycyjną kulturę i więzi społeczne, sprzyjały zanikowi odrębności etnicznej nielicznego możnowładztwa pruskiego oraz powolnej asymilacji ludności pruskiej z coraz liczniej napływającymi z Niemiec i pogranicznych ziem polskich kolonistami.

ULICA ELBLĄGA ► zbudowana krótko po lokacji miasta w 1237 r. Domy wznoszono w typowej dla obszarów niemieckich konstrukcji ramowej, a grunt pod nimi, ze względu na podmokły teren, moszczono faszyną. Pierwsze domy murowane powstały dopiero w latach 80. XIII w.

▲ PORTAL ZAMKU BIERZGŁOWSKIEGO z przedstawieniem Chrystusa prowadzącego rycerzy krzyżackich nawiązuje do tympanonu Puerta del Claustro w katedrze św. Jakuba w Santiago de Compostela. Oba należy rozpatrywać w kontekście misyjnej działalności zakonów na krańcach chrześcijańskiego świata.

ZAMEK BIERZGŁOWSKI POW. TORUŃ, OK. 1260–1270, FOT. RS

GOTYCKA FARA ► w Chełmnie, obok Torunia drugim co do znaczenia mieście ziemi chełmińskiej, należała do najokazalszych kościołów na terenie Prus. Wielokrotnie naśladowana przy wznoszeniu innych świątyń, odegrała istotną rolę w kształtowaniu się swoistych dla tych obszarów form stylistycznych.

WIDOK OD PŁN. WSCH.; PREZBITERIUM – OK. 1280–1300; KORPUS I WIEŻE – OK. 1300–1333; FOT. RS

▼ ZAMEK KAPITUŁY POMEZAŃSKIEJ W KWIDZYNIE Jego budowę rozpoczęto wkrótce po 1285 r. i prowadzono etapami przez całą pierwszą połowę XIV w. W 1384 r. wzniesiono wysuniętą wieżę, pełniącą dwie funkcje – studni i ustępu (tzw. *dansker*). Miała ona zarazem duże znaczenie obronne.

FOT. RS

Krzyżackie rękopisy Apokalipsy

Odbiegająca od typowej dla wieków średnich pozycja krzyżackiego państwa zakonnego zrodziła silną propagandę uzasadniającą nie tylko jego istnienie, ale i wyższość nad państwami świeckimi w spełnianiu Bożego planu dziejów. W początkach XIV w. Krzyżak Henryk von Hesler przełożył Apokalipsę św. Jana na język niemiecki, a tekst ten zyskał w zakonie niezwykłą popularność.

W kodeksie stuttgarckim zawarto rymowane wersje ksiąg Daniela, Ezdrasza, Nehemiasza, Judyty, Estery, Machabeuszów i Apokalipsy św. Jana. Autorem przekładu Apokalipsy i komentarza do niej był Henryk von Hesler, a Ksiąg Machabeuszów – zapewne sam wielki mistrz Luter z Brunszwiku. Doborem tekstów w tym kodeksie kierowała klarowna tendencja: dzieje walk narodu wybranego zapowiadają misję dziejową państwa zakonnego. Już papież Honoriusz III w bulli z 1221 r. określił Krzyżaków „nowymi Machabeuszami". Szukając w Piśmie Świętym zapowiedzi własnej historii, zakon krzyżacki dokonał jej sakralizacji. Taką też funkcję spełnia wątek walki Herakliusza z Chozroesem podjętej dla odzyskania Krzyża: cesarz Herakliusz stanowi prototyp rycerza krzyżowego, a jego walka z Chozroesem zapowiada apokaliptyczne zmagania z Antychrystem.

W podobny sposób dokonano sakralizacji struktury zakonu krzyżackiego, uznając, że wzorem dla niej jest struktura Kościoła Chrystusowego. Wielki mistrz, niczym Chrystus, jest kamieniem węgielnym, mistrzowie krajowi zaś – jak apostołowie – jego kolumnami. Porównano też zakon krzyżacki z jego siedmioma mistrzami krajowymi do domu Mądrości Bożej o siedmiu filarach. Siedem kościołów w Azji Mniejszej z tekstu Apokalipsy, wyobrażonych w kodeksie stuttgarckim, podlega podobnej aktualizacji.

Takie przedstawienie zakonu ukazywało go jako instytucję najlepiej przygotowaną do realizacji Bożego planu dziejów. Wizja przyszłości, której kres wyznaczą apokaliptyczne zmagania i mające po nich nastąpić połączenie Kościoła walczącego na ziemi ze schodzącym z nieba Kościołem triumfującym, stanowi najlepsze znane uzasadnienie istnienia i działania państwa krzyżackiego. Przez ilustracje bardziej nawet aniżeli przez tekst można było dokonać aktualizacji Apokalipsy: w obrazie walki z ludami Goga i Magoga sztandar cesarza narodu niemieckiego niesie rycerz w płaszczu zakonu krzyżackiego.

Mistrz *Apokalipsy stuttgarckiej* wykonał też dekorację dla Apokalipsy przechowywanej obecnie w Bibliotece Uniwersyteckiej w Toruniu. Iluminacje kolejnego rękopisu z tej samej biblioteki, wzorując się na poprzednim, wykonał już inny iluminator.

▲ *LISTY DO SIEDMIU KOŚCIOŁÓW AZJI MNIEJSZEJ* oraz *Otwarcie czterech pierwszych pieczęci.*
„APOKALIPSA STUTTGARCKA", POŁ. XIV W., WLB STUTTGART

▲ *OTWARCIE PIĄTEJ I SZÓSTEJ PIECZĘCI, Widok wszystkich zbawionych, Głos trzech pierwszych trąb.*
„APOKALIPSA STUTTGARCKA", POŁ. XIV W., WLB STUTTGART

▲ SĄD NAD UMARŁYMI

Potem ujrzałem wielki biały tron i na nim Zasiadającego... I ujrzałem umarłych – wielkich i małych – stojących przed Tronem, a otwarto księgi. I inną księgę otwarto, która jest księgą życia... Jeśli ktoś się nie znalazł zapisany w księdze życia, został wrzucony do jeziora ognia.

APOKALIPSA ŚW. JANA, POŁ. XIV W., BUMK TORUŃ, FOT. MM, CYTAT WG „BIBLII TYSIĄCLECIA"

▲ *WALKA Z LUDAMI GOGA I MAGOGA*

Krzyżacki rycerz wznosi chorągiew z orłem cesarskim.

APOKALIPSA ŚW. JANA, POŁ. XIV W., BUMK TORUŃ, FOT. MM

▼ *CHRZEST CZĘŚCI LUDU ANTYCHRYSTA*

Chrztu dokonuje duchowny krzyżacki.

APOKALIPSA ŚW. JANA, POŁ. XIV W., BUMK TORUŃ, FOT. MM

▲► *KORONACJA MARII, Święci w niebie się radują, Zmartwychwstanie umarłych, Sąd nad umarłymi, Piekło.* Wśród zbawionych duchowny krzyżacki i dominikanin.

APOKALIPSA ŚW. JANA, POŁ. XIV W., BUMK TORUŃ, FOT. MM

Monarchia Henryków śląskich

Nietrwałe zjednoczenie kraju

Budowane z dużym wysiłkiem władztwa Henryków śląskich i Konrada Mazowieckiego tylko na krótko powstrzymały postępujący podział kraju

◄ ZAMEK WE WLENIU w czasach Henryka Brodatego składał się z potężnej sześciobocznej wieży, muru obwodowego, wieży mieszkalnej i kaplicy. Ponieważ dwa pierwsze elementy można datować na drugą połowę XII w., za inicjatora budowy należy uznać Bolesława Wysokiego. Jest to zatem prawdopodobnie najstarszy murowany zamek w Polsce.

2 POŁ. XII–POŁ. XVII W., FOT. RMRU

◄► ŚLĄSKIE MONETY Z PRZEŁOMU XII I XIII W. ukazują współpracę między władzą kościelną i świecką. Na denarze wybitym pod koniec panowania Bolesława Wysokiego lub krótko po wstąpieniu na tron jego syna widać kościół i zamek. Brakteat z głową św. Jana Chrzciciela (patrona wrocławskiej katedry) symbolizuje opiekę świętego nad księciem.

DENAR – BITY 1190–1210, ZE SKARBU Z GŁOGOWA UKRYTEGO PO 1201, MAH GŁOGÓW, FOT. PC; BRAKTEAT – POCZ. XIII W.?, MN KRAKÓW, FOT. MM

▼ WĘGIERSKA PARA KRÓLEWSKA, rodzice św. Elżbiety: Andrzej II z Gertrudą, siostrą św. Jadwigi. Początek panowania Andrzeja II to czas napływu na Węgry licznych Niemców, którzy obejmowali kluczowe urzędy w państwie. Spowodowało to wzrost niechęci ze strony rodzimej elity możnowładczej, zakończony zamordowaniem królowej w 1213 r.

TZW. PSAŁTERZ LANDGRAFÓW, NIEMCY (HILDESHEIM?), 1211–1213, WLB STUTTGART

Henryk Brodaty

Gdy w grudniu 1201 r. władzę na Śląsku obejmował – po śmierci ojca, Bolesława Wysokiego – Henryk Brodaty, nic nie wskazywało, aby najbliższe lata miały przejść do historii jako okres wielkich przemian gospodarczych i częściowego zjednoczenia kraju. Wprost przeciwnie, dotychczasowe doświadczenia nowego władcy zdawały się wskazywać, że jego rządy będą obfitowały, podobnie jak panowanie ojca i dziada, głównie w klęski i nieszczęścia. Henryk Brodaty widział, jak na skutek zamętu i nierozważnych posunięć jego ojciec został zmuszony siłą do wydzielenia oddzielnych księstw dwóm młodszym braciom i najstarszemu synowi. Gdy później udało się Bolesławowi zjednoczyć Śląsk (bez dzielnicy raciborskiej) i przekazać go swojemu synowi, Henryk potrafił docenić ten fakt. Przezorność i rozwaga towarzyszyły jego całym rządom i chociaż w pierwszych latach panowania nie ustrzegły go przed klęskami i kłopotami, ostatecznie zaowocowały budową potężnego władztwa.

Pierwsze miesiące samodzielnego panowania Henryka przyniosły poważne zagrożenie. Jego stryj, Mieszko Plątonogi, książę raciborski, niespodziewanie opanował dzielnicę opolską. Prawdopodobnie plany Mieszka były o wiele bardziej ambitne; niewykluczone, że dążył do opanowania całego Śląska, a Henryka uratowała od utraty władztwa zdecydowana akcja biskupa wrocławskiego Cypriana, któremu udało się pozyskać wsparcie biskupa krakowskiego Pełki i arcybiskupa Henryka Kietlicza.

Początkowo wydawało się, że rekompensatą za niepowodzenia na scenie krajowej będzie pomyślny rozwój sytuacji na arenie międzynarodowej. Henryk wprawdzie nie wspierał aktywnie żadnej ze stron – czyli ani Welfów, ani Hohenstaufów – w toczącej się od 1197 r. walce o tron cesarski, ale poprzez swoją żonę Jadwigę, a także kontakty nawiązane jeszcze przez jego dziada i ojca, czuł się związany z Hohenstaufami, których przedstawiciel, Filip Szwabski, wydawał się pewnym zwycięzcą w konflikcie. W 1203 r. Filip, chcąc ukarać króla czeskiego Przemysła Ottokara I za wiarołomstwo, nadał Czechy w lenno Dypoldowi Borzywojowi, siostrzeńcowi Henryka Brodatego i jednocześnie jednemu z ostatnich książąt dzielnicowych Czech. Dypold wraz z braćmi i matką przebywał na dworze Henryka, gdzie szukał schronienia przed Przemysłem Ottokarem I. Nadanie Filipa, którego nigdy nie udało się zrealizować, było jedynym „sukcesem" wynikającym z przynależności Brodatego do obozu Hohenstaufów. Być może przymierze z nimi przyniosłoby z czasem jakieś wymierne korzyści, ale w 1208 r. Filip został zamordowany.

Nowa polityka gospodarcza

Początkowe trudności nie zniechęciły księcia i nie wpłynęły hamująco na jego ambicje; przyczyniły się do tego bez wątpienia sukcesy na polu gospodarczym. Wydane w 1204 r. przez Henryka Brodatego rozporządzenie o organizacji włości nowo powstałego opactwa Cysterek w Trzebnicy świadczy, że książę uważał za przeżytek dotychczasowy system gospodarczy oparty na daninach i posługach. W dobrach klasztornych w Trzebnicy i Lubiążu, a z całą pewnością także we własnych włościach Henryk zakładał wielkie gospodarstwa folwarczne, nastawione na produkcję zboża. Osadzani w nich chłopi i ministeriałowie byli zobowiązani do wysokiej jak na owe czasy pańszczyzny. Gospodarstwa te pozwalały księciu znacznie zwiększać zyski. Jednak nie one były głównym źródłem zasilającym skarb książęcy. Największe zyski czerpał Henryk z danin i opłat, które płacili rodzimi i obcy osadnicy. W kolonizacji, opartej na miejscowej ludności, główną rolę odgrywali tzw. goście; byli to ludzie różnego pochodzenia, od zbiedniałych wojów aż do zbiegłych chłopów i ludności niewolnej, których książę osadzał na własnych gruntach według tzw. zwyczaju wolnych gości, co w praktyce oznaczało, że zachowywali oni wolność osobistą i w każdej chwili mogli opuścić posiadłości książęce. Obok osadnictwa „gości" książę wspierał też wyspecjalizowane grupy miejscowej ludności, które zajmowały się trzebieniem lasów (m.in. trzeblewicy, łazękowie, smardowie i poprażnicy).

Dzięki aktywnej polityce udało się Henrykowi zintensyfikować napływ obcych osadników. Wśród kolonistów przeważała ludność niemiecka z terenów położonych między Soławą i Łabą, ale nie brakowało też chłopów flamandzkich, a nawet romańskich Walonów. Kolonizacja przyczyniła się do powstania wielu nowych wsi, miast i osad górniczych.

Pierwsze sukcesy

Dochody uzyskiwane dzięki nowej polityce gospodarczej, wspierającej zarówno rodzimą, jak i ob-

Tragedia Andechsów

Bezpośrednią przyczyną śmierci Filipa Hohenstaufa – wydarzenia bardzo ważnego dla średniowiecznych dziejów cesarstwa – było zerwanie przez Henryka Brodatego zaręczyn jego córki Gertrudy z Ottonem Wittelsbachem. Henryk zdecydował się na ten krok, gdy doszły do niego wieści o okrucieństwie palatyna. Otto Wittelsbach poczuł się urażony i cały swój gniew skierował przeciwko Filipowi, którego uważał – chyba niesłusznie – za sprawcę swoich perypetii matrymonialnych. Mord na Filipie, poza tym, że otworzył drogę do władzy w Niemczech jednemu z Welfów, Ottonowi IV, uderzył z całą siłą w bardzo wpływowy ród Andechsów, z którego wywodziła się Jadwiga, żona Henryka Brodatego. Brat Jadwigi, biskup bamberski Egbert, pełnił bowiem rolę gospodarza zjazdu, w czasie którego został zabity Filip, i z tego powodu został wraz z bratem Henrykiem oskarżony przez swoich wrogów o udział w zbrodni. Egbert i Henryk musieli szukać schronienia na Węgrzech. Wydarzenia te musiały zrobić piorunujące wrażenie na wrocławskim dworze. Odtąd Henryk nie mógł liczyć na wsparcie Hohenstaufów, z którego korzystali jego dziad i ojciec w czasie konfliktów i wygnania; nie mógł też cieszyć się poparciem Andechsów, jednej z najpotężniejszych rodzin w Rzeszy.

▲ LUKSUSOWE PRZEDMIOTY,
licznie odkrywane na terenie Wrocławia (zarówno dawnego grodu, jak i rodzącego się miasta lokacyjnego), świadczą o zamożności mieszkańców stolicy Śląska.
OKUCIE PASA; ZAWIESZKA; PIERŚCIONEK Z OCZKIEM; SZCZYPCZYKI KOSMETYCZNE; 1 POŁ. XIII W.; IA UWR, DEPOZYT W MPPP GNIEZNO; FOT. RS

▲ SKARB Z GŁOGOWA,
o łącznej wadze przeszło 6 kg, zawierał w drewnianym klepkowym naczyniu ponad 20 tysięcy monet polskich i niemieckich (część była zwinięta w ruloniki), 5 srebrnych grzywien oraz grudkę srebra. Odkrycie go w 1987 r. pozwoliło – dzięki jego okazałości – uaktualnić naszą wiedzę o obiegu monetarnym XII w. i identyfikacji poszczególnych monet.
ZWITKI MONET; GRZYWNY SREBRNE; DENAR HENRYKA BRODATEGO BITY 1201–1210; UKRYTY PO 1201; MAH GŁOGÓW; FOT. PC

▲► KOŚCIÓŁ OPACTWA CYSTEREK W TRZEBNICY,
ufundowanego w 1203 r. przez Henryka Brodatego i jego żonę Jadwigę, wznoszony był etapami do lat 30. XIII w. W 1219 r. konsekrowano część wschodnią (prezbiterium z kaplicami).

FUNDACJA I BUDOWA KLASZTORU W TRZEBNICY – „ŻYWOT ŚW. JADWIGI" W „KODEKSIE OSTROWSKIM", LUBIN, 1353, GM MALIBU; KOŚCIÓŁ NMP I ŚW. BARTŁOMIEJA W TRZEBNICY – WIDOK OD PŁN. WSCH., FOT. MM

◄▲▼ WYSTRÓJ RZEŹBIARSKI
kościoła Cysterek w Trzebnicy łączył wątki dworskie oraz program teologiczno-dydaktyczny skierowany do ludzi nieznających pisma, którzy mogli odnaleźć w nim wzór do naśladowania. Wykonano go w co najmniej trzech warsztatach stosujących stylistykę późnoromańską i wczesnogotycką.

ŚW. FILIP APOSTOŁ; BESTIE (FRAGMENT FRYZU); MNISZKI TRZEBNICKIE Z KSIĘGAMI; TRZECH AKROBATÓW (TARCZA ZWORNIKA); 1208–1235?; KOŚCIÓŁ NMP I ŚW. BARTŁOMIEJA W TRZEBNICY; FOT. MM

◄▼ WYPOSAŻENIE LITURGICZNE TRZEBNICKIEGO OPACTWA
odpowiadało aspiracjom pary książęcej. Z nielicznych zachowanych przedmiotów na szczególną uwagę zasługują psałterz i kadzielnica z wizerunkami rajskich rzek i ewangelistów, zwieńczona kopułką symbolizującą Świątynię Jerozolimską. Psałterz był zapewne darem dla obejmującej urząd ksieni Gertrudy, córki Henryka i Jadwigi.

KADZIELNICA – NADRENIA LUB LOTARYNGIA, NIEMCY, 1 POŁ. XIII W., KOŚCIÓŁ NMP I ŚW. BARTŁOMIEJA W TRZEBNICY, FOT. MM; INICJAŁ I DRZEWO JESSEGO – „PSAŁTERZ TRZEBNICKI", LUBIĄŻ POW. WOŁÓW?, 1/2 TERCJA XIII W., BUWR WROCŁAW, FOT. JKAT

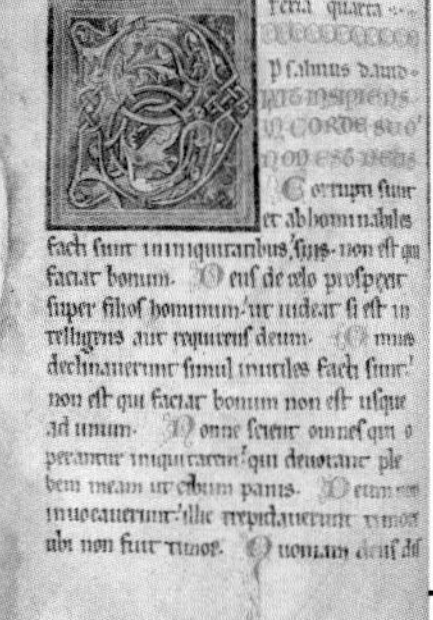

cą kolonizację, najpierw przyczyniły się do umocnienia władztwa Henryka Brodatego, a później pozwoliły mu zająć pierwsze miejsce wśród piastowskich książąt. Nim jednak do tego doszło, książę musiał wielokrotnie stawić czoło wielu przeciwnościom, których nie brakowało w Polsce dzielnicowej targanej licznymi konfliktami. Jego wielkie ambicje polityczne ujawniły się w 1210 r., gdy po kilku zmianach przymierzy doszedł do porozumienia ze swoim stryjem Mieszkiem Plątonogim. Zdaniem większości historyków Henryk zdecydował się poprzeć starego i bardzo już schorowanego stryja w walce o Kraków w zamian za wyznaczenie go na jego następcę. Brodaty interweniował w tej sprawie u papieża Innocentego III, który na jego prośbę wystawił dokument w zawoalowanych słowach przyznający pierwszeństwo do rządów w Krakowie Mieszkowi Plątonogiemu, a na jego następcę wyznaczający właśnie Henryka. Konsolidacja opozycji przeciwko Mieszkowi skłoniła jednak Brodatego do porzucenia stryja. Gdy na przełomie lat 1210 i 1211 Mieszko przejął drogą zamachu stanu władzę w Krakowie, Henryk nie udzielił mu wsparcia. To zapewne – obok trwającej wojny o Lubusz – zadecydowało, że po rychłej śmierci Mieszka książę śląski nie objął władzy w Krakowie, do którego powrócił Leszek Biały.

W tym samym czasie Henryk Brodaty odniósł swój pierwszy znaczący sukces polityczny. Było nim opanowanie ziemi lubuskiej. Leżący na lewym brzegu Odry Lubusz miał szczególne znaczenie dla bezpieczeństwa Polski; z tego powodu był nazywany kluczem kraju. W 1209 r. Władysław Laskonogi utracił na rzecz swojego szwagra Konrada, margrabiego dolnołużyckiego, ten ważny gród (wcześniej uzyskał go od Henryka w zamian za Kalisz). Brodaty wykorzystał zamieszanie po śmierci Konrada i na przełomie lat 1210 i 1211 zajął nie tylko Lubusz, ale i część Łużyc.

Następne lata upłynęły pod znakiem ciągle zmieniających się koalicji. Pewna stabilizacja polityczna nastąpiła dopiero po 1217 r., kiedy doszło do zawarcia porozumienia przez trzech najważniejszych książąt: Leszka Białego, Władysława Laskonogiego i Henryka Brodatego. Nowy układ sił w Polsce pozwolił Leszkowi Białemu na przywrócenie (bardzo rozluźnionego po 1202 r.) zwierzchnictwa nad Pomorzem Gdańskim. Przymierze to wzmacniało też pozycję Henryka, który wraz z Konradem Mazowieckim mógł zaangażować się w politykę pruską. Książę śląski ze swoim rycerstwem udał się kilkakrotnie na krucjaty do Prus. W czasie wyprawy w 1222 r. Henryk i jego krzyżowcy odbudowali zburzony przez Prusów gród chełmiński. Wsparło to działania biskupa pruskiego Chrystiana oraz ułatwiło utworzenie na pograniczu polsko-pruskim ogólnopolskiej stróży rycerskiej. Niestety, zniweczył ją spór między biorącymi w niej udział rodami Gryfów i Odrowążów, który stał się nawet powodem wojny Henryka – występującego w obronie Gryfów – z Leszkiem Białym i wspierającym go Konradem Mazowieckim. Po rychłym zawarciu pokoju Brodaty zaproponował sprowadzenie do ziemi chełmińskiej dobrze znanego mu zakonu krzyżackiego.

Podboje Henryka Brodatego

Dopiero zamordowanie Leszka Białego w Gąsawie w listopadzie 1227 r. zmieniło zasadniczo układ sił. Rozpoczął się długoletni okres walk o dzielnicę krakowską. O spadek po Leszku i opiekę nad jego półtorarocznym synem ubiegali się równocześnie Władysław Laskonogi i Konrad Mazowiecki. Stanowisko możnych krakowskich zadecydowało, że rządy w Krakowie objął Władysław. Jego pozycja w Małopolsce była jednak chwiejna, gdyż nie mógł sobie poradzić ze swoim bratankiem Władysławem Odonicem. Fakt ten postanowił wykorzystać Konrad, który zdecydował się siłą zająć Małopolskę. Z pomocą Laskonogiemu pospieszył Henryk Brodaty. Księciu śląskiemu udało się wprawdzie pobić wojska Konrada aż trzykrotnie, a Władysław powrócił do Krakowa, ale w 1229 r. książę mazowiecki podstępem pochwycił Henryka. Dzięki osobistej interwencji żony Brodatego, Jadwigi, udało się mu odzyskać wolność, ale tylko w zamian za obwarowaną przysięgą rezygnację ze spadku po Leszku Białym.

Nowy rozdział walk o Kraków rozpoczął się w 1231 r., wraz ze śmiercią Władysława Laskonogiego, który wszystkie swoje prawa, tak do dziedzictwa po Leszku, jak i do Wielkopolski, przelał na Henryka Brodatego. W czasie ciężkich walk z Konradem Mazowieckim udało się Henrykowi w latach 1232–1233 opanować ziemie krakowską i sandomierską, a w 1234 r. zdobyć w wojnie z Władysławem Odonicem południowo-zachodnią Wielkopolskę. Wcześniej jeszcze przejął księstwo opolskie w ramach opieki nad tamtejszymi małoletnimi książętami. W ten sposób zjednoczył w krótkim czasie znaczną część ziem polskich. Państwo to jednak nie miało jednolitego charakteru i tworzyło luźny związek księstw. Główny trzon władztwa stanowił Śląsk. Władzę namiestniczą w Wielkopolsce Brodaty powierzył swojemu synowi, także Henrykowi. Wyznaczono tu odrębne okręgi: w Kaliszu dla synów księcia opolskiego Kazimierza, a w Śremie dla Dypolda Borzywoja. W księstwach sandomier-

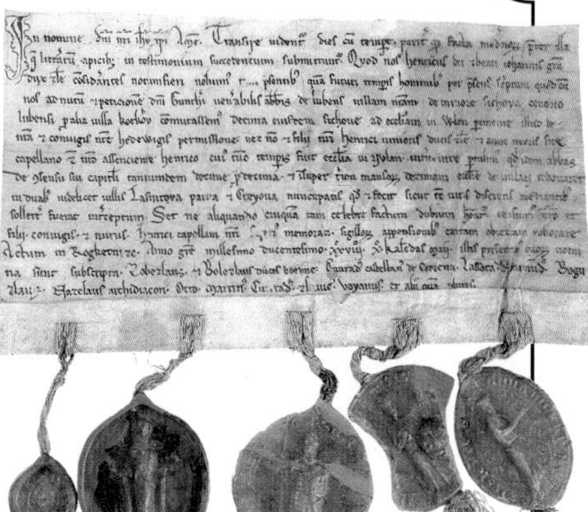

► DOKUMENT KSIĘCIA HENRYKA BRODATEGO
Już od lat 20. XIII w. Henryk wystawiał dokumenty „za wiedzą i zgodą swego syna Henryka". Świadczy to o dopuszczeniu młodego księcia do współrządów i przygotowywaniu go do objęcia pełni władzy. Obok pieczęci obu książąt niejednokrotnie pojawiały się także pieczęcie ich małżonek.
22 IV 1228, AP WROCŁAW, FOT. MM

◄ KRZYŻ ZAĆWIECZONY NA PÓŁKSIĘŻYCU
był osobistym znakiem Henryka Brodatego. Występował w rotach dokumentów trzebnickich jako *signum manuale* (podpis) księcia. Połączony przez jego syna, Henryka Pobożnego, z czarnym orłem stworzył herb wrocławskiej linii Piastów.
DOKUMENT Z 1208, AP WROCŁAW, FOT. MM

◄► PIECZĘCIE ADWERSARZY HENRYKÓW ŚLĄSKICH
– Bolesława Konradowica (z lewej) i Władysława Odonica – ukazują obu władców jako rycerzy na koniach. Zwracają uwagę różnice w uzbrojeniu: Odonic jest zbrojny na modłę zachodnioeuropejską, zaś w przedstawieniu Bolesława widać elementy ruskie.
PIECZĘĆ BOLESŁAWA – AD PŁOCK; PIECZĘĆ WŁADYSŁAWA – PRZY DOKUMENCIE Z 25 IV 1239, AP WROCŁAW; FOT. MM

▼ ZIEMIE POLSKIE W LATACH OKOŁO 1232–1241
RYS. JG

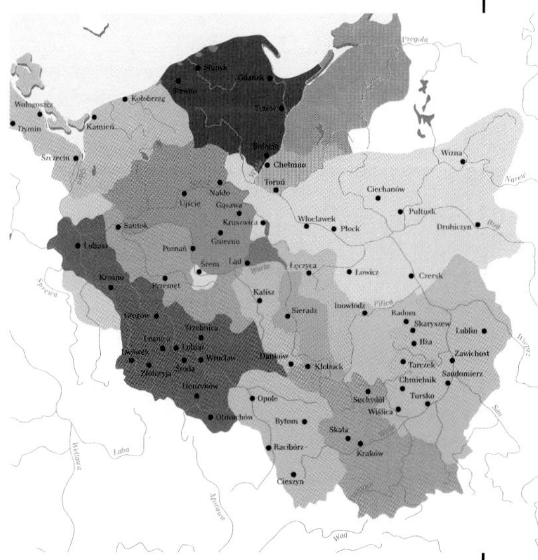

ZIEMIE HENRYKÓW ŚLĄSKICH
- odziedziczone
- zdobyte w latach 1232–1239
- uzależnione
- we władaniu czasowym
- wydzielone Borzywojowi czeskiemu
- kasztelania lądzka

ZIEMIE KONRADA MAZOWIECKIEGO
- Mazowsze, Kujawy, ziemia dobrzyńska
- ziemia łęczycka
- ziemia sieradzka
- kasztelanie zapilskie utracone około 1239 r. i włączone do księstwa sandomierskiego
- ziemie Władysława Odonica i jego synów
- Pomorze Zachodnie
- Pomorze Gdańskie
- ziemie pruskie podbite przez Krzyżaków
- ziemia chełmińska

► GRAJĄCY DAWID
był ulubionym tematem kultury dworskiej. Biblijny władca, którego imię oznacza „ukochany", zasłynął z gry na harfie oraz grzesznej miłości do zamężnej Betsabe. Jego postać doskonale odpowiadała XII-wiecznemu ideałowi miłości dworskiej.
KOŚCIÓŁ NMP I ŚW. BARTŁOMIEJA W TRZEBNICY, PRZED 1219?, FOT. MM

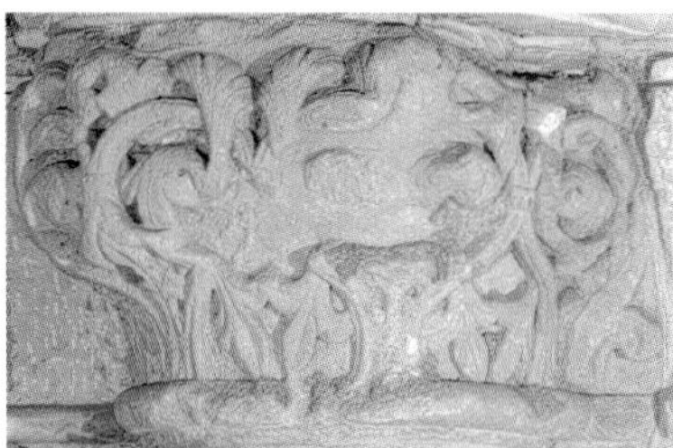

◄▲▼ POZOSTAŁOŚCI KAPLICY
wzniesionej podczas budowy legnickiego zamku Henryka Brodatego. Była to dwukondygnacyjna budowla z obejściem i wydzielonym prezbiterium, wzorowana na tzw. podwójnych kaplicach zamków cesarskich. Przy jej dekoracji pracował zapewne jeden z warsztatów rzeźbiarskich dekorujących wcześniej kościół klasztorny w Trzebnicy.
WIDOK OD STRONY PREZBITERIUM; KAPITEL I BAZA SŁUŻKI OBEJŚCIA; TARCZA ZWORNIKA (FRAGMENT); MM LEGNICA; FOT. PC

▼ ZAMEK LEGNICKI
Henryk Brodaty wzniósł na miejscu dawnego grodu. Nowa rezydencja składała się z pałacu, trzech wież oraz kaplicy. Skala założenia (piętrowy pałac o wymiarach 16 na 61,5 m) i rozplanowanie wyraźnie nawiązują do rezydencji cesarskich i nie mają bezpośrednich analogii na ziemiach polskich. Wyjątkowy jest też stan zachowania: wieże oraz mury magistralne pałacu przetrwały w pierwotnej wysokości.
WIEŻA ŚW. JADWIGI; ELEWACJA PŁN. PAŁACU; FOT. PC

skim i krakowskim faktyczne rządy sprawowali wojewodowie, którzy reprezentowali interesy nie tylko księcia, ale także miejscowego możnowładztwa.

Marzenia o koronie

Henryk Brodaty zdawał sobie sprawę, że stopienie tego konglomeratu księstw w jedną całość nie będzie sprawą łatwą. Proces zjednoczenia mogło przyspieszyć jedynie uzyskanie korony dla syna, Henryka Pobożnego. Starania o nią załamały się na skutek nagłego pogorszenia stosunków z kurią papieską, wywołanego sporem księcia z arcybiskupem Pełką i biskupem wrocławskim. Konflikt był tak gwałtowny, że być może przed ekskomuniką papieską uchroniła Brodatego śmierć w dniu 19 III 1238 r. Jeszcze 2 miesiące po śmierci księcia papież Grzegorz IX groził Henrykowi Pobożnemu, że każe ekshumować ciało jego ojca, jeżeli syn nie zadośćuczyni za szkody wyrządzone przez niego Kościołowi. Niebawem jednak stosunki między kurią a Henrykiem Pobożnym nie tylko uległy poprawie, ale nawet stały się nadzwyczaj przyjazne.

Stało się tak dlatego, że Henryk, zapewne za sprawą swojego szwagra, króla Czech Wacława I, opowiedział się po stronie papieża w jego sporze z cesarzem Fryderykiem II Hohenstaufem. Klątwa rzucona 20 III 1239 r. przez Grzegorza IX na cesarza podzieliła Europę na dwa zwalczające się obozy. W Europie Środkowej obozowi papieskiemu przewodził kanonik pasawski, Albert Behaim. Zawiązał on potężne stronnictwo, którego najwierniejszymi członkami byli: król czeski Wacław I, król węgierski Bela IV, książę bawarski Otto oraz Henryk Pobożny. Albert Behaim liczył, że pokona Fryderyka przez wybór nowego cesarza. W planach tych niebagatelną rolę miał odegrać Henryk, który zgodził się, aby wybór nowego cesarza nastąpił w podległym mu Lubuszu. Nie trzeba dodawać, że gdyby ów plan się powiódł, nie tylko papież, ale także nowo wybrany cesarz nie mógłby odmówić mu korony. Stronnikom Fryderyka udało się jednak pokrzyżować te zamiary, co doprowadziło do przejściowego osłabienia stronnictwa papieskiego. Albert zrozumiał, iż dopiero pojawienie się legata papieskiego w Niemczech skłoni większość książąt niemieckich do porzucenia Fryderyka. Ponieważ przejścia alpejskie były kontrolowane przez stronnictwo antypapieskie, zwrócił się 27 III 1241 r. do papieża, aby przysłał legata drogą morską na Węgry, skąd Henryk Pobożny i Wacław czeski mieli go poprowadzić do Niemiec, na elekcję nowego cesarza.

Tragiczny finał

Gdy Albert wysyłał list do papieża, myśli Henryka zaprzątał jednak zupełnie inny problem. Od kilku tygodni w głąb jego państwa posuwało się 10 tysięcy wojowników mongolskich pod wodzą Ordu, najstarszego brata Batu-chana, którego główne siły pustoszyły w tym samym czasie Węgry. Mongołowie, rozpoczynając podbój nowego terytorium, zawsze starali się wykorzystać miejscowe konflikty. Podobnie uczynili, uderzając na początku 1241 r. na łacińską Europę. Doskonale orientowali się w podziale Europy Środkowej na dwa zwalczające się stronnictwa. Zgodnie ze swoją strategią postanowili zaatakować tylko jedno z nich. Nie przypadkiem wszystkie zaatakowane kraje – Węgry, Czechy i monarchia Henryka Pobożnego – należały do obozu papieskiego.

Henryk, wobec przewagi sił mongolskich i niepewności co do kierunków ich natarcia, postanowił razem z królem czeskim, że wspólnie przeciwstawią się najeźdźcom. Na miejsce mobilizacji polskich sił wybrano Legnicę. Tymczasem Mongołowie szybko posuwali się na zachód, napotykając jedynie opór rycerstwa małopolskiego, stłumiony w bitwach pod Turskiem, Chmielnikiem i Tarczkiem. Po zajęciu Krakowa ruszyli w stronę Wrocławia. Możemy przypuszczać, że gdyby rzeczywiście uderzyli na to miasto, Henryk miałby jeszcze dość czasu, aby opuścić Legnicę i wyruszyć naprzeciwko spieszącym z pomocą wojskom czeskim. Jednak Mongołowie w okolicach Oławy zmienili plany i ruszyli bezdrożami od razu w stronę Legnicy, z ominięciem Wrocławia. Pojawili się zatem pod Legnicą zupełnie nieoczekiwanie dla Henryka, odcinając mu możliwość połączenia z wojskami czeskimi. 9 IV 1241 r. książę został zmuszony do stoczenia bitwy z Mongołami pod Legnicą; wojska czeskie dzielił od placu boju tylko jeden dzień drogi. Według mongolskich uczestników bitwy Polacy walczyli bardzo dzielnie; gdy już szala zwycięstwa przechylała się na stronę Henryka, jego wojska nieoczekiwanie rzuciły się do ucieczki. W ogólnym zamęcie książę został pochwycony, a następnie ścięty w obozie mongolskim przed wozem, na którym spoczywały zwłoki nieznanego nam z imienia wodza mongolskiego, poległego jeszcze pod Sandomierzem.

Marzenia o koronie zakończyły się śmiercią księcia na polu bitwy. Chociaż Mongołowie po krótkim oblężeniu Legnicy opuścili Śląsk, to jednak kilka miesięcy po bitwie legnickiej państwo Henryka rozpadło się. Polacy musieli jeszcze ponad pół wieku poczekać na odrodzenie Królestwa.

◄▼► WIZERUNKI ŻOŁNIERZY RZYMSKICH
ze sceny Zmartwychwstania są dobrym źródłem ikonograficznym w badaniach nad uzbrojeniem średniowiecznego rycerstwa. Tu przedstawiono typowe uzbrojenie XIII w. – pancerze kolcze okrywające całe ciało, a także migdałowate lub trójkątne tarcze. Zwraca uwagę zróżnicowanie osłon głowy: hełm garnczkowy, łebka lub jedynie kaptur kolczy.
PSAŁTERZ Z KLASZTORU KLARYSEK WE WROCŁAWIU, ŚLĄSK LUB DOLNA SAKSONIA, NIEMCY, OK. 1270–1280; „PSAŁTERZ TRZEBNICKI", LUBIĄŻ POW. WOŁÓW?, 1/2 TERCJA XIII W.; BUWR WROCŁAW; FOT. JKAT

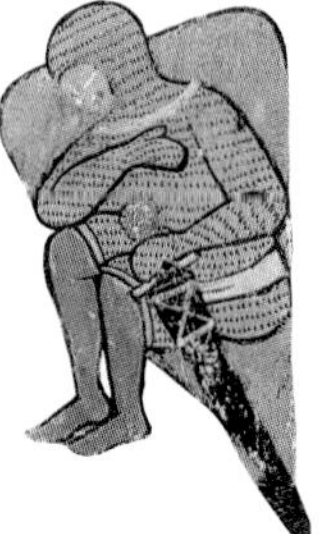

◄▼ GROTY STRZAŁ
o kształtach charakterystycznych dla ludów koczowniczych wyznaczają ślady pochodów oddziałów wojsk mongolskich.
TREPCZA POW. SANOK, 1240?, MH SANOK, FOT. MM

▼ BITWA POD LEGNICĄ
przedstawiona w realiach o przeszło wiek późniejszych. Zwracają uwagę wyraźne różnice w uzbrojeniu chrześcijan i noszących charakterystyczne szpiczaste hełmy pogan. W typowy dla średniowiecza symultaniczny sposób ukazano śmierć Henryka Pobożnego, ucięcie mu głowy oraz jego duszę unoszoną do nieba. W wiarygodnych przekazach mongolskich inaczej opisano ostatnie chwile księcia, co świadczy, że źródłem informacji dla polskiej tradycji nie był uczestnik wydarzeń.
„ŻYWOT ŚW. JADWIGI" W „KODEKSIE OSTROWSKIM", LUBIN, 1353, GM MALIBU

Śmierć cesarzowej

Najazd Mongołów na Polskę spowodował chaos w całym kraju. Nikt nie znał planów mongolskich; wszyscy czuli się zagrożeni. Gdy około połowy marca 1241 r. spod Sandomierza jeden z oddziałów mongolskich, najprawdopodobniej dowodzony przez Bajdara, ruszył przez Łęczycę w kierunku Kujaw, mogło się wydawać, iż to nie Śląsk, lecz Mazowsze i Kujawy, rządzone przez Konrada Mazowieckiego i jego synów, będą głównym celem wojsk mongolskich. Tak przynajmniej myślał wielki książę ruski Michał czernihowski, który w czasie inwazji Mongołów na Ruś schronił się na Mazowszu. Michał – wedle współczesnego źródła ruskiego – kiedy usłyszał o zbliżaniu się Mongołów do ziem Konrada, „nie wytrzymał i odszedł do ziemi wrocławskiej i przybył do niemieckiego miasta zwanego Środą. Kiedy Niemcy ujrzeli, jak wiele ma bogactw, pozabijali mu ludzi i zabrali wiele bogactw i zabili jego wnuczkę". Gdy krótko potem olbrzymia armia mongolska uderzyła na Śląsk, w tym na Środę Śląską, mieszkańcy tej ostatniej nabrali przekonania, iż najazd mongolski był odwetem za zabójstwo pochodzącej ze Wschodu księżniczki. Tak zrodziła się legenda o zabójstwie przez mieszczan Środy Śląskiej „cesarzowej tatarskiej", której śmierć pomścił potężny władca Tatarów.

Kult św. Jadwigi

Jadwiga, żona Henryka Brodatego, była jedną z przeszło dwudziestu błogosławionych i świętych, które wydał znakomity bawarski ród Andechsów. Zmarła 14 X 1243 r. i została pochowana w opactwie Cysterek w Trzebnicy. Tu oraz w wąskim gronie rodzinnym Piastów wrocławskich zaczął się szybko rozwijać jej kult. Starania o kanonizację, podjęte w 1261 r., zakończyły się sukcesem w 1267 r. Papież Klemens IV w bulli kanonizacyjnej nazwał Jadwigę patronką Polaków. Uroczystości ogłoszenia kanonizacji i przeniesienia relikwii, które odbyły się 25 VIII 1267 r. w Trzebnicy, zgromadziły licznych uczestników, w tym większość książąt piastowskich: św. Jadwiga w krótkim czasie urosła do rangi patronki dynastii Piastów, a zwłaszcza jej linii śląskiej.

Szybki rozwój kultu sprawił, że stała się ona patronką wielu nowo wznoszonych kościołów i ołtarzy, poświęcano jej fundacje artystyczne, dzieła literackie i muzyczne. Jej imię, często nadawane m.in. w rodzie piastowskim, szeroko się rozpowszechniło. Szybko też stała się św. Jadwiga patronką Śląska; formalnie uznał to w 1344 r. synod duchowieństwa wrocławskiego, który nakazał obchody jej świąt (rocznice śmierci i translacji relikwii) w całej diecezji. Spośród książąt śląskich największe zasługi dla rozwoju kultu św. Jadwigi położył Ludwik I legnicko-brzeski. Z jego inicjatywy w 1353 r. powstał bogato iluminowany *Kodeks ostrowski*, zawierający jej żywot oraz – wielokrotnie później naśladowany – cykl miniatur ze scenami z życia świętej.

Już przed końcem XIII w. kult ten zaczął wykraczać poza granice Śląska. Szczególną popularność zdobył sobie w Wielkopolsce. Uroczystościom ku czci świętej z czasem nadano taką samą rangę, jak obchodom świąt głównych patronów Polski, św. Wojciecha i Stanisława. Swój renesans kult św. Jadwigi przeżywał w XVII w. W 1680 r. na prośbę króla Jana III Sobieskiego papież Innocenty XI rozszerzył obchody uroczystości św. Jadwigi na cały Kościół powszechny.

Kult św. Jadwigi przybierał rozmaite treści. W XV w., w obliczu zagrożenia tureckiego, święta, której syn Henryk Pobożny poległ w bitwie z Mongołami pod Legnicą, patronowała zmaganiom świata chrześcijańskiego z poganami. Jej kult akceptowali protestanci, akcentując spośród cech jej świętości prawdziwą miłość do Boga i bliźnich, wspieranie Kościoła oraz troskę o wspólne dobro.

Przez katolików jest ona czczona do dzisiaj jako opiekunka małżeństwa i rodziny, kobiet i wdów, budowy kościołów. Po ostatniej wojnie episkopaty Polski i Niemiec wybrały św. Jadwigę na patronkę pojednania polsko-niemieckiego.

▲ UROCZYSTOŚCI OGŁOSZENIA KANONIZACJI św. Jadwigi wraz z podniesieniem i przeniesieniem jej relikwii trwały w Trzebnicy ponad tydzień. Zgromadziły wielu znakomitych gości, w tym księcia Władysława – arcybiskupa salzburskiego, uznawanego za fundatora trzebnickiej kaplicy św. Jadwigi – a także licznych innych Piastów i króla czeskiego Przemysła Ottokara II z żoną.

„ŻYWOT ŚW. JADWIGI" W „KODEKSIE OSTROWSKIM", LUBIN, 1353, GM MALIBU

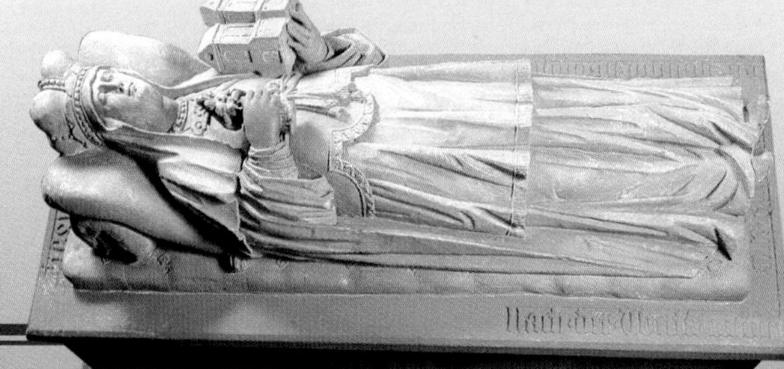

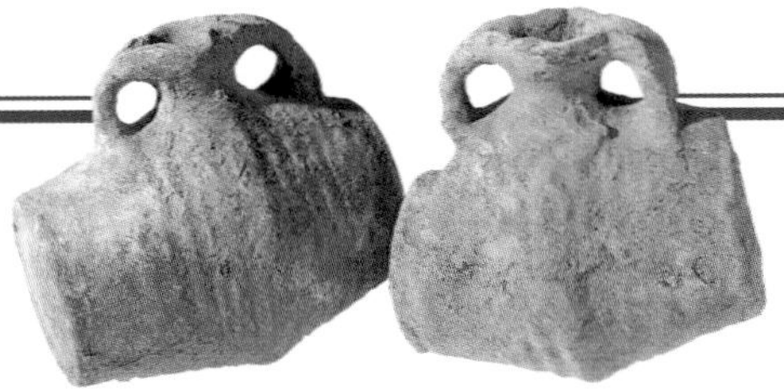

◄ PIELGRZYMI
tłumnie przybywali do grobu świętej nie tylko z terenu Śląska. Wieść o licznych uzdrowieniach i cudach dotarła do sąsiedniej Wielkopolski i na tereny diecezji ołomunieckiej, a nawet na dwór księcia gdańskiego Świętopełka Wielkiego. W drodze powrotnej zabierali ze sobą wodę z uważanego za święte źródełka. Skład dwudziestu trzech manierek pielgrzymich (widocznych także na miniaturze) odkryto w pobliżu klasztoru.

MANIERKI PIELGRZYMIE – XIV W., PSOZ O/WROCŁAW, FOT. RS; „ŻYWOT ŚW. JADWIGI" W „KODEKSIE OSTROWSKIM", LUBIN, 1353, GM MALIBU

▲ PLAKIETKA PIELGRZYMIA
odnaleziona na Nowym Targu we Wrocławiu przedstawia św. Jadwigę z różańcem – atrybutem pobożności – oraz parą butów przypominającą o ascetycznych praktykach świętej. Obok św. Jadwigi ukazano drugiego trzebnickiego patrona, św. Bartłomieja, z nożem (symbolem jego męczeństwa) i księgą.

KON. XIV–1 ĆW. XV W., IA UWR, FOT. RS

◄ DRZEWORYT
z drukowanej, niemieckojęzycznej wersji *Żywotu św. Jadwigi* (wydanego we Wrocławiu w 1504 r. w oficynie Konrada Baumgartena) nawiązuje do wcześniejszych rękopiśmiennych cyklów obrazowych o świętej. Treść przedstawień została jednak zaktualizowana i dostosowana do nowej sytuacji politycznej: Mongołów przedstawiono jako Turków, a na tarczach walczących chrześcijan umieszczono literę „W" jako symbol Wrocławia.

ODNALEZIENIE CIAŁA SYNA NA LEGNICKIM POLU, BUWR WROCŁAW

◄ RELIKWIE ŚWIĘTEJ
w większości uległy rozproszeniu już w średniowieczu. Jej szczątki posiadają m.in. katedra wrocławska, kościoły w Brzegu, Pradze i Wiedniu, a nawet, na prośbę króla pruskiego Fryderyka II, protestancki kościół św. Jadwigi w Berlinie. Najcenniejszą relikwię – czaszkę – umieszczono w relikwiarzu (na zdjęciu) pierwotnie przechowywanym w tabernakulum ołtarza św. Jadwigi w kościele klasztornym w Trzebnicy.

LORENZ WESTERMEHR, 1553, KOŚCIÓŁ NMP I ŚW. BARTŁOMIEJA W TRZEBNICY, FOT. MM

▼ EPITAFIUM KSIĘŻNEJ KAROLINY
z linii legnicko-brzeskiej, ostatniej przedstawicielki dynastii Piastów. Księżna, po przejściu na katolicyzm, zmarła w 1707 r. w trzebnickim opactwie. Ciało jej zostało pochowane koło grobu św. Jadwigi.

WARSZTAT KRĘGU MACIEJA RAUCHMILLERA ORAZ PAWŁA I PIOTRA STRUDLÓW, FOT. MM

◄▼ HERMA ŚW. JADWIGI
przeznaczona dla kolegiaty św. Krzyża we Wrocławiu. Św. Jadwiga ukazana jest jako patronka Śląska i Polski: jej głowę zdobi mitra książęca, a u dołu znajdują się dwie emaliowane tarcze herbowe przedstawiające dwa orły: polskiego i śląskiego.

ZŁOTNIK WROCŁAWSKI (ANDREAS HEIDECKER?), 1512, MAD WROCŁAW

◄ KONFESJA ŚW. JADWIGI
została ufundowana w końcu XVII w. przez ksienię Krystynę Katarzynę z Wierzbna Pawłowską, a wykonał ją krakowski kamieniarz Marcin Bielawski. Jej powstanie dokumentuje wzmożony rozwój kultu świętej w tym okresie. XVII-wieczną płytę z figurą świętej, nawiązującą w swej formie do pomników średniowiecznych, zastąpiono później alabastrową rzeźbą.

1679–1680; KOŚCIÓŁ NMP I ŚW. BARTŁOMIEJA W TRZEBNICY; KONFESJA – WIDOK OD ZACH.; PŁYTA WIERZCHNIA – OB. W KAPLICY ŚW. JANA; FOT. MM

PRZYBYSZE Z ZACHODU

Rozwój kolonizacji wewnętrznej i zewnętrznej spowodował gruntowne zmiany gospodarcze i społeczne

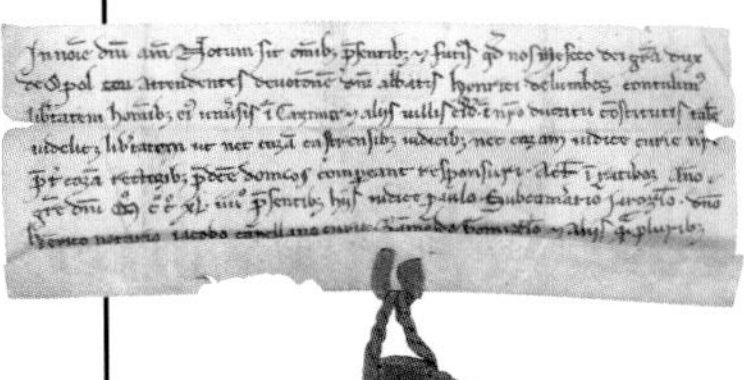

◄ DOKUMENT IMMUNITETOWY, w którym książę uwalnia mieszkańców należącej do lubiąskich cystersów wsi Kazimierz od jurysdykcji sądu kasztelańskiego. Tego typu wyłączenia rozpowszechniają się od XIII w., często obejmując wszystkie dobra danego właściciela.

DOKUMENT KSIĘCIA OPOLSKIEGO MIESZKA II OTYŁEGO Z 1244, AP WROCŁAW, FOT. MM

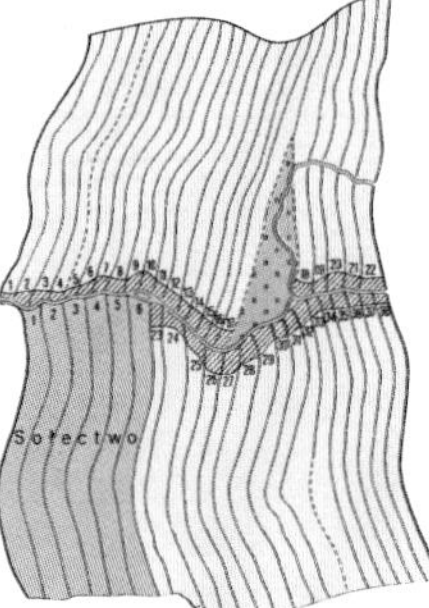

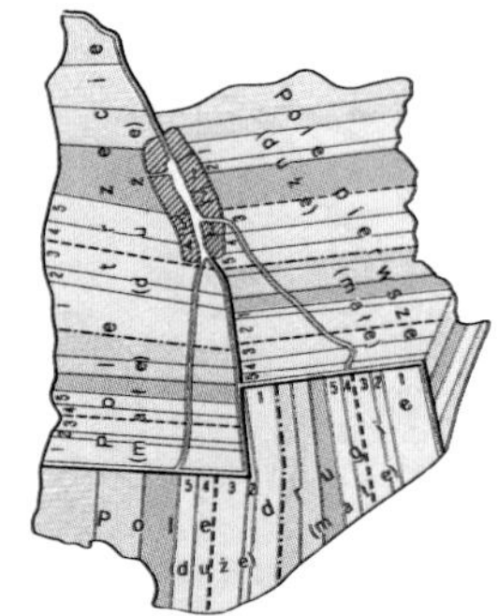

PLANY WSI LOKACYJNYCH ▲
Układ leśno-łanowy (pola sytuowane prostopadle do domostw budowanych wzdłuż cieku wodnego) przeważał na nowo wykarczowanych terenach. Częściej stosowano układ regularno-niwowy: przeznaczone pod uprawę grunty dzielono na trzy lub sześć pól, często odległych od zabudowy.

BURGRABICE I RATNOWICE POW. NYSA, WG H. SZULC

Zabudowa wiejska

Układ zabudowy i pól uprawnych jest niekiedy cennym źródłem historycznym informującym nas o przemianach osadniczych ziem polskich przed kilkuset laty. Analizą rozplanowania osad zajmuje się geografia historyczna. Historycy osadnictwa, korzystając ze starych planów i map, a także ze zdjęć lotniczych, starają się zrekonstruować dawny krajobraz. Dzięki temu wiemy, iż osady wiejskie i układ pól zmieniały się z upływem czasu. W okresie przedkolonizacyjnym najbardziej powszechnymi rodzajami wsi były: okolnica, owalnica i ulicówka. Dwa pierwsze miały charakter obronny; okolnica to wieś, której zabudowania skupiały się wokół wspólnego, najczęściej okrągłego placu lub zbiornika wodnego. Za zabudowaniami okolnicy biegł wał obronny, fosa lub zasieki. Do wsi prowadziła najczęściej jedna droga. Owalnica miała kształt wrzecionowaty; do placu wewnątrz wsi można było dojechać z dwóch stron. Ulicówka to wieś, której zabudowania ciągnęły się po obu stronach drogi. W okresie przedkolonizacyjnym zabudowa ulicówki była często bardzo nieregularna. Wraz z napływem kolonistów pojawił się nowy typ ulicówki, której zabudowa była regularna, a pola uprawne, ogrody i łąki przylegały do niej, tworząc układ długich, wąskich niw.

Kolonizacja, lokacja, immunitet

W XIII w. ziemie polskie były miejscem dynamicznych procesów społeczno-gospodarczych i kulturowych, które odmieniły oblicze kraju – zmiany o porównywalnej skali miały tu nastąpić dopiero w XIX w. Poważną w nich rolę odegrało masowe zagospodarowywanie niezasiedlonych terenów, czyli kolonizacja, zarówno wewnętrzna (prowadzona przez miejscową ludność), jak i zewnętrzna (prowadzona przez osadników spoza ziem polskich).

W kolonizacji wewnętrznej główna rola przypadła znanym nam już „gościom", osadzanym – razem z inną ludnością chłopską – początkowo głównie na terenach już niegdyś zagospodarowanych (ale z różnych powodów opustoszałych), a następnie także na obszarach dziewiczych. Prowadziło to do zakładania nowych osad. Proces ten wzmógł się na skutek kolonizacji zewnętrznej. Założeniu nowej osady, czyli lokacji, towarzyszyło określenie praw i powinności jej mieszkańców oraz rozplanowanie parcel i gruntów.

Istotny wpływ na ewolucję stosunków społeczno-gospodarczych miał również immunitet. Dotarł on na ziemie polskie z Europy Zachodniej w XII w., obejmując początkowo tylko włości kościelne, a w XIII w. upowszechniając się w dobrach możnych i rycerzy. Był to przywilej nadawany przez władców Kościołowi i możnym, na mocy którego ich dobra uwalniano od ciężarów prawa książęcego (immunitet ekonomiczny), a często też wyjmowano spod jurysdykcji księcia i jego urzędników (immunitet sądowy).

Kolonizacja wiejska

Obcy koloniści – przede wszystkim Niemcy, a także Flamandowie, Holendrzy i Walonowie – przynieśli ze sobą znajomość nowych, wydajniejszych urządzeń (np. młynów wodnych) i narzędzi. Upowszechnienie się pługa, umożliwiającego głęboką orkę i chroniącego dzięki temu ziemię przed wyjałowieniem, pozwoliło wprowadzić nowy, intensywny sposób uprawy roli, tzw. trójpolówkę. Nadział ziemi będący własnością jednej rodziny, o powierzchni jednego łana (16–25 ha), dzielono na trzy części, z których każdego roku dwie uprawiano, a jedną pozostawiano odłogiem. Nastąpiła stabilizacja osadnictwa.

Równie ważne były skutki upowszechnienia się obcego prawa, które przynieśli ze sobą koloniści. Ponieważ większość z nich pochodziła z Niemiec, prawo to określano najczęściej mianem prawa niemieckiego. Mimo licznych kodyfikacji nie było jednolite. W użyciu były różne warianty ustrojowe, a o położeniu prawnym i ekonomicznym kolonistów decydowała w praktyce umowa pana gruntowego (początkowo najczęściej księcia) z przedstawicielem osadników, tzw. zasadźcą. Wraz z rozpowszechnieniem się dokumentu coraz częściej przybierała ona formę dokumentu (przywileju) lokacyjnego. Zasadźca zostawał dziedzicznym sołtysem, dysponującym większym nadziałem ziemi i 1/3 zbieranych przez siebie dla pana gruntowego danin i kar, a także zobowiązanym do konnej służby wojskowej, co czasami umożliwiało mu awans do stanu rycerskiego. Samorząd tak powstałej gminy wiejskiej zapewniała wybieralna ława o kompetencjach głównie w zakresie niższego sądownictwa; wyższe sądownictwo (tu sądzono przestępstwa zagrożone karą śmierci lub obcięcia ręki) było zarezerwowane dla właściciela dóbr.

Koloniści otrzymywali częściowe lub całkowite dziedziczne prawo własności, zwolnienie od większości ciężarów prawa książęcego, a także wyjęcie spod jurysdykcji sądowej urzędników książęcych. Zamiast licznych danin i obowiązku pracy na pańskim gospodarstwie byli zobowiązani do płacenia ściśle określonego czynszu w pieniądzu. W porównaniu z miejscową ludnością chłopską były to nadzwyczaj korzystne warunki, pozwalające efektywnie gospodarować i zwiększać produkcję. Nadwyżki sprzedawali na lokalnym rynku, co przyczyniało się do rozwoju gospodarki towarowo-pieniężnej, a ta z kolei stymulowała rozwój handlu, górnictwa i miast.

Dobrodziejstwa nowego prawa szybko dostrzegły wszystkie grupy społeczne. Książęta, Kościół i możni, a nawet zwykli rycerze, w poszukiwaniu zysków, rozpoczęli wielką akcję nadawania prawa niemieckiego wsiom i osadom targowym zamieszkanym przez rodzimą, polską ludność. Wprowadzanie nowych praw i zwyczajów nazywano często przeniesieniem z prawa polskiego na niemieckie. Prowadziło to do polepszenia warunków egzystencji ludności chłopskiej, a z czasem przyczyniło się do powstania stosunkowo jednolitego stanu kmiecego.

Pochodzenie osadników

Oblicza się, że od końca XII w. do początku XIV w. na ziemie polskie przybyło ponad 100 tysięcy kolonistów, co stanowiło około 10% wszystkich mieszkańców. Obecnie wiemy, że Polska znalazła się w zasięgu trzech strumieni kolonizacyjnych: flamandzko-niderlandzkiego, frankońsko-turyńskiego oraz westfalskiego.

Najstarszy z nich, flamandzko-niderlandzki, chociaż najmniej liczny, odegrał wyjątkową rolę

◄ ZAŁOŻENIE WSI
na prawie niemieckim: pan włości przekazuje dokument lokacyjny sołtysowi, a osadnicy karczują las i budują domy.
„KODEKS HEIDELBERSKI PRAWA SASKIEGO", GÓRNA SAKSONIA, NIEMCY, OK. 1300, UB HEIDELBERG

▲ SĄDOWNICTWO
we wsiach rządzących się prawem niemieckim. Książę (jako właściciel gruntu) udziela w obecności wójta pouczenia ławnikom wiejskim; wójt sądzi w sprawie zagrożonej niską karą; książę sądzi w sprawie poważniejszej – u jego stóp widać miecz, symbol wyższego sądownictwa. Sołtys sądzi w asyście ławników, a księżna wstawia się za ubogim.
„KODEKS OLDENBURSKI PRAWA SASKIEGO", KLASZTOR W RASTEDE, NIEMCY, 1336, NSKS OLDENBURG, DEPOZYT W LB OLDENBURG; „ŻYWOT ŚW. JADWIGI" W „KODEKSIE OSTROWSKIM", LUBIN, 1353, GM MALIBU

◄▲ PŁACENIE CZYNSZÓW
i dziesięcin było rozłożone na niemal cały rok. Obrazki ilustrujące zasady i wysokości płatności układają się w „kalendarz rolniczy". W okresie klęsk żywiołowych lub nieurodzaju chłopi nie mogli ich uiścić w pełnej wysokości; w takiej sytuacji pan gruntowy (w tej roli przedstawiono tu św. Jadwigę) niekiedy je obniżał.
„KODEKS HEIDELBERSKI PRAWA SASKIEGO", GÓRNA SAKSONIA, NIEMCY, OK. 1300, UB HEIDELBERG; „ŻYWOT ŚW. JADWIGI" W „KODEKSIE OSTROWSKIM", LUBIN, 1353, GM MALIBU

INNOWACJE ►
– pług koleśny i młyn wodny – zapożyczone z Zachodu sprawiły, że w okresie od XII do XIV w. wydajność rolnictwa w Europie Środkowej wzrosła o około 30–65%.
„KODEKS HEIDELBERSKI PRAWA SASKIEGO", GÓRNA SAKSONIA, NIEMCY, OK. 1300, UB HEIDELBERG

▲ KOŚCIOŁY PARAFIALNE
często, szczególnie na Śląsku, wznoszono w większych wsiach lokacyjnych (np. w 1261 r. książę wrocławski Henryk Biały nakazał budowę kościołów we wsiach liczących co najmniej 50 łanów). Składały się najczęściej z nawy i niewielkiego prezbiterium, niekiedy zakończonego apsydą. Znacznie rzadziej budowano rotundy.
GOŚCISZÓW POW. BOLESŁAWIEC, WIDOK OD WSCH., 2 ĆW. XIII W., FOT. ZŚ; STRONIA POW. OLEŚNICA, WIDOK OD PŁD. WSCH., 3 ĆW. XIII W., FOT. MM

◄ WZGÓRZE ZAMKOWE W ŚWINACH
zajmował niegdyś gród kasztelański. W drugiej połowie XIII w. jego funkcję przejął powstały w pobliżu zamek Bolków i lokowane przy nim miasto – siedziba okręgu sądowego. Gród nadano rycerskiemu rodowi Świnków, którzy jeszcze w tym stuleciu wznieśli tu wieżę mieszkalną, a następnie zamek, rozbudowywany aż do XVII w.
FOT. SKL

OSTROGI ►
z długim bodźcem i z bodźcem gwiaździstym. W XIII w. ich przekrój w kształcie litery U zmieniono na ten w kształcie litery V, a zastosowanie kółka gwiaździstego umożliwiło powierzchowne, acz dotkliwe kłucie rumaka. Taki typ ostrogi jest używany do dziś.
WROCŁAW OSTRÓW TUMSKI, 1 POŁ. XIII W., IA UWR, FOT. MM; JASKINIA BĘBŁOWSKA POW. KRAKÓW, XIII/XIV W., MA KRAKÓW, FOT. RS

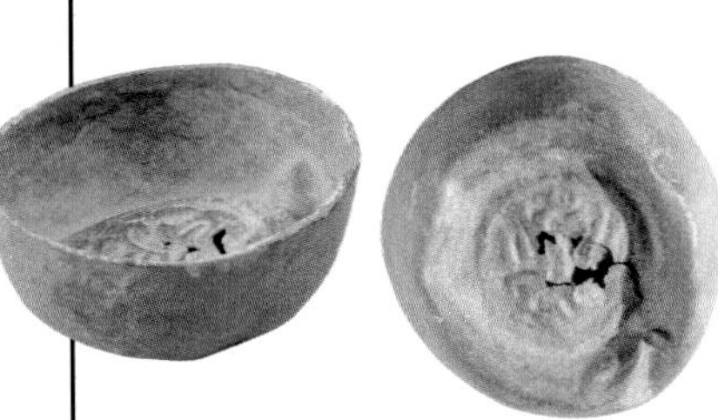

◄ POJEMNIK NA BRAKTEATY
ze stemplem menniczym. Służył do przechowywania tych bardzo cienkich monet.
DŁUGIE NOWE POW. LESZNO (IMPORT Z GÓRNYCH ŁUŻYC), 1270, WOSiOŚK POZNAŃ O/TRZEBINY, FOT. PC

◄ RYCERSKIE PIECZĘCIE HERBOWE
W XIII w. kształtowały się śląskie herby rycerskie. Pod wpływem zasad heraldyki zachodnioeuropejskiej, docierających na Śląsk wraz z przybyszami, upowszechniły się w nich elementy rzadkie w heraldyce polskiej, m.in. klejnot.
PRZY DOKUMENTACH: DYTRYKA VON BARUTH Z 4 XII 1292 I LEONARDA Z MICHAŁOWIC Z 1299, AP WROCŁAW, FOT. MM

w kolonizacji, gdyż określił warunki organizacyjne i ustrojowe dla kolejnych fal osadników ciągnących na wschód. Flamandzcy chłopi już w X w. kolonizowali trudne w uprawie grzęzawiska i bagna, a ich zdolności w tej dziedzinie sprawiły, że wkrótce pojawili się w Anglii i Niemczech. Tytułem rekompensaty za trudne warunki osadnicy ci byli zwolnieni z ciężarów prawa feudalnego i mieli gwarancję wolności osobistej.

Podobnie jak we Flandrii rozwinęła się sytuacja we Frankonii i Turyngii. Po zagospodarowaniu nieużytków tamtejsi chłopi na początku XII w. ruszyli na wschód, na zamieszkane przez Słowian tereny nad środkową Łabą i Soławą. Niebawem dotarła tu też kolonizacja flamandzko-niderlandzka. Doszło do wzajemnego przenikania się praw i zwyczajów przedstawicieli obu kolonizacji, a sam proces nie zatrzymał się w tym miejscu, lecz objął swoim zasięgiem także ziemie polskie; pierwsi osadnicy dotarli na Śląsk.

Stało się to niewątpliwie dzięki staraniom Bolesława Wysokiego, który mógł korzystać z doświadczeń nabytych podczas pobytu na wygnaniu w saskim Altenburgu, położonym w samym centrum akcji kolonizacyjnej prowadzonej przez Wettinów oraz arcybiskupa magdeburskiego Wichmana. Pierwszych kolonistów, krótko przed 1175 r., Bolesław Wysoki osadził w pobliżu swojej ulubionej rezydencji – Legnicy. Osadnicy niemieccy pojawili się także w dobrach cystersów z Lubiąża. Politykę tę kontynuował Henryk Brodaty. Za jego panowania dużo osadników niemieckich osiedliło się na Śląsku, a część dotarła do Wielkopolski i Małopolski.

Na północnych ziemiach polskich przeważali koloniści pochodzący z Westfalii. Pionierami byli tu kupcy westfalscy, którzy po założeniu Lubeki i wyparciu Gotlandczyków z handlu z Rusią rozpoczęli kolonizację południowych wybrzeży Bałtyku aż po daleką Estonię.

Lokacje miast

Kolonizacja wywołała tak ogromne zmiany w życiu polskich miast średniowiecznych, że dawniej historycy, zwłaszcza niemieccy, utrzymywali, że wcześniej w Polsce nie było w ogóle miast. Obecnie badacze nie podzielają tego poglądu, ale nie mają też wątpliwości, że w wyniku kolonizacji zrodził się zupełnie nowy typ miasta. Miasta polskie z okresu przedkolonizacyjnego stanowiły nie tyle centra produkcyjne, co osadnicze. Były to rozległe podgrodzia o nieregularnej zabudowie, pełniące także rolę osad targowych. Nie brakowało tu wprawdzie rzemieślników, a niekiedy i obcych kupców, ale większość mieszkańców stanowili wojowie, służba, duchowieństwo i możni. Ludność ta nie miała odrębnego statusu prawnego i podobnie jak pozostali mieszkańcy kraju podlegała bezpośrednio księciu i jego urzędnikom. W końcu XII i na początku XIII stulecia obok dużych centrów osadniczych zaczęli się osiedlać obcy kupcy. Rządzili się oni własnymi prawami, a do kontaktów z księciem i jego urzędnikami wybierali spośród siebie kilku przedstawicieli. Osada obcych kupców dysponowała niejednokrotnie własnym kościołem (często pod wezwaniem św. Mikołaja), który służył nie tylko potrzebom religijnym, ale także jako miejsce spotkań, a niekiedy nawet magazyn. Gdy wzrastała liczba obcych kupców, a obok nich osiedlali się rzemieślnicy, to powstała w ten sposób gmina starała się u księcia lub właściciela gruntu dysponującego odpowiednim immunitetem o uzyskanie praw miasta lokacyjnego.

Z czasem niektórzy książęta (a następnie także Kościół i możni) sami zaczęli występować z inicjatywą sprowadzania osadników i zakładania miast. Założenie nowego miasta nie było rzeczą łatwą. Najpierw trzeba było przekonać i pozyskać osadników. Zasadźca, czyli osoba, której książę powierzał założenie miasta, wyolbrzymiał zalety przyszłej ojczyzny, opowiadał o urodzajności ziem, hojności i sprawiedliwości nowego władcy, często kusił występowaniem kruszców. Gdy zwerbowano osadników, książę musiał przeznaczyć do ich dyspozycji stosunkowo duży i zwarty teren. Na obszarze miast przedlokacyjnych, gdzie dużo terenów stanowiło własność Kościoła i możnych, nie zawsze było to łatwe. Książę musiał wykupić prywatne tereny z rąk ich właścicieli lub zaoferować im w zamian nowe grunty. Dlatego czasem prościej było dokonać lokacji na tzw. surowym korzeniu, czyli na nieużytkach, które zagospodarowywali przybyli osadnicy. Gdy wszystkie przeszkody były już usunięte, na teren przyszłego miasta wkraczali geometrzy, którzy wytyczali regularny plan pod przyszłą zabudowę: rynek, ulice oraz parcele pod budynki publiczne i działki dla mieszczan. W zależności od tego, czy miasto powstawało na obszarze już zabudowanym, czy też obok niego lub zgoła na pustkowiu, plan taki był mniej lub bardziej regularny.

Pierwsze miasta lokacyjne powstały na Śląsku, w rejonie, gdzie występowało złoto. Złotoryja (przed 1211 r.) i Lwówek (1217 r.) jako pierwsze otrzymały prawo niemieckie. Dopiero później przyszła kolej na wielkie miasta, jak Wrocław (1242 r.), Poznań (1253 r.) i Kraków (1257 r.); wszystkie zostały założone przez osadników pochodzących ze strefy frankońsko-turyńskiej. Zakłada-

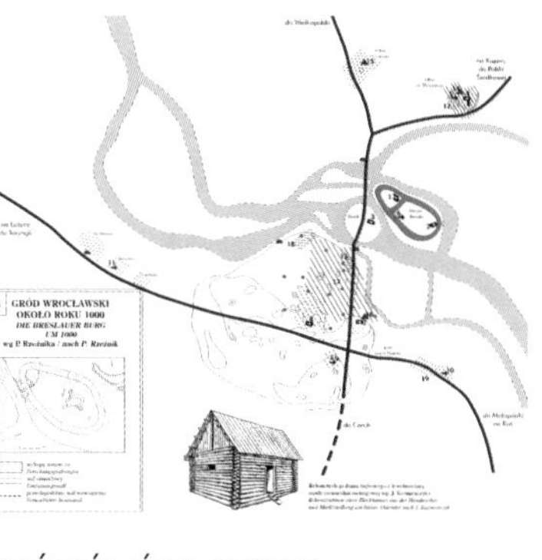
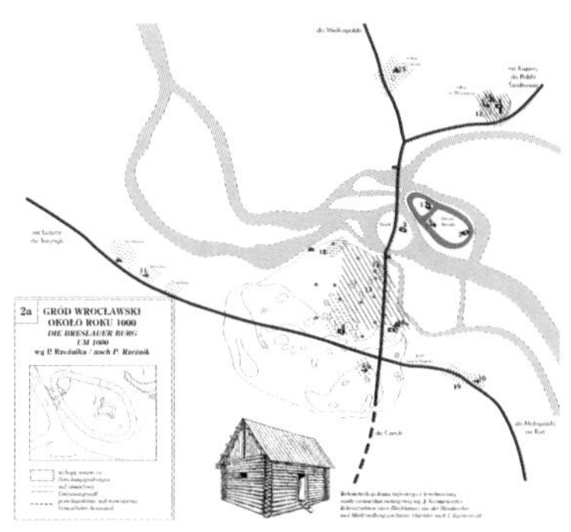
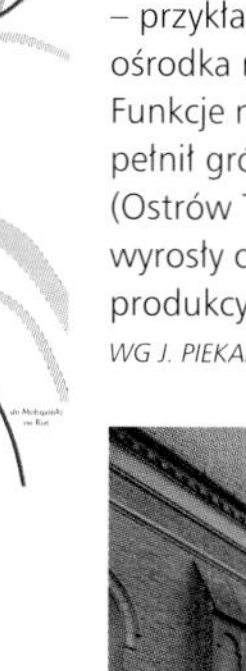

◄ WROCŁAW OKOŁO 1200 R.
– przykład policentrycznego ośrodka miejskiego u progu lokacji. Funkcje militarne i administracyjne pełnił gród na wyspie odrzańskiej (Ostrów Tumski), wokół której wyrosły osady o charakterze produkcyjnym i handlowym.
WG J. PIEKALSKIEGO I C. BUŚKI RYS. JPOŁ

KOŚCIÓŁ ŚW. PIOTRA ►
w Starym Mieście koło Konina stanowił pierwotnie centrum osady targowej założonej na początku XIII w. w odległości około 6 km na południe od grodu. W 1293 r. miasto lokowano w pobliżu grodu, a Stare Miasto (odtąd tak nazywane) spadło do rangi zwykłej wsi.
WIDOK OD PŁD., 1 POŁ. XIII W., FOT. RS

◄ AKT LOKACJI
miasta biskupiego w Płocku, wystawiony w 1237 r. z inicjatywy Konrada Mazowieckiego przez miejscowego biskupa. Gdy na przełomie XIII i XIV w. obok powstało miasto książęce, dawny dokument lokacyjny unieważniono (poprzez oderwanie pieczęci) i zwrócono biskupowi. W XVII w. kapituła katedralna, próbując przywrócić aktowi ważność, przywiesiła doń pieczęć biskupią... z XV w.!
AD PŁOCK, FOT. MM

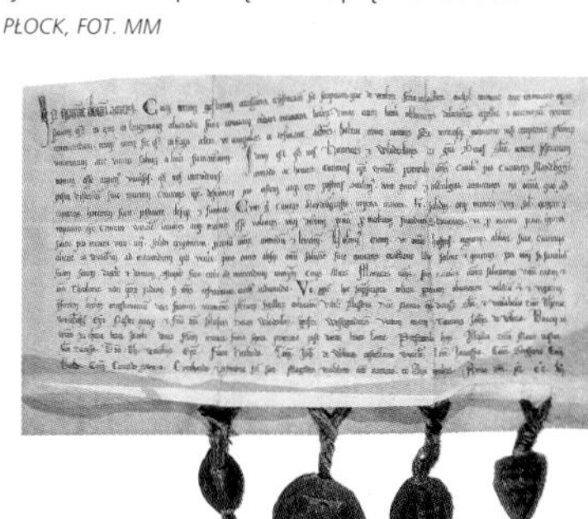

AKT POWTÓRNEJ LOKACJI WROCŁAWIA ►
na prawie magdeburskim, dokonanej 16 XII 1261 r. przez synów Henryka Pobożnego, Henryka Białego i Władysława.
AP WROCŁAW, FOT. PC

Kramy i sukiennice

Pierwsze lokacyjne miasta polskie zawdzięczały powstanie rozwojowi dalekosiężnego handlu, w tym zwłaszcza suknem flandryjskim. We wszystkich większych miastach już w XIII w. pobudowano sukiennice, z których czynsze pobierali początkowo panujący, a później rada miejska. Przed sprzedażą sukno musiało zostać poddane procesowi wykańczania. Trudnili się tym miejscowi postrzygacze, którzy folowane sukno rozpinali na ramach, a następnie drapali szyszkami ostu sukienniczego i postrzygali za pomocą olbrzymich nożyc. Obok sukiennic, niekiedy we wspólnym budynku, wznoszono jatki rzeźnicze, ławy chlebowe i kramy. W kramach bogatych sprzedawano najczęściej przyprawy, rodzynki, migdały, figi, a także wielkie rarytasy – cukier trzcinowy i ryż. W biednych można było kupić drób, nabiał, zboże, warzywa, owoce i olej. W budach śledziowych zaopatrywano się w solone śledzie i dorsze. W niektórych miastach powstawały z czasem oddzielne kramy dla poszczególnych cechów lub zawodów rzemieślniczych, jak np. dla kuśnierzy, płócienników, a nawet sprzedawców fig. Obok nich wznoszono też tzw. gazy („budki"), dzierżawione przez kaletników, szewców, krawców i innych rzemieślników. Wszyscy sprzedający przynajmniej raz w roku losowali między sobą kramy, aby nikt nie był uprzywilejowany.

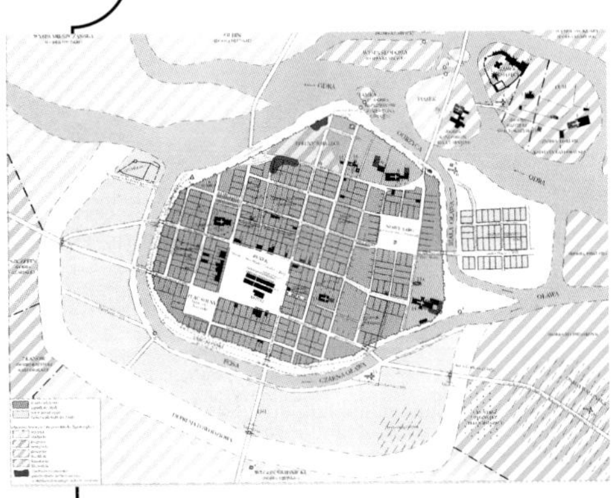

◄ WROCŁAW OKOŁO 1300 R.
Nieregularności w siatce ulic świadczą o ich kilkuetapowym wytyczaniu. Dawny ośrodek władzy na Ostrowie Tumskim został z czasem przekształcony w jurydykę kościelną. Na przełomie XIII i XIV w. obszar miasta lokacyjnego powiększono i otoczono nową, szerszą fosą (zasilaną wodami Oławy) oraz murami obronnymi. Na wschód od niego już w 1263 r. lokowano Nowe Miasto, które jednak zostało wchłonięte w 1327 r. przez miasto właściwe.
WG J. PIEKALSKIEGO I C. BUŚKI RYS. JPOŁ

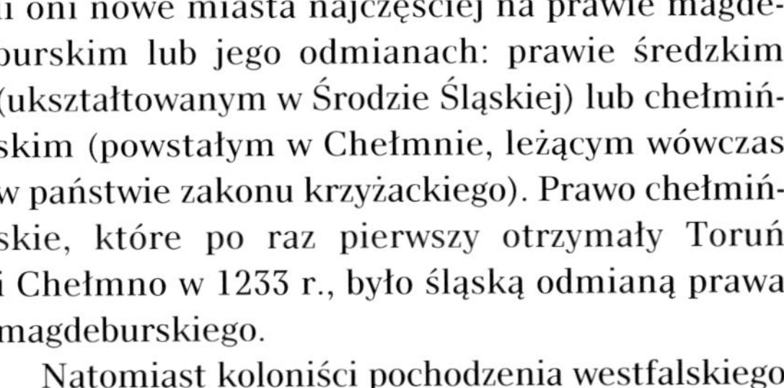

li oni nowe miasta najczęściej na prawie magdeburskim lub jego odmianach: prawie średzkim (ukształtowanym w Środzie Śląskiej) lub chełmińskim (powstałym w Chełmnie, leżącym wówczas w państwie zakonu krzyżackiego). Prawo chełmińskie, które po raz pierwszy otrzymały Toruń i Chełmno w 1233 r., było śląską odmianą prawa magdeburskiego.

Natomiast koloniści pochodzenia westfalskiego (dolnoniemieckiego) zakładali na ziemiach polskich miasta najczęściej na prawie lubeckim (np. Koszalin, Gdańsk, Elbląg). W późniejszym okresie miasta te weszły w skład Hanzy, czyli stowarzyszenia miast i kupców zajmujących się handlem bałtyckim.

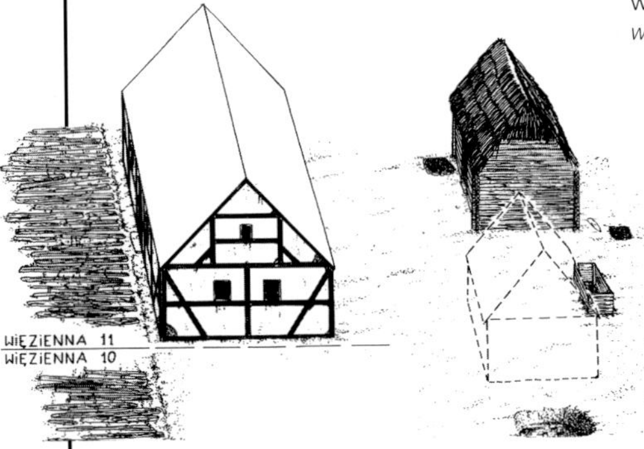

◄ ZABUDOWA WROCŁAWIA W XIII W.
miała charakterystyczną, stosowaną przez osadników z Zachodu konstrukcję szkieletową. Początkowo nie wszystkie parcele zabudowano, a większość domów była z drewna. Tylko przy Rynku i ważniejszych ulicach gęsto stały kilkupiętrowe murowane kamienice. Do ich budowy już w 1272 r. zachęcał specjalnym przywilejem Henryk Prawy.
REKONSTRUKCJE ZABUDOWY PARCEL (UL. WIĘZIENNA 10–11) – WG J. PIEKALSKIEGO I C. BUŚKI; REKONSTRUKCJA ELEWACJI TYLNEJ (RYNEK 8) – WG M. CHOROWSKIEJ RYS. AZY

Miasto lokacyjne

W miastach na prawie magdeburskim początkowo główną rolę odgrywał wybierany przez mieszczan albo, częściej, wyznaczany przez księcia sołtys lub wójt. Wprawdzie często w większych miastach działała także rada składająca się z najbogatszych mieszczan, ale jej kompetencje ograniczały się do wydawania rozporządzeń dotyczących handlu, rzemiosła i porządku. W latach 60. XIII w. w większych miastach, jak np. we Wrocławiu i Toruniu, rajcom udało się przejąć władzę, a sołtys lub wójt wraz z ławnikami musieli się zadowolić jedynie uprawnieniami sądowniczymi. Proces ten, często związany z wykupem dziedzicznych dotąd sołectw i wójtostw, szybko się rozpowszechnił, doprowadzając do ukształtowania się samorządu miejskiego, złożonego z burmistrza wybieranego przez radę miejską oraz ławy sądowniczej. W miastach na prawie lubeckim od początku władzę sprawowała rada.

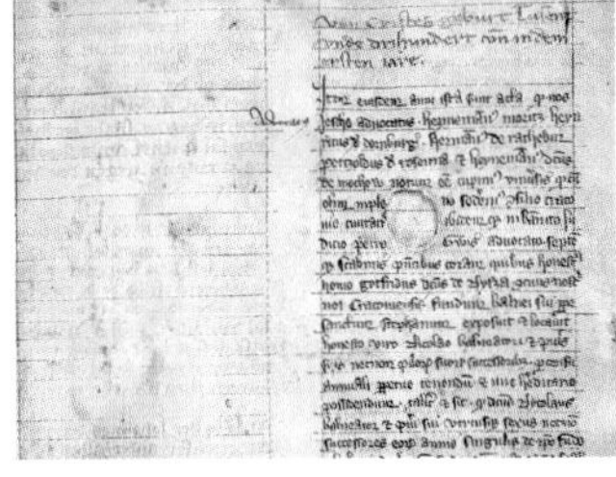

► KSIĘGI MIEJSKIE KRAKOWA
były początkowo prowadzone w języku niemieckim. W 1312 r., po tzw. buncie wójta Alberta, w ramach represji nakazano prowadzenie ich po łacinie.
WPIS Z 1301, AP KRAKÓW, FOT. MM

Najważniejszym elementem lokacyjnego miasta był rynek. Tu znajdowały się budynki publiczne; niedaleko rynku wyznaczano plac dla kościoła parafialnego. Spośród budynków publicznych najważniejszy był dom kupiecki, w którym sprzedawano przede wszystkim sukno (stąd częsta nazwa – sukiennice). Do czasu wzniesienia ratusza rada miasta miała swoją siedzibę właśnie w domu kupieckim. Poza tym na rynku lub w jego pobliżu wznoszono jatki mięsne, ławy chlebowe i szewskie, kramy bogate i biedne, budy śledziowe. Na rynku raz w tygodniu odbywał się targ, a raz w roku – jarmark, na który przybywali kupcy z odległych stron.

Mieszczanie dużych miast dzielili się na trzy grupy społeczne: patrycjat, pospólstwo i plebs. Pierwsi sprawowali władzę w mieście i najczęściej zajmo-

Biurokracja miejska

W dużych miastach średniowiecznych, np. Gdańsku, Krakowie, Wrocławiu czy Toruniu, niezwykle sprawnie funkcjonowała olbrzymia machina biurokratyczna. Do czasu rozpowszechnienia się papieru, co na ziemiach polskich nastąpiło w drugiej połowie XIV w., zapiski prowadzono w księgach pergaminowych i na tabliczkach woskowych. Uchwały rady miejskiej notowano w księgach radzieckich, a wyroki za niektóre przestępstwa (np. kradzieże, bójki, prostytucję) rejestrowano w księgach proskrybowanych. Transakcje dotyczące nieruchomości zapisywano w księgach ławniczych i gruntowych. Te ostatnie prowadzono niekiedy nieprzerwanie od początku XIV aż do XVIII w.; przypominały dzisiejsze rejestry hipoteczne, z tym że w księgach gruntowych w wypadku zmiany właściciela jego nazwisko usuwano po prostu pumeksem. Mieszczanie płacili corocznie podatek zwany szosem, który także księgowano. Oprócz tego każdy z urzędów miejskich, jak np. winny, piwny, ceł, ubezpieczeń, fortyfikacji miejskich, wojenny – prowadził dokładny rejestr dochodów i rozchodów. Niemal każda cegła wypalona w cegielni miejskiej czy też sprzedana beczka piwa była odnotowana w aktach miejskich.

wali się kupiectwem; tworzyli gildie i bractwa o charakterze religijnym. Bogaci kupcy niejednokrotnie starali się naśladować obyczaje zamożnego rycerstwa. Pospólstwo, którego najbogatsi przedstawiciele osiągali najwyżej godność ławnika, stanowiło najliczniejszą grupę mieszczan. Podstawą ekonomiczną tej grupy społecznej było rzemiosło. Rzemieślnicy tego samego zawodu lub branży byli zorganizowani w cechy, które kontrolowały jakość wyrobów, opiekowały się wdowami i sierotami po członkach cechu, a także organizowały życie religijne i towarzyskie rodzin rzemieślniczych. Plebs to nieposiadająca praw miejskich biedota: ludzie utrzymujący się z dorywczych prac, a także prostytutki, żebracy, przestępcy oraz wagabundzi.

Mimo ogromnych różnic społecznych wszystkich mieszczan łączyło poczucie przynależności do jednej wielkiej wspólnoty. Poczucie to rodziły wspólnie przeżyte niebezpieczeństwa, jakimi w mieście średniowiecznym były pożary, oblężenia i zarazy. Wszyscy mieszkańcy miasta, zarówno bogaci, jak i biedni, uczestniczyli we wspólnych uroczystościach religijnych: procesjach i odpustach. Bogaci i biedni spotykali się także na cotygodniowych targach, a zwłaszcza na corocznych jarmarkach, które na kilka dni w roku odmieniały życie miasta.

Społeczne skutki kolonizacji

Ściśle określone położenie prawne mieszkańców nowych miast i wsi przyczyniło się z czasem do wykształcenia się odrębnego stanu mieszczańskiego i kmiecego. Z pewnością doprowadziło to do ostatecznego zamknięcia się stanu rycerskiego, który dał początek szlachcie. Rodziło się nowe społeczeństwo polskie, które nazywamy społeczeństwem stanowym. Dotrwało ono do końca XVIII w., a jego relikty – nawet do połowy XX w.

Napływ obcych osadników nie pozostał też bez wpływu na strukturę etniczną ziem polskich. Większość niemieckich mieszczan i chłopów już w XV stuleciu zaczęła ulegać polonizacji. Proces ten nasilił się w XVI w. do tego stopnia, że spośród potomków dawnych kolonistów jedynie kupcy największych miast znali jeszcze język niemiecki, i to tylko ze względu na kontakty handlowe z niemieckimi miastami. Sytuacja taka panowała jednak tylko na ziemiach, które weszły w skład Królestwa Polskiego. Inaczej było na Śląsku (Dolnym) i Pomorzu Zachodnim, gdzie żywioł niemiecki – tak ze względu na niemieckie sąsiedztwo, jak i na fakt odłączenia się tych ziem od Polski – umacniał się, co doprowadziło w XVII w. do ich germanizacji.

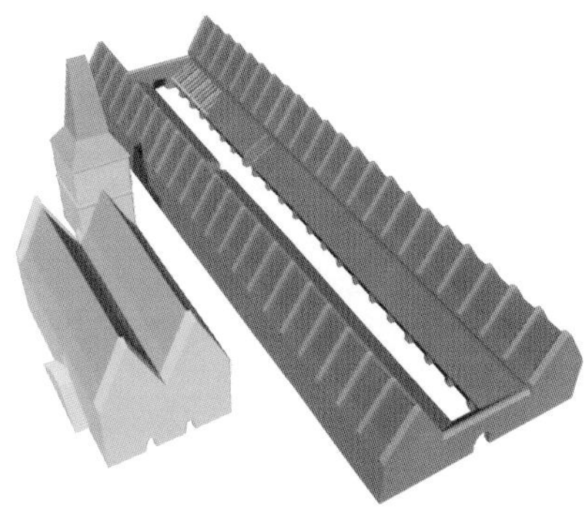

▲ ZABUDOWA BLOKÓW ŚRÓDRYNKOWYCH
Wrocławia i Torunia to przykład zastosowania odmiennych rozwiązań: we Wrocławiu powstały odrębne budynki ratusza, sukiennic, szmatruza i kramów, zaś w Toruniu, wzorem miast hanzeatyckich, wszystkie te obiekty połączono.
REKONSTRUKCJA WG R. CZERNERA; FOT. SKL

▲ NAJSTARSZE PIECZĘCIE MIEJSKIE
przedstawiały świętego patrona, mury miejskie lub herb właściciela miasta.
PIECZĘĆ MIEJSKA WROCŁAWIA – PRZY DOKUMENCIE Z 25 II 1302; PIECZĘĆ WÓJTOWSKA ZIĘBIC – PRZY DOKUMENCIE Z 30 IX 1295; PIECZĘĆ MIEJSKA STRZELINA – PRZY DOKUMENCIE Z 27 VIII 1316; AP WROCŁAW; FOT. MM

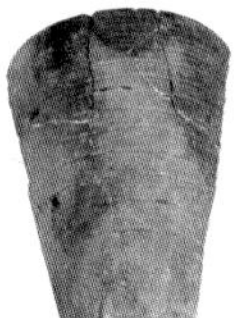

▲ FORMY I TECHNIKA WYTWARZANIA NACZYŃ GLINIANYCH
uległy w ciągu XIII w. zasadniczej zmianie. Wielofunkcyjne garnki zostały wyparte przez różne naczynia służące konkretnym celom. Wytwarzali je przybywający z osadnikami garncarze, którym nie mogli dorównać miejscowi rzemieślnicy – mimo prób naśladownictwa, np. w postaci smukłych pucharowatych garnków.
GARNEK „TRADYCYJNY”; PUCHAR ŚLĄSKI; NACZYNIA NOWEGO TYPU: DZBAN, GARNEK PUCHAROWATY; WROCŁAW; XII/XII–XIII/XIV W.; IA UWR; FOT. MM

Renty i emerytury

Średniowieczni kupcy nieustannie potrzebowali kapitału. Dostęp do niego był jednak bardzo utrudniony, gdyż Kościół zabraniał pożyczania pieniędzy na procent. Wypracowano jednak ciekawy system, który pozwalał pożyczać pieniądze na procent bez narażania się na krytykę ze strony Kościoła. Otóż gdy jakiś kupiec potrzebował pieniędzy i znalazł już potencjalnego pożyczkodawcę, obydwie strony udawały się do ratusza, gdzie pożyczkę na procent zapisywano jako kupno renty, która nie była niczym innym jak odsetkami od pożyczonego kapitału. Pożyczkę zabezpieczano na hipotece nieruchomości pożyczkobiorcy, który był zobowiązany tylko do systematycznego wypłacania renty. Kapitał mógł spłacić, kiedy chciał. Sprzedażą rent wcześnie zainteresowały się rady miejskie dużych miast polskich. Renty radzieckie, które nie były zabezpieczane hipotecznie, kupowali mieszczanie, w tym też duchowni, którzy ze względu na wiek wycofywali się ze swojej działalności. Renta taka przypominała dzisiejszą emeryturę. Niestety, czasami zdarzało się, iż na skutek wojen lub bankructwa miasta zawieszały wypłacanie rent. W takim wypadku zaległe renty zwracano wraz z odsetkami, gdy tylko miasto stało się wypłacalne; potomkowie rentierów musieli niekiedy czekać na ten moment grubo ponad 100 lat!

Dokument średniowieczny

Wraz z wejściem Polski do chrześcijańskiej Europy pojawia się na naszych ziemiach kultura pisana. Jednym z jej wytworów jest dokument, czyli pisemne potwierdzenie czynności prawnej, stanowiące dzięki środkom uwierzytelniającym samodzielny dowód w procesie sądowym. Używany początkowo głównie w kontaktach z zagranicą, w stosunkach wewnętrznych nie odgrywał większego znaczenia, gdyż prawo zwyczajowe nie wymagało dowodu na piśmie, zadowalając się siłą słowa mówionego oraz ustnym zeznaniem świadków.

Stopniowe upowszechnianie się od XII w. dokument zawdzięcza duchowieństwu, które na wzór zachodni było zainteresowane pisemnym zatwierdzeniem posiadanych i uzyskiwanych nadań i uprawnień. Dlatego najstarsze dokumenty dotyczyły zwykle obrotu majątkowego. Przybierały przy tym najprostszy kształt zapisek, tzw. notycji. O rosnącej randze dokumentu świadczą pojawiające się od końca XII w. pisemne wyroki sądowe.

Rozwój ekonomiczno-społeczny ziem polskich oraz związana z kolonizacją na prawie niemieckim recepcja zachodnich norm prawno-ustrojowych przyczyniły się do wzrostu zapotrzebowania na dokument oraz jego ewolucji; stawał się on coraz ważniejszym instrumentem administracji państwowej i kościelnej. Poszerzał się krąg osób i instytucji zainteresowanych dokumentem, obejmując np. rycerstwo oraz miasta.

Od XIV w. ugruntowuje swą pozycję, choć nigdy w takim stopniu, jak w Europie Zachodniej czy choćby na Śląsku, dokument notarialny. Wystawiali go notariusze publiczni, poświadczając dokonane w ich obecności czynności prawne. Był on respektowany jako środek dowodowy przed sądami, łatwo dostępny (za odpowiednią opłatą) każdemu zainteresowanemu.

O rosnącym znaczeniu dokumentu świadczy częstsze pojawianie się transumptów i falsyfikatów. Ochronie przed fałszerstwem, a przede wszystkim nadaniu dokumentowi mocy prawnej, służyły różnorodne środki uwierzytelniające. Główną rolę odgrywały lista świadków oraz tzw. pieczęć autentyczna (*sigillum authenticum*), a w wypadku dokumentu notarialnego – znak notarialny. Rzadziej pojawiały się podpisy wystawców i świadków.

Językami dokumentów, sporządzanych przez odpowiednio przygotowane osoby (kanclerz, podkanclerzy, protonotariusz, notariusz dworski i publiczny), były łacina i niemiecki, w dobie jagiellońskiej także ruski, a dopiero od XVI w. – polski. Tekstowi często towarzyszyło zdobnictwo liter, dzięki czemu dokument nie tylko stanowił ważny akt prawny i specyficzną formę literacką, ale nabierał także cech dzieła sztuki plastycznej.

▲ DOKUMENT UWIERZYTELNIONY PIECZĘCIAMI wystawcy, osób wyrażających zgodę na nadanie oraz świadków. Szczególne znaczenie dla odbiorcy miała, wyrażona przez przywieszenie pieczęci, aprobata panującego. Aby zapobiec rozerwaniu pergaminu, w miejscu przywieszenia pieczęci wykonano zakładkę, na której zapisano też imiona właścicieli poszczególnych pieczęci.

KSIĘŻNA ŚLĄSKA JADWIGA NADAJE SWOJE DOBRA W ZAWONI OPACTWU W TRZEBNICY, 24 VIII 1242, AP WROCŁAW, FOT. MM

▼ *CONTRASIGILLUM*, czyli pieczęć odciskana na odwrocie pieczęci głównej. *Contrasigillum* stanowiło dodatkowe zabezpieczenie przed fałszerstwem.

PIECZĘĆ KAPITUŁY PŁOCKIEJ – PRZY DOKUMENCIE Z 12 VI 1289, AD WŁOCŁAWEK; PIECZĘĆ KSIĘCIA ŚWIDNICKIEGO BOLKA I – PRZY DOKUMENCIE Z 24 V 1301, AP WROCŁAW; FOT. MM

▲ LISTA ŚWIADKÓW

Spisani hierarchicznie świadkowie poświadczali swą obecnością dokonanie danej czynności prawnej. Obszerne niekiedy zestawienia świadków są dziś świetnym materiałem do badań genealogicznych.

DOKUMENT KSIĘCIA KRAKOWSKIEGO BOLESŁAWA WSTYDLIWEGO Z 18 VI 1254, AKM KRAKÓW, FOT. SM

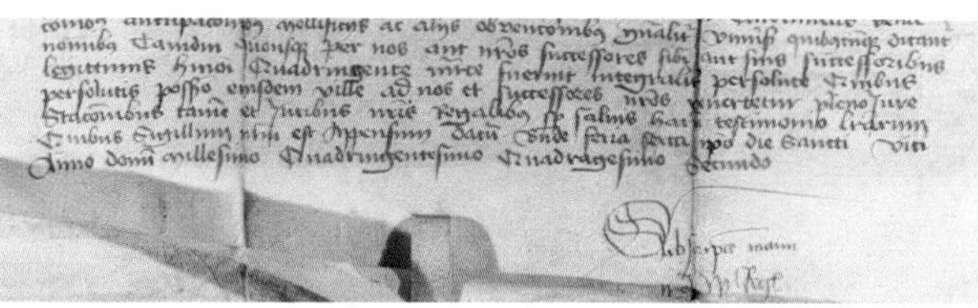

▲ PODPIS KRÓLEWSKI WŁADYSŁAWA WARNEŃCZYKA

jest najstarszym znanym dziś autografem polskiego władcy. Pierwsza litera imienia („W"), godność („*Regis*" – króla) oraz formuła „własnoręcznie podpisał" („*manu propria subscripsit*") stanowią świadectwo kontroli monarchy nad treścią dokumentu.

DOKUMENT WŁADYSŁAWA WARNEŃCZYKA Z 15 VI 1442, AGAD WARSZAWA, FOT. ZW

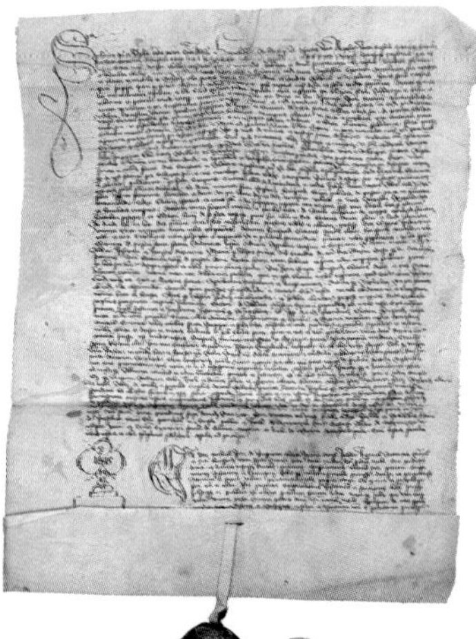

ZNAK NOTARIALNY MICHAŁA PRAŻMOWSKIEGO ►

wpisany do księgi czynności biskupich ordynariuszy płockich. Notariusze nie używali pieczęci, ale specjalnych znaków, których wzory rejestrowano w poszczególnych diecezjach w tzw. księgach admisji lub – z braku takowych – w księgach czynności biskupów.

WPIS Z LAT 1463–1471, AKTA CZYNNOŚCI BISKUPICH PAWŁA GIŻYCKIEGO I ŚCIBORA Z GOŚCIEŃCZYC, 1439–1471, AD PŁOCK, FOT. MM

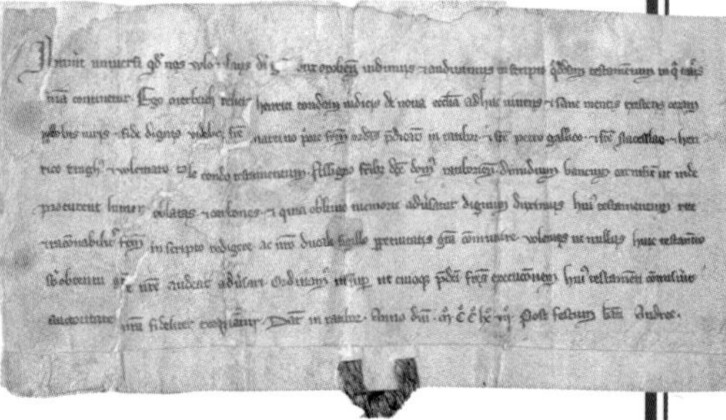

TRANSUMPT ►

– jego istota polegała na przytoczeniu przez osobę wystawiającą pełnej treści wcześniejszego dokumentu, z jednoczesnym jej zatwierdzeniem. Zdarzało się, że do akceptacji przedstawiano wystawcy falsyfikat, aby w ten sposób uzyskać nowy dokument, nadający staremu formalne cechy autentyku.

TESTAMENT WDOWY MERBORCH TRANSUMOWANY PO 30 XI 1267 PRZEZ KSIĘCIA OPOLSKIEGO WŁADYSŁAWA I, AP WROCŁAW, FOT. MM

▲ DOKUMENT ZATWIERDZAJĄCY WYBÓR OPATA CZERWIŃSKIEGO

przez biskupa płockiego, Ścibora z Gościeńczyc, został uwierzytelniony w dwojaki sposób: znakiem notarialnym i pieczęcią biskupią.

7 IX 1470, AD PŁOCK, FOT. MM

INICJAŁ OTWIERAJĄCY ZWYKLE TEKST DOKUMENTU ▼

często przybierał najprostszy kształt pogrubionej i wypełnionej inkaustem litery, rzadziej zaś formę miniaturowego dzieła sztuki, zdobionego ornamentami geometrycznymi i roślinnymi. Bogato dekorowano, najczęściej z użyciem motywów figuralnych, dokumenty odpustowe.

DOKUMENT ODPUSTOWY DLA KOŚCIOŁA BOŻEGO CIAŁA W KRAKOWIE Z 1347, AKLKR KRAKÓW, FOT. MM

▼ DOKUMENT Z WORECZKAMI OCHRONNYMI NA PIECZĘCIE

Duże początkowo rozmiary pieczęci sprawiały, że były one przymocowywane do dokumentów za pomocą kolorowych nici i sznurków albo pergaminowych pasków. Dla ochrony przed zniszczeniem zakładano na nie niekiedy skórzane woreczki, ewentualnie drewniane lub metalowe kapsuły. Z czasem powszechny stał się zwyczaj odciskania pieczęci bezpośrednio na dokumencie.

DOKUMENT UGODY KSIĘCIA KUJAWSKIEGO KAZIMIERZA I Z MICHAŁEM, BISKUPEM WŁOCŁAWSKIM, Z 6 X 1250, AD WŁOCŁAWEK, FOT. MM

NOWA DUCHOWOŚĆ

Działalność mendykantów i rozwój parafii sprzyjały przyspieszeniu ewangelizacji oraz rozwojowi nowych form pobożności

▲ SPÓR O STOSUNEK WŁADZY ŚWIECKIEJ I DUCHOWNEJ w XII w. stał się powodem wybuchu konfliktu między cesarstwem i papiestwem o *dominium mundi* (panowanie nad światem). Dobre stosunki z okresu panowania cesarza Lotara i pontyfikatu Innocentego II już w drugiej połowie XII w. należały do przeszłości. Od czasów Aleksandra III papiestwo coraz śmielej głosiło tezę o wyższości władzy duchownej, czyli papieskiej.

ALEKSANDER MINORYTA, „WPROWADZENIE DO APOKALIPSY", FRANKONIA, NIEMCY, PO 1271, BUWR WROCŁAW, FOT. JKAT; „DEKRET GRACJANA", SENS, FRANCJA, 1170–1180, BG PAN GDAŃSK, FOT. PC

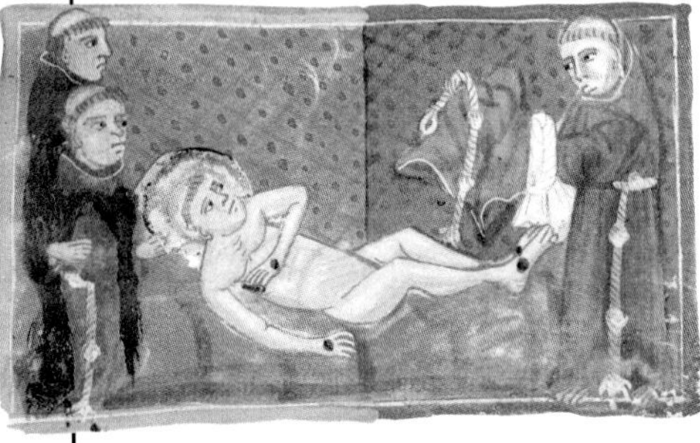

▲▼ SCENY Z ŻYCIA ŚW. FRANCISZKA pochodzące z jednego z najstarszych cyklów miniatur, na których przedstawiono nie tylko życie założyciela zakonu, ale także ideały franciszkańskie, zwłaszcza ubóstwo: umierający Franciszek leży, bez szat, wprost na ziemi.

„ŚMIERĆ FRANCISZKA", „ZATWIERDZENIE REGUŁY PRZEZ INNOCENTEGO III", „PRZYJĘCIE JAŁMUŻNY", „OFIAROWANIE ŚW. KLARZE HABITU" W „ŻYWOCIE ŚW. FRANCISZKA", PRAGA, CZECHY, OK. 1300, NK PRAHA, FOT. VO

Św. Franciszek

Wiek XIII był stuleciem wielkich osobowości, których działalność wywarła ogromny wpływ na dzieje Europy. Na ten wiek przypada pontyfikat największego – obok Leona I i Grzegorza I – papieża, Innocentego III, który pewną ręką przewodził nie tylko Kościołowi, ale i wszystkim władcom łacińskiej Europy. Działali wówczas: Fryderyk II, najświetniejszy – obok Karola Wielkiego i Ottona I – imperator średniowiecznego cesarstwa, którego działania, inspirowane ideą *renovatio imperii* (odnowienia cesarstwa), stały się zapowiedzią renesansu; a także najwybitniejszy teolog Kościoła – św. Tomasz z Akwinu, i największy poeta wszech czasów – Dante Alighieri. Jednak żaden z tych wielkich nie wywarł tak przemożnego wpływu na ówczesne umysły, jak pewien skromny włoski kaznodzieja Giovanni Bernardone, który przeszedł do historii jako św. Franciszek z Asyżu.

Był synem bogatego kupca włoskiego i Francuzki. Pochodzenie matki przyczyniło się do powstania przezwiska *Francesco*, czyli Francuzik. Młody Franciszek wiódł beztroski tryb życia, pełen uciech i radości. Jako żołnierz uczestniczył w wojnach miast włoskich. Niebawem jednak ciężkie przeżycia spowodowały u niego głęboką przemianę wewnętrzną. Postanowił zostać naśladowcą Chrystusa. W 1206 r. rozdał ubogim swój majątek i od tego momentu zaczął się utrzymywać z pracy własnych rąk i jałmużny. Wiódł życie prostego kaznodziei, który wzywał do naśladowania ewangelicznego trybu życia i wyrzeczenia się wszelkiej własności. Radykalizm społeczny Franciszka, a także jego charyzma i radość życia natychmiast przysporzyły mu wielu uczniów i naśladowców. Jego nauka została przyjęta z powszechnym entuzjazmem, gdyż ówczesna Italia, Francja, a w mniejszym stopniu także Niemcy już od kilku dziesiątków lat były świadkiem głoszenia podobnych poglądów. Tym, co różniło Franciszka od dotychczasowych przedstawicieli ruchów ubogich, był fakt, że tamci prędzej czy później popadali w konflikt z Kościołem, natomiast Franciszek uzyskał, mimo pewnych wahań, jego poparcie. Franciszek stworzył zakon żebraczy i począł realizować przesłanie Chrystusa: dobroć i wrażliwość na ludzką krzywdę i piękno świata.

Mendykanci

Franciszek i zgromadzeni wokół niego uczniowie już w 1209 r. uzyskali ustną aprobatę Innocentego III dla przyjętych przez nich zupełnie nowych zasad wspólnego życia. Radykalizm nowego zgromadzenia ulegał wprawdzie stopniowemu ograniczeniu, jednak nie zmieniło to w niczym faktu, że utworzony przez Franciszka zakon braci mniejszych, zwanych potocznie franciszkanami, stał się całkowicie nową instytucją w dziejach średniowiecznego życia zakonnego. Franciszkanie (do których niebawem dołączyły klaryski oraz zgromadzenia ludzi świeckich, tzw. trzeci zakon) zapoczątkowali nowy rodzaj zgromadzeń zakonnych – zakony mendykanckie, czyli żebracze. Nazwa pochodzi stąd, iż początkowo głównym źródłem utrzymania franciszkanów była jałmużna. Mniej więcej w tym samym czasie, w 1216 r., Dominik Guzmán w południowej Francji powołał do życia zakon kaznodziejów, znany bardziej jako dominikanie. Stawiali oni sobie początkowo za cel zwalczanie, za pomocą kazań, herezji katarów w Langwedocji. Obydwa zakony wzajemnie na siebie oddziaływały; dominikanie pod wpływem franciszkanów przyjęli zasadę ubóstwa, stając się zakonem żebraczym; franciszkanie natomiast, odnoszący się początkowo nieufnie do nauki i teologii, pod wpływem dominikanów zaczęli z czasem doceniać znaczenie wykształcenia i nauki. Obie wspólnoty błyskawicznie zyskały ogromną popularność w Europie łacińskiej.

Do Polski jako pierwsi dotarli dominikanie. Stało się to za sprawą biskupa krakowskiego, jednego z najbardziej wykształconych wówczas Polaków, Iwona Odrowąża. Gdy w 1220 r. udał się on do Rzymu, kilku duchownych z jego otoczenia – wśród nich Jacek Odrowąż (późniejszy święty) – pod wpływem spotkania z Dominikiem udało się do klasztoru dominikańskiego w Bolonii na studia teologiczne. Po powrocie do kraju w 1222 r. otrzymali oni od biskupa Iwona kościół św. Trójcy w Krakowie, który stał się pierwszym ośrodkiem dominikańskim na ziemiach polskich. W 1225 r. przeor dominikanów krakowskich, Gerard z Wrocławia, wysłał podległych mu braci do kilku miast polskich oraz do czeskiej Pragi. W rezultacie doszło do utworzenia oddzielnej prowincji polskiej, w której skład weszły dominikańskie klasztory w Gdańsku, Kamieniu, Płocku, Wrocławiu i Sandomierzu. Do końca XIII w. dominikanie osiedlili się w niemal wszystkich większych miastach polskich. Odegrali ogromną rolę w pogłębieniu religijności wielkich rzesz społeczeństwa polskiego, zwłaszcza mieszkańców miast. Od końca lat 20. XIII w. przejmowali od cystersów misję chrystianizacyjną w Prusach. W działalności tej wspierał ich legat papieski Wilhelm z Modeny oraz początkowo także zakon krzyżacki. Gdy misja dominikanów w Prusach nabrała rozmachu, Krzyżacy starali się ograniczyć ich wpływy.

◄ STYGMATYZACJĘ ŚW. FRANCISZKA poprzedziło wiele cudownych widzeń, ukoronowanych ukazaniem się świętemu ukrzyżowanego serafina, który naznaczył go śladami męki Chrystusa. Franciszek ukrywał te rany i dopiero po jego śmierci stygmatyzacja została ujawniona. W XIV–XV w. objawienia mistyczne należały już do cech charakterystycznych dewocji i były mocno eksponowane.
KWATERA OŁTARZA GŁÓWNEGO KOŚCIOŁA NMP W TORUNIU, OK. 1380–1390, MD PELPLIN, FOT. PC

► KAZANIE, obok spowiedzi, należało do najważniejszych przejawów duszpasterstwa prowadzonego przez mendykantów, znacznie rzadsze było (z uwagi na przymus parafialny) udzielanie przez nich sakramentów.
KWATERA OŁTARZA GŁÓWNEGO KOŚCIOŁA NMP W TORUNIU, OK. 1380–1390, MD PELPLIN, FOT. PC

◄ UBIÓR DOMINIKANINA OJCA (czyli kapłana) składa się z białych: habitu, szkaplerza i kaptura. Podczas kazania i poza klasztorem dominikanie zakładają czarny kaptur.
„ZAKONNIK DOMINIKAŃSKI", JAN NIEMIEC, „PODRĘCZNIK (SUMMA) DLA SPOWIEDNIKÓW", WŁOCHY, 1 POŁ. XIV W., AA GNIEZNO, FOT. RS

WYKŁAD ► prowadzony przez magistra – dominikanina. Dominikanie jako pierwsi stworzyli powszechny i ujednolicony system studiów. W każdym klasztorze znajdowała się szkoła teologii, kształcenie na poziomie wyższym zapewniały tzw. studia generalne, najczęściej połączone z uniwersytetami. Takie studium dla prowincji polskiej powstało w Krakowie w końcu XIV w.
RAJMUND Z PENNAFORTE, „O POKUCIE", OK. 1300, AA GNIEZNO, FOT. RS

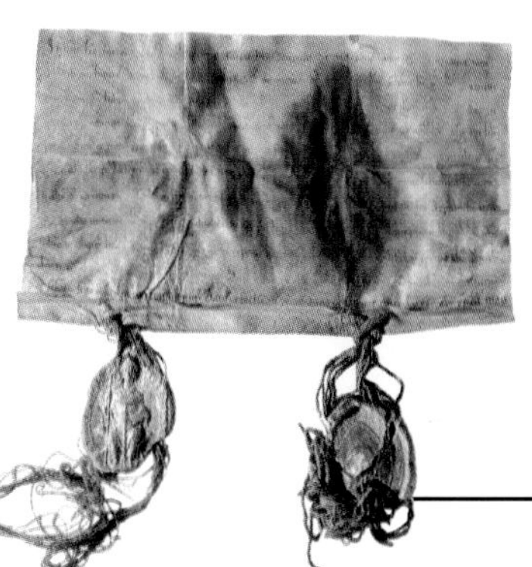

◄ NADANIE BISKUPA DLA DOMINIKANÓW przybyłych do Wrocławia przebiegało na podobnych zasadach jak nieco wcześniej w Krakowie. W obu wypadkach ordynariusze przekazali zakonowi dawne kościoły parafialne przedlokacyjnych ośrodków miejskich, które równocześnie zostały pozbawione uprawnień parafialnych; mendykanci nie mogli obsługiwać parafian.
DOKUMENT BISKUPA WAWRZYŃCA Z 1226, AP WROCŁAW

▲ OŁTARZYK Z OPACTWA KLARYSEK WROCŁAWSKICH służył do prywatnego kultu. Być może należał do ksieni Małgorzaty, córki księcia wrocławskiego Henryka VI. Jego dekorację wykonał zapewne twórca iluminacji do *Żywotu św. Jadwigi* w *Kodeksie ostrowskim*.

POŁ. XIV W., MN WARSZAWA

▲ POSŁUGA NA RZECZ BIEDNYCH I ODRZUCONYCH była jednym z elementów pobożnej działalności św. Jadwigi. Księżna utrzymywała i szczególnie dbała o grupę dwunastu ubogich (symbolizujących apostołów), opiekowała się też m.in. chorymi dziećmi, trędowatymi oraz więźniami.

„ŻYWOT ŚW. JADWIGI" W „KODEKSIE OSTROWSKIM", LUBIN, 1353, GM MALIBU

◄ RELIKWIARZ ŚW. BARBARY, jeden z pięciu będących zapewne od chwili fundacji klasztoru w posiadaniu klarysek zawichojskich (później przeniesionych do Krakowa). Nowo fundowane klasztory obdarowywano nie tylko ziemią i dochodami, ale także np. relikwiami świętych, często od razu umieszczonymi w kosztownych oprawach. Relikwiarz św. Barbary powstał zapewne w Nadrenii, zaś pozostałe cztery w kraju nadmozańskim, w kręgu złotnika Hugona z Oignies.

OK. POŁ. XIII W., KLASZTOR KLARYSEK W KRAKOWIE, FOT. MM

„Święte" księżne

Idee św. Franciszka i Klary szybko stały się atrakcyjnym wzorcem dla najwyższych warstw społecznych. W XIII-wiecznej Europie Środkowej szczególnie podatne na ich wpływy były dwory książęce; tutejsze księżniczki naśladowały życie córki Andrzeja II, króla Węgier, Elżbiety (1207–1231), kanonizowanej już w 1235 r. W Małopolsce i Wielkopolsce ideały te propagowały jej bratanice, Kinga (Kunegunda), żona Bolesława Wstydliwego, i jej siostra Jolanta, żona Bolesława Pobożnego, a także wychowywana na dworze węgierskim Salomea, córka Leszka Białego; na Śląsku oraz ziemiach rządzonych przez Piastów kujawsko-mazowieckich – księżniczka czeska Anna, żona Henryka Pobożnego, i jej wydana za księcia kujawskiego Kazimierza I córka Konstancja.
Wspólną cechą ich pobożności była daleko nieraz idąca asceza, czasem połączona z umartwieniami i ślubem czystości cielesnej oraz osobista posługa niesiona biednym i chorym. Wszystkie wspierały pobożne fundacje, zwłaszcza rozwój klasztorów franciszkanów i klarysek, nierzadko umieszczając w nich swoje córki i same pod koniec życia do nich wstępując.

Franciszkanie dotarli do Polski nieco później. Pierwszy klasztor zawdzięczał swoje powstanie księciu Henrykowi Brodatemu, który w 1236 r. przekazał przybyłym z Pragi braciom kościół św. Marcina na Ostrowie Tumskim we Wrocławiu. Do fundacji tej niewątpliwie przyczyniła się jego synowa, pochodząca z Przemyślidów czeska księżniczka Anna. Niebawem franciszkanie założyli swoje konwenty w wielu polskich miastach, m.in. Krakowie, Sandomierzu, Inowrocławiu, Złotoryi, Opolu, Poznaniu, Kaliszu i Gnieźnie.

Postępy ewangelizacji

Franciszkanie i dominikanie, w przeciwieństwie do starszych zakonów, zakładali swoje siedziby nie na wsi, lecz w miastach. Wiązało się to z ich regułą: utrzymywali się z jałmużny, a ze swoim trybem życia i kaznodziejstwem chcieli docierać do jak największej liczby osób. Pierwsi franciszkanie i dominikanie osiedlali się w polskich miastach krótko przed lub po lokacji; dlatego też usytuowanie klasztoru mendykanckiego lub jego translokacja są niezwykle cennymi wskazówkami dla historyków badających procesy urbanizacyjne i narodziny miast lokacyjnych na ziemiach polskich.

Żarliwa wiara i ubóstwo pierwszych braci przysporzyły franciszkanom i dominikanom wielu zwolenników nie tylko wśród mieszczaństwa. Mendykanci cieszyli się ogromnym autorytetem wśród wszystkich warstw społeczeństwa. W miastach wielu naśladowało ich życie, przyjmując regułę świeckich (trzeci zakon) lub żyjąc we wspólnotach ubogich (np. begardzi i beginki) – te ostatnie jednak zostały potępione przez Kościół i surowo zakazane na początku XIV w.

Dominikanów i franciszkanów ogromnym szacunkiem darzyli panujący, w tym także piastowscy książęta. Uznanie to nie ograniczało się do protekcji, jaką roztaczali nad zakonami, budowy ich kościołów i siedzib, ale także do szukania pośród franciszkanów i dominikanów kapelanów książęcych i spowiedników. Władcy i ich rodziny demonstrowali przywiązanie do zakonów mendykanckich, obierając ich kościoły na miejsca swoich pochówków. Jako pierwszy spoczął w kościele franciszkańskim we Wrocławiu Henryk Pobożny, który zginął w bitwie pod Legnicą. W kościele Klarysek we Wrocławiu została pochowana w 1265 r. jego żona Anna. Jak ustalono, aż sześćdziesięciu dziewięciu Piastów lub ich żon zostało pochowanych w kościołach franciszkańskich. Liczni książęta i ich małżonki wybrali także klasztory dominikańskie na miejsce pochówku.

Mendykanci pogłębili religijność elit i przyczynili się do ostatecznego ugruntowania chrześcijaństwa w społeczeństwie polskim. Nowa duchowość charakteryzowała się najwyższą czcią wobec Chrystusa, dążeniem do naśladowania Chrystusa ewangelicznego, postawą służebną wobec wszystkich ludzi, w tym zwłaszcza wobec cierpiących i biednych. Pogłębiona duchowość zaowocowała pojawieniem się nowych rodzimych świętych i błogosławionych – Jacka i Czesława; po raz pierwszy na ołtarze wyniesiono też księżne: Jadwigę, Annę, Jolantę, Kingę i Salomeę.

Parafie

Wiek XIII przyniósł gwałtowny rozwój sieci parafialnej. Początki parafii w Europie Zachodniej sięgają wczesnego średniowiecza. Bardzo skąpa baza źródłowa nie pozwala precyzyjnie odpowiedzieć na pytanie, kiedy powstały pierwsze kościoły parafialne w Polsce. Analogie węgierskie i czeskie, a także nieliczne polskie wzmianki wskazują, iż już w XII w. fundowane przez księcia i możnych kościoły grodowe i wiejskie obejmowały posługą duszpasterską nie tylko krąg fundatora, ale również okolicznych mieszkańców. Właściwa sieć parafialna powstaje jednak dopiero na początku XIII w. wraz z rozwojem ruchu kolonizacyjnego. Przybysze zakładali w swoich miastach i wsiach własne kościoły parafialne, których status regulowano na ogół w dokumentach lokacyjnych lub fundacyjnych; określano w nich uposażenie przyszłego kościoła, a często też granice nowej parafii i powinności jej mieszkańców. Do tych wzorców zaczęto sięgać przy fundowaniu nowych kościołów, stosowano je też wobec istniejących już kościołów grodowych i wiejskich. Przy powoływaniu proboszczów przestrzegano prawa patronatu, które gwarantowało fundatorom lub ich spadkobiercom możliwość prezentowania kandydatów. Jeżeli kandydat posiadał odpowiednie święcenia i nie dopuścił się jakiś haniebnych czynów, to biskup był zobowiązany ustanowić go proboszczem danej parafii.

Sobór laterański IV nałożył w 1215 r. na wszystkich wiernych obowiązek corocznej spowiedzi oraz przyjęcia komunii przed Wielkanocą we własnym kościele parafialnym. Powoli wszyscy katolicy zostali „przypisani" do swoich parafii (tzw. przymus parafialny): byli zobowiązani uczęszczać na mszę niedzielną do kościoła parafialnego i w nim przyjmować sakramenty. Wszelkie odstępstwa od tej zasady wymagały zezwolenia plebana lub jego przełożonego – biskupa diecezjalnego.

◄ ZAŁOŻENIE BRACTWA SZPITALNEGO
przez czeską księżną Agnieszkę przy klasztorze Franciszkanów w Pradze dało początek zakonowi krzyżowców z czerwoną gwiazdą. O laickim (czyli niekapłańskim) charakterze bractwa świadczy ukazany na miniaturze strój wielkiego mistrza. Do Wrocławia krzyżowcy z czerwoną gwiazdą trafili w połowie XIII w., dzięki protekcji siostry Agnieszki, Anny, wdowy po Henryku Pobożnym. Do końca XIII w. objęli na Śląsku i Kujawach co najmniej sześć dalszych szpitali.

BREWIARZ WIELKIEGO MISTRZA LWA, PRAGA, CZECHY, 1356, NK PRAHA, FOT. KW

► PRZECHNA,
której postać i imię umieszczono w inicjale „P", strefie zastrzeżonej dla świętych, była prawdopodobnie fundatorką tego franciszkańskiego antyfonarza, służącego do zbiorowych modlitw w prezbiterium – w ten sposób jej osobę włączono w tekst modlitwy.

1 POŁ. XIV W., BWT UAM POZNAŃ, FOT. MM

▼ KOŚCIOŁY PARAFIALNE
swoją formą i skalą odpowiadały otoczeniu. We wsiach były to najczęściej drewniane, niewielkie budowle jednonawowe, z prezbiterium zamkniętym apsydą bądź prosto. Znacznie bardziej zróżnicowane były formy murowanych zazwyczaj kościołów miejskich. Fary (czyli główne kościoły parafialne) największych miast naśladowały niekiedy katedry.

KOŚCIÓŁ ŚW. MAŁGORZATY W GOSTYNIU – WIDOK OD PŁN., XIV W., FOT. RS; KOŚCIÓŁ ŚW. MAŁGORZATY W ROKICIU POW. PŁOCK – WIDOK OD PŁD. WSCH., XIII W., FOT. MM; KOŚCIÓŁ ŚW. MARII MAGDALENY WE WROCŁAWIU – WIDOK OD PŁD., OK. 1342–1386, FOT. SA

Średniowieczne ołtarze

Pierwotne romańskie ołtarze miały formę skrzyń, stołów bądź tumb grobowych, a najważniejszą ich część stanowiła mensa, kamienna płyta z wydrążeniem na szczątki męczenników. Od XI w. zaczęto umieszczać nad nią nastawę (retabulum) – służącą do eksponowania relikwii ozdobną szafę.

W Polsce pierwsze gotyckie nastawy pojawiły się w drugiej połowie XIII w. Były to szafy prostokątne, malowane i flankowane nieruchomymi skrzydłami. Od połowy XIV w. najpierw na Śląsku, a potem w Koronie pojawiły się skrzydła ruchome; od drugiej połowy XIV w. szafę oraz awersy skrzydeł zaczęto zdobić rzeźbami. Nastawy takie uzupełniały predelle, czyli niskie podstawy, często o kształcie trapezu, umieszczone na mensie i podtrzymujące nastawę ołtarzową. Całość ozdabiano zwieńczeniem w postaci trójkątnych szczycików, przenikających się ażurowych archiwolt lub maswerkowych baldachimów.

Główną częścią w pełni ukształtowanej, XV-wiecznej nastawy ołtarzowej była szafa – korpus nastawy. Tu umieszczano najważniejsze wyobrażenia związane z życiem Chrystusa i Marii lub patronami świątyni i ołtarza. W dni powszednie zamknięta, pokazywana była wiernym tylko w niedzielę i ważniejsze święta. Jej znaczenie wyrażało się również doborem zdobień. Złote tła uwidaczniały boski blask, a złote kotary nawiązywały do zasłon Świątyni Jerozolimskiej zakrywających dostęp do świata niebiańskiego. Zazwyczaj główne dekoracje szaf zawierały przedstawienia narracyjne – takie jak Ukrzyżowanie Chrystusa lub Koronacja Marii, otoczonej najczęściej przez szczególnie czczone w późnym średniowieczu święte niewiasty (Barbarę, Dorotę, Jadwigę, Katarzynę, Małgorzatę) – lub prezentacyjne – frontalne, całopostaciowe wizerunki świętych patronów, apostołów i proroków.

O charakterze późnośredniowiecznego ołtarza szafiastego decydowały jednak przede wszystkim ruchome skrzydła. Ze względu na ich liczbę wyróżnia się tryptyki i pentaptyki. Pierwsze składały się z szafy i dwóch ruchomych skrzydeł i często spełniały funkcję ołtarzy bocznych. Na pentaptyki składała się szafa z dwoma nieruchomymi skrzydłami bocznymi i dwoma skrzydłami ruchomymi, które zamykały część środkową. Na ogół służyły one jako ołtarze główne, nawet w wiejskich kościołach. Skrzydła ołtarzy szafiastych były skromniej ozdobione niż główny korpus. Strony wewnętrzne, często podzielone na kwatery, po otwarciu miały tylko uzupełniać wspaniałość głównego przedstawienia. Dekoracje zewnętrznych części skrzydeł, przeznaczone do oglądania na co dzień, na ogół ograniczały się do skromnych niekiedy przedstawień malarskich.

▲ MSZA PRZY OŁTARZU
przedstawiona na Drzwiach Gnieźnieńskich pokazuje, w jaki sposób celebrowano mszę we wczesnym średniowieczu. Kapłan stoi za mensą przodem do grupy wiernych, za nim – towarzyszący mu duchowni. Już w XI w. obyczaj ów uległ zmianom związanym z pojawieniem się nastaw – ołtarz dosuwano do ściany apsydy, a kapłan odprawiał mszę tyłem do wiernych.
KATEDRA W GNIEŹNIE, 3–4 ĆW. XII W., FOT. RS

▲ WCZESNOŚREDNIOWIECZNE OŁTARZE
charakteryzowały się prostą formą, symbolizującą stół z Ostatniej Wieczerzy. Rozwijający się od czasów karolińskich kult świętych spowodował, iż ołtarze budowano na grobach świętych lub zamurowywano w nich relikwie. Od tego czasu ołtarze przybrały formy skrzyń i sarkofagów. Stąd przedstawienia Grobu Chrystusowego w formie ołtarza.
„ZŁOTY KODEKS GNIEŹNIEŃSKI", BAWARIA, NIEMCY, 2 POŁ. XI W., AA GNIEZNO, FOT. RS

POLIPTYK Z KSIĄŻNIC WIELKICH ►

jest jednym z niewielu zachowanych do dziś w całości. Wysokie zwieńczenie sprawiało, iż był dobrze wpasowany w gotyckie prezbiterium, wypełniając je aż po sklepienie. Scena środkowa została skopiowana z krakowskiego ołtarza Wita Stwosza, którego uczniem lub współpracownikiem był zapewne mistrz Michał.

MICHAŁ Z DZIAŁDOWA, 1490–1491, KOŚCIÓŁ WNIEBOWZIĘCIA NMP, FOT. MM

◄ TRYPTYK

był na ziemiach polskich dominującą formą gotyckiej nastawy ołtarzowej. Inaczej niż np. na Śląsku, gdzie w drugiej połowie XV w. jego zastosowanie ograniczono do ołtarzy bocznych, w Małopolsce nawet ołtarze główne dużych kościołów krakowskich były tryptykami.

OŁTARZ ZAMKNIĘTY, MISTRZ ŚWIĘTYCH FRANCISZKAŃSKICH, OK. 1500, MD TARNÓW, FOT. RS

▼ POLIPTYK Z FRANCISZKAŃSKIEGO KOŚCIOŁA NMP W TORUNIU

składał się pierwotnie z szafy i ośmiu ruchomych skrzydeł umieszczonych na dwu poziomach. Dzieło wykonało trzech mistrzów wykształconych w różnych ośrodkach (Czechy, Turyngia), jednak ściśle według wskazań zleceniodawców. Bogaty program ideowy był zwierciadłem franciszkańskiej myśli i pobożności. W uroczystym otwarciu przedstawiono Triumf Marii oraz tematy chrystologiczne i maryjne, w otwarciu drugim – wizerunki świętych franciszkańskich, w trzecim zaś – Pasję.

1380–1390, MD PELPLIN, FOT. PC

▼ OŁTARZ W BĄKOWIE

jest jednym z przykładów śląskiej odmiany ołtarza szafiastego, która wykształciła się około 1360 r. z połączenia elementów północnoniemieckich i włoskich. Charakteryzowała się trójdzielną, tak w pionie, jak i poziomie, budową szafy. Głównym przedstawieniem najczęściej był Triumf Marii lub Maria w otoczeniu świętych.

WROCŁAW?, OK. 1380, FOT. PC

▲ ANTEPEDIUM,

czyli zasłona podstawy ołtarzowej znajdująca się *ante pedes* (przed nogami) celebransa. Od XIII w. najczęściej stanowiła ją drapowana tkanina rozwieszona na drewnianej ramie. Zachowała się jedynie niewielka grupa antepediów kamiennych, najczęściej zdobionych herbami fundatorów.

KOŚCIÓŁ ŚW. STANISŁAWA W WIELGOMŁYNACH POW. RADOMSKO

◄ PREZBITERIUM

było najważniejszym miejscem w świątyni. Tu, na podwyższeniu, lokowano ołtarz. W późnym średniowieczu było to miejsce przeznaczone na ołtarz główny z przedstawieniami chrystologicznymi, maryjnymi lub związanymi z patronami kościoła.

KOŚCIÓŁ ŚW. JANA CHRZCICIELA I KATARZYNY, ŚWIERZAWA SĘDZISZOWA POW. ZŁOTORYJA, WIDOK NA PREZBITERIUM, 2 ĆW. XIII W., FOT. ZŚ

Droga do zjednoczenia

POLSCY PRETENDENCI DO KORONY

Pogłębiającemu się rozdrobnieniu dzielnicowemu towarzyszył wzrost świadomości potrzeby zjednoczenia kraju

▲ PIECZĘCIE KSIĘŻNYCH ŚLĄSKICH JADWIGI I ANNY ORAZ KSIĘCIA BOLESŁAWA ROGATKI
przywieszone przy jednym dokumencie, obok pieczęci biskupa wrocławskiego Tomasza I, ukazują model rządów obowiązujący na Dolnym Śląsku krótko po śmierci Henryka Pobożnego – najważniejsze decyzje były podejmowane wspólnie przez rodzinę książęcą.
PRZY DOKUMENCIE Z 24 VIII 1242, AP WROCŁAW, FOT. MM

FUNDACJA OPACTWA KLARYSEK WE WROCŁAWIU ►
dokonana została w 1256 r. przez Annę, wdowę po Henryku Pobożnym. Jednak na miniaturze przedstawiono jako fundatorów parę książęcą, co zgodne jest z tradycją klasztorną, jakoby już Henryk przygotowywał fundację – męczennik za wiarę dobrze nadawał się na współfundatora opactwa.
TZW. VARIA FRANCISZKAŃSKIE, OK. 1330?, BUWR WROCŁAW, FOT. JKAT

Wielkie bezkrólewie

Potężne państwo śląskich Piastów rozpadło się już kilka miesięcy po legnickiej klęsce. Kraków zajął Konrad Mazowiecki, uznany od razu przez miejscowych możnych. Także Wielkopolanie usunęli śląskie rządy i poddali się z powrotem synom wygnanego kilka lat wcześniej Władysława Odonica – to oni byli bowiem „prawdziwymi dziedzicami" tej ziemi, jak napisał gnieźnieński rocznikarz. Nawet na samym Śląsku doszło wkrótce do braterskich waśni między synami Henryka Pobożnego, zakończonych podziałem ojcowizny. Przyczyna tego nie tkwiła zaś, jak się wydawało ówczesnym kronikarzom, w charakterze najstarszego z braci – Bolesława Rogatki. Był on wprawdzie lekkoduchem, bardziej zainteresowanym rycerskimi rozrywkami niż trudami rządzenia, ale i tężsi od niego nie zdołaliby utrzymać ojcowskiego dziedzictwa.

Szybki rozpad monarchii śląskich Henryków pokazuje, że nikomu nie zależało na dalszym jej istnieniu. Możni każdej dzielnicy pragnęli samodzielności. Wszelka władza ponaddzielnicowa musiała zaniknąć. W tym samym czasie również w Niemczech, po śmierci cesarza Fryderyka II i upadku dynastii Hohenstaufów, na kilkadziesiąt lat zamarła zwierzchnia władza nad poszczególnymi książętami. Okres ten (lata 1254–1273) nazwano w niemieckiej historii wielkim bezkrólewiem. Określenie to przenieść możemy i na nasz grunt – i w Polsce szło teraz wielkie bezkrólewie, podczas którego każde księstwo miało żyć jako suwerenne w istocie państewko.

Ogólnopolskie ambicje miał wprawdzie jeszcze stary rywal Henryków śląskich, Konrad Mazowiecki. Mimo opanowania Krakowa i Małopolski jego nadzieje okazały się płonne. Krakowscy możni już wkrótce wygnali go, a na Wawelu zasiadł młodociany syn Leszka Białego, Bolesław Wstydliwy. Jego długie panowanie stało się dla znękanej wojnami Małopolski okresem wytchnienia i gospodarczej prosperity; niemniej ten świątobliwy książę krakowski stał się zaledwie kolejnym księciem dzielnicowym, równorzędnym z kuzynami władającymi w innych ziemiach.

A grono tych kuzynów stale się poszerzało. Już wkrótce zmarł – do końca nie zarzucając marzeń o Krakowie – Konrad Mazowiecki, a dziedzictwo podzielili między siebie jego synowie: Kazimierz (który objął Kujawy, Łęczycę i Sieradz) oraz Bolesław i Siemowit (kolejno władający Mazowszem). W Wielkopolsce rządzili teraz synowie Odonica, Przemysł I i Bolesław Pobożny, Śląsk zaś rozpadł się na aż cztery dzielnice, których książęta – wrocławski Henryk Biały, legnicki Bolesław Rogatka, głogowski Konrad i opolski Władysław – żyli na ogół w napiętych stosunkach. Osobnym bytem politycznym stało się Pomorze Gdańskie. Jego zbuntowani namiestnicy, od czasu zdradzieckiego mordu w Gąsawie skłóceni z rodem Piastów, wywalczyli sobie rangę niezależnych książąt.

I choć w tym licznym gronie panujących na ziemiach polskich nie brak postaci budzących sympatię, a nawet wybitnych, to nikt już nie stawiał sobie za cel zdobycia władzy nad innymi dzielnicami. Wtedy właśnie ugruntowało się przekonanie – wyrażane wiek później przez kronikarza Janka z Czarnkowa – że „wszyscy książęta polscy zwykli być sobie równi, a żaden nie uznawał jakiegokolwiek zwierzchnictwa drugiego, ponieważ pochodzili z jednego rodu". W następnym pokoleniu rozdrobnienie dzielnicowe jeszcze się pogłębiło. Około 1285 r. było już w Polsce dziewiętnaście dzielnic, w tym jedenaście na Śląsku.

Między mieszkańcami poszczególnych ziem narastały uprzedzenia. Książęta stale toczyli ze sobą wojny – już nie o wielkie cele, ale przeważnie o pojedyncze grody na pograniczu. I tak np. kilkanaście lat trwały walki wielkopolsko-kujawskie o Ląd, a w oczach wielkopolskich rocznikarzy Kujawianie stawali się tak samo wrażymi najeźdźcami jak Niemcy czy Czesi. Przede wszystkim jednak pogłębiało się poczucie związku z najbliższą ziemią. Jeszcze w XII w. wszystkich Piastów uważano za „panów przyrodzonych" całej Polski. Teraz, po połowie XIII w., poszczególne ziemie czuły się związane już tylko z własną linią dynastii. Przypomnijmy wielkopolską relację, przeciwstawiającą „prawdziwych dziedziców" Wielkopolski z lokalnej gałęzi piastowskiej Piastom śląskim – wyraźnie traktowanym jako obcy książęta. W źródłach coraz częściej aktorami wydarzeń są przeciwstawiani sobie Małopolanie, Wielkopolanie, Mazowszanie i Ślązacy.

Gens Polonica

A jednak pisarze tej epoki stosują też i upowszechniają ogólne pojęcie *gens Polonica* – „naród polski" obejmował mieszkańców wszystkich dzielnic. Nie zanikło więc poczucie jedności; mimo podziałów cały kraj spajały istotne więzi. Wszędzie

◄▲ KIELICH I PATENA
ufundowane przez Konrada Mazowieckiego dla katedry w Płocku prawdopodobnie jako dar ekspiacyjny po zamordowaniu na jego rozkaz tamtejszego scholastyka, Jana Czapli. Na kielichu przedstawiono zapowiedź i historię Zbawienia, zaś na patenie, wokół tronującego Chrystusa – parę książęcą oraz jej dwu synów: Siemowita i Kazimierza.
OK. 1238, SK PŁOCK, FOT. PC

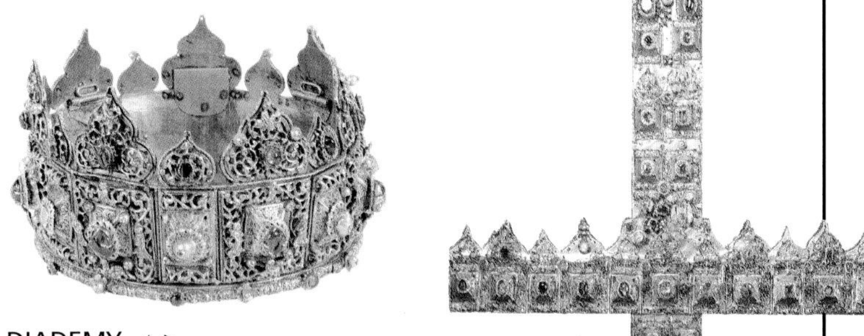

DIADEMY ▲►
ofiarowane katedrom płockiej i krakowskiej świadczą o splendorze polskich dworów książęcych XIII w. Wedle jednej z hipotez pierwszy z nich należał do Konrada Mazowieckiego lub którejś z jego synowych. Z kolei przekształconą w katedrze krakowskiej w krzyż parę diademów tradycja łączy z Bolesławem Wstydliwym i jego żoną Kingą. Na większym przedstawiono romans rycerski Chrétiena z Troyes o rycerzu Erecu. Diademy te pierwotnie pełniły funkcję koron ślubnych lub trofeów turniejowych.
GÓRNA NADRENIA, NIEMCY, LUB WĘGRY, OK. 1250; SK PŁOCK, FOT. PC; SKW KRAKÓW, FOT. SM

▼ PODZIAŁ DZIELNICOWY POLSKI OKOŁO 1250 R.
RYS. JG

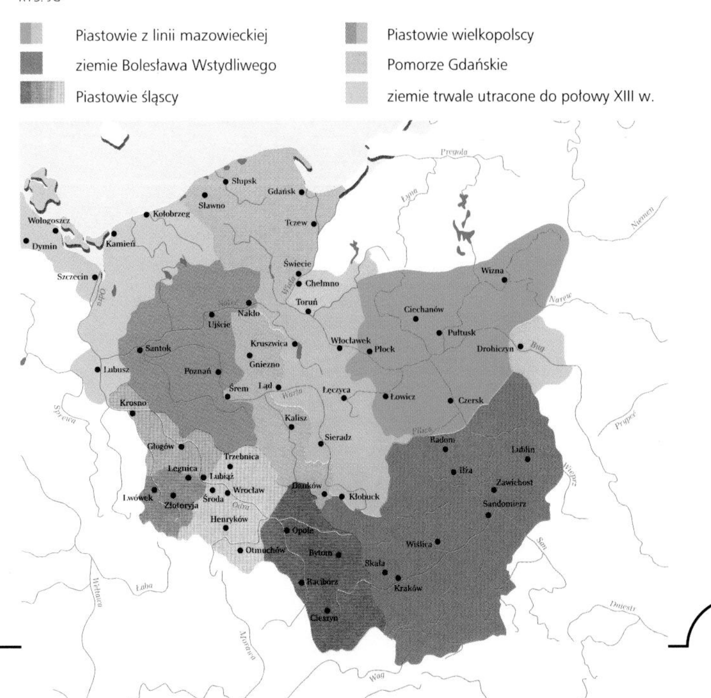

Walka o język

Zebrani w 1285 r. na synodzie w Łęczycy biskupi polscy pod przewodnictwem arcybiskupa Jakuba Świnki stanowili, aby nie powierzać funkcji duszpasterskich nikomu innemu, „jak tylko urodzonemu w kraju i znającemu język miejscowy, gdyż inaczej nie byłby świadom stanu tego kraju i nie mógłby dbać skutecznie o zbawienie powierzonych sobie dusz". Była to reakcja na przypadki obejmowania parafii przez niemieckich księży. „Dla zachowania i szerzenia mowy polskiej" zaś zakazano powoływania przy katedrach i klasztorach „rektorów szkół, którzy by nie znali biegle języka polskiego i nie byli w stanie po polsku wykładać i powtarzać uczniom pisma [klasycznych] autorów". Wymagano też, by w każdej katedrze i klasztorze była „historia św. Wojciecha na piśmie i by była przez wszystkich używana i śpiewana". Żywot świętego patrona miał niewątpliwie pełnić funkcję kursu historii ojczystej.

▲ ZAŚLUBINY NIEMIECKIEJ KSIĘŻNICZKI Z POLSKIM KSIĘCIEM
Twórca tej świadomie archaizowanej miniatury uwypuklił różnice w wyglądzie przedstawicieli obu narodowości: Polacy noszą proste stroje, mają ogolone twarze i „pod garnek" przycięte fryzury, a pod szyją wiążą charakterystyczne chusty; Niemcy mają szaty barwne i wymyślne, nie golą zarostu i noszą długie włosy. To tylko zewnętrzne, niemniej ważne różnice obyczajowe.
ŚLUB KSIĘŻNEJ JADWIGI Z HENRYKIEM BRODATYM, „ŻYWOT ŚW. JADWIGI" W „KODEKSIE OSTROWSKIM", LUBIN, 1353, GM MALIBU

◄ KOMTURIE TEMPLARIUSZY I JOANNITÓW
odgrywały na pograniczu wielkopolsko-brandenbursko-pomorskim dużą rolę militarną i polityczną. Dzięki licznym nadaniom władców powstały tu wielkie, zwarte kompleksy dóbr, które po skasowaniu zakonu templariuszy w całości przejęli joannici. W przeciwieństwie do Śląska, gdzie od XIV w. joannici skupili się na duszpasterstwie, tu aż do czasów reformacji utrzymał się rycerski charakter ich konwentów.
KAPLICA KOMTURII TEMPLARIUSZY W RURCE POW. GRYFINO – PO 1234, FOT. ZŚ; ZAMEK JOANNITÓW W ŁAGOWIE POW. ŚWIEBODZIN – 3 ĆW. XIV W. (PRZEBUDOWANY), FOT. PC

mówiono jednym językiem i panowało to samo, polskie prawo zwyczajowe. Cały kraj łączyła organizacja kościelna, bo wszystkie biskupstwa nadal podlegały metropolii gnieźnieńskiej. Arcybiskupstwo było jedyną instytucją ogarniającą wciąż cały obszar ziem polskich. W jedno łączyła wreszcie – co chyba najważniejsze – wspólna tradycja historyczna. Piszący w okresie dzielnicowym kronikarze zajmowali się wprawdzie przede wszystkim losami swych dzielnic, ale przeszłość dawniejszą zawsze przedstawiali w oparciu o dzieło mistrza Wincentego.

Wszystko to składało się na wspólne poczucie narodowej świadomości ówczesnych Polaków. Choć zagrożona dzielnicowym partykularyzmem, świadomość ta właśnie w drugiej połowie XIII w. poważnie się umocniła. Był to wszak czas wielkich przemian, związanych z przyjmowaniem zachodnioeuropejskich wzorów i napływem kolonistów niemieckich. Na pewno akceptowano wiele niesionych przez przybyszów wartości. Ale zmiany były gwałtowne – w ciągu życia jednego czy dwóch pokoleń został odmieniony cały porządek życia społecznego funkcjonujący od kilku stuleci – i mogły wywoływać niepokój. Załamywał się tradycyjny ustrój, uświęcone tradycją prawa zawisały niejako w próżni, a przyszłość rysowała się mocno niejasno.

W oczach wielu wszystko, co nowe i obce („niemieckie"), wydawało się groźne. Odruchem obronnym było pogłębione przywiązanie do dawnych rodzimych wartości. Polski woj musiał patrzeć z zawiścią zarówno na niemieckich rycerzy na książęcym dworze – niebezpiecznych konkurentów w wyścigu do łask książęcych – jak i na szybko bogacących się niemieckich mieszczan. Można więc obserwować objawy narastania niechęci wobec obcych. O Niemcach mówiono wtedy często z pogardą: „psy". A podróżujący przez tę część Europy franciszkanin notował u progu XIV w., że Polaków i Niemców dzieli „wrodzona nienawiść". Konfrontacja z obcymi prowadziła do doceniania własnej odrębności, a tym samym rozbudzenia polskiego patriotyzmu.

Duma z własnej tradycji kazała patrzeć ze smutkiem na obecny stan rozbitej i osłabłej Polski. Odpadło Pomorze, od wschodu zagrażały napady pogan (Mongołów i Litwinów), a na zachodzie agresywni margrabiowie Marchii Brandenburskiej zagarniali kolejne grody, dążąc wyraźnie do Bałtyku. Współczesny Niemiec spisujący na potrzeby Krzyżaków prawa polskie trafnie uchwycił charakterystyczną chyba dla odczuć ówczesnych Polaków mieszaninę dumy i poniżenia: „Lud ten, choć teraz zbłaźniony, upiera się jednak, że jego prawo nie podlega żadnemu [obcemu] krajowi".

Najczulej odbierała to ówczesna elita: rycerstwo, możni, a przede wszystkim duchowni. To właśnie wśród wykształconego kleru musiała się zrodzić diagnoza: oto kara za grzechy króla Bolesława Szczodrego, mordercy biskupa Stanisława. W XIII w. rozkwitał kult biskupa, przepojony teraz silnymi akcentami patriotycznymi. Na kanonizację św. Stanisława (1253 r.) dominikanin Wincenty z Kielczy ułożył hymn zaczynający się apostrofą: „*Gaude mater Polonia!*" („*Raduj się, matko Polsko!*"). Stanisław stawał się bowiem patronem kraju i narodu. W spisanym jednocześnie żywocie świętego Wincenty dał pełną wykładnię swej koncepcji: za grzech króla Bolesława Bóg pokarał Polskę odebraniem korony i rozbiciem, ale gdy minie okres naznaczonej pokuty, państwo zrośnie się jak ciało świętego; w skarbcu wawelskiej katedry królewskie insygnia czekają, by podjął je wybrany przez Boga, niczym biblijny Aron, książę.

Przywrócenie krajowi koronowanego władcy zdawało się rozwiązywać wszystkie troski. Tak uczyła obserwacja ówczesnego świata. Zjednoczona przez Kapetyngów monarchia francuska osiągała w XIII w. szczyt swej potęgi. W Europie Środkowej rozkwitały Czechy, ozdobione u progu tego stulecia godnością królewską. Symbolem wielkości Węgier była korona św. Stefana. Uciążliwości wielkiego bezkrólewia w Niemczech skończyły się z wyborem nowego króla, Rudolfa Habsburga. Po korony sięgali nawet książę halicki Daniel (w 1255 r.) i litewski, świeżo ochrzczony, Mendog (w 1253 r.). Polska też była w ówczesnej opinii – podzielanej nawet przez zagranicznych obserwatorów – królestwem, choć koronowani władcy rządzili tu przez zaledwie kilka lat i to w dość zamierzchłej przeszłości (lata 1025–1031 i 1076–1079).

Gdzie będzie stolica?

Myśl zrodzona w kręgu elity kościelnej szybko zdobyła powszechne uznanie wśród rozbudzonego narodowo rycerstwa. Sprzyjało jej nawet niemieckie mieszczaństwo, bo zjednoczenie ukróciłoby anarchię i ułatwiło handel. To szerokie poparcie okazało się jednak zarazem przeszkodą. Wiele środowisk pragnęło bowiem pokierować sprawą zjednoczenia. Za stolicę uznawano powszechnie Kraków. Miejscowi możni czuli się już elitą przyszłego królestwa. Z Krakowem też jednoznacznie kojarzył się nowy patron, św. Stanisław. Krakowianie nie mieli jednak własnej linii piastowskiej, która mogłaby uosobić lokalne ambicje. Po bezpotomnej śmierci Bolesława Wstydliwego w 1279 r. wybrano księcia sieradzkiego Leszka Czarnego

▲ AWERS TYMPANONU KOŚCIOŁA W STARYM ZAMKU
zawiera jedno z najstarszych wyobrażeń św. Stanisława; towarzyszy mu Matka Boska z Dzieciątkiem. Na rewersie tegoż tympanonu ukazano orły strzegące zwłok świętego. Takie przedstawienie w kościele parafialnym, zbudowanym zapewne z fundacji rycerskiej, świadczy o szybkim rozpowszechnianiu się kultu św. Stanisława.
3 ĆW. XIII W., FOT. ZŚ

▲ INFUŁA I PIERŚCIEŃ,
tradycyjnie wiązane ze św. Stanisławem i traktowane jako relikwie, zostały sporządzone zapewne w celu uświetnienia uroczystości kanonizacyjnej tegoż świętego.
1253?, SKW KRAKÓW, FOT. SM

KAZANIE ŚW. FRANCISZKA DO PTAKÓW ▶
– iluminacja dodana około 1290 r. do nieco starszego psałterza należącego do opactwa klarysek. Zwraca uwagę heraldyczny charakter orła (po prawej stronie), który nie dziwi u wrocławskich klarysek – aż do 1373 r. ksieniami były tutaj, poza pierwszą, przybyłą z Pragi, wyłącznie Piastówny.
BUWR WROCŁAW, FOT. JKAT

◀ PIECZĘĆ KINGI,
żony księcia krakowskiego Bolesława Wstydliwego, reprezentuje typ najczęściej używany przez księżne – podobna do pieczęci duchowieństwa forma ostroowalna z przedstawieniem o charakterze dewocyjnym.
PRZY DOKUMENCIE Z 1278, AKL KLARYSEK KRAKÓW, FOT. MM

◄ PIECZĘĆ KAPITUŁY GNIEŹNIEŃSKIEJ z wyobrażeniem św. Wojciecha, sporządzona w drugiej połowie XIII w., dowodzi ożywienia w tym czasie w środowisku gnieźnieńskim kultu tego świętego i propagowania go jako konkurencyjnego względem rozwijającego się w Krakowie kultu św. Stanisława.

PRZY DOKUMENCIE PREPOZYTA GNIEŹNIEŃSKIEGO MIKOŁAJA Z 10 XII 1368, AA GNIEZNO, FOT. JSIECZ

HENRYK PRAWY JAKO ZWYCIĘZCA TURNIEJU ► – miniatura z *Kodeksu Manesse*, zawierającego zbiór najwybitniejszych dzieł niemieckiej liryki. Henryk Prawy pisał wiersze w języku górnoniemieckim, a zbiór ten zawiera jego dwa subtelne utwory: *Uradowało mi się serce dla czystej, uroczej pani* oraz *Skarżę ci się, maju, skarżę ci się, letnie upojenie*.

SZWAJCARIA (ZURYCH?), 1305–1340, UB HEIDELBERG

Książę i biskup

Henryk Prawy był bohaterem najgwałtowniejszego ze sporów między władzą świecką i kościelną, jakie często zdarzały się w Polsce XIII w. Biskupi wrocławscy od dawna marzyli, by w swych dobrach wokół Nysy uzyskać pełną samodzielność. Henryk zaś nie tylko nie zamierzał dać nowych przywilejów, lecz nawet łamał stare i zażądał zwrotu czterdziestu wsi, które biskup założył podobno wbrew prawu. W odpowiedzi na nałożoną przez biskupa Tomasza II klątwę książę wypędził go z Wrocławia i z wszystkich dóbr. Za księciem stanęła duża część ludności – także duchowieństwa – w tym wielu przybyszów z Niemiec, którzy w nowej ojczyźnie czuli się związani przede wszystkim ze swym władcą. Spór był nie do wygrania dla żadnej ze stron. Zakończono go efektownym pojednaniem. Oblężony w Raciborzu biskup wyszedł w uroczystej procesji do księcia, a ten padł na kolana i zawołał: „Ojcze, zgrzeszyłem!". Ugodę upamiętniła fundacja wspaniałej kolegiaty św. Krzyża we Wrocławiu. Na łożu śmierci Henryk Prawy, nękany widać wyrzutami sumienia, nadał jednak biskupowi „pełne prawo książęce" w ziemi nyskiej. Biskupi wrocławscy stali się odtąd udzielnymi książętami.

▼ SŁUP GRANICZNY ZIEMI NYSKIEJ należącej do biskupstwa wrocławskiego. Na bokach znajdują się: inskrypcja „Ziemia św. Jana" (czyli biskupstwa, którego patronem był św. Jan Chrzciciel), biskupi pastorał oraz ukośny krzyż (znak graniczny). Słup ten, podobnie jak pozostałe, powstał zapewne krótko po zawartej w 1288 r. ugodzie Henryka Prawego z Tomaszem II.

LIPNIKI POW. NYSA, FOT. MM

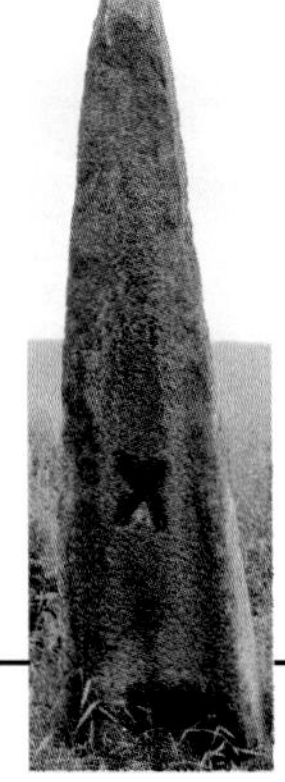

(z linii kujawskiej), ale nie znalazł on wspólnego języka z małopolskimi panami, a w dodatku również zmarł bezpotomnie.

Z Krakowem od wieków rywalizowało Gniezno. Tu znajdowała się kościelna stolica Polski, a kultowi św. Stanisława można było przeciwstawić kult najstarszego patrona, św. Wojciecha – właśnie na wiek XIII przypada fala jego ożywienia. Pamiętano, że tu była kolebka dynastii i państwa. Ten sam termin – Polska – służył wciąż na określenie zarówno całego kraju, jak i dzielnicy nad Wartą. Dwuznaczność ta trwała jeszcze przez wieki, ale właśnie w połowie XIII w. w poznańskiej kancelarii ukuto dla wyróżnienia od innych ziem zaszczytne miano Starej (Wielkiej) Polski, czyli Wielkopolski.

Uniknęła ona trwałych podziałów, a jej ambitni książęta odgrywali znaczną rolę w międzydzielnicowej polityce. Bolesław Pobożny (zmarł w 1279 r.) odznaczał się nie tylko dewocją, ale i talentami wybitnego wodza. Brandenburczykom odebrał wszystkie zajęte wcześniej grody. Gdy zagrozili Gdańskowi, pospieszył i tam, ratując tron dla pomorskiego księcia. „Największy triumfator nad Niemcami" – pisał o Bolesławie współczesny rocznikarz. Jego bratanek i następca, Przemysł II, mógł już odcinać kupony od stryjowej sławy: przyciśnięty trudnościami książę Pomorza Gdańskiego Mściwoj II uznał się na zjeździe w Kępnie w 1282 r. za jego wasala. Piastowska władza znów sięgnęła Bałtyku. Nieocenione wsparcie znalazł Przemysł w arcybiskupie Jakubie Śwince. Ten pochodzący z drobnego rycerstwa człowiek trafiał doskonale w powszechne nastroje (był przeczulonym germanofobem), ale zarazem patrzył dalej i szerzej niż całe otoczenie.

Pozostawał jeszcze Śląsk. Był on nie tylko najbogatszą z ziem polskich. Miejscowi książęta jako potomkowie Władysława Wygnańca pamiętali wciąż, że ich przodka siłą odsunięto od władzy. Nie zapomniano też oczywiście o niedawnych sukcesach monarchii Henryków. Tradycje te rozbudzały wciąż nowe ambicje. Szczególny powód do dumy dało wyniesienie na ołtarze Jadwigi, żony Henryka Brodatego – a więc prababki książąt śląskich drugiej połowy XIII w. Pamiętać jednak trzeba, że na Śląsku wielką rolę odgrywały zdominowane przez Niemców miasta, niemieckie rycerstwo i klasztory, którym to środowiskom trudniej było identyfikować się z polskim patriotyzmem.

Zwycięskie znaki Polaków

Śmierć Leszka Czarnego w 1288 r. dla wielu stała się sygnałem do czynu. Małopolanie pragnęli wybrać na tron jednego ze słabych – a więc łatwych do pokierowania – książąt mazowieckich. Zjawił się też jednak i od razu zyskał zwolenników brat zmarłego, młody Władysław, zwany Łokietkiem, z Brześcia Kujawskiego. Z Wrocławia nadciągnął zaś ambitny Henryk Prawy. Wiele miesięcy trwały zaciekłe walki. Łokietek pobił wprawdzie śląskiego konkurenta w krwawej bitwie pod Siewierzem (26 II 1289 r.), ale wkrótce musiał uchodzić z Krakowa – i to Henryk ostał się na placu zmagań. Ten rycerski władca podporządkował sobie już wcześniej wielu śląskich kuzynów, a teraz zapragnął królewskiej korony. Zmarł jednak nagle i bezpotomnie w noc świętojańską 1290 r.

O Wrocław wybuchły walki między książętami śląskimi, a do Krakowa wkroczył książę wielkopolski Przemysł II. Miał teraz obie stare stolice, Kraków i Gniezno, panował nad Małopolską, Wielkopolską i Pomorzem Gdańskim, a kilku innych Piastów zawarło z nim przymierze. Zabrał z Wawelu królewskie insygnia i zwołał do Gniezna ogólnopolski zjazd. Zapadła tam pewnie decyzja o oddaniu mu korony.

Nie doceniono jednak zbliżających się trudności. Z roszczeniami do władzy w Polsce wystąpił król czeski Wacław II. To on pewnie storpedował w Stolicy Apostolskiej koronacyjne starania Przemysła, a przede wszystkim uzyskał poparcie możnych krakowskich. Małopolanie patrzyli wszak nieufnie na wielkopolskiego księcia i odwrócili się od niego w nadziei, że siedzący daleko król czeski nie będzie narzucał im swej woli. Wiosną 1291 r. Wacław wkroczył do Krakowa. Wielkopolski książę nie dał jednak za wygraną. Przeczekawszy kilka lat zamętu panującego w Rzymie, zdobył wreszcie – niewątpliwie pomagając sobie złotem – papieską zgodę na koronację. Arcybiskup Jakub Świnka koronował go 26 VI 1295 r. w Gnieźnie na króla Polski. Współcześni musieli z wielkim wzruszeniem przeżywać tę podniosłą chwilę: oto zjawiał się nowy Aron i podejmował święte narodowe symbole. „Sam Wszechmocny przywrócił Polakom zwycięskie znaki" – napisano na nowej pieczęci królewskiej.

Triumf okazał się jednak przedwczesny. Wprawdzie władzę króla uznał Władysław Łokietek oraz jego kujawscy i mazowieccy krewni, ale dalecy od tego byli książęta śląscy, a Wacław czeski pozostawał otwarcie wrogi. Przemysł miał nadzieję rozwiązać te problemy, ale już w kilka miesięcy po koronacji, w noc zapustów, 8 II 1296 r., padł ofiarą skrytobójczego mordu. Uprowadzony z łoża, zginął na drodze pod Rogoźnem od ciosów siepaczy nasłanych przez starych wrogów, margrabiów brandenburskich – szczegóły rogozińskiego dramatu pozostają jednak wciąż ponurą tajemnicą.

Oblicza zdrady

Książę wrocławski Henryk Prawy był władcą szeroko znanym w Europie. Wiele o jego losach pisał austriacki kronikarz Ottokar ouz der Geule – zawdzięczamy mu szczegóły zabiegów koronacyjnych księcia. W Krakowie Henryk miał przeczytać żywot św. Stanisława i zapalił się do myśli o koronie. Wysłał zaraz posłów do króla niemieckiego i papieża, by „pozwolili mu nosić berło i koronę i mieć imię króla". Poseł do Rzymu zażądał od księcia wielkich sum (12 tysięcy grzywien złota!), aby za ich pomocą pozyskać przychylność papieża i kardynałów. Przywłaszczył sobie jednak część pieniędzy i w kurii podsunął fałszywe złoto. Gdy rzecz wyszła na jaw, oszust umknął do Wenecji, a bojąc się gniewu książęcego, zlecił swemu bratu – który był lekarzem nadwornym – otrucie Henryka. Nie wiemy, ile jest prawdy w tej kryminalnej opowieści. Charakterystyczne jest jednak, że kupowanie papieskiej zgody wydawało się ówczesnym ludziom oczywiste.

KSIĘŻNA MATYLDA I PREPOZYT KAPITUŁY ►
– postacie z tumby Henryka Prawego. Na jej dłuższych bokach przedstawiono rozpaczających po śmierci księcia bliskich oraz procesję prałatów ufundowanej przez niego kolegiaty św. Krzyża we Wrocławiu, zaś na bokach krótszych – kondukt pogrzebowy prowadzony przez biskupa w asyście diakonów.
OK. 1320, KOLEGIATA ŚW. KRZYŻA WE WROCŁAWIU, OB. W MN WROCŁAW

◄ PIECZĘĆ KSIĄŻĘCA PRZEMYSŁA II,
sporządzona po zajęciu Krakowa w 1290 r., przypomina poprzednią pieszą pieczęć tego władcy z tytulaturą wielkopolską. Zmieniono jednak kształt zbroi, która wyraźnie nawiązuje do zbroi przedstawionej na pieczęci księcia krakowskiego Bolesława Wstydliwego. Jako manifestację dążeń do koronacji nad orłem umieszczono koronę.
(PRZYWIESZONA WTÓRNIE) PRZY DOKUMENCIE Z 23 IV 1286, AD WŁOCŁAWEK, FOT. MM

◄► KORONACJA KRÓLEWSKA
przedstawiona w *Pontyfikale Rzeszowskiego*. Rękopis ten, wykonany we Włoszech, jest jednym z najdokładniej ukazujących przebieg koronacji dzieł powstałych przed końcem XIV w.
2 POŁ. XIII W., AA GNIEZNO, FOT. RS

◄ OTTO IV ZE STRZAŁĄ
– to on zapewne przygotował zamach na Przemysła II w Rogoźnie. Poza tym margrabia wsławił się rycerskimi czynami (w walce stracił oko i nosił potem w głowie grot strzały, którego ówcześni chirurdzy nie potrafili wyjąć). Pisywał też poezje. Tu przedstawiony został podczas typowo rycerskiej rozrywki: gry w szachy z damą.
„KODEKS MANESSE", SZWAJCARIA (ZURYCH?), 1305–1340, UB HEIDELBERG

PIECZĘCIE KSIĄŻĘCE W XIII W.

Wiek XIII to czas rozkwitu książęcej sfragistyki piastowskiej. Było to związane z rozwojem dokumentu książęcego, przy którym pieczęcie występowały jako środek uwierzytelnienia. Wszystkie linie książęce rozbitego wówczas na dzielnice państwa posługiwały się pieczęciami, których zróżnicowanie odzwierciedlało w pewnym stopniu odrębności dzielnicowe.

Dominującą grupę stanowiły pieczęcie piesze i konne, prezentujące księcia jako rycerza: z mieczem, włócznią lub chorągwią i tarczą z herbem. Na pieczęciach pieszych książę często stoi pod łukiem architektonicznym lub w bramie, a po jego bokach widać motywy architektury obronnej, z postaciami trębaczy stojących na wieżach i grających na rogach. Od połowy stulecia pojawia się też postać damy trzymającej nad książęcą tarczą hełm z klejnotem. Eksponowano w ten sposób wzorzec osobowy księcia – rycerza idealnego. W celu silniejszego podkreślenia tych cech wprowadzono wówczas typ pieczęci ukazującej księcia walczącego z lwem, gryfem lub smokiem. Nierzadko scenom tym towarzyszyły motywy religijne symbolizujące boskie pochodzenie władzy księcia i opiekę sił nadprzyrodzonych nad panującym: błogosławiąca ręka Boża, monogram Chrystusa czy anioł.

Niektóre pieczęcie nawiązują do konkretnych wydarzeń lub prądów religijnych epoki. Na pieczęci z 1223 r. Konrad Mazowiecki występuje jako krzyżowiec, w nawiązaniu do wielkiej wyprawy książąt polskich na Prusów. Być może podobne treści wyraża gałązka palmowa na pieczęci Henryka Pobożnego.

Najsilniej jednak na XIII-wiecznych pieczęciach zaznaczyła się symbolika zjednoczeniowa. Na pieczęciach książąt kujawskich, Kazimierza Konradowica i Leszka Czarnego, pojawia się korona hełmowa jako symbol wysokiej pozycji książąt tej linii i manifestacja ich dążeń zjednoczeniowych, a w perspektywie być może również koronacyjnych. Potwierdzeniem tego jest pieczęć Leszka Czarnego z czasów gdy objął władzę w Krakowie, przedstawiająca księcia klęczącego podczas mszy odprawianej przez św. Stanisława, który był traktowany jako patron działań zjednoczeniowych. Również na pieczęci Przemysła II sporządzonej w 1290 r., po opanowaniu Krakowa, pojawiają się motywy religijne: ręka Boża i gołębica – symbol Ducha Świętego – zstępująca na władcę jako wybrańca Bożego. Poczucie boskiej pomocy w zjednoczeniu państwa i odzyskaniu korony doszło do głosu w legendzie rewersu królewskiej pieczęci Przemysła II z 1295 r., zamykającej niejako dzieje XIII-wiecznej sfragistyki książęcej, gdzie czytamy: „Sam Wszechmocny przywrócił Polakom zwycięskie znaki".

▲ PIECZĘĆ PIESZA HENRYKA BRODATEGO przedstawia władcę w zbroi z żelaznych płytek i hełmie. W prawej ręce trzyma on włócznię z proporcem, a na lewym ramieniu – osłaniającą całe ciało dużą tarczę z godłem osobistym (półksiężyc z krzyżem).

PRZY DOKUMENCIE Z 25 XII 1208, AP WROCŁAW, FOT. MM

▲ PIECZĘĆ PIESZA HENRYKA POBOŻNEGO sporządzona jeszcze za życia ojca, nawiązuje do pieczęci Henryka Brodatego; Pobożny używał jej do śmierci. Na tarczy widnieje wykształcony już w pełni orzeł książąt dolnośląskich, z półksiężycem i krzyżem na piersi. Gałązka palmowa jest być może symbolem zaangażowania księcia w wyprawy krzyżowe przeciw Prusom.

PRZY DOKUMENCIE Z 11 VI 1237, AP WROCŁAW, FOT. MM

▲ PIECZĘĆ SIEMOWITA I
przedstawia idealnego władcę, rycerza i chrześcijanina, podejmującego walkę ze złem, które symbolizuje lew. Pieczęć sporządzono w 1255 r., po uwolnieniu księcia z niewoli u starszego brata, Kazimierza I kujawskiego, zapewne z obawy przed możliwością wykorzystania przez niego dotychczasowej pieczęci Siemowita.
PRZY DOKUMENCIE Z 27 VI 1257, AD PŁOCK, FOT. MM

▲ PIECZĘĆ KAZIMIERZA I,
pierwszego z książąt kujawskich, ze sceną walki z lwem, używana w latach 1250–1260. Lew wkrótce stał się, wraz z orłem, elementem herbu książąt kujawskich. Korona hełmowa jest manifestacją politycznych aspiracji książąt kujawskich.
PRZY DOKUMENCIE Z 1251, AKM KRAKÓW, FOT. SM

▲ PIECZĘĆ PIESZA PRZEMYSŁA I
używana od 1252 r., a po śmierci księcia także przez jego syna, Przemysła II. Księcia przedstawiono w zbroi kolczej, z włócznią w prawej ręce i tarczą z kroczącym lwem w lewej. Przy jego głowie widać zarys ręki Bożej, a po obu stronach – wieże z postaciami trębaczy grających na rogach.
PRZY DOKUMENCIE Z 1 VIII 1284, AA GNIEZNO, FOT. MŁ

PIECZĘĆ PIESZA HENRYKA PRAWEGO ►
używana w latach 1288–1290. Książę został przedstawiony w zbroi kolczej, z mieczem wspartym na prawym i tarczą z orłem na lewym ramieniu. Kompozycja naśladuje jego wcześniejszą pieczęć, będącą z kolei dość wiernym powtórzeniem pieczęci ojca, Henryka Białego; od obu różni się jednak wyjątkowo wysokim poziomem artystycznym. Mimo objęcia w 1288 r. krakowskiego tronu książęcego Henryk nie wymienił tej pieczęci, choć zawiera ona tylko jego śląską tytulaturę.
PRZY DOKUMENCIE Z 8 VIII 1288, AP WROCŁAW, FOT. MM

▲ PIECZĘĆ PIESZA PRZEMYSŁA II
używana w latach 1289–1290, niemal identyczna z pieczęcią jego ojca. Zamianę godła na tarczy z lwa na orła można odczytać jako wysunięcie pretensji do tronu krakowskiego. Jeszcze w tym samym roku dla Przemysła II wykonano nową, podobną pieczęć: tym razem na tarczy pojawił się ukoronowany orzeł z półksiężycem na piersi.
PRZY DOKUMENCIE Z 12 IX 1290, AKM KRAKÓW, FOT. SM

▲ AWERS PIECZĘCI MAJESTATYCZNEJ PRZEMYSŁA II
używanej w latach 1295–1296. Król, przedstawiony na tronie, w prawej ręce trzyma berło, w lewej jabłko; po prawej stronie władcy widać hełm z klejnotem. Sporządzona z okazji koronacji pieczęć prezentuje typ pieczęci królewskiej. Legenda głosi: „Pieczęć Przemysła, z Bożej łaski króla Polaków i księcia Pomorza".
PRZY DOKUMENCIE Z 15 VIII 1295, AD PELPLIN, FOT. PC

▼ PIECZĘĆ PIESZA KSIĘCIA INOWROCŁAWSKIEGO PRZEMYSŁA,
sporządzona przed 1300 r. Książę został przedstawiony w tunice nałożonej na zbroję kolczą, z mieczem w lewej ręce i tarczą z półorłem, półlwem w prawej. Na lewym ramieniu wisi na rzemieniach hełm garnczkowy. Władcę błogosławi ręka Boża ujęta w krzyżowy nimb.
PRZY DOKUMENCIE Z 7 XII 1300, AD WŁOCŁAWEK, FOT. MM

◄ PIECZĘĆ PIESZA BOLESŁAWA WSTYDLIWEGO
sporządzona po 1250 r., w kilka lat po opanowaniu Krakowa, używana do śmierci w 1279 r. Książę przedstawiony w zbroi kolczej, w hełmie stożkowym, z włócznią w prawej ręce i tarczą z orłem w lewej, z mieczem przy boku.
PRZY DOKUMENCIE Z 2 III 1257, AKL KLARYSEK KRAKÓW, FOT. MM

ZJEDNOCZENIE POD CZESKIM BERŁEM

W rywalizację o władzę w Polsce włączył się król czeski Wacław i to jemu właśnie udało się osiągnąć największe sukcesy

▲ PIECZĘĆ KRÓLEWSKA PRZEMYSŁA OTTOKARA II ukazywała majestat i zasięg jego władzy. Na awersie przedstawiono tronującego monarchę między herbami Czech i Moraw oraz tytuły: piąty król Czechów, margrabia Moraw, książę Karyntii, pan Eger (dzisiejszy Cheb). Na rewersie – pędzącego władcę z herbami Czech (na chorągwi), Austrii (na tarczy), Moraw (na kropierzu) i z tytułami: książę Austrii, Styrii, pan Carniole (Krainy), margrabia Portunass (Pordenone).

PRZY DOKUMENCIE Z 22 III 1271, MZA BRNO

▼ KRÓLESTWO POLSKIE I JEGO SĄSIEDZI W LATACH 1300–1305

RYS. JG

Królestwo Polskie w latach 1300–1305

księstwa zhołdowane przez Wacława II

księstwo wrocławskie (rządy Wacława II z tytułu opieki nad małoletnimi książętami)

niezależne księstwa piastowskie

dominium nysko-otmuchowskie biskupów wrocławskich

ziemie zwrócone Wacławowi II po śmierci Henryka Prawego

Wacław II

Wacław II z dynastii Przemyślidów był synem króla Przemysła Ottokara II, za którego czasów Czechy doszły do wielkiej potęgi. Młody król wydawał się pod wieloma względami przeciwieństwem poprzednika: Dante Alighieri wyrzekał, że Wacław w wieku męskim mniej był rycerski niż jego wielki ojciec w powijakach. Nie ulega jednak wątpliwości ciągłość mocarstwowej polityki obu władców. Przemysł Ottokar, korzystając z niemieckiego wielkiego bezkrólewia, zajął Austrię i chciał sięgnąć po koronę cesarską. Niemieccy książęta obawiali się go jednak i wybrali na tron nikomu dotąd nieznanego Rudolfa Habsburga. Rywalizacja Rudolfa z Przemysłem Ottokarem zakończyła się wydarciem Czechom Austrii i ich pogromem w bitwie pod Suchymi Krutami na Morawach w 1278 r., gdzie poległ waleczny król czeski.

Kryzys Czech był jednak przejściowy, bo ich potęga opierała się na rozkwicie wewnętrznych sił kraju. Nie darmo mówiono o Przemyśle Ottokarze II, że był królem nie tylko żelaznym, ale i złotym. Popierał kolonizację, zakładał miasta, ściągał kupców, budował kopalnie. Dorastający Wacław miał na czym oprzeć swe ambitne plany, ale południowy kierunek ekspansji był już zamknięty przez Habsburgów. Z tym większą uwagą patrzał teraz Wacław na północ – ku Polsce. I tu mógł odwołać się do ojcowskich tradycji. Przemysł Ottokar II cieszył się wśród Piastów, zwłaszcza śląskich, ogromnym autorytetem. Henryk Prawy wychowywał się na praskim dworze, a pod Suchymi Krutami polskie posiłki stanowiły aż trzecią część czeskiej armii. Plany Wacława szły dużo dalej.

Gdy wybuchły walki o Kraków po śmierci Leszka Czarnego, Wacław zbierał tytuły prawne do panowania w Polsce i odnawiał stare kontakty z Piastami śląskimi. Jeden z nich, książę bytomski Kazimierz, złożył nawet w 1289 r. królowi czeskiemu hołd lenny. Gdy wszystko było już gotowe, zimą 1290/91 r. Wacław wystąpił jako kandydat do rządów w Krakowie. Wiemy już, że poparli go miejscowi możni. Król czeski umiejętnie łączył dyplomację z siłą oręża: Małopolan kupił hojnym przywilejem i gwarancją poszanowania starych praw; Przemysła wielkopolskiego skłonił do rezygnacji; tylko Władysława Łokietka, który wciąż trzymał się w Sandomierzu, zgnieść trzeba było zbrojnie. Wacław mierzył jednak wyżej – w polską koronę. W zabiegach o papieską zgodę ubiegł go Przemysł II; rogoziński mord wyeliminował tego rywala, ale nie ma żadnych podstaw, by oskarżać króla czeskiego o ów zamach.

Po śmierci Przemysła II Wielkopolanie wybrali na księcia jego najbliższego ostatnio sojusznika,

Władysława Łokietka, ale nie potrafił on w trudnych warunkach kontynuować dzieła zjednoczenia. Zewsząd wyrastali wrogowie: znów uderzyli Brandenburczycy i zagarnęli nadnoteckie pogranicze; część możnych Pomorza Gdańskiego była gotowa zerwać związek z Wielkopolską, a władzę w Gdańsku próbował przejąć jeden z Łokietkowych bratanków. Najgroźniejszym przeciwnikiem okazał się jednak książę głogowski Henryk – któremu niegdyś Przemysł II obiecywał dziedzictwo po sobie. Próbę kompromisu z nim udaremnił sam Łokietek, szukając szczęścia w rozstrzygnięciu militarnym. Wojna jednak przyniosła mu same klęski. Część Wielkopolan chciała już poddać się Henrykowi. Przeciągające się walki nie przynosiły jednoznacznego rozstrzygnięcia, za to wyczerpywały siły obu rywali.

Sytuację tę wykorzystała czeska dyplomacja. Czesi niespodziewanie poparli Władysława Łokietka, ale w zamian za hołd złożony Wacławowi. Układ zawarty w 1299 r. pod wsią Klęka był ich dyplomatycznym majstersztykiem: dawał wszak Czechom tytuł zwierzchnictwa nad Wielkopolską, czego nie mógł już zmienić ani Henryk głogowski, ani żaden inny piastowski kandydat. Wielkopolanom, o ile chcieli kontynuować swe koronacyjne ambicje, nie pozostawało nic innego, jak wygnać skompromitowanego Łokietka i przyjąć bezpośrednie rządy króla czeskiego. Nad przebiegiem wydarzeń czuwały czeskie wojska, łamiąc opór ostatnich przeciwników, zwłaszcza na Kujawach. Na placu zjednoczeniowej rywalizacji ostał się król czeski.

Wielkopolscy możni przyjmowali Wacława II z ciężkim sercem, niemniej gwarantował on przecież jedność kraju. Zgodnie z wielkopolskim żądaniem zaręczył się z Ryksą, jedyną córką Przemysła II, i odbył w końcu 1300 r. koronację na króla polskiego w Gnieźnie – podkreślając ciągłość następstwa po Przemyśle. Nowy król władał w Małopolsce i Wielkopolsce, na Pomorzu Gdańskim i Kujawach, w Łęczycy i Sieradzu, a drobni Piastowie kujawscy i opolscy poddali się jego władzy i złożyli mu hołdy. Wkrótce rządy czeskie usadowiły się we Wrocławiu (tytułem opieki nad dziećmi zmarłego księcia Henryka Grubego). Tylko w głogowskim partykularzu trwał w oporze książę Henryk, manifestacyjnie tytułując się „dziedzicem Królestwa Polskiego". Obcemu królowi udało się niemal zjednoczyć Polskę i nie ma w tym paradoksu – łatwiej było wszak poddać się potężnemu Czechowi niż księciu rodakowi z sąsiedniej dzielnicy.

Starostowie

Złączenie dzielnic nie oznaczało jeszcze zbudowania scalonego w jedno państwa. Choć politykę

WACŁAW II ► jako opiekun dworzan, rycerzy i trubadurów. U góry herby Czech i Moraw – zwraca uwagę charakterystyczny klejnot królów czeskich w kształcie grzebienia. Lewą ręką król trzyma tłok majestatycznej dwustronnej pieczęci.

„KODEKS MANESSE", SZWAJCARIA (ZURYCH?), 1305–1340, UB HEIDELBERG

▼ PIECZĘCIE KRÓLOWEJ RYKSY ukazują jej władcze aspiracje. Ryksa-Elżbieta miała rozbudowaną kancelarię i używała kilku pieczęci. Na pieczęci majestatycznej tytułuje się „z Bożej łaski królową Czech i Polski"; schemat ikonograficzny i umieszczenie herbów (czeskiego i polskiego) nawiązują do pieczęci władców, a nie ich małżonek.

PRZY DOKUMENCIE Z 1 VI 1323, MZA BRNO

► KRÓLOWA RYKSA W INICJALE BREWIARZA, jednego z dziewięciu zachowanych rękopisów jej fundacji. Dekorowali je doskonali malarze, twórczo syntetyzujący najlepsze ówczesne wzorce płynące z Italii, Anglii i północnej Francji. Wszystkie swoje rękopisy Ryksa podarowała w 1323 r. ufundowanemu przez siebie cysterskiemu opactwu w Starym Brnie.

„BREWIARZ KRÓLOWEJ ELŻBIETY", OK. 1323, MZK BRNO

Dziwne losy królowej Ryksy

Córka Przemysła II w chwili śmierci ojca miała 8 lat, ale uosabiała dziedziczne prawa do Wielkopolski – więc w wieku lat 12 zaręczono ją z królem czeskim Wacławem II. Na jego też życzenie przybrała imię Elżbiety. W 1305 r. – miała wtedy 17 lat – urodziła mu córkę, ale tydzień później była już wdową. Gdy rok później wymarli Przemyślidzi, Ryksa stała się znów uosobieniem praw dziedzicznych, tym razem do korony czeskiej. Wydano ją więc za pretendującego do niej Rudolfa Habsburga – ale i on umarł zaledwie rok po ślubie. Nie mogąc znieść roli przedmiotu w politycznych przetargach, uszła w przebraniu z Pragi i skryła się w austriackim klasztorze. Wróciła po uspokojeniu sytuacji i osiadła w swych wdowich dobrach w Hradcu, który jej właśnie zawdzięcza nową nazwę, Hradec Králové, czyli Gród Królowej. Dwudziestokilkuletnia podwójna wdowa nie wycofała się z czynnego życia: brała udział w dworskich intrygach i znalazła wreszcie towarzysza życia, któremu oddała serce – czeskiego magnata Henryka z Lipy. Dopiero jego śmierć w 1329 r. złamała królową. Ostatnie lata spędziła w klasztorze w Starym Brnie, gdzie pochowała ukochanego i gdzie wkrótce sama spoczęła u jego boku. Umierając, nie zapomniała w testamencie o legatach dla kościołów i klasztorów wielkopolskich.

◄ PIECZĘĆ WACŁAWA II
jako króla Czech nawiązuje w swym schemacie do pieczęci jego ojca. Zwraca uwagę wyeksponowanie uhonorowanego orła krakowskiego – godła przejętego po Henryku Prawym.
PRZY DOKUMENCIE Z 28 IV 1301, PRAGA, CZECHY, MZA BRNO, FOT.

► HEŁMY GARNCZKOWE
od drugiej połowy XIII w. stawały się coraz większe i cięższe, a ich wydłużona odtąd dolna część opierała się na ramionach. Były one jednym z symboli kształtującego się stanu rycerskiego – zawieszano je, obok tarczy, nad nagrobkiem. Niekiedy wykonywano je specjalnie w tym celu (egzemplarz u góry), a od hełmów bojowych różniła je tylko cieńsza blacha. Poniżej górna połowa hełmu garnczkowego – jedyne tego typu znalezisko na ziemiach polskich.
VELENICE U LITOMĚŘIC, CZECHY, 1 POŁ. XIV W., NM PRAHA; GÓRA BIRÓW, MAiE ŁÓDŹ, FOT. MM

◄ PIECZĘĆ JAKUBA ŚWINKI I PIERŚCIEŃ PONTYFIKALNY
identyfikowany niekiedy jako dar Przemysła II dla metropolity przy jego konsekracji na arcybiskupa. Prawdopodobnie należał jednak do innego arcybiskupa, gdyż Jakub został pochowany w Uniejowie, a nie Gnieźnie. Na obrączce przedstawiono postacie biskupa i kobiety – zapewne personifikację Fides (Wiary).
PRZY DOKUMENCIE Z 29 XI 1284, AD PŁOCK, FOT. MM; PODZIEMIE KATEDRY W GNIEŹNIE, XIII W., MAD GNIEZNO, KOPIA W MPPP GNIEZNO, FOT. RS

„Psie mordy"

Podczas gnieźnieńskiej koronacji Wacława II kazanie wygłosił po łacinie przybyły w królewskiej świcie Jan, biskup tyrolskiego biskupstwa w Brixen. Król zapytał grzecznościowo siedzącego obok arcybiskupa Jakuba Świnkę, jak ocenia kaznodzieję. „Dobrze by mówił – odparł metropolita – gdyby nie był Niemcem i psią mordą". Psy, jak pamiętamy, to obiegowe wtedy wśród Polaków określenie Niemców. Nie spodobały się te słowa królowi, „kto bowiem – jak stwierdza czeski kronikarz – mówi takie rzeczy, pokazuje, że ma język gorszy od psa; psi język daje wszak zdrowie, a język takiego człowieka wylewa zabójczy jad złorzeczeń".
Charakterystyczne, że polscy historycy cytowali chętnie tylko słowa polskiego arcybiskupa, mające świadczyć chlubnie o jego patriotycznym nastawieniu, a pomijali na ogół kronikarski komentarz, pokazujący, że już ludzie średniowiecza odnosili się nieufnie do takiego zacietrzewienia.

integracyjną trudno było prowadzić z dalekiej Pragi, Wacław miał w niej niezaprzeczalne zasługi. Zarząd poszczególnych ziem objęli nowi urzędnicy królewscy – starostowie. Zastąpili oni poniekąd dawnych książąt dzielnicowych, a byli wyposażeni w rozległą władzę. Król dbał o częstą (przeważnie co kilka miesięcy) rotację starostów, by nie zasiedzieli się na danym terenie. Łączono też często w jednym ręku zarząd różnych ziem – i to w zmiennych konfiguracjach, co przyczyniało się do zacierania regionalnych różnic.

Starostowie byli mężami zaufania króla i nie można się dziwić, że był on ostrożny w nominacjach. Dostawali je możni panowie czescy (często zresztą w zamian za pożyczki udzielone królowi), ale także miejscowi, o ile gwarantowali wierność monarsze. Wbrew utartej opinii starostowie tubylczy prawie dorównywali liczbą obcym. Królewskie nominacje pomijały jednak lokalnych możnych – oddanie im namiestniczej władzy na własnym terenie wydawało się zbyt ryzykowne. U schyłku czeskiego panowania powierzono już wszakże zarząd Pomorzem Gdańskim Pomorzaninowi bliskiemu dworowi, Piotrowi Święcy z Nowego.

Nowa administracja okazała się sprawna; znakomite świadectwo wystawił jej poznański rocznikarz: „Pod królem Wacławem kwitły w Polsce doskonały pokój i sprawiedliwość". Aby to osiągnąć, starostowie musieli tępić rozboje – w których celowało drobne rycerstwo – oraz szukać poparcia miast. W Wielkopolsce główne miasta otrzymały potwierdzenie nadanego jeszcze przez Władysława Łokietka prawa do samodzielnego ścigania i karania wszystkich łotrzyków, nawet rycerzy. Także w Małopolsce król nie szczędził przywilejów miastom, ze stołecznym Krakowem na czele.

A jednak czeskie rządy nie spotkały się z sympatią. Rycerstwo zraziły surowością i faworyzowaniem mieszczan. Możni boleśnie odczuli odsunięcie od władzy. Choć starostowie starali się nawiązać współpracę z lokalnymi elitami, to było przecież oczywiste, kto sprawuje teraz prawdziwe rządy. Król zaczął też likwidować system starych, pozbawionych realnego znaczenia urzędów kasztelańskich – do których jednak Polacy byli bardzo przywiązani. Wprowadzane nowinki ustrojowe spotkały się przeto z oporem, właśnie jako obca, a więc „niemiecka" nowość.

Koniec Przemyślidów

Ambicje króla Wacława II sięgały dalej niż granice Polski. W 1301 r. wymarła węgierska dynastia Arpadów. Część możnych węgierskich poparła kandydaturę czeskiego królewicza Wacława; został on koronowany na króla Węgier pod imieniem Władysława V. Czeska potęga doszła do zenitu – wszystkie trzy królestwa środkowoeuropejskie (Czechy, Polska i Węgry) znalazły się w ręku dynastii Przemyślidów, których władza miała w przyszłości sięgać od Adriatyku po Bałtyk i od Siedmiogrodu po Łabę.

Sukces ten okazał się jednak nietrwały. Przeciwko czeskim Wacławom wystąpiło papiestwo – Węgry były bowiem uważane za lenno papieskie, a Stolica Apostolska miała już upatrzonego własnego kandydata do tego tronu, członka blisko z papiestwem związanej dynastii Andegawenów. Odezwali się Hasburgowie, przestraszeni wzrostem czeskiej potęgi; pojawiali się też inni konkurenci do korony św. Stefana. Na Węgrzech rozgorzała wojna domowa, papież zerwał stosunki z Wacławem II, a Habsburgowie rozpoczęli kroki wojenne (w 1304 r.). Niebawem Węgry były stracone, habsburskie armie pustoszyły Morawy, a w Polsce wybuchło antyczeskie powstanie.

Wśród sypiących się zewsząd klęsk zmarł w 1305 r. niestary jeszcze król Wacław II. Jego młodziutki syn i następca, Wacław III, nie był w stanie podołać trudnościom. Nawet czescy kronikarze wspominają go niechętnie jako lekkomyślnego hulakę. Próbował wszakże ratować co się dało – zrezygnował z Węgier, ugodził się z Habsburgami. Chciał jeszcze ocalić dla siebie polską koronę. Gdy w sierpniu 1306 r. w morawskim Ołomuńcu zbierała się wielka wyprawa, która miała zdusić opór i doprowadzić do jego koronacji na króla polskiego, doszło jednak do nagłej tragedii. W niewyjaśnionych wciąż okolicznościach Wacław III zginął z rąk własnych rycerzy. Był ostatnim z Przemyślidów. Dla Polski oznaczało to kres czeskich rządów. Czechy po wymarciu dynastii same pogrążały się teraz w wirze sporów sukcesyjnych.

Czeskie rządy w Polsce spotykały się ze skrajnymi ocenami: według jednych (zwłaszcza dawniejszych) historyków stanowiły obcą okupację, wedle innych – milowy krok na drodze ku jedności państwa. Dziś zdecydowanie negatywne opinie stanowią rzadkość. Trudno zresztą właściwie ocenić osiągnięcia tego panowania, trwającego tak krótko i gwałtownie przerwanego. Wydaje się, że dalsza ewolucja musiałaby przebiegać w stronę zatarcia obcego charakteru czeskich rządów i szerszego dopuszczania do władzy czynników miejscowych. Polska zaś w stosunkach z uciążliwymi sąsiadami mogłaby korzystać ze wsparcia czeskiej potęgi. Wydaje się to szczególnie istotne, albowiem lata, jakie przyszły po upadku czeskich rządów, niosły wiele ciężkich dla Polski ciosów.

▲ GROSZ PRASKI WACŁAWA II
bity od 1300 r. w Kutnej Horze był do początku XV w. podstawową monetą stosowaną w rozliczaniu dużych transakcji w całej środkowej Europie. Odpowiadał 12 denarom małym, pierwotnie zawierał około 3,8 g czystego srebra, czyli 1/64 ciężkiej grzywny praskiej. Przez cały czas jego obiegu (do 1547 r.) pogarszano próbę srebra, tak iż zawartość kruszcu spadła w XVI w. poniżej 1,2 g.
1300–1305, OSSOLINEUM WROCŁAW, FOT. PC

▼ ZAMKI KSIĘCIA ŚWIDNICKIEGO BOLKA I
tworzyły przemyślany system obronny. Książę modernizował starsze obiekty (jak w Bolkowie), lecz przede wszystkim wznosił nowe. Takie zabezpieczenie księstwa pozwalało prowadzić niezależną od Wacława II politykę.
BOLKÓW POW. JAWOR, 2 POŁ. XIII W. (PRZEBUDOWYWANY DO XVI W.); ZAMEK CHOJNIK – JELENIA GÓRA SOBIESZÓW, KON. XIII W. (PRZEBUDOWYWANY DO XVII W.); FOT. WS

▼ PIECZĘCIE KSIĘCIA ŚWIDNICKIEGO BOLKA I I JEGO SYNA BERNARDA
Po śmierci Bolka I w 1301 r. regencję sprawowała jego żona Beatrycza ze swoim bratem, margrabią brandenburskim Hermanem. Po dojściu do lat sprawnych Bernard rządził zrazu wspólnie z braćmi Henrykiem i Bolkiem, a następnie wydzielił im dzielnice: jaworską i ziębicką.
PRZY DOKUMENTACH Z 24 V 1301 I 29 XI 1307

BRAKTEATY I GROSZE

Po 1178 r. prawo bicia monety otrzymywali kolejni książęta dzielnicowi, a później także niektórzy możnowładcy, biskupi i klasztory. Za sprawą wprowadzonego w pierwszej połowie XII w. systemu renowacji monetę wymieniano co pół roku lub nawet co 4 miesiące. W rezultacie na początku XIII w. miała ona bardzo ograniczony zasięg zarówno w czasie, jak w przestrzeni, a w dodatku była silnie zdewaluowana: denar (jedyny nominał monety) zawierał 0,1–0,2 g dobrego srebra. Służył też tylko do drobnych transakcji; większe opłacano sztabami srebra lub odważanymi monetami różnego pochodzenia. Do tak ograniczonego użytku wystarczały monety cienkie i kruche, wybijane tylko z jednej strony (na rewersie był negatyw awersu). Monety takie nazywamy brakteatami.

Regionalizacja pieniądza miała też miejsce w Niemczech, Francji i Włoszech. Taki ustrój pieniężny nie sprzyjał jednak kontaktom handlowym. Potrzebna była moneta większa i bardziej stabilna. Pod koniec XIII w. na Dolnym Śląsku wprowadzono wzorowane na flandryjskich cięższe monety dwustronne – grosze zwane kwartnikami. Książęta głogowscy wybili je również w Wielkopolsce. Brak własnych złóż kruszcu i silna konkurencja bitych od 1300 r. groszy praskich spowodowały zaprzestanie emisji kwartników; po 1320 r. każde polskie księstwo miało własne denary (brakteatowe lub dwustronne), ale wszystkie miały wspólny grosz: praski. Na Kujawy i Mazowsze w wyniku handlu i inwestycji krzyżackich napłynęły fenigi pruskie, które praktycznie wyparły stamtąd monetę miejscową. Księstwa, które weszły w skład Królestwa Polskiego, dopiero po 1360 r. zaczęły posługiwać się jedną monetą. Był nią denar krakowski i nowy kwartnik (1/2 grosza). Próba zastąpienia grosza praskiego groszem krakowskim, podjęta przez Kazimierza Wielkiego, nie powiodła się. Przez cały XV w. podstawową monetą polską był kwartnik duży (inaczej półgrosz), a do drobnych rozliczeń służył denar (pieniążek). Krótko wybijano kwartniki małe (inaczej trzeciaki), równe trzem denarom.

Stemple monet polskich w XII–XIII w. przedstawiają władcę jako przewodnika ludu Bożego, świętych patronów, a często figury i sceny dziś dla nas niezrozumiałe. Nie zawsze kładziono napisy, a oprócz dominującej łaciny zdarzały się polskie i hebrajskie. Od połowy XIII w. na monetach zaczynają się pojawiać motywy heraldyczne, które od końca XIV w. wypełniają obie strony monety, nie pozostawiając miejsca na figurę władcy.

◄ BRAKTEATY
przeważnie nie miały napisów. Dziś tylko na podstawie czasu i zasięgu ich występowania możemy się domyślać, kto je wybijał. Ten pochodzi z Wielkopolski lub Kujaw początku XIII w. Pięknie wymodelowana głowa przedstawia zapewne księcia.
MN KRAKÓW, FOT. MM

◄ BRAKTEAT NIEOKREŚLONEGO BOLESŁAWA
z początku XIII w. przedstawia chyba księcia śląskiego Bolesława Wysokiego (może pośmiertnie). Oprawa architektoniczna miała przydawać władcy dostojeństwa.
MN KRAKÓW, FOT. MM

◄ BRAKTEAT PRAWDOPODOBNIE KAZIMIERZA SPRAWIEDLIWEGO
z napisem Adalb[e]rtus. Głowa św. Wojciecha oznaczała panowanie władcy nad jedną ze stolic Polski – Gnieznem.
GNIEZNO?, 1177–1181?, MN KRAKÓW, FOT. MM

◄ BRAKTEAT Z PRZEDSTAWIENIEM BISKUPA
i imieniem księcia Kazimierza (DUX AZIMIR). Kazimierz, o którym mowa, to przypuszczalnie Kazimierz Sprawiedliwy, ale monetę wybił któryś z jego synów: Leszek Biały lub Konrad Mazowiecki. Kim jest biskup – o to trwa spór.
KRAKÓW LUB SANDOMIERZ, XIII W., MN KRAKÓW, FOT. MM

◄ BRAKTEAT JAKSY Z MIECHOWA
jako księcia Kopanicy (IACZO DE COPNIC) należy do kręgu mennictwa saskiego. Władca trzyma w dłoni palmę – znak odbytej w 1162 r. pielgrzymki do Jerozolimy.
KÖPENICK, NIEMCY, 1163–1176, MK SM SPKB BERLIN

◄ ANONIMOWY BRAKTEAT
z końca XII w., przypuszczalnie z Wielkopolski. Głowa w bramie przedstawia zapewne świętego patrona.
MN KRAKÓW, FOT. MM

▲ SZEROKIE BRAKTEATY ŚLĄSKIE
Głowa orła z pewnością nawiązuje do herbu książęcego, ale znaczenie dwóch gałązek palmy pozostaje nieznane. Brakteaty te ważyły cztery razy więcej od wcześniejszych (do 0,8 g). Bite od połowy XIII w. na Dolnym Śląsku stanowiły próbę podniesienia wartości pieniądza. Ponieważ jednak nie zrezygnowano z renowacji monety, szybko znów straciły wartość. Znamy ponad trzysta ich emisji.
2 POŁ. XIII W.; Z GŁOWĄ ORŁA – KSIĘSTWO WROCŁAWSKIE?; Z LWEM – ZE SKARBU Z ZALESIA; OSSOLINEUM WROCŁAW; FOT. MM

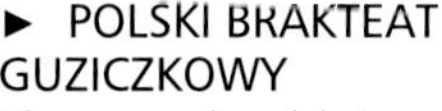

► POLSKI BRAKTEAT GUZICZKOWY
Głowa, prawdopodobnie księcia, pozbawiona cech indywidualnych i legendy.
BITY W 3 ĆW. XIII W., ZE SKARBU Z RADZANOWA POW. PŁOCK UKRYTEGO W 4 ĆW. XIII W., MM PŁOCK, FOT. MM

▲ KWARTNIK KSIĘSTWA ŚWIDNICKIEGO
Nazwa kwartnik oznacza wartość kwarty, czyli 1/4 wiardunka albo 1/96 grzywny. *Clipeus Bavwarie* (tarczę Bawarii) na śląskiej monecie umieścili panujący wspólnie książęta świdniccy, synowie Bolka I świdnickiego: Bolko II Starszy, Bernard i Henryk. Ich siostra Beatrycza, żona księcia Bawarii Ludwika, została w 1314 r. królową niemiecką.
PO 1314, MN KRAKÓW, FOT. MM

▲ KWARTNIK KORONNY KAZIMIERZA WIELKIEGO
przedstawia króla na majestacie. To pierwsza ponaddzielnicowa moneta Królestwa Polskiego, a zarazem ostatnie aż do czasów renesansu przedstawienie władcy na monecie polskiej.
1367–1370, MAiE ŁÓDŹ, FOT. MM

▲ GROSZ MAŁY RUSKI KAZIMIERZA WIELKIEGO
miał wartość zbliżoną do polskiego kwartnika. Monety Rusi Czerwonej wybito dopiero po przyłączeniu jej do Polski. Tamtejszy system monetarny związany był z rynkiem czarnomorskim, posługującym się małymi groszami weneckimi.
OK. 1367–1370, MN KRAKÓW, FOT. MM

▲ KWARTNIK MAŁY (TRZECIAK) WŁADYSŁAWA JAGIEŁŁY
Na awersie tarcza ze znakiem osobistym króla – podwójnym krzyżem, pod nim inicjały „M" i „P" – zarządców mennicy Monalda i Piotra.
KRAKÓW, 1393–1394, MN KRAKÓW, FOT. MM

W KRĘGU GOTYKU

Postęp cywilizacyjny na ziemiach polskich w XIII i XIV w. sprzyjał rozwojowi sztuki gotyckiej

▲ CHÓRY KATEDR WE WROCŁAWIU I KRAKOWIE mają ten sam układ z prostokątnym obejściem, wokół którego dodawano z czasem kaplice. W chórze wrocławskim przeważa stylistyka wczesnogotycka, z bardziej zaawansowanym detalem architektonicznym. W katedrze wawelskiej natomiast dominują już zdecydowanie formy gotyku *rayonnant*, ze wskazaniem na wzorce katedralne.

WIDOK OD ZACH.; OK. 1244–1272, FOT. ARCHIWALNA; OK. 1320–1346, FOT. SA

◄ KAPLICA ŚW. JADWIGI zbudowana zaraz po kanonizacji księżnej przy kościele klasztornym Cysterek w Trzebnicy jest jedną z najstarszych budowli gotyckich na ziemiach polskich. Jej budowniczy zastosował najbardziej nowoczesny wzorzec francuskiej kaplicy relikwiarzowej.

WIDOK OD WSCH., 3 ĆW. XIII W., FOT. MM

Opus francigenum

Minęło 100 lat, zanim gotycka forma dotarła z Île-de-France na Śląsk. Jednak w tym wypadku to nie odległość zdecydowała o długości procesu ekspansji nowych wzorców. Na zachodnich rubieżach ziem niemieckich pierwsze gotyckie kościoły pojawiły się zaledwie 10 lat wcześniej niż we Wrocławiu. Przełom gotycki dokonał się więc niemal równocześnie nad Renem i nad Odrą, a to dzięki pojawieniu się w środkowej Europie francuskich warsztatów budowlanych, które propagowały nową formę. Był to czynnik decydujący, miejscowe warsztaty romańskie nie były bowiem w stanie adaptować się do wymogów nowego stylu.

Cóż takiego wydarzyło się we Francji, że tamtejsi mistrzowie szukali pracy daleko od ojczyzny? Otóż olbrzymie koszty dwóch kolejnych wypraw krzyżowych poprowadzonych przez Ludwika Świętego w latach 1248 i 1270 spowodowały gwałtowne ograniczenie inwestycji we Francji i konieczność poszukiwania zatrudnienia przez tamtejszych fachowców nawet na peryferiach łacińskiego chrześcijaństwa. Jeden z kronikarzy epoki określił celnie nową architekturę i związaną z nią rzeźbę jako *opus francigenum*.

W katedrze wrocławskiej zrealizowano skromniejszy wariant chóru z prostokątnym obejściem, uproszczonym systemem konstrukcyjnym i nieco archaizowaną stylistyką wnętrza. Stanowił on kompromis między nową a możliwą do zaakceptowania przez tutejszych użytkowników architekturą i rzeźbą. W rozpoczętej ćwierć wieku później kaplicy św. Jadwigi w Trzebnicy było już możliwe zastosowanie form znacznie bardziej awangardowych.

Bardzo wcześnie w polskich miastach pojawiły się klasztory mendykantów: najwcześniej dominikanów i franciszkanów. W ich najstarszych kościołach, o wydłużonym chórze dla zakonników i nawie lub nawach krytych drewnianym stropem, manifestuje się kontestacja rozwiniętej architektury gotyckiej wywiedzionej z typu katedralnego.

Na czas gotyckiego przełomu przypada też intensywna działalność budowlana cystersów. Ich kościoły, w szerszym kontekście wykazujące cechy ascezy i redukcji, w miejscowym środowisku mogły urastać do rangi najbardziej monumentalnych założeń. Sprzyjały temu powiązania klasztorów z dworami książęcymi.

Różnice regionalne

Proces urbanizacji powodował, że także w rozwoju architektury monumentalnej coraz istotniejszą rolę odgrywały miasta. W tych największych, jak Kraków i Wrocław, z biegiem czasu zaczynają dominować fundacje dokonywane przez mieszczan. We Wrocławiu kontynuacja budowy katedry, budowa kolegiaty św. Krzyża, klasztornego kościoła NMP na Piasku czy też miejskich kościołów parafialnych św. Elżbiety i św. Marii Magdaleny pokazują daleko idącą wspólnotę artystycznych założeń, choć nie ich ujednolicenie: oba miejskie kościoły są bazylikami, a kolegiata i kościół klasztorny – halami. Działający tu w połowie XIV w. murator Pieszko doskonale znał się na obu typach budowli. Obie miejskie bazyliki cechują się ascetyczną stylistyką wnętrza, wielkimi powierzchniami płaskich ścian i małymi, wysoko umieszczonymi oknami. Wysokie tunelowe nawy prowadzą do jasno oświetlonej części wschodniej – takie kontrastowe zestawienie przejęto z kościołów zakonów żebraczych. W Krakowie decydująca okazała się budowa katedry, zyskującej z biegiem czasu znaczenie jako kościół koronacyjny i królewska nekropolia. Wprowadzono filarowo-skarpowy (przyporowy) system konstrukcyjny, powtarzany potem w wielkich bazylikach Krakowa oraz w mniejszych kościołach Małopolski. W układzie chóru powtórzono plan katedry wrocławskiej, ze znacznym jednak wzbogaceniem struktury ścian i sklepienia.

Budowany przez mieszczan kościół Mariacki oraz fundowane przez Kazimierza Wielkiego kościoły (np. w Kazimierzu pod Krakowem: parafialny Bożego Ciała i klasztorny św. Katarzyny) uzyskały tę samą formę ogólną: wysoki bazylikowy korpus nawowy i równie wysoki kaplicowy chór. Szczególnie bogatą dekoracją zewnętrzną wyróżnia się chór kościoła Mariackiego z fundacji mieszczanina Mikołaja Wierzynka. Z kolei fundowane przez króla w mniejszych miastach Małopolski kościoły kojarzą się ze stylistyką dworską dzięki mniejszej skali i wyrafinowanej formie przestrzeni.

W Wielkopolsce, po obiecującym początku w połowie XIII w., dopiero XIV-wieczne przebudowy katedr w Gnieźnie i Poznaniu ponownie uczyniły aktualnym problem formy właściwej dla katedry metropolitalnej, która jeszcze nie tak dawno była katedrą koronacyjną. Wieloboczny chór z obejściem zaznaczył pierwszeństwo katedry gnieźnieńskiej przed wrocławską i krakowską. W Poznaniu z kolei ufundowanie przez Kazimierza Wielkiego tumbowego nagrobka Bolesławowi Chrobremu nadało tutejszej katedrze rangę królewską, co w kolejnej przebudowie chóru zaowocowało wprowadzeniem klasycznego motywu triforium oraz patronackiego programu emporowych kaplic we wschodnich wieżach otwartych na chór.

▲ KOLEGIATA ŚW. KRZYŻA I KOŚCIÓŁ NMP NA PIASKU we Wrocławiu zapoczątkowują śląską szkołę gotyku. W kolegiacie zastosowano układ halowy i zestawienie sklepień gwiaździstych w nawie głównej z trójpodporowymi w nawach bocznych; układ ten powtórzono na Piasku. Różne są natomiast rozwiązania przestrzenne: scentralizowana przestrzeń kolegiaty kontrastuje z wydłużonym wnętrzem kościoła NMP.

WIDOK OD PŁD. ZACH., PO 1288–OK. 1400, FOT. SA; WIDOK NA PREZBITERIUM, 1334–1430, FOT. SA

▶ GOTYCKĄ KOLEGIATĘ W WIŚLICY zaczęto wznosić w 1350 r. na miejscu wcześniejszej, romańskiej. Jej sklepienie wspiera się na trzech, a nie na dwóch filarach. Wspaniały efekt wiślickiego wnętrza tworzy kontrast gładkich ścian z bogato kształtowanymi sklepieniami.

WIDOK NA PREZBITERIUM, FOT. MM

Małopolskie kościoły Kazimierza Wielkiego

Ufundowane przez Kazimierza Wielkiego kościoły w średniej wielkości miastach Małopolski: Wiślicy, Niepołomicach, Szydłowie i Stopnicy, charakteryzują się mniejszą niż krakowskie bazyliki skalą, za to niezwykle piękną formą dwunawowej hali z bogatymi gwiaździstymi sklepieniami wyrastającymi ze smukłych filarów. Ustawione na osi nawy filary przekreślają wartość uprzywilejowanego miejsca na wprost ołtarza, w wielkich kościołach zawierającego się w nawie głównej. Preferencja dla kierunków ukośnych nadaje takiej przestrzeni bardziej wspólnotowy charakter. Tego typu wnętrze znane jest z austriackich kościołów dominikańskich, dla których wzorem był paryski kościół Dominikanów urządzony w sali dawnego szpitala. Pojawia się także w klasztornych refektarzach czy zamkowych salach audiencjonalnych, co wskazuje na odwołanie się do form architektury świeckiej. W Wiślicy było to szczególnie uzasadnione z racji użytkowania kościoła w trakcie szlacheckich zjazdów i królewskich sądów. Na poszerzenie funkcji tego kościoła wskazuje zespół heraldycznych zworników, które prezentują program Korony Królestwa Polskiego.

◄ ARCHITEKTURA KOŚCIOŁA ŚW. JAKUBA,
parafialnego dla Nowego Miasta w Toruniu, wyróżnia się wytworną stylistyką, zarówno wnętrza (głównie chóru), jak i murów zewnętrznych, z eksponowanymi łukami przyporowymi i pinaklowymi zwieńczeniami skarp. Bogactwo strony zewnętrznej potęguje zastosowanie różnobarwnych glazurowanych cegieł i biało tynkowanych wnęk. Wyjątkowa forma zdaje się wskazywać na krzyżacki raczej aniżeli mieszczański mecenat.
WIDOK OD PŁN. ZACH., 1309–POŁ. XIV W., FOT. SKL

► KOŚCIÓŁ KLASZTORNY OPACTWA CYSTERSÓW W PELPLINIE,
oprócz charakterystycznego, halowego transeptu dzielącego świątynię na dwie prawie równe części, wyróżnia się zastosowaniem prostokątnego zamknięcia prezbiterium i naw bocznych. Dwiema ośmiobocznymi wieżami schodowymi ujęto nie tylko fasadę zachodnią (jak w kościele Cystersów w Gdańsku Oliwie), ale również elewację wschodnią.
WIDOK OD ZACH., 2 ĆW. XIV W.–OK. 1472, 1557, FOT. PC

▲ RZEŹBA ARCHITEKTONICZNA
prezbiterium i obejścia katedry wrocławskiej powstała wraz z prowadzoną w latach 1244–1272 budową chóru. Bogatą dekorację kamiennych elementów konstrukcyjnych, złożoną z liści dębu, winorośli i bluszczu z wplecionymi w nie postaciami ludzkimi i zwierzęcymi, wykonał warsztat pochodzenia francuskiego.
FOT. MM

◄ TYMPANON PORTALU
wiodącego z kaplicy św. Jadwigi do chóru trzebnickiego kościoła Cysterek. Od strony chóru ukazano Ukrzyżowanie, od strony kaplicy zaś – Koronację NMP.
Jest to klasyczny temat gotyckiej rzeźby katedralnej.
PO 1268, KOŚCIÓŁ NMP I ŚW. BARTŁOMIEJA W TRZEBNICY, FOT. MM

Architektura Pomorza i Prus przynależy do wielkiego nadbałtyckiego regionu artystycznego. Z kręgiem hanzeatyckim wiążą się halowe kościoły miejskie w zachodniej części Pomorza Zachodniego. Katedra w Kamieniu dała wzór niewielkim bazylikom Pomorza Środkowego. Cysterskie kościoły w Oliwie i Pelplinie, po 1309 r. leżące na obszarze państwa zakonnego, monumentalnością górowały nad krzyżackimi katedrami w Chełmży, Kwidzynie i Fromborku. Te dwie ostatnie, połączone z założeniami obronnymi, odwołują się do idei Kościoła walczącego, wykorzystywanej w propagandzie państwa zakonnego. Posłużenie się klasycznym motywem zewnętrznych łuków oporowych nastąpiło nie w którejkolwiek z katedr, lecz w nowomiejskiej bazylice św. Jakuba w Toruniu. O krajobrazie architektonicznym państwa zakonnego decydowały jednak przede wszystkim potężne sylwety regularnych założeń zamkowych.

Rzeźba architektoniczna

Gotycka rzeźba pojawiła się wraz z nową architekturą. W kapitelach chóru katedry wrocławskiej, obok motywów wyraźnie archaizujących, pojawia się też awangardowa stylistyka naturalistycznego przedstawienia roślinności. To właśnie ta dekoracja poświadcza przybycie do Wrocławia warsztatu kamieniarskiego z Francji. Takie same związki ćwierć wieku później pokazuje dekoracja trzebnickiej kaplicy św. Jadwigi z klasyczną dla rzeźby katedralnej sceną Niebiańskiej Koronacji Marii. Z kolei twórca zachodniego portalu w kościele farnym w Lwówku okazał się wirtuozem rzeźby ornamentalnej.

W XIV w. na Śląsku w ślad za zmianami politycznymi szła też zmiana orientacji artystycznej. Przejście pod panowanie czeskie zacieśniło związki z Pragą, która za panowania Karola IV stała się ważnym ośrodkiem artystycznym. W architekturze i rzeźbie na wielką indywidualność wyrósł drugi po Macieju z Arras budowniczy katedry praskiej, Piotr Parler, a działający na Śląsku rzeźbiarze korzystali z wzorów plastycznej monumentalności jego rzeźby. Własna jednak, świetna tradycja pozwalała na swobodną recepcję parlerowskich wzorców, a także na otwarcie się na inne, m.in. wiedeńskie wpływy. Bogaty program rzeźby portalowej na skalę niemal katedralną wprowadzono w XIV w. w kościele Joannitów w Strzegomiu. W podobny sposób przydano splendoru kaplicy na Zamku Wysokim w Malborku, głównemu kościołowi państwa krzyżackiego. Także i korpus nawowy katedry gnieźnieńskiej wzbogacono rzeźbą w portalach i we wnętrzu. Podobnie jak w Malborku, tak i w Gnieźnie użyto sztucznego kamienia.

Rzeźba nagrobna i dewocyjna

Około 1300 r. najwyższej klasy rzeźbiarz, być może z pogranicza Francji i Niderlandów, wykonał płytę wierzchnią nagrobka Henryka Prawego. Na Śląsku powstała liczna seria tego typu książęcych i biskupich nagrobków tumbowych. W katedrze wawelskiej była to forma zarezerwowana dla nagrobków królewskich, od Władysława Łokietka poczynając, poprzez Kazimierza Wielkiego i Władysława Jagiełłę, po Kazimierza Jagiellończyka. Prestiż królewskiego nagrobka wzmacniano architektonicznym baldachimem. W książęcych i królewskich nagrobkach, poza treściami eschatologicznymi, zawsze też były wyrażane treści polityczne: najczęściej programem heraldycznym, a niekiedy także przez dobór postaci płaczków na bokach tumby.

Jest oczywiste, że średniowieczna rzeźba pełniła przede wszystkim funkcje religijne. Rozmieszczona w portalach i wnętrzu kościoła służyła przedstawieniu treści teologicznych, historii Kościoła, w tym przede wszystkim historii ziemskiego życia Chrystusa. Niektóre fragmenty cyklu historycznego wyodrębniono jako osobne tematy dewocyjne. Nowy typ religijności, propagowany przez zakony żebracze, w figurze Ukrzyżowanego eksponował ludzką naturę Chrystusa, a wyjątkową ekspresję osiągano przez drastyczne ukazanie cierpienia, niekiedy sięgające deformacji. Podobnie w XIV-wiecznej wersji tematu Pieta (Maria z martwym Chrystusem na kolanach) eksponuje się ból matki po stracie syna. Bardziej uspokojone są przedstawienia Chrystusa Frasobliwego. Z kolei na Śląsku i Pomorzu krzyżackim znaczną popularność zdobył temat Madonny na lwie. W tzw. Madonnach szafkowych standardowe przedstawienie Marii z Dzieciątkiem ukazuje po otwarciu rzeźbioną Trójcę Świętą pośrodku, a na rozchylonych połach płaszcza malowane grupy wiernych jako społeczność Kościoła.

Malarstwo ścienne i miniatury

Ostatecznego wyrazu architekturze nadawała bogata niegdyś, dziś już wyblakła kolorystyka malowideł ściennych. Dziełem mistrza wywodzącego się z północnych Włoch są malowidła św. Męczenniczek w zakrystii kościoła w Niepołomicach. W kaplicy przy kapitularzu cysterskim w wielkopolskim Lądzie powstały z fundacji starosty generalnego Wielkopolski Wierzbięty z Palowic malowidła, na których w tematykę religijną całości wpleciono aktualny wówczas wątek polityczny. Zestawienie malowideł lądzkich z niepołomickimi pokazuje, jak różne mogą występować w tym samym czasie środ-

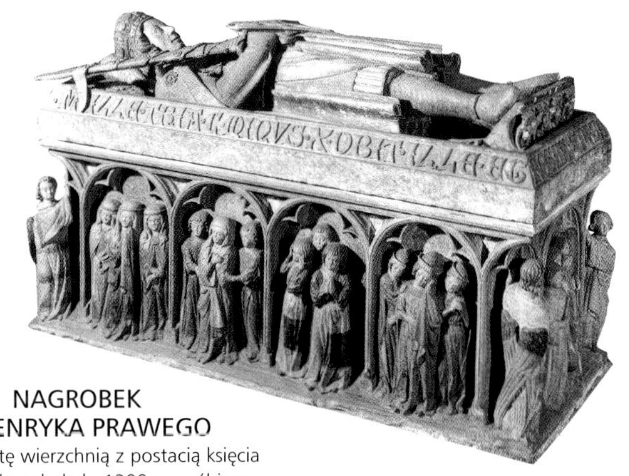

▲ NAGROBEK HENRYKA PRAWEGO
Płytę wierzchnią z postacią księcia wykonał około 1300 r. rzeźbiarz, który znał francuską i niemiecką rzeźbę nagrobną końca XIII w. Nieco później powstała tumba z przedstawieniem orszaku pogrzebowego.
OK. 1300 I OK. 1320, KOLEGIATA ŚW. KRZYŻA WE WROCŁAWIU, OB. W MN WROCŁAW, FOT. EW

► EKSPRESYJNE PRZEDSTAWIENIA MĘKI CHRYSTUSA,
charakterystyczne dla ówczesnej duchowości, tworzą nurt określany w sztuce jako mistyczny – do głównych dzieł tego typu powstałych na Śląsku należą: Pieta z Lubiąża oraz Ukrzyżowania z wrocławskich kościołów św. Ducha, Bożego Ciała i św. Barbary. Cierpienie zostało podkreślone grymasem bólu, wyeksponowaniem krwi i ran oraz wychudzenia ciała.
PIETA Z LUBIĄŻA POW. WOŁÓW – OK. 1370; UKRZYŻOWANIE Z KOŚCIOŁA BOŻEGO CIAŁA WE WROCŁAWIU – OK. 1380–1390; MN WARSZAWA

◄ MADONNA NA LWACH ZE SKARBIMIERZA,
pierwotnie rzeźba ołtarzowa lub procesyjna, jest na ziemiach polskich pierwszą z grupy rzeźb przedstawiających Matkę Bożą z Dzieciątkiem siedzącą na tronie wspartym na lwach lub stojącą na grzbiecie lwa.
OK. 1360, MN WROCŁAW

▼ POLICHROMIA W NIEPOŁOMICACH
charakteryzuje się użyciem światłocienia o wyraźnie włoskiej proweniencji. Wykazuje podobieństwa do fresków zachowanych w pałacu w Ostrzyhomiu na Węgrzech i stanowi prawdopodobnie fundację Kazimierza Wielkiego lub Elżbiety Łokietkówny.
KOŚCIÓŁ NMP I DZIESIĘCIU TYSIĘCY MĘCZENNIKÓW W NIEPOŁOMICACH POW. WIELICZKA, OK. 1360–1370, FOT. MM

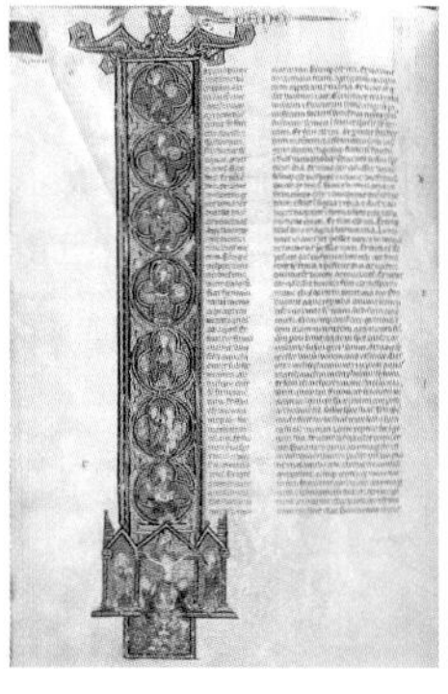

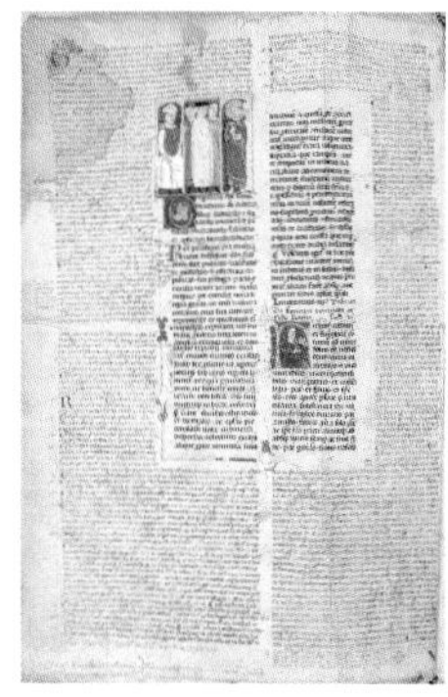

▲ RĘKOPISY LITURGICZNE I PRAWNICZE pochodzące z Europy Zachodniej. Dekoracyjne Biblie i księgi liturgiczne często sprowadzano z Paryża, z Włoch natomiast – głównie rękopisy prawnicze, mniej starannie zdobione, ze względu na oszczędność miejsca często wielokolumnowe.

BIBLIA – PARYŻ, FRANCJA, 3 ĆW. XIII W.; „DEKRETALIA GRZEGORZA IX" – BOLONIA, WŁOCHY, OK. 1300; BUMK TORUŃ; FOT. MM

Pismo gotyckie

W XI w. w północnej Francji zrodził się nowy styl w architekturze i sztuce, zwany gotykiem. Wraz z nim powstało także charakterystyczne pismo, królujące w kancelariach i skryptoriach całej chrześcijańskiej Europy aż do schyłku XV w. Tak jak ówczesną architekturę, cechowały je: smukłość kształtów, wielokrotne przełamywanie linii, rezygnacja z krągłości na rzecz ostrych kątów, upodobanie do kontrastów między liniami cienkimi i grubymi oraz wielka zwartość. Nie było ono jednolite; w różnych krajach i okresach powstawały liczne odmiany. Od końca XII w. można jednak wyróżnić dwie główne grupy: pismo kodeksowe, o charakterze kaligraficznym, słabo podatne na zmiany, używane zwykle do spisywania ksiąg, brewiarzy, kronik, roczników itp., oraz pismo kancelaryjne, kursywne, ulegające ewolucji. Znalazło ono szerokie zastosowanie w życiu codziennym na skutek ożywienia gospodarczo-społecznego, dającego asumpt do rozwoju biurokracji oraz upowszechnienia oświaty i praktyk kancelaryjnych.

◄ ZABUDOWA DZIAŁKI MIESZCZAŃSKIEJ składała się z kilku budynków o różnych funkcjach. Widoczne tu przedproże zanika na ziemiach polskich już w XIV w.; dłużej utrzymuje się jedynie na Pomorzu i w Prusach.

REKONSTRUKCJE: WARSZAWA – XV W., WG S. ŻARYNA; KRAKÓW – XIV W., WG W. GRABSKIEGO; RYS. AZY

ki malarskiego kształtowania: wydobywana światłocieniem i silnym różnicowaniem koloru plastyczność postaci w Niepołomicach przy dominacji linii w malowidłach lądzkich.

Miniatury w księgach, inaczej niż malowidła ścienne, były dostępne tylko środowiskom wykształconym: duchowieństwu i kręgom dworskim. Iluminowane księgi przeważnie importowano; z Francji chętnie przywożono „kieszonkowe" Biblie, a z Włoch – a ściślej z Bolonii – księgi prawnicze, także często iluminowane. Od XIII w. zaczynają też działać miejscowe, najczęściej klasztorne skryptoria; w działalności lubiąskiego uchwytna jest ewolucja od form romańskich ku gotyckim. Z końca XIV w. pochodzi *Psałterz floriański*, wykonany zapewne w Krakowie dla królowej Jadwigi.

Architektura miast

Ekspansja gotyku w architekturze ziem polskich przypada na czas wielkich przemian cywilizacyjnych. Najważniejsza dla kształtowania nowego krajobrazu architektonicznego była lokacja miast na prawie niemieckim: w urbanistyce oznaczała ona wytyczenie planu z centralnie położonym rynkiem i regularnym układem przecinających się prostopadle ulic. Układ taki tworzył bloki, dzielone następnie na działki o podobnej wielkości, na których wznoszono domy. Domy te, wolno stojące, przeważnie były drewniane, a nieliczne domy murowane sytuowano na działkach przyrynkowych. Nawiązywały one do formy wieży mieszkalnej, znanej przede wszystkim z siedzib rycerskich, ale i z domów mieszczańskich w starszych miastach Europy Zachodniej i Środkowej (np. w Pradze). Rosnąca liczba mieszkańców i zabudowa kolejnych bloków zmuszały do lepszego wykorzystania najdroższych działek przyrynkowych, a z biegiem czasu także i tych położonych nieco dalej. W XIV i XV w. domy przy rynku i głównych ulicach tworzyły już ciągłą zabudowę, która nadawała centrum prawdziwie miejski charakter.

W większych miastach na działkach przyrynkowych w części frontowej wznosiły się dwupiętrowe domy, w tylnej zaś – oficyny o podobnym, kondygnacyjnym układzie. Między obiema częściami tworzyło się podwórze, a ich połączenia dokonywano poprzez ganki oparte na murach granicznych. W trakcie frontowym głównym pomieszczeniem była sień, z której na podwórze i do oficyny prowadził przechód. Obok sieni mógł znajdować się sklep, a za nim tylna izba dostępna z przechodu. Klatka schodowa w tylnej części sieni wiodła na wyższą kondygnację, stanowiącą niekiedy również część mieszkalną; np. w Toruniu reprezentacyjnym pomieszczeniem domu była wysoka izba na pierwszym piętrze w tylnym trakcie. Z czasem funkcję tę przejęła izba od frontu.

Szczególną rolę wnętrz podkreślano różnymi środkami: wnękami w dolnej sieni, bogactwem profilowania stropów belkowych, sklepieniami w kondygnacji przyziemia – nawet z rzeźbionymi zwornikami (tzw. kamienica Hetmańska w Krakowie); gdzieniegdzie zachowały się pozostałości dekoracji malarskiej. Wielkość domu i jego zagospodarowanie zależały od zawodowej, a tym samym społecznej pozycji właściciela. Wymagania stawiane domom kupieckim wynikały nie tylko z potrzeb reprezentacji, ale i konieczności magazynowania towarów. Domy rzemieślnicze były znacznie mniejsze. Zasada reprezentacji ujawniała się najdobitniej w architekturze fasad, zdobionych okazałymi portalami i bogato ukształtowanymi szczytami. W ich wnękach pojawiały się tynki i malowane dekoracje maswerkowe. Z kolei ze stałych urządzeń wnętrza w zamożnych domach szczególnie efektowne były kaflowe piece o bogatej strukturze architektonicznej, pokryte pięknymi kolorowymi kaflami, niekiedy z dekoracją heraldyczną, figuralną lub ornamentalną.

W kamienicy mieszczańskiej nie prowadzono sprzedaży. Służyły temu odpowiednie budynki sytuowane na rynku: sukiennice, kramy i budynek wagi. Wielkość i zamożność miasta, a także zakres uprawnień samorządowych odzwierciedlały się przede wszystkim w formie ratusza: niewielka w XIII w. budowla z biegiem czasu zyskiwała coraz bardziej monumentalną i reprezentacyjną formę. Znakomitymi przykładami tego rozwoju są ratusze we Wrocławiu czy Toruniu.

Równolegle z procesem urbanizacji coraz bardziej rozpowszechniała się architektura murowana, jednak aż po schyłek średniowiecza dominowało budownictwo drewniane. Pod koniec XV w. na jeden kościół murowany przypadały niemal cztery kościoły drewniane w diecezji krakowskiej czy aż czternaście w archidiecezji gnieźnieńskiej. O wyborze budulca decydował koszt budowy – prawie dwadzieścia razy niższy przy użyciu drewna. Nieliczne zachowane kościoły drewniane pochodzą z późnego gotyku. Podstawową wadą drewna była łatwopalność. W wypadku zabudowy rozproszonej nie było to tak ważne jak w miastach. We Wrocławiu już w 1272 r. dekret książęcy zalecał mieszczanom wznoszenie budynków trwałych, a w 1342 r. rada miejska wydała zakaz wznoszenia domów nieogniotrwałych. W Poznaniu około 1500 r. domy murowane skupione były w strefie przyrynkowej. W ten sposób lokalizacja, materiał i forma domów określały prestiż i zamożność właściciela.

▲ KAMIENICE POZNAŃSKA I KRAKOWSKA
ukazują różnice regionalne. Na Pomorzu, Mazowszu i w Wielkopolsce budowano niemal wyłącznie z cegły, domy miały wąskie fronty, często zdobione ceglanymi arkadami. W Małopolsce budowano także z kamienia, a obok domów wąskofrontowych występowały też kalenicowe; główny element zdobniczy stanowiły kamienne portale.

POZNAŃ, RYNEK, FOT. SKL; KRAKÓW, UL. SZPITALNA, FOT. MM

▲ DEKORACJE KAMIENIC
świadczyły o zamożności i pozycji społecznej właściciela. W późnym średniowieczu coraz częściej właścicielem domów w miastach stawała się szlachta i duchowieństwo – ich kamienice różniły się od mieszczańskich bogatszą dekoracją.

PAŁAC KMITÓW – XIV W. (BUDYNEK) I 1470–1480 (PRZEBUDOWA I DEKORACJE); FRESK W DOMU PRZY MAŁYM RYNKU – XV W.; KRAKÓW; FOT. MM

◄ WYKUSZ WIEŻY RATUSZA KRAKOWSKIEGO,
podobnie jak sama wieża, był widocznym symbolem niezależności władz miejskich. Stąd m.in. ogłaszano wydawane przez rajców i ławników wyroki sądowe. Wieża została wzniesiona zapewne po potwierdzeniu praw miejskich przez Kazimierza Wielkiego w 1358 r.

POŁ. XIV W. (DEKORACJA Z OK. POŁ. XV W.), FOT. MM

ARCHITEKTURA MENDYKANTÓW

We wczesnym okresie działalności zakony żebracze wyrzekły się posiadania jakichkolwiek budynków. Stopniowo mendykanci zrezygnowali z tej skrajnej postawy, poprzestając na sformułowaniu ascetycznych zasad budowy kościołów. Wyrażały one kontestację wobec dotychczasowej tradycji architektury monastycznej i katedralnej nawiązującej do idei Kościoła jako niebiańskiego Jeruzalem. Odwoływały się natomiast do wczesnochrześcijańskiej idei Kościoła pojmowanego jako Ciało Chrystusa, przywracając antropologiczny sens architektury.

Symbolikę kościoła zakonu żebraczego oddawano poprzez kontrast między kaplicowo potraktowanym, sklepionym, jasnym chórem a nawami (lub pojedynczą nawą) pozbawionymi sklepień, a w związku z tym także struktury architektonicznej. Nakryte stropem lub otwartą więźbą dachową wnętrza prezentowały czysto użytkowy charakter.

Eksponowaną w przepisach zakonnych zasadę architektonicznej ascezy w praktyce stosowano tylko w części przeznaczonej dla wiernych. Zakonnicy przebywali w okazałym architektonicznie chórze. A przecież reguły mendykantów, zwłaszcza franciszkanów, opierały się na nakazie zachowania skrajnego ubóstwa. Kościoły, zabudowania klasztorne i place, na których te zabudowania stały, formalnie nie stanowiły ich własności, a tylko pozostawały w ich użytkowaniu. Jak to więc możliwe, aby żebrzący siedzieli w najwspanialszej części kościoła, podczas gdy ich dobroczyńcy zadowalali się miejscem w upodobnionej do stodoły nawie? Wyjaśnianie form architektury mendykanckiej prosto rozumianą zasadą ubóstwa dotyka zaledwie powierzchownych symptomów znacznie głębszego zjawiska. Ubóstwo nie jest wartością samą w sobie; nabiera znaczenia jako przejaw postawy duchowej polegającej na wyzwoleniu się z posiadania wszelkiej własności, ta bowiem uzależnia człowieka od świata materii. W zdroworozsądkowym ujęciu św. Franciszka franciszkanie, nie posiadając co prawda własności, powinni jednak na swoje utrzymanie zarobić pracą. Odmienne stanowisko, skrajnie spirytualne, zajął św. Bonawentura: zakonnicy nie powinni zajmować się pracą fizyczną, ten rodzaj zajęcia wiąże bowiem człowieka ze światem materii.

Tak więc jakości architektoniczne kościoła mendykanckiego w części dla zakonników (*oratores*) reprezentują aspekt duchowy, natomiast materialny czy też cielesny – w korpusie przeznaczonym dla wiernych (*laboratores*), uwikłanych w świecie materii. W tym binarnym układzie kościół jest obrazem społeczeństwa, któremu też odpowiada obraz człowieka w jego duchowo-cielesnym złożeniu.

▲ **KOŚCIÓŁ DOMINIKANÓW W SANDOMIERZU** został wzniesiony z fundacji biskupa Iwona Odrowąża po 1226 r. jako najwcześniejsza w pełni ceglana małopolska świątynia. Jest to trójnawowa bazylika z prostokątnym trójprzęsłowym prezbiterium, wsparta na ostrołukowych arkadach międzynawowych.
WIDOK OD WSCH., FOT. MM

▲ **„UBÓSTWO" BUDOWLANE I DEKORACYJNE** objawiało się także w modelu kościoła z uproszczonym systemem oporowym. Przy jednonawowych świątyniach niepotrzebne było stosowanie systemu łuków przyporowych, ograniczano go ewentualnie do mocnych skarp.
KOŚCIÓŁ ŚW. JANA CHRZCICIELA W ZAWICHOŚCIE POW. SANDOMIERZ, WIDOK OD PŁD. ZACH., POŁ. XIII W., FOT. MM

NAWA GŁÓWNA ►

kościoła Dominikanów w Sandomierzu o archaizowanej stylistyce: stropowe nakrycie, kwadratowe w przekroju filary, prosty wykrój arkad, nad nimi płaska ściana, wysoko umieszczone, półkoliście zamknięte okna. Różna wysokość arkad po obu stronach ilustruje zamierzony brak dbałości o symetrię.

WIDOK Z CHÓRU NA NAWĘ, PO 1226, FOT. ZŚ

▼ REFEKTARZ KRAKOWSKICH DOMINIKANÓW

z racji swojej niespotykanej wielkości bywał uznawany za pozostałość pierwotnego kościoła klasztornego lub wręcz kościoła przeddominikańskiego. Prawdopodobnie od początku jednak pełnił swoją obecną funkcję, a jego rozmiary odpowiadały liczebności konwentu.

1 POŁ. XIII W. (SKLEPIENIA Z XIV W.), FOT. MM

▲ KOŚCIÓŁ FRANCISZKANÓW

w Zawichoście – z krytą stropem nawą, sklepionym chórem z rozbudowaną strukturą służek i symboliczną triadą okien w ścianie wschodniej – to przykład realizacji antropologicznego sensu architektury. Kościół jest obrazem człowieka: z chórem oznaczającym duchowy i nawą – cielesny aspekt ludzkiej natury.

WIDOK Z NAWY NA CHÓR, POŁ. XIII W., FOT. WWOL

ZWORNIK Z GŁOWĄ MŁODZIEŃCA ►

w nasadzie żeber sklepiennych chóru poznańskiego kościoła Dominikanów wskazuje, że budował go, a co najmniej wznosił sklepienia warsztat francuskiego pochodzenia, który został sprowadzony do Poznania w celu przebudowy katedry.

PO 1244, MHMP O/MN POZNAŃ

▼ ZASTOSOWANIE CEGŁY

w dominikańskim kościele św. Jakuba w Sandomierzu to znakomity przykład użycia jej nie tylko jako podstawowego budulca, ale także jako elementu zdobniczego. Glazurowane i różnorodnie formowane cegły zestawiono w charakterystyczne dla rejonu Lombardii ornamenty: na elewacjach zewnętrznych (fryz ceramiczny), szczytach (kratownica) i portalu (m.in. motywy roślinne, maski).

PORTAL PŁN., PO 1226, FOT. MM

▲ FRYZ CERAMICZNY

wyznacza szczyt pierwotnego chóru kościoła Dominikanów w Krakowie. Identyczne płytki zastosowano we fryzach w dominikańskich kościołach we Wrocławiu, Poznaniu i Sieradzu.

PO POŁ. XIII W., FOT. MM

PORTAL W CHÓRZE ►

kościoła Dominikanów we Wrocławiu został ukształtowany w formie przesklepionego przedsionka ze zwornikiem, z niszami w bocznych ścianach oraz ażurową dekoracją maswerkową w strefie łuku.

OK. 1300, FOT. PC

Odnowiona monarchia

Lata około 1306–1399

Najważniejszym zadaniem pierwszych władców odnowionej monarchii było ponowne scalenie ziem niegdyś wchodzących w skład drugiego państwa piastowskiego. Okazało się to procesem trudnym i długotrwałym, niewolnym od niepowodzeń, a nawet porażek. Przez ponad stulecie rozbicia dzielnicowego narosły bowiem znaczne różnice regionalne – zarówno na tle rozwoju społeczno-gospodarczego i kulturowego, jak i tradycji historycznej – wzmacniane animozjami politycznymi, narodowościowymi czy nawet personalnymi.

Gdy elity Śląska wybrały, częściowo dobrowolnie, częściowo pod naciskiem, związek z bliższą im kulturowo Koroną Czeską, gdy Pomorze Gdańskie zajęli Krzyżacy, a Mazowsze zdecydowało się zachować niezależność, trzonem trzeciej monarchii stały się ponownie Małopolska i Wielkopolska. Zrodzony na tle rywalizacji o rolę w państwie antagonizm między elitami tych prowincji miał się okazać bardzo trwały. Doraźnie natomiast hamował proces zacierania różnic między dzielnicami.

Wybitny władca Kazimierz Wielki rozumiał potrzebę pogłębienia dzieła zjednoczeniowego i prowadził je konsekwentnie, nawet kosztem pewnych strat terytorialnych. Udało mu się też sprawić, że cele wspólne zaczęły zdecydowanie przeważać nad interesami partykularnymi. Dużą rolę odegrały jego poczynania administracyjne, zwłaszcza zachowanie instytucji starosty, wprowadzonej przez Wacława II jako podpora rządów monarchy, budowa systemu urzędów centralnych oraz wzmocnienie roli kancelarii królewskiej, a także decyzje prawodawcze i legislacyjne dotyczące kodyfikacji i częściowego ujednolicenia prawa oraz uporządkowania sądownictwa. Fundacja uniwersytetu w Krakowie miała w przyszłości dostarczyć monarchii i coraz mocniej wspierającemu ją Kościołowi tak bardzo potrzebnych wykształconych ludzi.

Powodzenie tych działań było możliwe dzięki sprzyjającej koniunkturze politycznej i gospodarczej. Podczas gdy Europa Zachodnia pogrążała się w kryzysie gospodarczym, kraje Europy Środkowej, stosunkowo nieznacznie dotknięte przez czarną śmierć, przeżywały w drugiej połowie XIV w. okres imponującego rozwoju. Należała do nich sprawnie rządzona i ciesząca się pokojem Polska Kazimierzowska, która, nabierając sił, sięgnęła po nowe nabytki terytorialne.

Zajęcie Rusi Czerwonej okazało się brzemienne w skutki. Oznaczało wydatne wzmocnienie ekonomiczne kraju, ale także poważną zmianę w jego dosyć jednorodnej dotąd strukturze narodowościowej i wyznaniowej; przygotowywało też, poprzez intensyfikację różnorodnych stosunków z Wielkim Księstwem Litewskim, grunt pod przyszłe zbliżenie. Zaowocowało ono unią w Krewie – jak się okazało, unia ta miała określić losy obu państw na przyszłe stulecia.

Wygaśnięcie królewskiej linii dynastii piastowskiej wzmocniło rolę możnowładztwa w państwie, które wykorzystało okazję do uzyskania nowych przywilejów stanowych oraz wpływu na wybór króla. Kończyła się monarchia patrymonialna, a jej miejsce zajmowała monarchia stanowa, w której coraz wyraźniej zaczynał dominować jeden stan – szlachecki.

MAŁY KRÓL

DROGA KU KORONIE

W bojach o zjednoczenie Polski zwyciężyły siły broniące tradycyjnego porządku skupione wokół Władysława Łokietka

▲ KOŚCIÓŁ I KLASZTOR FRANCISZKANÓW W KRAKOWIE przylegały do murów miejskich. To tędy książę Władysław Łokietek uchodził w przebraniu z miasta oblężonego przez wojska księcia wrocławskiego Henryka Prawego.
XIII–XV W., FOT. SM

► BRAMA RZEŹNICZA NA GRÓDKU, złożona z wieży i niewielkiego przedbramia, jest najstarszą zachowaną bramą miejską Krakowa. Podobnie wyglądała pierwotna Brama Floriańska.
KON. XIII W., FOT. SM

Początki kariery

Władysław Łokietek, syn kujawskiego księcia Kazimierza I i wnuk Konrada Mazowieckiego, już za życia doczekał się przydomka. Zawdzięczał go niewątpliwie niepokaźnej posturze – miał być wysoki zaledwie na łokieć. Nic nie wróżyło małemu księciu przyszłej kariery. Miał dwóch starszych i dwóch młodszych braci, z podziału ojcowizny otrzymał maleńką dzielnicę ze stolicą w Brześciu Kujawskim. Może pozostałby w niej do końca życia, gdyby nie splot wielu przypadków. Jego najstarszy brat, Leszek Czarny, nieoczekiwanie został księciem krakowskim, a następnie zmarł bezpotomnie. Władysław nie tylko odziedziczył po nim księstwo sieradzkie, ale znalazł się też niespodziewanie w gronie licznych kandydatów do panowania na Wawelu.

W wirze walk o tron krakowski (lata 1288–1291) Władysław Łokietek miał przeciwko sobie dużo poważniejszych i silniejszych rywali – choćby Henryka Prawego i Przemysła II. Mimo to, często zmieniając sojuszników i potrafiąc zaskarbić sobie sympatię małopolskich możnych, zdołał na kilka miesięcy opanować Kraków, na dłużej zaś Sandomierz. Przegrał jednak ostatecznie w konfrontacji z władcą czeskim Wacławem II. Wyparty z Sandomierza, pobity na głowę i oblężony w Sieradzu – ukorzył się i uznał za wasala króla czeskiego.

Zaraz po odejściu czeskich wojsk złamał jednak wszystkie warunki. Porozumiał się z wrogim Czechom księciem wielkopolskim Przemysłem II, a sojusz ten przypieczętowało małżeństwo Władysława z wielkopolską księżniczką Jadwigą (córką Bolesława Pobożnego). Związek ten miał odegrać w życiu Władysława ogromną rolę. Przez żonę wiązał się z Piastami wielkopolskimi i w ten sposób stawał się potencjalnym sukcesorem praw do Wielkopolski. W niemłodej już wielkopolskiej księżniczce znalazł zaś wierną i oddaną towarzyszkę. Z pewnością musiał też uznać zwierzchność swego potężnego szwagra i alianta, zwłaszcza gdy ten koronował się na króla polskiego. Władysław Łokietek zjawił się najpewniej na gnieźnieńskiej koronacji Przemysła II. Było też naturalną koleją rzeczy, że po tragicznej śmierci króla w 1296 r. został od razu uznany – kto wie, czy nie podczas pogrzebu – za pana Wielkopolski i Pomorza Gdańskiego oraz spadkobiercę korony.

Wyniesiony przez lawinowo rozwijające się wydarzenia do najwyższych godności, nie podołał jednak oczekującym go trudnościom. Uwikłał się w nieszczęśliwe wojny i w końcu skompromitował się, wpadając, jak pamiętamy, w pułapkę zmontowaną zręcznie przez czeską dyplomację. Sami Wielkopolanie, straciwszy nadzieję, że miotający się wśród kłopotów książę zdoła poprowadzić dalej dzieło odbudowy Królestwa Polskiego z ośrodkiem w Gnieźnie, wygnali go w 1300 r. i oddali tron królowi czeskiemu. Władysław Łokietek stracił wszystkie swe ziemie, także dziedziczne. Przegrany książę poczuł się osobiście zagrożony. Żonę z dziećmi pozostawił w kujawskim miasteczku Radziejów, pod opieką tamtejszego mieszczanina Gierka, sam zaś uszedł pospiesznie za granicę.

Powrót wygnańca

Na blisko 4 lata Władysław zniknął z areny polskich wydarzeń. Nie wiemy nawet dokładnie, gdzie się tułał. Tradycja przypisywała mu pielgrzymkę do Rzymu – ale to tylko legenda. Dotarł w końcu na Węgry, gdzie przygarnęli go zaprzyjaźnieni możni. Król czeski triumfował, ale wkrótce sam popadł w tarapaty w związku z zabiegami o koronę węgierską dla swego syna. Przeciw niemu stanęli Węgrzy, papież i król niemiecki. Władysław Łokietek wyprosił więc pomoc u Niemców i Węgrów.

Z orszakiem obcych rycerzy wracał w 1304 r. książę wygnaniec przez karpackie przełęcze do kraju. Powrót wydawał się pewnie przedsięwzięciem śmiałym i ryzykownym, ale obawy bardzo szybko się rozwiały. Przyjęto go jak wybawcę – panowanie czeskie zdążyło rozczarować zarówno możnych, jak i masy drobnego rycerstwa. Musiało też tkwić coś charyzmatycznego w osobowości tego drobnego, upartego księcia. Na wieść o jego powrocie grupy starych zwolenników z wszystkich ziem porzucały domy i rodzinne majątki, by stanąć u boku ukochanego pana.

Łokietek nie musiał więc wcale, jak chce opowiadana do dziś legenda, kryć się w grotach pod Ojcowem. W ciągu kilku miesięcy niedawny wygnaniec opanował już prawie całą Małopolskę, a wkrótce sięgnął po Sieradzkie i Kujawy. Dopiero jednak na wieść o śmierci króla Czech Wacława III, w 1306 r., otworzył swe bramy stołeczny Kraków, a książę musiał to okupić hojnymi przywilejami na rzecz mieszczan. Wtedy też poddało się Władysławowi Pomorze Gdańskie. Tylko Wielkopolska nie przyjęła wracającego wygnańca – ośrodek swego władztwa umieścił

▲ TYPOWE RYCERSKIE SIEDZIBY OBRONNE
– zespół niskich budynków opasanych palisadą na obszernym nasypie oraz trzykondygnacyjny dom wieżowy na niewielkim kopcu. Obie formy przetrwały do końca średniowiecza.

REKONSTRUKCJE: ORŁÓW POW. KUTNO – WG L. KAJZERA RYS. AZY; SIEDLĄTKÓW POW. PODDĘBICE – XIV W., WG J. KAMIŃSKIEJ RYS. AŁ

▲► GRODZISKO W WIDORADZU
stanowi być może pozostałość naczelnego grodu kasztelanii rudzkiej. Stosunkowo niewielki, broniony był trzema fosami i wałami. Podmokły teren umożliwił zachowanie się drewnianych konstrukcji wałów i drogi.

2 POŁ. XIII–XIV W., FOT. BA

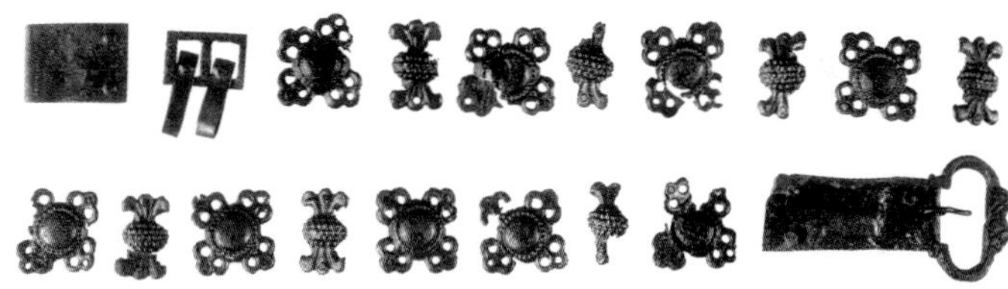

▲ BOGATO ZDOBIONY PAS
był jedną z głównych oznak przynależności do stanu rycerskiego. Początkowo pasy robiono ze skóry zdobionej metalowymi aplikacjami, później – z metalowych ogniw, niejednokrotnie dekorowanych kruszcami i drogimi kamieniami. Testamenty i inwentarze pośmiertne wskazują, że często wartość pasa przewyższała wartość całej zbroi.

RACIĄŻ POW. TUCHOLA, 2 POŁ. XIII W., IA UŁ, FOT. MM

▼ STRZEMIONA RYCERSKIE
przeszły w XII–XIV w. ewolucję wymuszoną koniecznością utrzymywania znacznie cięższej opancerzonego jeźdźca. W związku z tym największym zmianom ulegała górna część kabłąka, do której mocowano puśliska (rzemienie łączące z siodłem).

PIEKARY POW. KRAKÓW, 2 POŁ. XIII–POCZ. XIV W., MA KRAKÓW, FOT. MM; WALEWICE POW. ŁOWICZ, XIV–XV W., MAiE ŁODŹ, DEPOZYT W MPPP GNIEZNO, FOT. RS; PIECZĘĆ BIENIA Z ŁOSOSINY PRZY DOKUMENCIE Z 16 IV 1304, AKL KLARYSEK KRAKÓW, FOT. MM

◄ MADONNA TZW. ŁOKIETKOWA
z kolegiaty wiślickiej; według tradycji przed nią modlił się uciekający przed Wacławem II Władysław Łokietek. Posąg stanowił pierwotnie część nastawy ołtarzowej.
OK. 1280, KOLEGIATA NMP W WIŚLICY, FOT. MM

SYGNET PIECZĘTNY ►
z legendą SECRETI MEI CAVE (Strzeż mych tajemnic) umieszczoną wokół lilii. Prawdopodobnie właściciel został z nim pochowany – pierścień znaleziono na cmentarzu przykościelnym w okolicach Warszawy.
XIV W., MN KRAKÓW, FOT. MM

SALOMEA, CÓRKA WŁADYSŁAWA ODONICA ▼
i żona księcia głogowskiego Konrada I. Bliskie pokrewieństwo z Piastami wielkopolskimi i zapis Przemysła II umożliwiły jej synowi, Henrykowi, podjęcie starań o opanowanie Wielkopolski. Najpewniej to właśnie Henryk ufundował w chórze kolegiaty w stołecznym Głogowie posągi Salomei i Konrada.
OK. 1290, MN POZNAŃ

◄ PIECZĘĆ MAJESTATYCZNA KSIĘCIA GŁOGOWSKIEGO HENRYKA,
na której tytułuje się dziedzicem Królestwa Polskiego, księciem Śląska, panem Głogowa i Poznania. Została wykonana po zajęciu w 1306 r. Wielkopolski. Odpowiedzią Władysława Łokietka było przyjęcie tytułu „prawdziwego dziedzica całego Królestwa Polskiego".
FALSYFIKAT PRZY DOKUMENCIE Z 23 VI 1307, AP WROCŁAW, FOT. MM

Rody rycerskie

Już od czasów drugiej, odnowionej po 1039 r. monarchii piastowskiej obok możnych rodzin uczestniczących w sprawowaniu władzy uformowała się liczna i zróżnicowana majątkowo grupa drobnych wojów zobowiązanych do służby wojennej; z obu tych grup wyrosło rycerstwo. W okresie rozbicia dzielnicowego wykształcił się i upowszechnił system specjalnych przywilejów podatkowych i sądowych przysługujących przede wszystkim możnemu rycerstwu. W czasach Władysława Łokietka poszczególne należące doń rody przyjęły stałe znaki rozpoznawcze – herby (od niemieckiego *Erbe* – dziedzictwo), odróżniające je od reszty społeczeństwa. Wówczas też ugruntowało się przekonanie, że tylko pochodzenie z rodu rycerskiego uprawnia do korzystania z praw rycerskich. Rycerstwo przemieniło się w zamknięty stan dziedziczny, szlachtę (od niemieckiego *Geschlecht* – ród, poprzez czeskie *šlachta*). Polskie rody rycerskie były już wtedy bardzo liczne, albowiem w niespokojnych czasach jednoczenia państwa na przełomie XIII i XIV w. możni panowie, potrzebując zbrojnego wsparcia, łatwo godzili się na przyjęcie do swych rodów drobnych wojów, co pozwalało uniknąć tym ostatnim społecznej deklasacji.

on już wszak w Krakowie, co Wielkopolanom nie mogło się podobać. Poznań i Gniezno z aprobatą miejscowych możnych zajął teraz znany nam książę głogowski Henryk.

Trudne początki

U schyłku 1306 r. panowanie księcia Władysława Łokietka rozpościerało się już od Tatr po morskie wybrzeże. Przybrał tytuł „prawdziwego dziedzica całego Królestwa Polskiego". Podkreślał w ten sposób, że to właśnie on jest – choć jeszcze niekoronowanym – spadkobiercą królewskiej godności i związanej z nią władzy nad wszystkimi dzielnicami. Ambicje były więc duże, ale polityczna rzeczywistość okazała się bardzo trudna. Po zawrotnych sukcesach nadchodził mianowicie czas ciężkiej próby. Nowe panowanie nie przez wszystkich zostało przyjęte z sympatią, a książę nie potrafił puszczać w niepamięć dawnych uraz i niezręcznie próbował walczyć z niezadowolonymi; rodziło to trudne do rozwiązania konflikty. Wszędzie próbował za to Władysław promować swych najwierniejszych ludzi, w tym wielu Kujawian, co wywoływało niechęć w innych dzielnicach.

Na Pomorzu Gdańskim zraził sobie szybko możną rodzinę Święców, niezwykle zasłużoną dla sprawy zjednoczenia tej ziemi z Polską, ale ostatnio popierającą gorliwie rządy czeskie. Próba upokorzenia Święców finansowymi represjami pchnęła ich do otwartego buntu – za ten błąd przyszło, jak zobaczymy, zapłacić utratą dzielnicy: w latach 1308–1309 zagarną ją Krzyżacy.

Także w Małopolsce książę nie potrafił ułożyć stosunków z dawnymi stronnikami czeskimi, wśród których kluczową rolę odgrywał ambitny biskup krakowski Jan Muskata. Ten Ślązak, pochodzący z mieszczańskiej rodziny wrocławskiej, niegdyś był faworytem króla Wacława II (sprawował nawet z jego ramienia urząd starosty), teraz zaś pragnął przede wszystkim zachować nadal swe przebogate przywileje. Marzyło mu się, że – podobnie jak uczynili to biskupi wrocławscy – zdoła ze swych dóbr stworzyć samodzielne w istocie władztwo. Władysław Łokietek nie zapomniał mu jednak, że jeszcze niedawno jako starosta ścigał bezwzględnie jego własnych zwolenników. Łamiąc wcześniejsze zobowiązania, książę zagarnął zbrojnie biskupie zamki i nie cofnął się nawet przed targnięciem się na samą osobę biskupa. Jan spędził ponad pół roku w książęcym więzieniu. Został uwolniony za cenę kapitulacji przed księciem, ale od razu skrył się za granicą i toczył dalej walkę z Łokietkiem przed sądami papieskimi.

Książę mógł jednak lekce sobie ważyć kolejne wyroki, monity i kary kościelne, cieszył się bowiem pełnym poparciem arcybiskupa Jakuba Świnki. Ten mianowicie, wbrew stanowisku większości Wielkopolan, bezwarunkowo opowiedział się za Władysławem Łokietkiem, w którym upatrywał jedynego obecnie gwaranta jedności kraju. Inspirowana przez dwór książęcy propaganda dorobiła „sprawie Muskaty" narodową oprawę, przedstawiając niemiłego władcy biskupa jako Niemca czyhającego na zgubę Polaków. „Pana księcia Władysława zamierzał usunąć z jego kraju i wytępić naród polski" – zarzucali biskupowi rekrutujący się z grona krakowskich duchownych świadkowie na procesie wytoczonym mu w 1306 r.

▲ PIECZĘĆ JANA MUSKATY I *SĄD METROPOLITY NAD BISKUPEM*

Arcybiskup Jakub Świnka wytaczał w latach 1301–1307 Janowi Muskacie procesy kanoniczne. 1 VI 1310 r. sąd metropolity skazał biskupa na najwyższe z kar: suspensę (zawieszenie w czynnościach kościelnych) i ekskomunikę. Po wniesieniu apelacji do papieża Muskata został uwięziony przez Łokietka. Wszelkie kary zniósł już w 1310 r. legat papieski, jednak Muskata mógł wrócić do Krakowa dopiero 7 lat później.

PRZY DOKUMENCIE Z 16 IV 1304, AKL KLARYSEK KRAKÓW, FOT. MM; „DEKRET GRACJANA", WŁOCHY, KON. XIII W., AA GNIEZNO, FOT. RS

„Bunt wójta Alberta"

Choć do tych propagandowych argumentów podchodzić trzeba bardzo ostrożnie, to wydaje się, że rzeczywiście przeciwko podgrzewającemu narodowe emocje rycerstwa Łokietkowi zaczęli grupować się zagrożeni teraz obcy przybysze. Krakowscy mieszczanie, przeważnie potomkowie śląskich Niemców, wypowiedzieli w 1311 r. księciu posłuszeństwo, pociągając za sobą także kilka innych miast oraz część klasztorów małopolskich. Niejasny pozostaje program opozycji: na tron przywołano drobnego księcia śląskiego, Bolesława opolskiego, ale kto wie, czy ostatecznym celem nie miało być przywrócenie rządów czeskich.

Ów tzw. bunt wójta Alberta (od imienia ówczesnego wójta krakowskiego) miał doniosłe konsekwencje. Tron Władysława zachwiał się wprawdzie, ale książę opanował sytuację, ponieważ murem stanęło za nim rycerstwo. Po kilkumiesięcznym oblężeniu Krakowa zbuntowani mieszczanie zostali zmuszeni do kapitulacji. Sam wójt Albert zdołał umknąć na Śląsk, ale pozostałych przywódców rebelii okrutnie stracono – publiczna egzekucja i wywieszenie zwłok na żer ptactwu miały być przestrogą dla reszty niezadowolonych. Krakowskie mieszczaństwo na długo utraciło większość przywilejów.

Średniowieczna opowieść ubarwiła te wydarzenia, każąc książęcym rycerzom zabijać wszystkich napotykanych Niemców, wyławianych z tłumu przez prosty egzamin z wymowy polskich słów: „soczewica, koło, miele, młyn". Tradycja ta świadczy tylko o tym, że części Polaków marzyła się bardziej jeszcze stanowcza rozprawa z obcymi. W rzeczywistości jednak doświadczenie owego „buntu wójta Alberta" przesądziło o antymieszczańskiej postawie Łokietka, zarówno w Małopolsce, jak i w innych ziemiach.

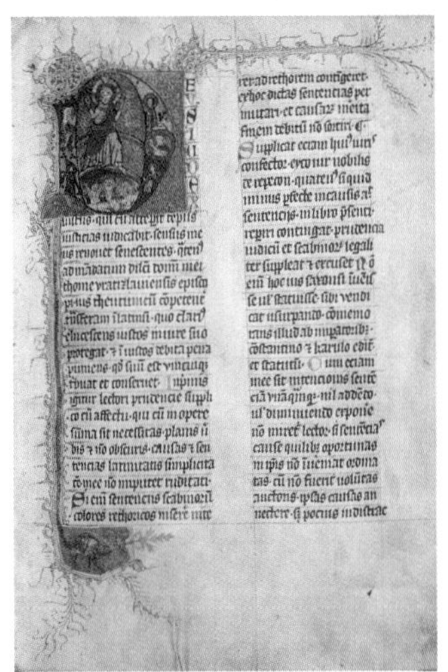

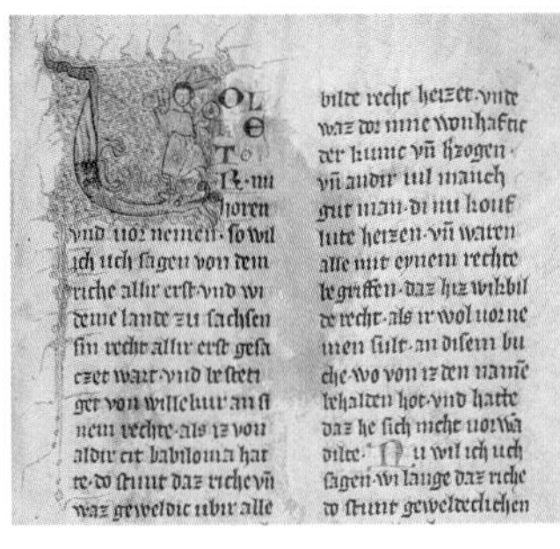

◄▲ PRAWO NIEMIECKIE

w wersji wrocławskiej nakazał przetłumaczyć na łacinę biskup wrocławski Tomasz II. Ten odpis udekorowano ośmioma dużymi inicjałami, przedstawiającymi m.in. Chrystusa jako najwyższego sędziego.

ŚLĄSK, POCZ. XIV W., BJ KRAKÓW, FOT. TD

Mieszczaństwo krakowskie

W granicach ziem zjednoczonych przez Władysława Łokietka największym miastem był Kraków, który w drugiej połowie XIII w. doszedł do dużej zamożności. Jednym z głównych źródeł jego rozwoju było położenie na ważnym szlaku handlowym łączącym kraje nadczarnomorskie i Ruś z Czechami i Niemcami. Otoczone murami bogate miasto odgrywało też wielką rolę polityczną. Wójt krakowski występował często w książęcym otoczeniu, tytułowany – na wzór możnych rycerzy – komesem. Kolejni władcy zabiegali o poparcie mieszczan krakowskich i obdarzali ich przywilejami. Mieszczaństwo krakowskie podejmowało też samodzielne decyzje polityczne, często zajmując stanowisko odmienne od możnych i rycerstwa. Gdy wybuchł bunt rycerstwa przeciwko Leszkowi Czarnemu, Kraków pozostał wierny księciu, ocalając jego rządy. Z kolei po śmierci Leszka otworzył bramy Henrykowi Prawemu. Wbrew postawie możnych i rycerstwa małopolskiego mieszczanie krakowscy do końca uznawali rządy Wacława III. Postawa ta wywoływała oburzenie i zazdrość polskiego rycerstwa. Klęska „buntu wójta Alberta" położyła kres wielkiej roli politycznej mieszczan Krakowa, ale nie zmąciła na trwałe bujnego rozwoju miasta.

◄ NAGROBEK KSIĘCIA ŚCINAWSKIEGO PRZEMKA
wystawiony zapewne przez jego brata, Henryka głogowskiego. Napis „Co Bóg i natura dały Polakom wzniosłego bądź niskiego, było udziałem tego księcia Przemka", podkreślając polskość zmarłego, rzuca też światło na poczucie narodowe samego fundatora. Mimo to Głogowczyków oskarżano o sprzyjanie Niemcom.

OK. 1310; PŁYTA – KOŚCIÓŁ WNIEBOWZIĘCIA NMP W LUBIĄŻU POW. WOŁÓW, FOT. ARCHIWALNA; APLIKACJE BRĄZOWE – OB. W MN WROCŁAW, FOT. EW; FOTOMONTAŻ

PIECZĘĆ MAJESTATYCZNA KONRADA ▲
– księcia namysłowskiego – naśladuje pieczęć ojca, księcia głogowskiego Henryka. Tytułu dziedzica Królestwa Polskiego Konrad zrzekł się dopiero w 1321 r., kiedy Władysław Łokietek pośredniczył w zawarciu pokoju między nim a księciem legnickim Bolesławem.

PRZY DOKUMENCIE Z 28 IV 1313, AP WROCŁAW, FOT. MM

◄ PIECZĘĆ WŁADYSŁAWA ŁOKIETKA
z tytulaturą krakowską, sandomierską, łęczycką, sieradzką i kujawską. Mimo objęcia w 1314 r. Wielkopolski Łokietek nie zmienił pieczęci aż do koronacji w 1320 r.

PRZY DOKUMENCIE Z 1315?, AP KRAKÓW, FOT. MM

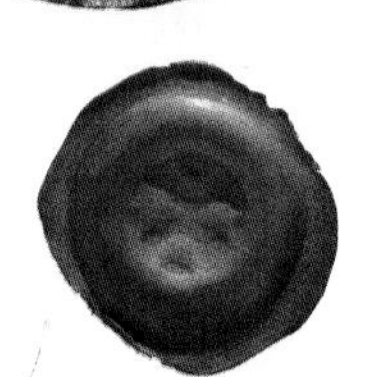

◄ DWA PÓŁKSIĘŻYCE I DWIE GWIAZDY
na monetach Łokietka symbolizowały władcę powszechnego, przypisywano je np. Aleksandrowi Wielkiemu. Herb Królestwa rozłożony na części składowe: na rewersie orzeł jako godło, na awersie zaś klejnot z orlim skrzydłem, zbliżony do używanego przez królów czeskich.

BRAKTEAT DLA KSIĘSTWA SANDOMIERSKIEGO – 1305–1320; DENAR DLA KSIĘSTWA KRAKOWSKIEGO – OK. 1326–1333; MN KRAKÓW; FOT. MM

◄ PIECZĘĆ TOMISŁAWA Z MOKRSKA
przedstawia herb Jelita – trzy włócznie. Ród Jelitczyków umocnił swą pozycję dzięki służbie Łokietkowi. Zapisana przez Długosza legenda rodowa głosi, iż herb został nadany rycerzowi Florianowi Szaremu po bitwie pod Płowcami, gdzie trzy włócznie rozpłatały mu brzuch. Herb jednak powstał wcześniej, czego dowodzi niniejsza pieczęć.

PRZY DOKUMENCIE Z 31 X 1316, AKL KLARYSEK KRAKÓW, FOT. MM

Zajęcie Wielkopolski

Władysław Łokietek przetrwał zwycięsko krytyczne lata, choć bezpowrotnie utracił Pomorze Gdańskie. Nadal nie posiadał również Wielkopolski – owej „Starej Polski", z którą w opinii współczesnych wiązała się godność królewska. Rządzący tu Henryk głogowski sam miał koronacyjne ambicje, ale nie potrafił zyskać przychylności ani biskupów, ani wielkopolskich możnych. Szykował się mimo to do walnej rozprawy z Władysławem, jednak w toku tych przygotowań zaskoczyła go w 1309 r. śmierć. Kto wie, jak potoczyłyby się losy zjednoczenia, gdyby zmarł wówczas nie on, lecz Łokietek – obaj rywale byli niemal równolatkami.

Henryk zostawił pięciu młodocianych synów, którym brakowało ojcowskiego doświadczenia i autorytetu. Mimo to próbowali kontynuować jego politykę wewnętrzną w Wielkopolsce, faworyzując miasta i odsuwając od wpływów możnowładztwo. Przede wszystkim jednak wyrzekli się zjednoczeniowych ambicji. Woleli, zgodnie z dynastycznym zwyczajem, podzielić między siebie obszerną ojcowiznę, i to tak, że wraz z posiadłościami śląskimi również ziemie wielkopolskie podzielone zostały na kilka dzielnic.

Wywołało to powszechne oburzenie. Wielkopolscy biskupi obłożyli książąt klątwą, a rycerstwo podniosło otwarty bunt, oskarżając synów Henryka o narodową zdradę: „Niemcy dali im radę, by wytępili cały naród polski, zarówno osoby duchowne, jak i świeckich rycerzy" – te słowa poznańskiego duchownego doskonale oddają ówczesne poglądy na zasięg pojęcia narodu. W 1312 r. wybuchła wojna domowa; w roku następnym zakończyło ją zdobycie przez powstańców Poznania, bronionego do końca przez wójta Przemka (którego imię stanowi zresztą piękny pomnik przywiązania niemieckich mieszczan do piastowskich panów). W 1314 r. do Wielkopolski, „królewskiej" ziemi, wkroczył Władysław Łokietek – zdążył jeszcze ujrzeć to umierający właśnie sędziwy metropolita Jakub Świnka. Dokonało się wreszcie zjednoczenie dwóch najważniejszych dzielnic, co miało stanowić fundament terytorialny odbudowywanego państwa.

Koronacja

Ugruntowaniem sukcesu winna być koronacja zwycięskiego księcia Władysława. Rzecz odwlekła się na kilka lat, albowiem procedury w kurii papieskiej – rezydującej wówczas w Awinionie – winien przeprowadzić polski metropolita. Tymczasem wkrótce po Jakubie Śwince zmarł także jego następca, arcybiskup Borzysław. Sytuacja prawna polskiej korony była zresztą wysoce niejasna, ponieważ pretensje do niej zgłaszali też kolejni królowie czescy jako spadkobiercy praw Wacława II. Czechy były zaś zbyt potężnym państwem, by papiestwo mogło sobie pozwolić na lekceważenie jego roszczeń. Wielki zjazd przedstawicieli wszystkich ziem Łokietkowych zwołany w 1318 r. w Sulejowie – gdzie gościny udzielało opactwo Cystersów – wystosował jednak do papieża prośbę o zgodę na koronację Władysława, strasząc, że w przeciwnym razie Królestwo Polskie niechybnie zostanie spustoszone przez „Tatarów, Litwinów, Rusinów i innych pogan", a naród polski, „świeżo pozyskany dla wiary", powróci do błędów pogaństwa.

Tę pełną retorycznej przesady petycję dyplomaci wysłani przez Łokietka – z zaufanym biskupem włocławskim Gerwardem na czele – poparli wdzięcznym dla urzędników awiniońskiej kurii i samego papieża argumentem brzęczącej monety. Ofiarowana papiestwu przez Mieszka I w zaraniu swej państwowości Polska winna opłacać specjalną daninę, zwaną denarem św. Piotra; teraz zaoferowano korzystniejszą dla Stolicy Apostolskiej formę płatności, nie od każdej rodziny (czyli dymu – tzw. podymne) jak dotychczas, lecz od każdego mieszkańca (tzw. pogłówne). Zarazem przypomniano jednak zręcznie, że warunkiem ciągłości opłat musi być integralność terytorialna Polski, tę zaś zapewnić może tylko przywrócenie królestwa pod berłem Władysława Łokietka. Papież Jan XXII zezwolił w końcu na koronację, choć pismo w tej sprawie umyślnie zostało ujęte stylem iście ezopowym – adresaci zinterpretowali jednak wszystkie wątpliwości w wygodny dla siebie sposób.

W styczniu 1320 r. książę Władysław został więc wreszcie ukoronowany w katedrze wawelskiej. Sam wybór miejsca był ważną demonstracją polityczną. Podkreślał, że ośrodek nowej monarchii znajduje się nieodwołalnie w Krakowie, nie zaś w metropolitalnym Gnieźnie, z którym były wszak związane niedawne koronacje Przemysła II i Wacława II – do tego ostatniego władcy Władysław Łokietek wolał raczej nie nawiązywać. W uroczystym akcie krakowskim uczestniczyli prawie wszyscy polscy biskupi, nawet pogodzony już ze swym losem biskup krakowski Jan Muskata (który zmarł zresztą, pewnie pod wrażeniem tego przykrego dla siebie faktu, niecałe 2 tygodnie później). Wawelska koronacja oznaczała wskrzeszenie Królestwa Polskiego, tym razem już trwale – Władysław Łokietek otworzył zaś szereg królów polskich ciągnący się nieprzerwanie przez prawie pół tysiąclecia, aż do okresu rozbiorów.

▲ OPACTWO CYSTERSÓW W SULEJOWIE od początku związało się z Władysławem Łokietkiem, wspierając go pieniądzem i zbrojnymi. Władca odwdzięczył się hojnymi przywilejami, zapoczątkowując okres prosperity w dziejach klasztoru; w połowie XIV w. podjęto budowę murów i wież obronnych.

WIDOK OD PŁD., FOT. RS

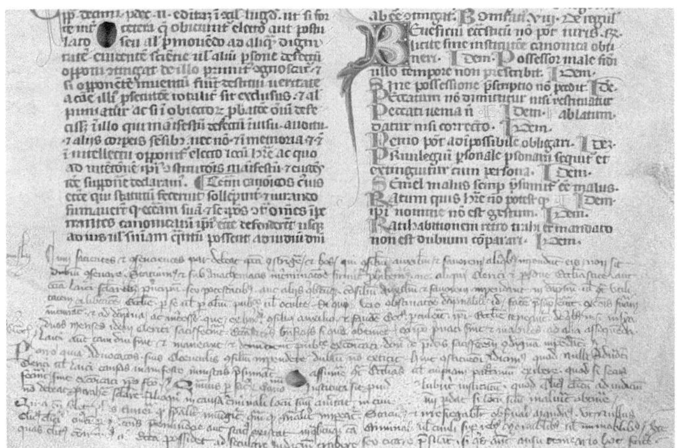

▲ POSTANOWIENIA SYNODU ARCYBISKUPA JANISŁAWA odbytego w Uniejowie w 1325 r. m.in. powtórzyły zakaz powierzania beneficjów kościelnych cudzoziemcom, wydany na synodach prowincjonalnych zwoływanych przez arcybiskupa Jakuba Świnkę. Złamanie tego dekretu miało być odtąd karane zakazem wstępu do kościoła.

DOPISANE NA KARTACH „DEKRETALIÓW BONIFACEGO VIII", XIII/XIV W., BWT UAM POZNAŃ, FOT. MM

Władca z wyboru czy dziedziczny

Zasady prawne średniowiecza dalece odbiegały od ostrości praw nowożytnych, a w ówczesnych państwach nie określano jasno, jak rozwiązywać kwestię następstwa tronu. Księstwa polskie były oczywiście dziedziczne. Kraj uznawano bowiem nadal za rodową (patrymonialną) własność „przyrodzonych panów" – dynastii piastowskiej. Jednocześnie zaś w powszechnym odczuciu również społeczeństwo, a dokładniej jego możnowładcza elita, miało prawo decydowania o obsadzie tronu. Wyrażać się to mogło nie tylko w obieraniu następcy po śmierci bezpotomnego księcia, ale także w usuwaniu władcy uznanego za szkodliwego. „Polacy bawią się swymi książętami jak malowanymi jajami" – zapisał anonimowy obserwator w XIV w. Proces zjednoczenia kraju dostarcza wielu przykładów przestrzegania prawa zarówno dziedziczenia, jak i wyboru nowego księcia. Obie zasady, choć pozostawały w sprzeczności, uważano za słuszne. Dzięki zeznaniom w procesach polsko-krzyżackich wiemy, jak uzasadniał Władysław Łokietek swe prawa do Pomorza Gdańskiego: z równą mocą podkreślał, że jest bliskim krewnym Przemysła II, jak i to, że Pomorzanie wybrali go na księcia.

HERB PIASTOWSKI

W drugiej ćwierci XIII w. na pieczęciach książąt wszystkich linii, z wyjątkiem mazowieckiej (tu pojawi się około 1271 r.), występuje w pełni ukształtowany herb książęcy, przedstawiający nieukoronowanego orła – motyw obecny już na XII-wiecznych piastowskich monetach. Wybór orła wydaje się oczywisty; ptak ten symbolizuje majestat, godność, moc, wysokie urodzenie, władzę i potęgę. Jego zgodna recepcja przez wszystkie linie książęce jest świadectwem poczucia wspólnoty rodowej Piastów.

W początkach drugiej połowy XIII w. nastąpiło jednak zróżnicowanie ustabilizowanego dotychczas herbu. Książęta wielkopolscy zmienili orła na lwa, a Przemysł I już wcześniej używał dwóch innych godeł: trzech pasów (wrębów) oraz trzech lilii. Lwa używali również Siemowit dobrzyński oraz, na sekretnych pieczęciach, Henryk Prawy i Henryk głogowski. Równoczesne występowanie orła i lwa w heraldyce i sfragistyce piastowskiej skłoniło książąt kujawskich do ich połączenia. Powstało w ten sposób nowe godło, półorzeł, półlew w koronie, jako manifestacja wyższości książąt kujawskich nad pozostałymi Piastami. Od czasów Henryka Pobożnego również orzeł dolnośląski miał swoją specyfikę, umieszczano bowiem na jego piersi półksiężyc z krzyżem lub bez krzyża.

Dalsze zróżnicowanie przyniosły pierwsze dekady XIV w. Książęta dolnośląscy przyjęli jako drugie godło biało-czerwoną szachownicę, a książęta czerscy – smoka. Nie zagrażało to już jednak stabilizacji orła jako herbu Piastów, która nastąpiła w końcu XIII w. Przemysł II zrezygnował wówczas ostatecznie z lwa na korzyść orła – pojawia się on na dwóch pieczęciach pieszych księcia z lat 1289–1290. Na drugiej z nich występuje już w koronie, jako symbol zjednoczeniowych i koronacyjnych dążeń władcy. W 1295 r. Przemysł II koronuje się na króla i ukoronowany orzeł staje się odtąd herbem odrodzonego królestwa. Na rewersie królewskiej pieczęci jest wręcz nazwany zwycięskim znakiem.

Następcy Przemysła II także używali orła jako herbu królestwa. Ostatni Piastowie na tronie, królowie z linii kujawskiej: Władysław Łokietek i Kazimierz Wielki, zachowali równocześnie rodowy herb – półorła, półlwa. Jednak w heraldyce Kazimierza Wielkiego zdecydowanie większe znaczenie miał orzeł, który pełnił potrójną rolę: herbu królestwa, króla i stołecznej ziemi krakowskiej.

Również na Śląsku, który nie wszedł do odrodzonego królestwa, orzeł przetrwał jako główny herb książąt piastowskich. Wprowadzono jedynie zróżnicowanie barwne. Orzeł dolnośląski był czarny w złotym polu, a górnośląski – złoty w polu błękitnym. Herby ukształtowane w epoce piastowskiej przetrwały do współczesności.

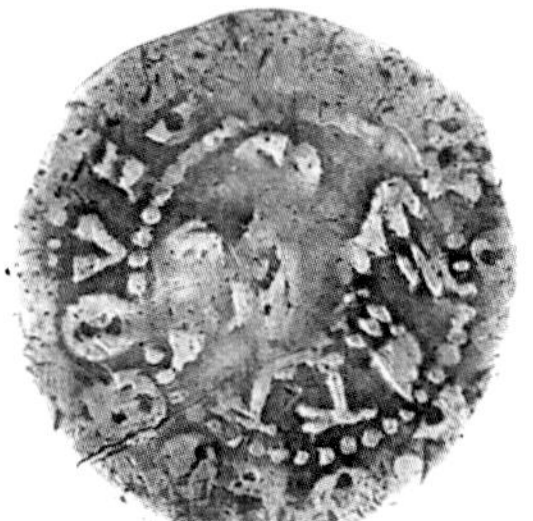

▲ **KWARTNIK KSIĘCIA GŁOGOWSKIEGO HENRYKA** przedstawia na awersie orła, na rewersie zaś krzyż na półksiężycu – osobisty herb Henryka Brodatego, co stanowi świadome nawiązanie do działań zjednoczeniowych pradziada. Orzeł z półksiężycem i krzyżem na piersi stał się wyróżnikiem herbu książąt linii głogowskiej, w innych liniach śląskich krzyż występował bardzo rzadko.

KOZIELICE POW. PYRZYCE (ZNALEZISKO LUŹNE), MN SZCZECIN

◄ **BRĄZOWA PLAKIETKA Z ORŁEM** była pierwotnie przymocowana do odzieży lub, co bardziej prawdopodobne, do pochwy miecza. Forma tarczy i orła pozwala datować ten zabytek na początek XIV w.

OSTRÓW LEDNICKI POW. GNIEZNO, MPPP GNIEZNO, FOT. RS

▲ **TARCZE HERBOWE Z NAGROBKA HENRYKA PRAWEGO** ukazują w złotym polu czarnego śląskiego orła z przepaską oraz w polu czerwonym ukoronowanego Orła Białego, także z przepaską. Ten drugi (przejęty później przez Przemysła II) oznaczał zapewne ziemię krakowską – centrum przyszłego zjednoczonego królestwa.

OK. 1300, KOLEGIATA ŚW. KRZYŻA WE WROCŁAWIU, OB. W MN WROCŁAW

▲ REWERS PIECZĘCI MAJESTATYCZNEJ PRZEMYSŁA II
używanej w latach 1295–1296. Jest to pierwsze przedstawienie ukoronowanego orła jako herbu odrodzonego Królestwa Polskiego. Legenda pieczęci: REDDIDIT IPSE POTENS VICTRICIA SIGNA POLONIS („Sam Wszechmocny przywrócił Polakom zwycięskie znaki") podkreśla udział opatrzności w zjednoczeniu państwa i odzyskaniu korony.
PRZY DOKUMENCIE Z 15 VIII 1295, AD PELPLIN, FOT. PC

▲ REWERS PIECZĘCI MAJESTATYCZNEJ WŁADYSŁAWA ŁOKIETKA
sporządzonej po koronacji i używanej aż do śmierci. Była wzorowana na pieczęci Przemysła II. Na awersie wyobrażono władcę na tronie, na rewersie – orła ukoronowanego, lecz bez tarczy herbowej.
PRZY DOKUMENCIE Z 1333, AKL KLARYSEK KRAKÓW, FOT. MM

▲ PIECZĘĆ HERBOWA KSIĘCIA MAZOWIECKIEGO SIEMOWITA III
W polu pieczęci umieszczono nieukoronowanego orła, który zastąpił smoka. Przypuszcza się, że zmiana ta nastąpiła z chwilą złożenia przez Siemowita III hołdu lennego Kazimierzowi Wielkiemu.
PRZY DOKUMENCIE Z 25 VI 1368, AA POZNAŃ, FOT. MM

▲ HERB KRÓLESTWA POLSKIEGO
z fasady katedry krakowskiej. Wystrój fasady przygotowano z okazji zjazdu monarchów w 1364 r. U góry umieszczono posąg św. Stanisława i tarczę z orłem, a drzwi ozdobiono królewskim monogramem – literą K pod koroną. Orzeł wystąpił tu zatem w roli godła Królestwa Polskiego.
OK. 1363–1364, FOT. MM

▲ PIECZĘĆ HERBOWA KSIĘCIA INOWROCŁAWSKIEGO LESZKA
z godłem książąt kujawskich: półorłem, półlwem, wprowadzonym przez ojca Leszka, Siemomysła. Połączenie piastowskich godeł (orła i lwa) miało wyrażać dominującą rolę tej linii pośród innych Piastów. Godło to, po modyfikacjach, stało się potem także herbem ziem: kujawskiej, sieradzkiej i łęczyckiej.
PRZY DOKUMENCIE Z 7 XII 1300, AD WŁOCŁAWEK, FOT. MM

▲ ZWORNIK Z KAPLICY GROBOWEJ KSIĄŻĄT OPOLSKICH
Ukoronowany orzeł w linii opolskiej po raz pierwszy pojawił się na pieczęci Bolesława IV z 1389 r. W heraldyce zachodniej zwierzę ukoronowane oznacza podległość innemu władcy, tu zaś, zgodnie z zasadami heraldyki polskiej, wyraża przynależność do królewskiego rodu.
KOŚCIÓŁ ŚW. TRÓJCY W OPOLU, FOT. MM

▲ *CONTRASIGILLA*
księcia świdnickiego Bolka I i jego syna Bernarda. Piastowie dolnośląscy używali jako godła czarnego orła z przepaską na piersi w złotym polu. Różnicowanie herbów poszczególnych linii odbywało się w drugiej połowie XIII w. często przez zróżnicowanie klejnotów, które pełniły rolę samodzielnego znaku. Wyróżnikiem linii świdnickiej była para skrzyżowanych pióropuszy.
PRZY DOKUMENTACH Z LAT 1293 i 1307, AP WROCŁAW, FOT. MM

KLEJNOT Z NAGROBKA KSIĘCIA OPOLSKIEGO BOLESŁAWA II ►
Tego typu klejnoty pojawiły się w sfragistyce śląskiej już w pierwszej połowie XIV w. Oprócz książąt opolskich używali ich m.in. książęta legniccy i głogowscy.
KOŚCIÓŁ ŚW.TRÓJCY W OPOLU, FOT. MM

W WALCE O PRZETRWANIE

Konfrontacja z wrogimi sąsiadami omal nie zakończyła się katastrofą młodego państwa

▲ GDAŃSK W XIII W.
należał do największych ośrodków handlowych na południowym pobrzeżu Bałtyku. Obok założonego już w końcu X w. grodu z podgrodziem od XII w. rozwijała się obszerna dzielnica rzemieślniczo-handlowa, w XIII w. rozszerzona o nowy obszar, na którym znajdował się kościół Dominikanów. Około 1260 r. zostało założone miasto na prawie lubeckim.
GŁOWICA KOLUMNY (PRAWDOPODOBNIE Z KAPLICY GRODOWEJ) – XIII W., MA GDAŃSK, FOT. RS; ZABUDOWA DREWNIANA – XIII W., FOT. BKO

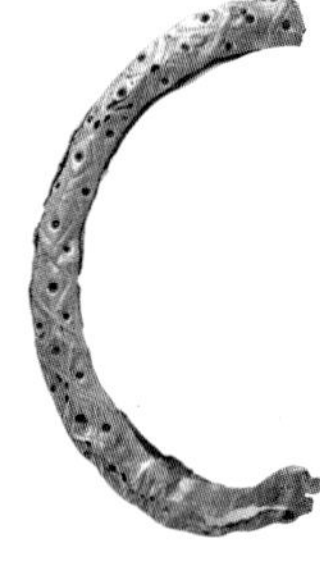

▲ PUSTE KABŁĄCZKI SKRONIOWE
powstawały poprzez zwijanie kawałka blachy na rdzeniu; rzadziej stosowaną techniką był odlew. Czasami dekorowano je ornamentami geometrycznymi lub zaopatrywano w uszka w kształcie ptasiej główki. Produkcji tych ozdób, typowych dla Pomorza, zaprzestano z końcem XIII w.
GDAŃSK, OK. 1230–1255?, MA GDAŃSK, FOT. RS

◄ UŁAMANY MIECZ
odnaleziony w zasypisku fosy jest być może pamiątką oporu stawianego w Gdańsku przez polskich rycerzy wojskom krzyżackim.
XIII/XIV W., IAiE PAN ŁÓDŹ, FOT. MM

„Kadłubowe" królestwo

Koronacja Władysława Łokietka na króla zjednoczonej Polski nie oznaczała końca politycznych zaburzeń i trudności. Królestwo Polskie wskrzeszone w 1320 r. było wszak wciąż tworem kadłubowym. Nie obejmowało wszystkich ziem składających się w ówczesnej opinii na geograficzne pojęcie Polski. Król Władysław władał tylko Małopolską, Wielkopolską, Kujawami i środkowopolskimi ziemiami łęczycką i sieradzką, ale nie zamierzał rezygnować z poddania pod swą władzę pozostałych dzielnic polskich. Poza granicami Królestwa znajdowały się wciąż, nie licząc nawet utraconych już dużo wcześniej Pomorza Zachodniego i ziemi lubuskiej, bogaty Śląsk i Mazowsze – których piastowscy książęta nie chcieli uznać prymatu nowego króla – oraz Pomorze Gdańskie, zagarnięte przez Krzyżaków.

Odepchnięci od Bałtyku

Zakon krzyżacki sprowadzony w XIII w. przez książąt polskich do Prus stworzył w walce z nadbałtyckimi ludami pogańskimi silne państwo, rozciągające się od dolnej Wisły po dolny Niemen. Za Niemnem rozciągała się pogańska Litwa, z którą Krzyżacy toczyli ciągłe walki. Za Wisłą leżało natomiast chrześcijańskie Pomorze Gdańskie. Kraj był wprawdzie lesisty i ubogi, ale jego stolica, Gdańsk, stanowiła prawdziwą perłę. Ten największy port południowego Bałtyku, w którym zbiegały się drogi kupców z całego regionu, nęcił okoliczne potęgi bogactwem, a zarazem budził też zawiść wszystkich cierpiących z powodu gdańskiej dominacji handlowej konkurentów. Przez Pomorze biegły też szlaki z Niemiec, którymi wędrowali do Prus tak tam potrzebni rycerze i osadnicy.

W XIII w. Pomorze Gdańskie stanowiło odrębne księstwo pod rządami własnej dynastii, z trudem jednak broniące się przed zakusami sąsiadów. Przemysł II złączył je ponownie z Wielkopolską. Również Władysław Łokietek po powrocie z wygnania został uznany tu za pana. Nie zdołał jednak, przypomnijmy, ułożyć stosunków z wpływową rodziną Święców: skrzywdzeni jego decyzjami poddali się Święcowie w 1307 r. Brandenburgii. Korzystając z tego, w roku następnym margrabiowie brandenburscy ruszyli zbrojnie ku Gdańskowi, który obronił się tylko dzięki pomocy, jakiej udzielił poproszony o nią po sąsiedzku zakon krzyżacki. Sam Władysław Łokietek znajdował się zbyt daleko, by interweniować. Krzyżacy odparli wprawdzie Brandenburczyków, ale usadowiwszy się raz w grodzie gdańskim, postanowili wykorzystać sytuację dla własnej korzyści. W listopadzie 1308 r. uderzyli zbrojnie na położone obok grodu miasto, zdobyli je i zrównali z ziemią, a mieszczan wygnali. Polała się krew – zabito kilkunastu polskich rycerzy, może też jakichś mieszczan. Zajścia gdańskie zostały od razu wyolbrzymione, gdyż wieść o nich rozeszła się szeroko w kupieckim świecie, a propaganda dworu polskiego ubarwiała jeszcze obraz. Tak powstała legenda o „rzezi gdańskiej", w której zginąć miały tysiące ludzi, zamordowanych bez względu na płeć i wiek.

Zamiary Krzyżaków nie były chyba jeszcze sprecyzowane: zburzenie Gdańska zdaje się wskazywać, że nie zamierzali tu wcale zostać. Zajęli jednak także północne obszary Pomorza Gdańskiego. Plan definitywnego podboju tej dzielnicy dojrzał najpewniej dopiero wobec fiaska rokowań z polskim księciem, który, oburzony, odrzucił propozycję Krzyżaków wypłacenia im wysokiej rekompensaty za zwrot zdobytych przez nich grodów. W odpowiedzi oblegli oni i zdobyli – mimo zorganizowania przez Łokietka międzydzielnicowej obrony – ważny gród w Świeciu. Całe Pomorze Gdańskie znalazło się w ręku zakonu. Polska straciła na półtora wieku dostęp do morza, a na północy wzrósł w siłę nowy i bardzo groźny przeciwnik.

Stolica z błota

Za podstawowy cel działania zakonów rycerskich – a więc także Krzyżaków – uznawano obronę Ziemi Świętej. Dlatego też główna siedziba wielkiego mistrza krzyżackiego znajdowała się najpierw w palestyńskiej Akce, a potem w Wenecji. Po upadku państw chrześcijańskich na Bliskim Wschodzie zakony rycerskie otaczała powszechna niechęć. Oskarżano je bowiem o spowodowanie ostatecznego fiaska krucjat. Joannici, by ocalić reputację, przenieśli swą siedzibę na śródziemnomorską wyspę Rodos, skąd kontynuowali walkę z niewiernymi. Najcięższy los spotkał templariuszy. Ich legendarne wręcz bogactwa skusiły króla francuskiego. Mając przemożny wpływ na papiestwo, spowodował wytoczenie im w 1307 r. procesu opartego na fałszywych zarzutach o herezję, czary i kult szatana, a następnie doprowadził do konfiskaty dóbr i wreszcie do zlikwidowania w 1312 r. zakonu.

Tymczasem Krzyżacy panujący w Prusach odważyli się zbrojnie wystąpić przeciwko chrześcijańskiemu władcy Polski, a echo ich postępku rozeszło się szeroko. Nad całym zakonem krzyżackim zawisło poważne niebezpieczeństwo, należało się liczyć nawet z groźbą jego kasaty. Przestraszony rozwojem wypadków nad Wisłą wielki mistrz opuścił Wenecję i przeniósł się w 1309 r. do Prus – w ten spo-

▲► MILITARIA
licznie znajdowane na majdanie spalonego kasztelańskiego grodu w Raciążu świadczą o gwałtownej walce, jaką stoczyli obrońcy – być może podczas najazdu Krzyżaków na Pomorze Gdańskie.
GROTY WŁÓCZNI; TRZEWIKI POCHEW MIECZY; TOPÓR; 2 POŁ. XIII–POCZ. XIV W.; IA UŁ; FOT. MM

NARZĘDZIA KOWALSKIE ▲
– kowadło, gwoździownicę, kleszcze i wiele innych – znaleziono w odkrytej w raciąskim grodzie kuźni. Znajdowała się ona w przylegającej do największego budynku przybudówce.
2 POŁ. XIII–POCZ. XIV W., IA UŁ, FOT. MM

▲ OZDOBY I ELEMENTY STROJU
znalezione na cmentarzysku (kolia) i w grodzie (pozostałe) dowodzą względnej zamożności raciążan. Natomiast duża liczba luksusowych przedmiotów pozostawionych w grodzie świadczy, że zgliszcza porzucono bez zamiaru odbudowania warowni. Krzyżacy przenieśli ośrodek administracyjny do Tucholi, a nazwa Raciąż przeszła na odległą od grodu o 5 km wieś.
2 POŁ. XIII–POCZ. XIV W., IA UŁ, FOT. MM

Wyprawy do Prus

Krzyżacy urządzali w XIV w. niemal corocznie zbrojne najazdy na pograniczne ziemie litewskie. Obok znaczenia czysto militarnego odgrywały wielką rolę reprezentacyjną. Brało w nich bowiem udział rycerstwo z całej Europy – zarówno szeregowi wojownicy, jak i wielcy panowie, hrabiowie i książęta. Była to wówczas jedyna okazja, by wziąć udział w walce z prawdziwymi poganami, namiastce krucjaty. Udział w owych pruskich wyprawach stawał się ważnym składnikiem zachodnioeuropejskiej kultury rycerskiej. „Nie jest prawdziwym rycerzem ten, kto choć raz nie był w Prusach" – pisał angielski poeta. Jednym z największych wyróżnień dla europejskiego rycerstwa było zasiadanie przy „stole honorowym", jaki zastawiano na zakończenie każdej wyprawy. W rejzach pruskich brali udział, zasiadając nawet przy owym stole, także i polscy rycerze, choć dopiero po połowie XIV w.

◄ ZAMEK W RADZYNIU CHEŁMIŃSKIM jest przykładem typowego zamku komturskiego. Zwarty czworobok zabudowy z niezachowaną wieżą ostatecznej obrony mieścił rezydencję komtura oraz pomieszczenia konwentu. Zabudowa gospodarcza skupiała się na położonym niżej podzamczu. Schemat zabudowy prawdopodobnie wywodzi się od regularnych założeń zamków Przemysła Ottokara II oraz kaszteli Staufów.
3 ĆW. XIII–POCZ. XIV W., FOT. RS

◄▲ ZAMEK W MALBORKU był wcześniej siedzibą komturii. Zamek Wysoki, podobnie jak w Radzyniu Chełmińskim, zawierał pomieszczenia konwentu: kaplicę, kapitularz, refektarz, dormitorium. Z pierwotnego zamku zachowała się m.in. Złota Brama, łącząca krużganek z kaplicą. Tu zginął zasztyletowany 19 XI 1330 r. wielki mistrz Werner von Orseln. Od 1309 r. na miejscu podzamcza zaczęto wznosić rezydencję wielkich mistrzów.
3 ĆW. XIII–POCZ. XV W., FOT. SKL

Zbóje krzyżem znaczeni

Dzięki zeznaniom naocznych świadków, którzy w 1339 r. składali zeznania w kolejnym, tzw. warszawskim procesie Polski z zakonem krzyżackim, znamy obraz cierpień prostej ludności Polski podczas krzyżackich najazdów (nie posiadamy niestety źródeł obrazujących przeżycia ludności państwa zakonnego podczas najazdów polskich). Wielu wspominało, że w momencie nadejścia wroga ukryło się w lesie czy na jeziorach. Napastnicy gwałcili i uprowadzali kobiety, w Sieradzu zabili kilka, a w Nakle nawet kilkadziesiąt osób. Rabowali nie tylko pieniądze i kosztowności – z Pyzdr uwieźli wspaniały obraz NMP, o którym pleban mówił, że choć wart był 7, nie oddałby go nawet za 40 grzywien. W Gnieźnie Krzyżacy szukali pilnie relikwii św. Wojciecha, w Pobiedziskach zrabowali Eucharystię. Pamięć o tych wydarzeniach przekazywano też w formie łatwych do zapamiętania pieśni. Znamy urywki dwóch takich utworów: jeden był poświęcony bitwie pod Płowcami (zaczynał się od słów: „Na radziejowskim polu wołali Polacy: Kraków!"), drugi zawierał apostrofę do następcy Władysława Łokietka: „Królu Kazimirze, nie będziesz żył w mirze z Prusami, póki nie odzyskasz Gdańska".

sób mógł lepiej kontrolować nazbyt niezależnych pruskich komturów. Zarazem zaś schodził z oczu papiestwu i zachodnioeuropejskiej opinii.

Zamieszkał w mało znanym zamku nazwanym dla uczczenia patronki zakonu, Najświętszej Marii Panny, Marienburg, co w polskich ustach zmieniło się na Malbork. Malborski zamek stopniowo rozbudowywano i jeszcze w XIV w. stał się on największą twierdzą Europy. Tę ogromną budowlę, wzniesioną z cegły wypalanej z miejscowej gliny, już średniowieczni obserwatorzy uznawali za godną uwagi osobliwość, porównywaną z innymi cudami ówczesnej architektury: „z marmuru Mediolan, ze skały Buda, z błota Malbork". Ale ów zamek „z błota" był też zdobny dziełami ściągniętych z dalekich nawet krajów architektów i artystów, a tętniło w nim barwne życie. Dwór wielkiego mistrza szybko stracił bowiem charakter surowego zamku-klasztoru i stał się jednym z najświetniejszych dworów europejskich. Przeniesienie do Malborka stolicy zakonu krzyżackiego stało się znakiem, że całą jego energię pochłonie teraz umacnianie własnego państwa nad Bałtykiem.

Ni pokój, ni wojna

Władysław Łokietek nie pogodził się z utratą Pomorza Gdańskiego. Krzyżacy wprawdzie wielokrotnie oferowali mu znaczne ustępstwa terytorialne w zamian za uznanie ich panowania w Gdańsku, on jednak twardo domagał się zwrotu wszystkich zagarniętych ziem, choć nie miał możliwości wyegzekwowania tych żądań. Polska była zbyt słaba, by porywać się na wojnę z Krzyżakami.

Wreszcie, po prawie 10 latach, Łokietek zdecydował się wnieść do Stolicy Apostolskiej oskarżenie przeciw zakonowi krzyżackiemu o zabór Pomorza Gdańskiego. Papież w myśl polskich życzeń wyznaczył do rozpatrzenia sporu sędziów spośród polskich duchownych. Proces, jaki toczył się w latach 1320–1321 w Brześciu i Inowrocławiu, nie przyniósł jednak wymiernych korzyści. Krzyżakom zasądzono wprawdzie zwrot zagrabionej ziemi, ale nie uznali wyroku, nie bez racji zarzucając trybunałowi stronniczość. Sprawa miała znaczenie tylko prestiżowe: przedstawieni przez oskarżenie świadkowie zgodnie zeznali, że Pomorze Gdańskie było i jest częścią Królestwa Polskiego. Papież potwierdził wprawdzie wyrok i oporny zakon krzyżacki znalazł się pod klątwą, ale Stolica Apostolska nie miała już innych instrumentów nacisku, nie zamierzała zresztą zaogniać sporu. Papiestwo pragnęło przede wszystkim zażegnania konfliktu, rozbijającego jednolity front kresowych państw chrześcijańskich.

W tym punkcie intencje papieża zbiegały się z dążeniami Krzyżaków.

Wrogowie i przyjaciele

Spór polsko-krzyżacki trwał już lat kilkanaście. Choć obie strony unikały wojny, to jednak szukały sojuszników. Władysław Łokietek miał alianta przede wszystkim w królu węgierskim, Karolu Robercie, za którego w 1320 r. wydał swoją córkę Elżbietę. Karol Robert, z francuskiej dynastii Andegawenów (Anjou), rządzącej wówczas także w Neapolu, był królem z papieskiej nominacji i długi czas miał trudności z utrzymaniem się na tronie. Chętnie więc nawiązał współpracę z szeroko na Węgrzech poważanym Łokietkiem. Dla Polski sojusz ten okazał się na dziesięciolecia fundamentem polityki zagranicznej. Węgierska pomoc zbrojna niejeden raz wybawiła Władysława z opresji. Za wsparcie trzeba było jednak płacić i zapewne już wtedy pojawiła się oferta następstwa Andegawenów na tronie polskim na wypadek wymarcia królewskich Piastów (Łokietek miał tylko jednego syna). W przyszłości syn Karola Roberta i Elżbiety miał zasiąść i na polskim tronie.

Władysław doszedł też do porozumienia z pogańską Litwą, zawierając sojusz z jej wielkim księciem Giedyminem, umocniony w 1325 r. małżeństwem polskiego królewicza Kazimierza z Giedyminową córką Anną. Historycy lubią podkreślać, że alians ten zapowiadał przyszłą unię polsko-litewską, ale Łokietek nie był prorokiem i nie mógł przewidzieć tak dalekosiężnych następstw. W rzeczywistości sojusz okazał się nader nieszczęśliwym krokiem. Porozumienie z poganami zostało źle przyjęte w całym chrześcijańskim świecie. Zraziło też do króla polskiego sprzyjających mu dotąd książąt mazowieckich, którzy, czując się zagrożeni tym przymierzem, zbliżyli się do zakonu krzyżackiego. Podjęta przez Łokietka próba wywarcia zbrojnego nacisku na mazowieckich kuzynów zakończyła się pierwszym od lat otwartym starciem polsko-krzyżackim, zażegnanym w 1327 r. dzięki pojednawczej postawie wielkiego mistrza. Pomoc militarna Litwy okazała się natomiast skuteczna tylko raz, w 1326 r., kiedy Łokietek uderzył na Brandenburgię. Dokonane wówczas ogromne zniszczenia w Nowej Marchii nie przyniosły żadnych korzyści, bardzo za to zaszkodziły opinii króla polskiego w krajach niemieckich.

Krzyżacy ze swej strony porozumieli się z czeskim królem Janem z dynastii Luksemburgów. Jako spadkobierca Wacławów tytułował się też królem polskim, a Władysławowi Łokietkowi był go-

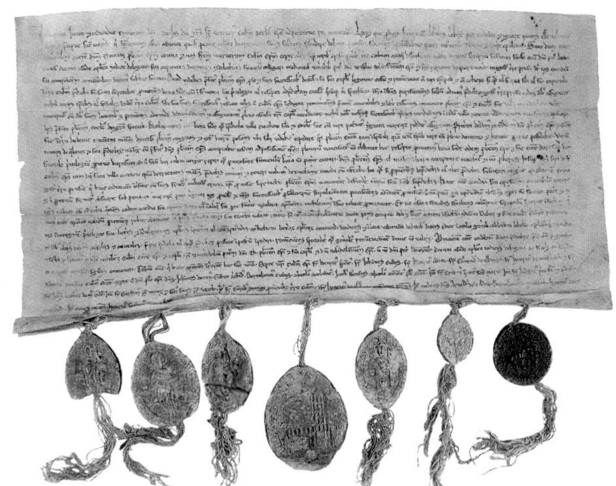

▲ DOKUMENT UGODY POMIĘDZY BISKUPSTWAMI PŁOCKIM I CHEŁMIŃSKIM
Ziemia chełmińska początkowo należała do diecezji płockiej, więc gdy w 1243 r. powołano odrębną diecezję chełmińską, biskupi płoccy zażądali rekompensaty za utracone dochody. Otrzymali ją dopiero w 1289 r. – w postaci wsi Orzechowo i 300 łanów w ziemi lubawskiej.
AD PŁOCK, FOT. MM

◄ PIECZĘCIE BISKUPA I KAPITUŁY CHEŁMIŃSKIEJ
Kapituła ta, podobnie jak kapituły biskupstw pomezańskiego i sambijskiego, została inkorporowana do zakonu krzyżackiego; odtąd składała się wyłącznie z księży krzyżackich. Niezależność zdołała obronić jedynie kapituła warmińska.
PRZY DOKUMENCIE Z 6 XII 1289, AD PŁOCK, FOT. MM

ZAMACH FELICJANA ZACHA ►
na węgierską parę królewską dokonany w 1330 r. na zamku w Wiszehradzie. Przyczyną ataku był rzekomy udział królowej w uwiedzeniu Klary (córki Felicjana) przez królewicza Kazimierza, brata Elżbiety Łokietkówny. W zamachu tym królowa straciła cztery palce i odtąd zwano ją królową Kikutą.
„WĘGIERSKA KRONIKA ILUSTROWANA", OK. 1360–1370, OSK BUDAPEST

ŚW. STANISŁAW ►
– ilustracja w *Legendarium Andegaweńskim*, przygotowanym na polecenie Karola Roberta dla jego młodszego syna, Andrzeja, rezydującego w Neapolu i mającego objąć tamtejszy tron. Dzieło oparte na *Złotej legendzie* Jakuba da Voragine zostało jednak uzupełnione o mityczne dzieje węgierskie. Książka miała więc stać się kompendium edukacyjnym dla młodego Andegawena.
OK. 1337, BAV CV ROMA

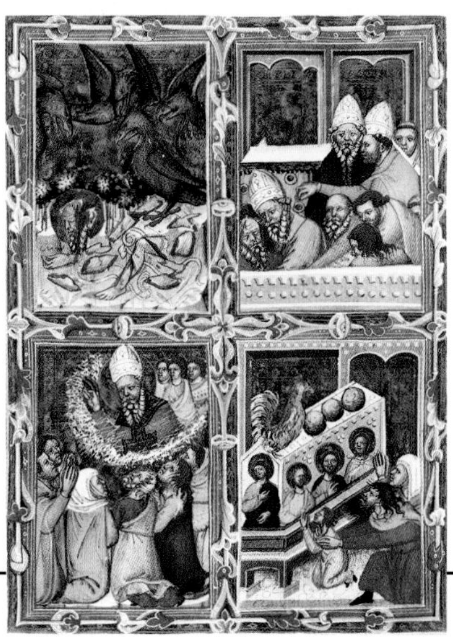

◄ AWERS PIECZĘCI MAJESTATYCZNEJ WŁADYSŁAWA ŁOKIETKA
Nawiązanie do pieczęci Przemysła II nie jest przypadkowe: podkreśla kontynuację piastowskiej idei Królestwa Polskiego. Charakterystyczne jest odrzucenie elementów militarnych występujących na książęcej pieczęci Władysława. Pod stopami półorzeł, półlew jako rodowy herb króla.
PRZY DOKUMENCIE Z 1333, AKL KLARYSEK KRAKÓW, FOT. MM

◄ ZAMEK W ŚWIECIU
wzniesiony na nadwiślańskiej skarpie, w pobliżu dawnego grodu – ostatniego polskiego przyczółku na Pomorzu Gdańskim, zdobytego przez Krzyżaków w 1309 r. Zamek ten wyróżniał się wśród innych krzyżackich zamków konwentualnych wielkimi okrągłymi wieżami narożnymi.
OK. 1335–1350, FOT. RS

▲ PASTORAŁ MACIEJA Z GOŁAŃCZY,
biskupa włocławskiego w latach 1324–1364. Maciej pochodził z rodu Pałuków, popierającego Łokietka od chwili śmierci Przemysła II. Prowadził intensywną akcję lokacyjną posiadłości biskupich, we Włocławku wzniósł zamek i rozpoczął budowę gotyckiej katedry; w jej zakrystii został w 1368 r. pochowany.
LIÈGE, BELGIA, 2 POŁ. XIII W., SK WŁOCŁAWEK, FOT. MBRON

▲ *OFIAROWANIE W ŚWIĄTYNI*
– kwatera witraża ufundowanego przez biskupa Zbyluta z Gołańczy (bratanka i następcy Macieja). Zespół witraży prezbiterium katedry włocławskiej, przedstawiający dzieje Chrystusa i Marii oraz proroków, jest najstarszym i jednym z najlepiej zachowanych cyklów tego typu na ziemiach polskich.
OK. 1365–1370, FOT. MM

Rycerski król Jan

Król czeski Jan Luksemburski, pochodzący z pogranicza francusko-niemieckiego, starał się żyć zgodnie z propagowanym przez poetów wzorcem idealnego rycerza. Życie spędził na wędrówkach po Europie, odwiedzaniu obcych dworów, udziale w licznych wojnach i turniejach. Jako prawy rycerz chrześcijanin kilka razy wyprawiał się na krucjatę, oczywiście do Prus. „Honor był jedynym uczuciem jego serca. Starczało mu mieć konia i szary płaszcz z fryzyjskiego sukna" – pisał o nim jeden z towarzyszy.
Król Jan zginął też jak prawdziwy rycerz: już oślepły, uczestniczył w 1346 r. w przegranej przez Francuzów bitwie z Anglikami pod Crécy i mimo klęski nie chciał uciekać, lecz kazał się zaprowadzić, podtrzymywany przez sługi, w największy wir bitewny.

tów przyznać najwyżej rangę „króla krakowskiego". Próbował nawet zrealizować swe roszczenia. Wyprawę czeską na Kraków w 1327 r. udało się powstrzymać tylko dzięki dyplomatycznej i militarnej interwencji Węgier.

Pożoga

Właśnie z powodu Litwy Władysław Łokietek dał się wplątać w tak długo unikaną zbrojną konfrontację z Krzyżakami. Gdy w 1329 r. urządzili oni razem z królem czeskim Janem Luksemburskim kolejną krucjatę przeciwko Litwinom, król polski, łamiąc zawarty wcześniej rozejm, wtargnął zbrojnie do państwa krzyżackiego i spustoszył ziemię chełmińską. Krzyżacy pospiesznie przerwali działania na Litwie, a wszystkie swoje siły skierowali przeciwko Polsce. Wojska krzyżacko-czeskie zdobyły Dobrzyń i obległy Płock, a książę płocki Wacław (zwany też Wańką) – od niedawna protegowany Krzyżaków – musiał złożyć hołd Luksemburczykowi.

W latach 1329 i 1330 wojska zakonne ponawiały wypady w głąb ziem polskich połączone z pustoszeniem kraju. Płonęły kujawskie grody, miasta i wsie. Celem tych niszczycielskich rejz było przede wszystkim złamanie uporu Polaków i zmuszenie wreszcie króla polskiego do zawarcia pokoju. Ze szczególnym zacięciem Krzyżacy pustoszyli majątki biskupstwa włocławskiego – z biskupem mieli bowiem stary zatarg o dziesięciny na Pomorzu Gdańskim. Biskup, ujrzawszy, jak najeźdźcy złupili jego dobra i spalili Włocławek wraz z katedrą, musiał wreszcie przyjąć krzyżackie warunki ugody.

Zakon krzyżacki nie miał jednak zamiaru podbijać kolejnych ziem polskich. Zdobywane tereny traktował raczej jako obiekt wymienny: za ich zwrot można było wszak wytargować wreszcie polską rezygnację z Pomorza Gdańskiego. Na krzyżackie napady Władysław Łokietek odpowiedział jednak wielką wyprawą na ziemię chełmińską w 1330 r., która zakończyła się częściowym sukcesem: nieprzygotowani do odparcia inwazji Krzyżacy musieli zgodzić się na zwrot zdobytych wcześniej grodów kujawskich.

Rozjątrzeni tym niepowodzeniem i wojowniczą postawą króla polskiego, podjęli ze swej strony w 1331 r. próbę definitywnego rozstrzygnięcia sporu. Szybkie zagony wojsk zakonnych wdarły się daleko w głąb Wielkopolski, docierając aż na przedpola Poznania. W porozumieniu z Janem Luksemburskim zaplanowali zaś wspólną wyprawę, która miała doprowadzić do zupełnego rozgromienia Polski. Armie krzyżacka i czeska miały jednocześnie z dwóch stron wtargnąć do Wielkopolski i, spotkawszy się pod Kaliszem, działać dalej wspólnie.

Nad Królestwem Polskim zawisło śmiertelne niebezpieczeństwo. Na szczęście zawiodła współpraca przeciwników. Luksemburczyk spóźnił się bowiem na umówione spotkanie. Mimo to krzyżacki najazd we wrześniu 1331 r. dokonał potwornych spustoszeń w całej środkowej Polsce, aż po Kalisz. Nie doczekawszy Czechów, Krzyżacy zawrócili. W ślad za nimi postępował już jednak z zebranymi naprędce siłami król polski. Po potyczce pod Koninem, gdzie Polacy rzucili się do ucieczki na sam widok ruszającego do boju przeciwnika, krzyżackie dowództwo było pewne swego. W drodze powrotnej zamierzało więc przynajmniej zdobyć Kujawy.

Gdy jednak rankiem 27 IX zakonni dowódcy podzielili swe siły, doszło do przypadkowej bitwy pod Płowcami. Nadciągające wojska polskie zderzyły się w gęstej mgle z tylną strażą krzyżacką. W wielogodzinnym boju Polacy najpierw rozgromili napotkany oddział, następnie wszakże ulegli nadciągającym stopniowo głównym siłom przeciwnika. Krzyżacy ponieśli jednak również ogromne straty (poległo aż 73 braci zakonnych, czyli ponad 10% ich ówczesnej liczby) i wycofali się do Prus. Inspirowana przez dwór polski propaganda przedstawiła bitwę jako wielkie zwycięstwo: roczniki rozpisują się o wybiciu 40 tysięcy nieprzyjaciół przy minimalnych stratach własnych. Przyznać jednak trzeba, że pod Płowcami – niezależnie od znikomego, jedynie taktycznego znaczenia samej bitwy – ocalono integralność Królestwa Polskiego. Krzyżacy nauczeni krwawą lekcją płowiecką wyrzekli się bowiem myśli o rozbijaniu Łokietkowej Polski.

Rok później wszakże po raz kolejny wtargnęli na Kujawy i zdobyli główne grody tej ziemi. Polacy nie potrafili zorganizować skutecznej obrony. Pospolite ruszenie z Wielkopolski rozeszło się do domów, ponieważ stawiło się zaledwie 60 rycerzy. Wzburzony utratą rodzinnej ziemi Władysław Łokietek urządził wprawdzie kolejną wyprawę odwetową, ale nieudolnie manewrując, dał się otoczyć wrogom i trzeba było się zgodzić na rozejm. W kilka miesięcy później, w marcu 1333 r., już ponad 70-letni, przybity sypiącymi się ostatnio niepowodzeniami, król zmarł.

Zostawiał po sobie trudne dziedzictwo: kraj spustoszony i wyczerpany, wojny na wszystkich prawie granicach. Swą polityką, nieznającą ustępstw i kompromisów, nieliczącą się z realiami, doprowadził Polskę na skraj katastrofy. Ocalił jednak i przekazywał synowi Kazimierzowi najważniejsze dzieło swego życia: połączenie głównych dzielnic w jedno, choć kadłubowe, Królestwo Polskie.

▼► NANKER
był najpierw biskupem w Krakowie, gdzie toczył zaciekłe spory z królem Władysławem w obronie dochodów Kościoła. Łokietek poparł więc gorąco przeniesienie go na biskupstwo wrocławskie, gdzie zapał biskupa obracał się przeciwko Czechom. Nawet współdziałający z Nankerem legat papieski narzekał na jego kłopotliwy politycznie starczy upór i bezkompromisowość. Biskup zmarł jednak w opinii świętości.

PIECZĘĆ BISKUPA KRAKOWSKIEGO – PRZY DOKUMENCIE Z 3 X 1320, AKL KLARYSEK KRAKÓW, FOT. MM; NAGROBEK – PO 1341, KATEDRA WE WROCŁAWIU, OB. W KOLEGIACIE ŚW. KRZYŻA WE WROCŁAWIU

▼ PŁYTA NAGROBNA WŁADYSŁAWA ŁOKIETKA
została ufundowana przez jego syna i następcę. Później dodano tumbę z postaciami płaczków i baldachim. Taki typ i ustawienie (we wnętrzu katedry) nagrobka królewskiego obowiązywały w Polsce do końca średniowiecza.

KATEDRA W KRAKOWIE, PRZED 1346, FOT. SM

▼ ZIEMIE POLSKIE W 1333 R.
RYS. JG

- granice Królestwa Polskiego w 1333 r.
- ziemie zajęte przez zakon krzyżacki
- ziemie w bezpośrednim władaniu Kazimierza Wielkiego
- ziemie we władaniu Piastów zależnych od Kazimierza Wielkiego
- niezależne księstwa piastowskie
- Królestwo Czeskie i jego lenna

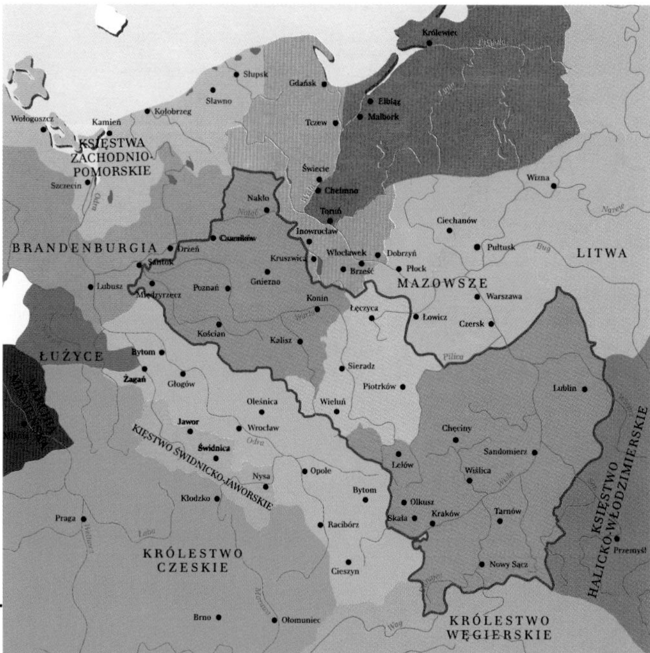

UZBROJENIE RYCERSTWA POLSKIEGO W XIV W.

Prawo rycerskie i zwyczaj nakazywały rycerzowi służyć w polu na wezwanie władcy; musiał się tam stawić uzbrojony stosownie do swojej pozycji społecznej i możliwości finansowych. O jego znaczeniu wojskowym decydowały w równej mierze wyszkolenie i broń; ta ostatnia, obok rumaka, była najważniejszą i najkosztowniejszą częścią ekwipunku, o znaczeniu tak militarnym, jak i prestiżowym.

Zbrojny jeździec siedział w siodle o wysokich łękach. Konia chroniła zbroja przykryta tkaniną, tzw. kropierzem. Do powodowania rumakiem już w XIV w. używano munsztuka. Dominowały ostrogi z kółkiem gwiaździstym, choć występowały jeszcze ostrogi z kolcem.

Nieodłącznym elementem ekwipunku rycerskiego była zbroja. W XIV w. udoskonalono znany od poprzedniego stulecia kirys folgowy: na kolczugę nakładano duże fragmenty blach, które przykrywano tkaniną zdobioną herbami. W połowie XIV w. pojawił się kirys kryty, czyli jednolity napierśnik, do którego mocowano hak do podtrzymania kopii i łańcuchy przytrzymujące miecz i puginał. Nogi i ręce chroniono metalowymi folgami. Mniej zamożni rycerze używali kolczug, pancerzy z płytek (lamelek) umocowanych na kurcie wykonanej ze skóry lub materiału, a także brygantyn, czyli kamizel z materiału z przynitowanymi od środka prostokątnymi płytkami. Hełm garnczkowy z klejnotami i labrami w XIV w. coraz częściej spełniał tylko funkcje paradne lub turniejowe. W polu używano tanich i popularnych kapalinów lub stożkowatych łebek. W trzeciej ćwierci XIV w. powstał nowy typ hełmu – przyłbica z ruchomą zasłoną.

Tarcza, najczęściej z herbem właściciela, miała kształt trójkąta o zaokrąglonych bokach. W XIV w. pojawiła się tarcza czworokątna z wycięciem na oparcie kopii. Używano też prostokątnych pawęży: dużych w piechocie, a mniejszych, zwanych pawężkami, w jeździe. Na początku XIV w. dominował miecz o głowni przeznaczonej do cięcia. W połowie stulecia pojawiły się miecze o głowni zarówno do cięcia, jak i do kłucia, a później – tylko do kłucia, oraz koncerze. Puginały miały głownię o jednym (noże bojowe) lub dwóch (sztylety) ostrzach. Używano też toporów i czekanów oraz włóczni i kopii. Włócznia miała długość około 2 m, co pozwalało walczyć nią „z wolnej ręki", czyli we wszystkich kierunkach. Kopią, długości około 4 m, walczono, rażąc przeciwnika na osi poruszania się jeźdźca. Do walki na odległość służyła broń strzelcza. Łuk (refleksyjny), pod wpływem uzbrojenia plemion turko-tatarskich, występował głównie we wschodniej części ziem polskich. Powszechnie używano kusz. W końcu XIV w. pojawiła się broń palna – ręczna i artyleria.

▲ WALKI ALEKSANDRA WIELKIEGO W INDIACH z mitycznymi potworami. Militaria odpowiadają realiom początku XIV w.: rycerze noszą zbroje kolcze i tuniki. Zwraca uwagę zróżnicowanie ochron głowy: hełmy garnczkowe, łebka, kapalin lub tylko czepce kolcze.
GODFRYD Z VITERBO, „PANTEON", BK SANDOMIERZ, FOT. SM

◄ ZBROJA, odkryta w obrębie spalonej zapewne w latach 1382–1383 wieży rycerskiej, wykonana była z żelaznych folg. Łokcie i przedramiona okrywały osłony płytowe. Zachowały się także tarczki służące do przymocowania miecza i puginału. Wartość znaleziska podnoszą zachowane na trzech folgach zbroi punce (znaki) płatnerskie z imieniem Nicchols.
SIEDLĄTKÓW POW. PODDĘBICE, OK. 1370–1380, MAŁE ŁÓDŹ; REKONSTRUKCJA, FOT. MGŁ

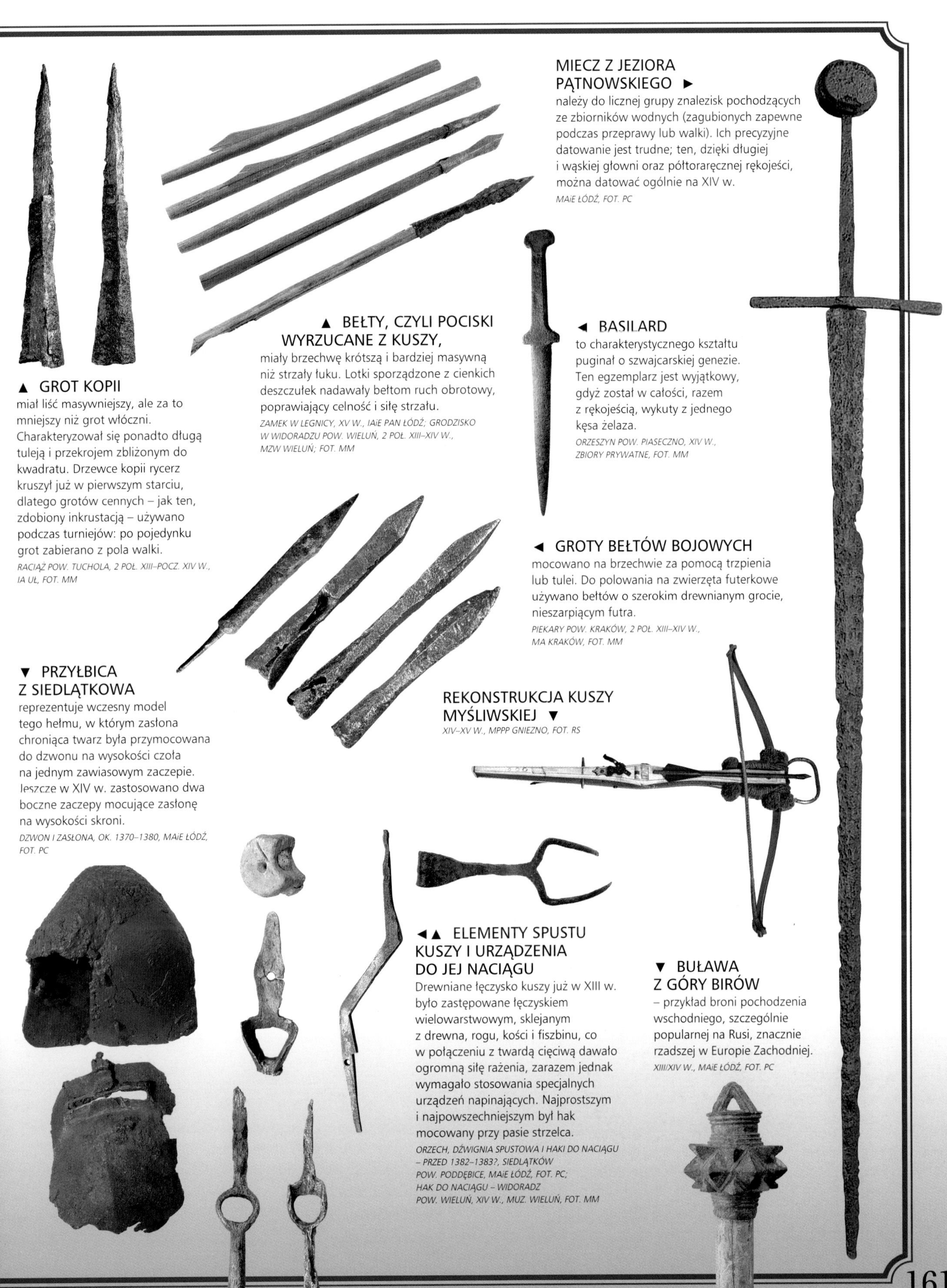

MIECZ Z JEZIORA PĄTNOWSKIEGO ►

należy do licznej grupy znalezisk pochodzących ze zbiorników wodnych (zagubionych zapewne podczas przeprawy lub walki). Ich precyzyjne datowanie jest trudne; ten, dzięki długiej i wąskiej głowni oraz półtoraręcznej rękojeści, można datować ogólnie na XIV w.

MAiE ŁÓDŹ, FOT. PC

▲ GROT KOPII

miał liść masywniejszy, ale za to mniejszy niż grot włóczni. Charakteryzował się ponadto długą tuleją i przekrojem zbliżonym do kwadratu. Drzewce kopii rycerz kruszył już w pierwszym starciu, dlatego grotów cennych – jak ten, zdobiony inkrustacją – używano podczas turniejów: po pojedynku grot zabierano z pola walki.

RACIĄŻ POW. TUCHOLA, 2 POŁ. XIII–POCZ. XIV W., IA UŁ, FOT. MM

▲ BEŁTY, CZYLI POCISKI WYRZUCANE Z KUSZY,

miały brzechwę krótszą i bardziej masywną niż strzały łuku. Lotki sporządzone z cienkich deszczułek nadawały bełtom ruch obrotowy, poprawiający celność i siłę strzału.

ZAMEK W LEGNICY, XV W., IAiE PAN ŁÓDŹ; GRODZISKO W WIDORADZU POW. WIELUŃ, 2 POŁ. XIII–XIV W., MZW WIELUŃ; FOT. MM

◄ BASILARD

to charakterystycznego kształtu puginał o szwajcarskiej genezie. Ten egzemplarz jest wyjątkowy, gdyż został w całości, razem z rękojeścią, wykuty z jednego kęsa żelaza.

ORZESZYN POW. PIASECZNO, XIV W., ZBIORY PRYWATNE, FOT. MM

◄ GROTY BEŁTÓW BOJOWYCH

mocowano na brzechwie za pomocą trzpienia lub tulei. Do polowania na zwierzęta futerkowe używano bełtów o szerokim drewnianym grocie, nieszarpiącym futra.

PIEKARY POW. KRAKÓW, 2 POŁ. XIII–XIV W., MA KRAKÓW, FOT. MM

▼ PRZYŁBICA Z SIEDLĄTKOWA

reprezentuje wczesny model tego hełmu, w którym zasłona chroniąca twarz była przymocowana do dzwonu na wysokości czoła na jednym zawiasowym zaczepie. Jeszcze w XIV w. zastosowano dwa boczne zaczepy mocujące zasłonę na wysokości skroni.

DZWON I ZASŁONA, OK. 1370–1380, MAiE ŁÓDŹ, FOT. PC

REKONSTRUKCJA KUSZY MYŚLIWSKIEJ ▼

XIV–XV W., MPPP GNIEZNO, FOT. RS

◄▲ ELEMENTY SPUSTU KUSZY I URZĄDZENIA DO JEJ NACIĄGU

Drewniane łęczysko kuszy już w XIII w. było zastępowane łęczyskiem wielowarstwowym, sklejanym z drewna, rogu, kości i fiszbinu, co w połączeniu z twardą cięciwą dawało ogromną siłę rażenia, zarazem jednak wymagało stosowania specjalnych urządzeń napinających. Najprostszym i najpowszechniejszym był hak mocowany przy pasie strzelca.

ORZECH, DŹWIGNIA SPUSTOWA I HAKI DO NACIĄGU – PRZED 1382–1383?, SIEDLĄTKÓW POW. PODDĘBICE, MAiE ŁÓDŹ, FOT. PC; HAK DO NACIĄGU – WIDORADZ POW. WIELUŃ, XIV W., MUZ. WIELUŃ, FOT. MM

▼ BUŁAWA Z GÓRY BIRÓW

– przykład broni pochodzenia wschodniego, szczególnie popularnej na Rusi, znacznie rzadszej w Europie Zachodniej.

XIII/XIV W., MAiE ŁÓDŹ, FOT. PC

Odmienności rozwoju tej ziemi, zwłaszcza liczny napływ Niemców i rozwój dużych miast, sprawiły, że Śląsk rozstał się z Polską

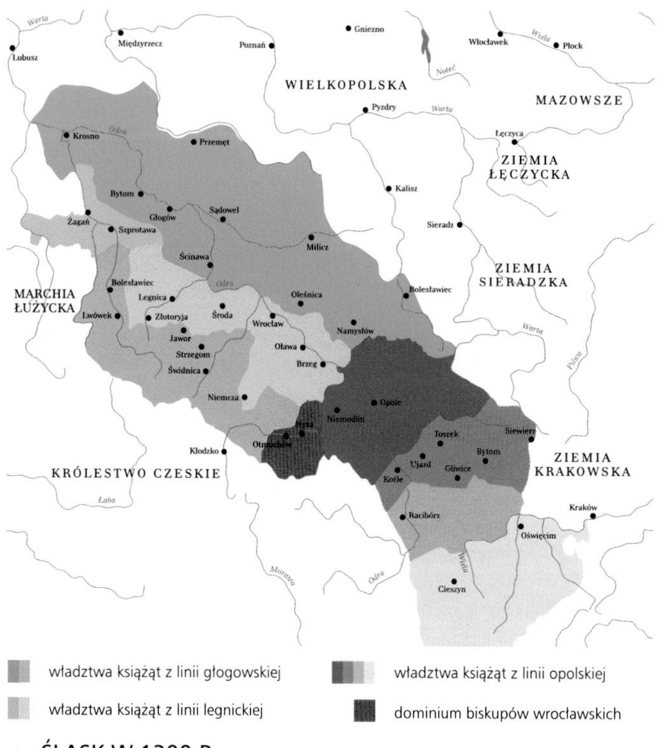

▲ ŚLĄSK W 1300 R.
RYS. JG

Książę w klatce

Książę głogowski Henryk, nie mogąc zmusić swego wroga, Henryka Grubego, do ustąpienia z Wrocławia, porwał go (przy pomocy jego własnych dworzan) z wrocławskiej łaźni. Więźnia umieszczono w drewnianej klatce, skonstruowanej tak, by nie mógł wygodnie ani stać, ani siedzieć, ani leżeć. Nieszczęsny książę spędził w tej skrzyni kilka miesięcy. Po uwolnieniu żył już tylko 2 lata. Jego najmłodszy syn, Władysław, człek bodaj niezrównoważony psychicznie, który na wolności trudnił się głównie rozbojem, spędził wiele lat zakuty w kajdany w wieży legnickiego zamku, gdzie osadził go rodzony brat, Bolesław. Bolesław ów, popadłszy w konflikt z trzecim z braci, Henrykiem (to ostatni Piast wrocławski), porywał kolejno jego doradców, z których jeden – wywleczony z kościoła – życiem przypłacił wołanie o pomoc. Owe zamachy budziły oburzenie duchownych kronikarzy, ale przez ogół nie były ostro potępiane – wielu książąt porywaczy cieszyło się wszak opinią wzorowych rycerzy.

Śląsk podzielony

Wybitny i ambitny książę wrocławski Henryk Prawy, który skupił w swym ręku prawie cały Śląsk i sięgnął po Kraków, zmarł nagle w 1290 r. Zaskoczony niespodziewaną chorobą zapisał Wrocław swemu najwierniejszemu wasalowi, głogowskiemu księciu Henrykowi. Nie przyjęli go jednak wrocławianie, którzy sami obrali sobie nowego pana w osobie innego Henryka – księcia Legnicy, z przydomkiem Gruby (zwanego też niekiedy Brzuchatym). Najczynniejszą rolę w tej opozycji odgrywało mieszczaństwo stolicy Śląska. Kilka lat wojowali obaj Henrykowie o wrocławskie dziedzictwo. Ostatecznie potężne księstwo uległo rozpadowi. Henrykowi Grubemu, gdy umierał, pozostał w ręku już tylko wąski pas ziem wokół Wrocławia, Złotoryi i Legnicy. W tak zmniejszonym księstwie wrocławskim tym większego znaczenia nabrały te właśnie duże i bogate miasta i ich niemiecki patrycjat. Miało to wielkie znaczenie dla dalszych losów dzielnicy.

Najpotężniejszym władztwem na Śląsku stała się teraz dzielnica głogowska. Mądry i rozważny książę głogowski Henryk przejawiał również wielkie ambicje polityczne. Przez wiele lat próbował, jak pamiętamy, opanować Wielkopolskę – udało mu się to dopiero pod koniec życia. Dopóki żył, był najgroźniejszym rywalem Władysława Łokietka w walce o koronę. Po śmierci Henryka w 1309 r. jego młodziutcy synowie zaprzepaścili dzieło ojca. Jednocześnie coraz głębszym podziałom ulegał także Górny Śląsk – u progu XIV w. można tam naliczyć już dziewięć miniaturowych dzielnic.

„Korona Śląska"

Z rozpadu dawnego księstwa wrocławskiego wyrosło silne księstwo świdnickie. Brat Henryka Grubego, Bolko, książę niewielkiej dzielnicy ze stolicą w Jaworze, zajął Świdnicę, Ząbkowice, Ziębice i inne miasta wraz ze wszystkimi ziemiami wzdłuż Sudetów aż po Nysę Kłodzką. Bolko okazał się, podobnie jak książę Henryk w Głogowie, bardzo dobrym gospodarzem. Obaj książęta nie tylko – wzorem przodków – wspierali kolonizację i zakładali nowe miasta, ale przeprowadzili też w swych ziemiach liczne reformy, z których najważniejszymi były: zorganizowanie nowej, sprawnej administracji opartej na miastach i ich sądach oraz bicie nowego typu monet o stałej wartości. Bolko zasłynął nadto jako wielki budowniczy. To on wzniósł cały system górskich zamków wzdłuż sudeckiej granicy z Czechami. Czuł się więc na tyle silny, by prowadzić w pełni niezależną politykę – choć jego panowanie przypada na okres, kiedy król czeski i polski Wacław II próbował narzucić swe rządy także na Śląsku. Bolko, podobnie jak inni książęta śląscy, oparł się jednak czeskiemu naciskowi. Mnich z cysterskiego opactwa w Krzeszowie, ufundowanego właśnie przez Bolka, nazwał go „koroną Śląska".

Ku Krakowowi czy Pradze?

W 1320 r. książęta śląscy – pokolenie synów Bolka świdnickiego, Henryka głogowskiego i Henryka Grubego – nie uznali królewskiej władzy Władysława Łokietka. Na Śląsku panowały zupełnie inne stosunki niż w pozostałych ziemiach polskich. O wiele więcej żyło tu Niemców. Dużo mniejsze było znaczenie polskiego rycerstwa i możnowładztwa, a książęta nie musieli się z nimi tak bardzo liczyć. Znajdowali bowiem oparcie w rycerzach niemieckich, którzy tłumnie odwiedzali od kilku już pokoleń śląskie dwory książęce i często osiadali tu na stałe, a także w znakomicie rozwijających się, bogatych miastach, zaludnionych w dużej mierze przez Niemców.

Śląskie miasta przewyższały wielkością wszystkie prawie – może z wyjątkiem Krakowa i Gdańska – miasta w innych ziemiach polskich. Potężne mieszczaństwo śląskie odgrywało też aktywną rolę polityczną, kierując się głównie dbałością o swe interesy gospodarcze. Związki handlowe łączyły zaś Wrocław, Świdnicę, Legnicę czy Głogów przede wszystkim z Czechami i Niemcami.

Rycerze śląscy – zarówno ci niemieckiego, jak i polskiego pochodzenia – chętnie oglądali się na Pragę. Tu bowiem kwitło życie rycerskie na europejską skalę, tu znajdował się wspaniały dwór króla czeskiego Jana Luksemburskiego, który nęcił tym bardziej, że dwory coraz słabszych książąt piastowskich nie zapewniały już zbyt wielu możliwości awansu i przygody. Także sami Piastowie śląscy chętnie znaleźliby sobie potężnego opiekuna. Wyczerpywały ich bowiem nieustanne walki dynastyczne, coraz bardziej musieli się liczyć ze zdaniem poddanych, a przeważnie mieli też świadomość, że nie są zdolni do niełatwej walki w obronie swej niezależności. W roli takiego opiekuna trudno jednak byłoby wyobrazić sobie Władysława Łokietka – niechętnego Niemcom, mieszczaństwu i, osobiście, wielu książętom śląskim. Próby nawiązywania stosunków między nowym królem polskim a Piastami śląskimi miały tylko epizodyczne znaczenie. Śląsk pierwszej połowy XIV w. ciążył więc wyraźnie ku Czechom, a Polska stawała się dlań krajem obcym.

◄ MURY MIEJSKIE PACZKOWA
flankowane basztami łupinowymi, pierwotnie otwartymi do wewnątrz. W początkach XV w. mury i baszty podwyższono do obecnej wysokości. Do końca XIV w. co najmniej połowa miast na Śląsku była obwarowana murami – w Królestwie Polskim zaledwie co dziesiąte!
OK. 1350, FOT. RS

► KOLEGIATA NMP W GŁOGOWIE,
najstarsza na Śląsku, przebudowana z inicjatywy księcia głogowskiego Henryka. Spośród kanoników często rekrutował się personel książęcych kancelarii, uświetniali też oni ważniejsze wydarzenia.
WIDOK OD PŁN. WSCH., XIII–XV W., FOT. RS

▲► FUNDACJE KSIĘCIA BRZESKIEGO LUDWIKA I
służyły utrwalaniu ideologii dynastycznej. Książę był inspiratorem zmian w przedstawianiu św. Jadwigi, której był potomkiem.
PORTAL KAPLICY ZAMKOWEJ W LUBINIE – OK. 1350; ŚW. JADWIGA – „ŻYWOT ŚW. JADWIGI" W „KODEKSIE OSTROWSKIM", LUBIN, 1353, GM MALIBU

FLOREN KSIĘCIA LEGNICKIEGO WACŁAWA I ►
zawiera motywy zaczerpnięte z monet florenckich (lilia i św. Jan Chrzciciel). Dopiero wdowa po Wacławie zastąpiła herb Florencji herbem własnego księstwa.
1346–1364, MM LEGNICA, FOT. PC

Złotonośny Śląsk

Na średniowiecznym Śląsku eksploatowano liczne złoża szlachetnych kruszców, jednak największą sławę przyniosły mu odkryte już w XII w. pokłady złota. Pierwszym ośrodkiem tej gałęzi górnictwa stało się miasto Goldberg, czyli Złota Góra (dzisiaj Złotoryja) opodal Legnicy. W XIV w. odkrywano i eksploatowano dalsze złoża: wokół nowo założonego miasteczka Mikołajowice (również w Legnickiem) oraz wokół Złotego Stoku w dzielnicy świdnickiej. Śląskie zagłębia złotonośne były wówczas – obok czeskich – największe w Europie. Niektórzy książęta, m.in. świdnicki Bolko Mały, bili własne złote monety zwane florenami, które rozchodziły się szeroko po wielu krajach. Magia cennego kruszcu przynosiła śląskim miastom i książętom nie tylko bogactwo, ale i wielką sławę.

▲◄ HENRYK VI WROCŁAWSKI I BOLESŁAW ROZRZUTNY
Ich wzajemna nienawiść spowodowała, iż Henryk odsunął od dziedziczenia brata, a Wrocław przeszedł pod bezpośrednie panowanie czeskie. Nagrobki obu książąt wykonał jednak ten sam rzeźbiarz Henryk.
NAGROBKI: HENRYKA VI – OK. 1350, KOŚCIÓŁ ŚW. KLARY WE WROCŁAWIU, FOT. PC; BOLESŁAWA ROZRZUTNEGO – OK. 1350, KOŚCIÓŁ WNIEBOWZIĘCIA NMP W LUBIĄŻU POW. WOŁÓW, OB. W MN WROCŁAW, FOT. EW

PIECZĘĆ KSIĘCIA ŚWIDNICKIEGO BOLKA MAŁEGO ▲
jako księcia śląskiego i margrabiego Łużyc. Dożywotnie panowanie nad Łużycami zawdzięczał uiszczeniu za cesarza margrabiom miśnieńskim połowy kwoty wykupnej. Dzięki wielu podobnym transakcjom skupił pod koniec życia znaczną część Śląska.
PRZY DOKUMENCIE Z 17 II 1366, AP WROCŁAW, FOT. MM

Ryczyn

W rachunkach księcia brzeskiego Ludwika z 1390 r. zachował się następujący zapis: „W środę po Zielonych Świątkach 3 grosze i 4 denary na robotników, którzy kopią w Ryczynie szukając biskupów". Jest to pierwsza zapiska o prowadzeniu planowych wykopalisk archeologicznych na ziemiach polskich. To, że takie prace podjęto, wskazuje na utrzymywanie się tradycji o pochowaniu w tym miejscu jakichś biskupów. XIV-wieczny Ryczyn był małą wsią nad Odrą, blisko Brzegu, która zanikła już niecałe 100 lat później. Jednak aż do XIII w. znajdował się tu jeden z ważnych grodów śląskich, stanowiący siedzibę kasztelanii.
Niewykluczone, że w grodzie tym schronili się wierni władcy polskiemu biskupi wrocławscy w czasie kryzysu lat 30. XI w., by następnie, po 1050 r., powrócić do Wrocławia. Z tym może wiąże się trudne do wytłumaczenia zaniknięcie w biskupstwie wrocławskim pamięci o jego początkach. Co najmniej od XIII w. (gdy mamy pierwsze informacje źródłowe) miejscowa tradycja konsekwentnie za pierwszego biskupa wrocławskiego uznawała Hieronima, który objął urząd w 1051 r.

▼ KWARTNIK BISKUPA HENRYKA Z WIERZBNA
Bicie własnej monety było jednym z widomych oznak suwerenności biskupów wrocławskich w ziemi nysko-otmuchowskiej.
1302–1319, MAiE ŁÓDŹ, FOT. MM

Wasale obcej Korony

Wystarczyło, by król Jan Luksemburski wystąpił czynnie na Śląsku w 1327 r. – próbował wtedy bezskutecznie atakować Kraków – by tutejsi książęta zaczęli mu się poddawać. I nie wchodził tu raczej w grę militarny nacisk Jana ani lęk przed czeską potęgą. Więcej znaczyła potrzeba znalezienia mocnego oparcia wobec obaw przed Polską Łokietkową. Najpierw uczynili to wszyscy Piastowie górnośląscy, którzy złożyli hołd lenny, uznając się za wasali króla i Królestwa Czeskiego. Z kolei nieposiadający następcy książę wrocławski Henryk VI, powolny we wszystkim swym mieszczańskim doradcom, zgodnie z życzeniem wrocławian zapisał królowi czeskiemu swoje ziemie. Inni Piastowie dolnośląscy z początku oburzali się na to, ale już 2 lata później sami złożyli hołdy Luksemburczykowi. Wkrótce, po śmierci w 1335 r. Henryka VI, Wrocław stał się bezpośrednią posiadłością czeską – skończyły się piastowskie rządy w stolicy Śląska, a na dawnym książęcym zamku rezydował odtąd starosta króla czeskiego.

Kilku jedynie książąt, głównie ambitnych potomków Bolka I świdnickiego, odmówiło złożenia hołdu królowi czeskiemu. Ich opór nie mógł jednak odwrócić nieodwracalnego. Książę głogowski Przemko (syn Henryka) zapowiadał wprawdzie, że woli „na jednym tylko koniu opuścić swe ziemie, niż poddać się jakiemukolwiek panu", ale zaraz po jego śmierci Głogów – nie bez poparcia miejscowych mieszczan – zajął król czeski. Książę ziębicki Bolko II mężnie odpierał wysyłane przeciwko niemu ekspedycje zbrojne, ale tonął stale w długach, więc Czesi go po prostu kupili – gorycz hołdu wynagrodzono mu nadaniem Kłodzka.

Najdłużej trwał w oporze książę świdnicki Bolko II Mały, wnuk swego imiennika sprzed pół wieku. W walce przeciwko Czechom sprzymierzył się nawet z Władysławem Łokietkiem. Pomógł też bardzo polskiemu królowi, kiedy w trudnym 1331 r. zatrzymał pod Niemczą pochód wojsk Jana Luksemburskiego, idących właśnie na spotkanie z Krzyżakami. Wielu historyków kreowało Bolka na bohaterskiego obrońcę polskości Śląska. W rzeczywistości jego opór wobec Luksemburgów wydaje się raczej wyrazem osobistych ambicji. Kiedy bowiem Czesi zaoferowali mu honorowe warunki, nie domagając się już hołdu, uwłaczającego widocznie dumie księcia – Bolko poszedł na ugodę, stał się najwierniejszym sojusznikiem czeskim i (nie mając syna) zapisał wszystkie swe ziemie Koronie Czeskiej.

Czeskim wpływom opierał się także biskup wrocławski Nanker. I jemu nie chodziło jednak o obronę polskości. Walczył z królem Janem Luksemburskim jako gwałcicielem dóbr i przywilejów Kościoła. Próbował też, wbrew powszechnej opinii mieszkańców Śląska, a zgodnie z wymaganiami papiestwa i polskiego episkopatu, zmusić Ślązaków do płacenia nowego, podwyższonego świętopietrza. Gdy jednak ten zapalczywy mąż zmarł, jego następcy uznali bez zastrzeżeń polityczną zwierzchność królów czeskich.

Już w połowie XIV w. cały Śląsk stał się krainą podlegającą Czechom. Jedne księstwa znajdowały się wprost w posiadaniu królów czeskich, inne pozostawały w lennej zależności. Wraz z całymi Czechami Śląsk stawał się zarazem częścią Rzeszy Niemieckiej i miał w jej ramach pozostawać aż do 1945 r.

Długo jeszcze pamiętano wszakże na Śląsku o polskiej przeszłości tej ziemi. Przypominały o tym polska mowa, którą posługiwała się wciąż duża część ludności (zwłaszcza wiejskiej), przynależność kościelna do metropolii w Gnieźnie, a nade wszystko ród książęcy. Śląscy Piastowie w XIV w. przyznawali się jeszcze chętnie do polskości. Książę brzeski Ludwik I kazał sobie nawet spisać kronikę pokazującą wielką przeszłość rodu i z nostalgią wspominającą samodzielność Śląska. Polacy z Królestwa stanowczo jednak potępiali śląskich książąt: „ponieważ dobrowolnie poddali się Koronie Czeskiej", wyrokował surowo kronikarz Janko z Czarnkowa, „dopóki pozostają jej wasalami, żaden z nich nie może zostać wybrany na króla polskiego, a jako poddani czeskiemu panowaniu odsunięci są od praw dziedzicznych w Królestwie Polskim".

Z czasem śląscy Piastowie przestali już odgrywać poważniejszą rolę polityczną. Schodzili często do poziomu zwykłych rycerzy rabusiów, stając się ciężarem dla własnych poddanych. W XV w. jeden z książąt zginął na szafocie, skazany przez sąd miejski jak zwykły kryminalista, inny poległ jako zaciężny żołnierz. Ówczesny lokalny kronikarz cieszył się, że „słusznym wyrokiem Bożym" ginie wreszcie „ten tak szlachetny niegdyś ród", który obecnie „pogrążył się w otchłani najpodlejszych błędów". Śląska gałąź Piastów okazała jednak największą z całego rodu żywotność. Dawno już wymarli piastowscy królowie Polski i piastowscy książęta mazowieccy, a na Śląsku wciąż trwała stara dynastia. Ci ostatni Piastowie zatracili już jednak związek z polskim językiem i kulturą, choć dumnie kultywowali wciąż tradycję pochodzenia „z rodu królów Polski". Ostatni z nich, młodociany książę legnicko-brzeski Jerzy Wilhelm, zmarł w 1675 r.

▲ FARY BISKUPICH MIAST NYSY I PACZKOWA
powstały pod wyraźnym wpływem czynnej w Pradze strzechy budowlanej Parlerów.

WNĘTRZE KOŚCIOŁA ŚW. JAKUBA W NYSIE – PIOTR Z ZĄBKOWIC, OK. 1430, FOT. MM; PORTAL KOŚCIOŁA ŚW. JANA EWANGELISTY W PACZKOWIE POW. NYSA Z HERBAMI BISKUPA PRZECŁAWA Z POGORZELI I KAPITUŁY WROCŁAWSKIEJ – 3 ĆW. XIV W., FOT. RS

▲ WIEŻA MIESZKALNA W SIEDLĘCINIE
– przykład najpopularniejszej wówczas siedziby obronnej, służącej nie tylko rycerstwu, ale i panującym. Tego typu wieża była jądrem Karlštejnu, ulubionej siedziby cesarza Karola IV.

WIDOK OGÓLNY – MCIU; DEKORACJA REPREZENTACYJNEJ SALI – FOT. SKL

Lancelot z Siedlęcina

W XIV w. w malarstwie ziem polskich zaczęły pojawiać się tematy związane z kulturą rycerską. Jednym z ciekawszych przykładów tego typu twórczości jest malowidło ścienne odkryte w wieży mieszkalnej w Siedlęcinie (ówczesnym Boberröhrsdorfie) na Śląsku. Wzniesiona około 1315 r. z inicjatywy książąt świdnickich, w 1368 r. została sprzedana rycerzowi Janowi von Redern. W latach 40. XIV w. książę jaworski Henryk polecił ozdobić jej ściany cyklem malowideł przedstawiających sceny z życia Lancelota. Legendy arturiańskie, wchodzące do kanonu kultury rycerskiej, cieszyły się w tym okresie znacznym powodzeniem. Malowideł nie ukończono; część historii o szlachetnym rycerzu zaledwie zaznaczono na ścianie konturem. W latach 80. XIV w. z inicjatywy nowych, rycerskich właścicieli wieży domalowano inne sceny oraz dwa herby i przedstawienie konnego rycerza w stroju turniejowym, z herbem von Redern. Poziom wykonania nowej dekoracji był znacznie niższy od tej pochodzącej z fundacji książęcej. Jej powstanie dowodzi jednak, że świecka tematyka zaczerpnięta z literatury pięknej funkcjonowała nie tylko w książęcych, ale również w rycerskich siedzibach.

Nagrobki Piastów śląskich

Nagrobki książąt śląskich zajmują ważne miejsce w sztuce Śląska i Królestwa Polskiego. Najstarsze zachowane pomniki sepulkralne tutejszych Piastów pochodzą z kościoła klasztornego opactwa Cystersów w Lubiążu, ufundowanego w 1175 r. przez pierwszego z Piastów śląskich, Bolesława Wysokiego, jako przyszła nekropolia jego rodziny. Zapewne z inicjatywy księcia głogowskiego Henryka I miejscowi rzemieślnicy, czerpiąc wzory z Flandrii, wykonali tu kamienno-spiżowe płyty nagrobne Bolesława Wysokiego, a także braci fundatora: Przemka i Konrada Garbatego. Lubiąskie płyty nagrobne, w zamierzeniu fundatora będące pomnikiem chwały głogowskiej linii Piastów, w następnych stuleciach inspirowały licznych twórców.

Jednak na współczesnych znacznie większe wrażenie wywarła tumba księcia wrocławskiego Henryka Prawego; dzieło to stało się wzorem dla wielu późniejszych nagrobków na Śląsku i w Krakowie. Książę, uchwycony w lekkim poruszeniu, został ukazany w zbroi, z mitrą na głowie, mieczem wspartym na ramieniu i tarczą z orłem piastowskim. Taki kanon przedstawienia zmarłego z atrybutami rycerskimi miał obowiązywać aż do początków czasów nowożytnych.

Kolejną grupę pomników nagrobnych tworzą wykonane około połowy XIV w. tumby: pochowanych w kościele klasztornym Cystersów w Henrykowie księcia ziębickiego Bolka II i jego żony Guty, pochowanego w kaplicy św. Jadwigi klasztoru Klarysek we Wrocławiu wrocławskiego księcia Henryka VI oraz Bolesława Rozrzutnego, księcia wrocławsko-legnickiego, a następnie brzeskiego. Dwa ostatnie grobowce zostały wykonane przez rzeźbiarza Henryka, podpisanego, co jest rzadkością, na pomniku Bolesława Rozrzutnego. Nagrobek tego księcia, podobnie jak inne pomniki, był częścią całego programu ideowego. Tumba stanęła w ufundowanej przez księcia kaplicy przy lubiąskim kościele klasztornym; na nagrobku władca trzyma jej model w ręku. Nad tumbą na sklepieniu znajdował się zwornik z konnym przedstawieniem dynasty.

Ostatnią grupę XIV-wiecznych nagrobków piastowskich tworzą dzieła związane z praskim warsztatem Parlerów. Artystów sprowadziła na Śląsk księżna świdnicka Agnieszka, zlecając im wykonanie pomnika jej męża Bolka Małego – ostatniego niezależnego Piasta śląskiego. Warsztat ów, dominujący w sztuce drugiej połowy XIV w. w Europie Środkowej, wykonał na Śląsku w latach 80. tego stulecia kilka następnych dzieł, m.in. nagrobki Henryka Pobożnego i książąt opolskich.

▲ NAGROBEK HENRYKA PRAWEGO
z przedstawieniem orszaku pogrzebowego na tumbie był pierwszym tego typu dziełem na ziemiach polskich. Na Śląsku (podobnie jak w Europie Zachodniej) wykorzystany tu motyw orszaku pogrzebowego naśladowano w licznych nagrobkach książęcych i biskupich. Jednak w odrodzonym Królestwie Polskim element ten był zastrzeżony dla nagrobków królewskich.
OK. 1300 I OK. 1320?, KOLEGIATA ŚW. KRZYŻA WE WROCŁAWIU, OB. W MN WROCŁAW

▲►▼ POSTACIE POD STOPAMI ZMARŁYCH
symbolizowały ich cnoty i dobre uczynki. Mongoł nawiązuje do okoliczności śmierci księcia i wyraża pośmiertne zwycięstwo w walce o wiarę, zaś chłop pod stopami Matyldy – troskę o ubogich. Jednak najczęściej u stóp zmarłych umieszczano zwierzęta: smok symbolizował jakiś grzech i jego odkupienie, lew – męstwo, a pies – wierność.
NAGROBKI: HENRYKA POBOŻNEGO – OK. 1380, KOŚCIÓŁ ŚW. JAKUBA WE WROCŁAWIU; MATYLDY, ŻONY KSIĘCIA GŁOGOWSKIEGO HENRYKA I – OK. 1390, KOLEGIATA NMP W GŁOGOWIE, OB. W MN WROCŁAW; FOT. EW; KSIĘCIA STRZELECKIEGO BOLESŁAWA III I JEGO ŻONY ANNY – OK. 1380–1390, KOŚCIÓŁ ŚW. TRÓJCY W OPOLU, FOT. MM

▲ PŁYTA NAGROBNA KONRADA GARBATEGO,
księcia żagańskiego i prepozyta wrocławskiego, pierwotnie leżała na niskiej tumbie w chórze kościoła Cystersów w Lubiążu. Obie godności zmarłego ukazano za pomocą duchownego stroju i książęcej mitry; przedstawiono go w momencie przekraczania Bramy Życia. Rozpięta nad nim arkada symbolizuje raj, a rozłożone dłonie – pokorę i oddanie Bogu.

OK. 1310; PŁYTA – KOŚCIÓŁ WNIEBOWZIĘCIA NMP W LUBIĄŻU POW. WOŁÓW, FOT. ARCHIWALNA; APLIKACJE BRĄZOWE – OB. W MN WROCŁAW, FOT. EW; FOTOMONTAŻ

▲ NAGROBEK KSIĘCIA JAWORSKIEGO HENRYKA I JEGO ŻONY AGNIESZKI
jest jednym z dwu zaledwie na kontynencie europejskim (poza Anglią) przedstawień pary trzymającej się za ręce. Ufundował go sam Henryk po śmierci żony. Książę zwraca się ku żonie w miłosnym geście wierności i oddania.

RATUSZ (DAWNY KOŚCIÓŁ FRANCISZKANÓW) W LWÓWKU ŚL., PO 1340, FOT. SKL

▲ NAGROBEK KSIĄŻĄT OPOLSKICH BOLESŁAWA I I BOLESŁAWA II
ufundowany przez ich wnuka i syna, księcia strzeleckiego Bolesława III, który kazał umieścić obok także własną tumbę. Celem utworzenia tego zespołu nagrobków, swoistego mauzoleum rodowego, było podkreślenie legalności sukcesji Bolesława III w okresie, gdy rządy w księstwie opolskim sprawował jego nieposiadający męskiego potomka starszy brat, Władysław Opolczyk.

KOŚCIÓŁ ŚW. TRÓJCY W OPOLU, PRZED 1382, FOT. MM

▲ NAGROBEK KSIĘCIA ŚWIDNICKIEGO BOLKA I
wzorowany był na nagrobku Henryka Prawego, nie zawierał jednak rozbudowanych treści politycznych. Zwraca uwagę hełm z charakterystycznym klejnotem – znak wyróżniający założoną przez Bolka świdnicko-jaworską linię Piastów od ich dalszych krewnych.

KOŚCIÓŁ WNIEBOWZIĘCIA NMP W KRZESZOWIE POW. KAMIENNA GÓRA, OK. 1320, FOT. ABUJ

NAGROBEK KSIĘCIA LEGNICKO-BRZESKIEGO LUDWIKA II I JEGO ŻONY ELŻBIETY ▲►
jest ostatnią z zachowanych monumentalnych gotyckich tumb książęcych na Śląsku. Przedstawiony w pełnej zbroi książę trzyma model ufundowanego przez siebie kościoła Kartuzów, a jego ramię ozdabia order założonego przez cesarza Zygmunta Luksemburskiego zakonu smoka.

OK. 1435, KOŚCIÓŁ KARTUZÓW W LEGNICY, OB. W KATEDRZE W LEGNICY, FOT. PC

KAZIMIERZ WIELKI

WYMUSZONE REZYGNACJE

Uporządkowanie stosunków z sąsiadami i wyprowadzenie państwa z politycznej izolacji to podstawowe dokonania początków panowania Kazimierza

▲ PIECZĘCIE MAJESTATYCZNE
przywieszano przy najważniejszych dokumentach – w sprawach mniejszej wagi używano małych pieczęci herbowych. Symbolika majestatyczna była uniwersalna, dlatego pieczęcie wszystkich władców środkowoeuropejskich są do siebie bardzo podobne.

PIECZĘĆ KAROLA ROBERTA – PRZY DOKUMENCIE Z 19 XI 1335, AP WROCŁAW; PIECZĘĆ KAZIMIERZA WIELKIEGO (LUŹNA) – 1333–1370, AP KRAKÓW; FOT. MM

▼ PUGINAŁY
miały głownię krótką, przeznaczoną tylko do kłucia. Noszono je najczęściej, podobnie jak miecze, w pochwie przytroczonej do pasa. Ta popularna broń służyła głównie do samoobrony. Prezentowany tu typ o wąskim ostrzu zwano niekiedy mizerykordią (od łacińskiego *misericordia* – miłosierdzie), gdyż używano go też do dobijania rannych.

WIDORADZ POW. WIELUŃ, 2 POŁ. XIII–XIV W., MZW WIELUŃ, FOT. MM

Trudne początki

Wstępując w 1333 r. na tron po śmierci ojca, Kazimierz nazwany później Wielkim zastał państwo w stanie wojny z zakonem krzyżackim, Brandenburgią i Czechami. Stan wojny nie oznaczał jednak działań zbrojnych. Władysław Łokietek zdołał zawrzeć z groźnymi sąsiadami rozejmy, które czasowo oddalały niebezpieczeństwo zbrojnej konfrontacji, ale nie rozwiązywały problemów; musiał się z nimi zmierzyć młody, 23-letni władca. Brak doświadczenia politycznego rekompensowało mu wsparcie dawnych doradców ojca, którzy stanęli teraz przy synu. Byli oni, obok sojuszu z Węgrami, najcenniejszym kapitałem politycznym nowego króla.

W pierwszym roku panowania Kazimierz starał się kontynuować politykę ojca. Pielęgnował sojusz z Andegawenami węgierskimi nawet wówczas, gdy ci na pierwszym miejscu stawiali własne interesy. Małżeństwo z córką Giedymina gwarantowało przynajmniej neutralność Litwy. Z pozostałymi sąsiadami trzeba było iść na układy. Kazimierz przedłużył rozejm z Krzyżakami i rozpoczął rokowania z margrabią brandenburskim.

Próby zbliżenia z Brandenburgią zaniepokoiły króla Czech, Jana Luksemburskiego, który w tym czasie wiódł z rządzącym nią bawarskim rodem Wittelsbachów – i z austriackimi Habsburgami – spór o Karyntię i Tyrol. Ewentualny sojusz Wittelsbachów, Habsburgów, Kazimierza i Andegawenów mógł się okazać dla Jana groźny. Już w maju 1335 r. w Sandomierzu zjawił się jego syn, Karol, margrabia morawski. Przybycie do Polski faktycznego współrządcy Czech oznaczało nadzieję na wyjście z politycznej izolacji, choć w Sandomierzu formalnie tylko przedłużono rozejm. Właściwe rozmowy miały być przeprowadzone w późniejszym terminie.

Układy trenczyńskie

Spotkanie wyznaczono na sierpień 1335 r. w Trenczynie, na neutralnym terenie, w obecności króla Węgier, Karola Roberta. Był on zarówno gospodarzem, jak i mediatorem między stronami, i to jemu głównie, z powodów politycznych, zależało na uregulowaniu konfliktu polsko-czeskiego. Kazimierza w Trenczynie reprezentowała grupa doradców mająca upoważnienie do prowadzenia rozmów i podejmowania w jego imieniu zobowiązań. Przedmiotem rozmów nie stał się jeszcze układ pokojowy, lecz jedynie tytuł króla Polski, którego używał Jan Luksemburski.

Obejmując tron czeski po wymarłych Przemyślidach, nowa dynastia przejęła ich wszystkie tytuły prawne, do których, od czasów Wacława II, należał tytuł króla Polski. Pod pojęciem tym Luksemburgowie rozumieli jedynie Wielkopolskę, czyli obszar dawnego królestwa Przemysła II. Z tego właśnie powodu Kazimierza Wielkiego oficjalnie nazywano królem Krakowa. Nie była to bynajmniej tytulatura obraźliwa; raczej oddawała aktualny stan prawny wzajemnych stosunków.

W Trenczynie zaproponowano kompromisowe rozwiązanie. W zamian za zrzeczenie się przez Luksemburgów prawa do tytułu króla Polski Kazimierz miał zobowiązać się, że nie naruszy czeskiego stanu posiadania na Śląsku. Połączenie sprawy śląskiej z kwestią tytułu króla Polski było dla Luksemburgów niezwykle korzystne, na opanowanie Wielkopolski nie mieli bowiem co liczyć, mogli natomiast obawiać się nieprzyjaznych kroków ze strony Kazimierza względem swych śląskich wasali.

Włączenie Śląska w rokowania polsko-czeskie nie oznaczało, że uznawano jakiekolwiek prawa Kazimierza do księstw śląskich. W dzielnicy tej panowali suwerenni książęta piastowscy, którzy w latach 20. i 30. XIV w., dobrowolnie lub pod przymusem, wybrali związek z Luksemburgami. Jan Luksemburski zbudował wzorowany na modelu zachodnim system polityczny, w którym śląscy wasale odgrywali istotną rolę. Mógł jednak obawiać się, że w przyszłości Kazimierz, wykorzystując swoją pozycję i dawne związki Śląska z Polską, zechce zmienić ten stan. Próbą zabezpieczenia się przed taką ewentualnością była propozycja rezygnacji z polskiej tytulatury królewskiej w zamian za zobowiązanie Kazimierza, że zaakceptuje obecny stan stosunków na Śląsku i w przyszłości go nie naruszy.

Kancelaria czeska przygotowała odpowiednie dokumenty, a w imieniu króla polskiego wystawili je jego doradcy obecni na zjeździe. Aby wynegocjowany układ zyskał moc prawną, konieczna była jego ratyfikacja przez Kazimierza. Jej termin ustalono na połowę września.

Arbitraż w Wiszehradzie

W oznaczonym terminie Kazimierz jednak nie ratyfikował układu. Oznaczało to zapewne, że nie godził się na tak daleko idące ustępstwa wobec

▲ PIECZĘĆ MAJESTATYCZNA JANA LUKSEMBURSKIEGO, zawierająca tytuły króla Czech i Polski oraz odpowiednie herby (lwa i orła), wiernie naśladowała majestatyczne i konne pieczęcie ostatnich Przemyślidów. To nieprzypadkowe nawiązanie podkreślało legalność władzy Jana.

PRZY DOKUMENCIE Z 23 VIII 1312, MZA BRNO, FOT. APE

▲ BISKUP WROCŁAWSKI PRZECŁAW Z POGORZELI został wybrany w 1341 r., a wyświęcony 2 lata później. Natychmiast po wyborze zawarł układ z margrabią Karolem (późniejszym cesarzem), uznając króla Czech za patrona biskupstwa; tak zakończył się trwający od czasów biskupa Nankera konflikt. Dzięki poparciu królewskiemu Przecław rozszerzył dominium biskupie, sprzeciwił się jednak próbom włączenia swej diecezji do nowo powstałej metropolii w Pradze.

NAGROBEK, KAPLICA MANSJONARZY W KATEDRZE WE WROCŁAWIU, OK. 1376–1380, FOT. MM

► BOLESŁAW ROZRZUTNY, najstarszy syn księcia legnicko-wrocławskiego Henryka Grubego, został w 1303 r. zięciem króla czeskiego Wacława II, więc po śmierci Wacława III wystąpił bezskutecznie o spadek po Przemyślidach. W sojuszu z Władysławem Łokietkiem odzyskał część ziem straconych przez ojca na rzecz księcia głogowskiego Henryka. W latach 1321–1322 był namiestnikiem Czech, a od 1329 r. – lennikiem Korony Czeskiej.

PIECZĘĆ KONNA, AP WROCŁAW, FOT. MM

Poselstwa

Wysyłanie poselstw należało w XIV w. do normalnej praktyki dyplomatycznej. Kazimierz korzystał często z usług swych urzędników, którzy w jego imieniu, posiadając odpowiednie pełnomocnictwa, negocjowali warunki przyszłego układu. Nie wypracowano jasnych reguł rekrutacji owego personelu dyplomatycznego. Najczęściej król wybierał do prowadzenia negocjacji osoby znane na dworach, na które się udawały. W rokowaniach z Brandenburgią czołową rolę odgrywali Wielkopolanie. Zwolennicy Andegawenów udawali się z misjami dyplomatycznymi na Węgry. Popierający proczeski kierunek polityki króla towarzyszyli mu w podróżach do Pragi. Dość powszechnym zjawiskiem było otrzymywanie wynagrodzenia od strony, z którą prowadziło się rokowania. Janko z Czarnkowa oskarżał czołowych doradców Kazimierza, że byli przekupieni przez Andegawenów. Taka forma pozyskiwania sojuszników mieściła się jednak w ówczesnych normach postępowania. Podobne praktyki stosował również Kazimierz Wielki.

◄ KRZYŻACY (RYCERZ I KAPŁAN) w scenie Koronacji NMP. Miniatura ukazuje Lutera, księcia Brunszwiku, od 1331 r. wielkiego mistrza, oraz pisarza Ralbanusa. Trzytomowa Biblia, z której pochodzi miniatura, była przechowywana w kaplicy zamkowej w Dzierzgoniu. Stamtąd zabrał ją w 1410 r. Władysław Jagiełło i ofiarował katedrze wawelskiej.
DZIERZGOŃ POW. MALBORK, 1321, AKM KRAKÓW, FOT. SM

◄► MADONNA TZW. SZAFKOWA – specyficzny typ rzeźby wykształcony na ziemiach państwa zakonnego. W stanie zamkniętym jest to wizerunek tronującej Marii z Dzieciątkiem; po otwarciu ukazuje się Tron Łaski i namalowane na skrzydłach postacie wiernych, szukających opieki pod płaszczem Marii. Rzeźby te były zapewne przenośnymi nastawami ołtarzowymi i obrazowały potrójne narodziny Chrystusa: z Marii, w momencie ofiarowania Go przez Boga Ojca oraz w chwili wejścia do serc wiernych.
LUBISZEWO TCZEWSKIE POW. TCZEW, OK. 1370–1380, MD PELPLIN, FOT. PC

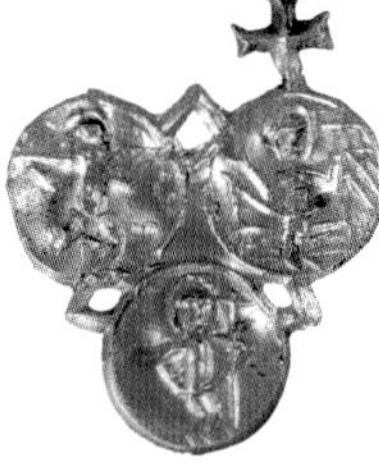

▲ PLAKIETKI PIELGRZYMIE odnalezione w dawnym kanale Raduni przy Wyspie Spichrzów w Gdańsku świadczą o zwyczaju wrzucania ich do wody po powrocie z pielgrzymki. Pochodziły z ośrodków pielgrzymkowych całej Europy i wyznaczają dalekie trasy pątnicze ówczesnych gdańszczan.
XIV–XV W.; WIZERUNKI: NMP I ŚW. JANA CHRZCICIELA (POCHODZENIE NIEUSTALONE); ŚW. SERWACEGO (MAASTRICHT, HOLANDIA); TRZECH ŚWIĘTYCH (WŁOCHY, RZYM?); TRZECH HOSTII I ŚWIĘTYCH (WILSNACK, NIEMCY); MA GDAŃSK; FOT. RS

▼ DOKUMENT UGODY WISZEHRADZKIEJ wystawiony przez Kazimierza Wielkiego, w którym potwierdza on, że wykupuje od Jana Luksemburskiego za 20 tysięcy kop groszy praskich tytuł króla polskiego. Z tej kwoty 14 tysięcy uiszcza na miejscu, a pozostałą kwotę zobowiązuje się uregulować do Wielkanocy przyszłego roku. Dług poręczają członkowie królewskiej rady, którzy przywiesili obok monarszej własne pieczęcie.
22 XI 1335, AP WROCŁAW, FOT. MM

Luksemburgów. W tej sytuacji postanowił osobiście spotkać się z Janem Luksemburskim i jego synem Karolem. Okazją do rozmów stał się arbitraż w sprawie sporu terytorialnego między Polską a zakonem krzyżackim. Nie wiadomo, kiedy wybrano arbitrów. Wiadomo, że Kazimierz zaproponował Karola Roberta, a wielki mistrz krzyżacki – Jana Luksemburskiego.

Skierowanie przez Kazimierza sporu z Krzyżakami na taką drogę było ryzykowne. Istotą arbitrażu było bowiem przyjęcie przez strony wyroku jeszcze przed jego ogłoszeniem, czyli zaakceptowanie z góry decyzji wydanej przez rozjemców, niezależnie od tego, czy będzie ona korzystna, czy wręcz przeciwnie. W węgierskim Wiszehradzie arbitrzy wystąpili w podwójnych rolach. Król Węgier był arbitrem wyznaczonym przez stronę polską w jej sporze z Krzyżakami i równocześnie pośrednikiem między Kazimierzem a Janem Luksemburskim. Ten ostatni występował jako arbiter Krzyżaków, a jednocześnie jako partner w negocjacjach z królem polskim. Bez wątpienia sytuacja władcy polskiego była najtrudniejsza.

Po zapoznaniu się z istotą sporu Polski z zakonem krzyżackim, po wysłuchaniu stron i zbadaniu przedłożonych dokumentów, arbitrzy wydali wyrok. Kujawy i ziemia dobrzyńska miały być zwrócone Polsce. Natomiast Pomorze Gdańskie mieli Krzyżacy zatrzymać jako wieczystą jałmużnę króla Polski. W wyroku tym arbitrzy wykorzystali znaną na zachodzie Europy formułę darowizny w formie jałmużny, która praktycznie uniemożliwiała w przyszłości podjęcie legalnej akcji rewindykacyjnej. Raz dana jałmużna nie podlegała zwrotowi, w przeciwieństwie do innej formy nadań. Procedura sądu arbitrażowego nie dopuszczała możliwości ingerencji w wyrok. Nie można się było od niego odwołać. Nie pozostawało nic innego jak przyjąć orzeczenie arbitrów. I tak też Kazimierz uczynił. Zobowiązał się nawet do wystawienia Krzyżakom odpowiednich dokumentów.

W cieniu wyroku arbitrażowego toczyły się polsko-czeskie pertraktacje w sprawie pokoju i praw Luksemburgów do używania tytułu króla polskiego. 19 XI 1335 r. zawarto układ pokojowy między Polską a Czechami. Jednak w kwestii tytułu królewskiego nie powrócono do propozycji trenczyńskich. Kazimierz zdecydował się go wykupić od króla czeskiego za sumę 20 tysięcy kop groszy praskich. Propozycja ta nawet odpowiadała Janowi Luksemburskiemu, który wiecznie cierpiał na brak gotówki. Niczego zresztą nie ryzykował; uwikłany w konflikt z Krzyżakami władca polski nie miał ani sił, ani środków, by ingerować w sprawy śląskie. Zwłoka kosztowała Kazimierza sporą sumę. Widocznie uznano, że korzystniej będzie ponieść taki ciężar finansowy niż podejmować trwałe zobowiązania w sprawie Śląska.

Rokowania w Inowrocławiu

Wyrok arbitrów został przyjęty. Aby zaczął obowiązywać, strony musiały wystawić stosowne dokumenty i dokonać ich uroczystej wymiany. Kazimierz celowo zwlekał, ponieważ jego dyplomacja rozpoczęła działania mające na celu podważenie wyroku arbitrów. Dzięki tym zabiegom papież Benedykt XII uznał wyrok za niesprawiedliwy i krzywdzący, co jednak nie oznaczało jego zakwestionowania. Naciskany przez Krzyżaków Kazimierz złożył w 1336 r. deklarację, że wyrok uznaje. Żądanie takiego oświadczenia może dowodzić, że zakon krzyżacki obawiał się działań dyplomatycznych strony polskiej.

W początkach 1337 r. konflikt próbował rozwiązać Jan Luksemburski. W drodze do Prus, na wyprawę krzyżową przeciw Litwie, zatrzymał się w Inowrocławiu, gdzie doszło do spotkania przedstawicieli Polski i Krzyżaków. Król Czech, znany z niekonwencjonalnych działań, wystąpił tu nie jako jeden z byłych arbitrów, ale pośrednik między zwaśnionymi stronami. Gotów był nawet odstąpić od postanowień wyroku arbitrażowego i ponownie rozpocząć rokowania, byle tylko doprowadzić do trwałego pokoju. Ze względów prestiżowych chciał bowiem uchodzić za tego, który odgrywa decydującą rolę w pokojowym rozwiązywaniu konfliktów środkowoeuropejskich.

Rzeczywiście rokowania przebiegały pomyślnie. W ich wyniku odstąpiono od postanowień arbitrażu wiszehradzkiego. Kazimierz miał potwierdzić nadania swych poprzedników uczynione dla zakonu krzyżackiego, w postaci ziem chełmińskiej i michałowskiej, Murzynna, Nieszawy i Orłowa na Kujawach, oraz zrzec się wszystkich praw do Pomorza Gdańskiego. Usunięto niebezpieczną formułę wieczystej jałmużny. Podkreślano w ten sposób, że w ziemiach nadanych zakonowi Kazimierz ma takie same prawa jak jego poprzednicy. Natomiast Pomorza Gdańskiego król polski Krzyżakom nie nadawał, lecz jedynie zrzekał się praw do niego przysługujących mu po ojcu. Wynegocjowane warunki pokoju polsko-krzyżackiego miał potwierdzić osobnym dokumentem król Węgier. Żądali tego Krzyżacy, przypominając, że jego żoną jest siostra króla Polski. Wydawało się, że tym razem trwały pokój jest bardzo blisko. Nie czekając na uroczystą ratyfikację, rozpoczęto realizację niektórych jego

▲ SCENA FUNDACYJNA I HERBY rycerstwa wielkopolskiego w kaplicy przy kapitularzu klasztoru Cystersów w Lądzie, namalowane pod cyklem przedstawiającym rzeczy ostateczne człowieka. Kaplicę ufundował Wierzbięta z Palowic, starosta generalny Wielkopolski. Był filarem stronnictwa królewskiego; skutecznie zwalczał opozycję pod wodzą Maćka Borkowica. Herby należą do zwolenników króla i ukazują ich związki z opactwem w Lądzie.

LATA 60. XIV W., FOT. MM

◄▲ URZĄDZENIA TECHNICZNE ZWIĄZANE Z OBRONĄ GRODU: przeciwwagi do mostu zwodzonego oraz kolce przeciwkawaleryjskie. Przeciwwagi umieszczone po wewnętrznej stronie bramy umożliwiały podniesienie mostu stosunkowo szybko i przy użyciu niewielkiej siły, kolce zaś utrudniały szarżę kawalerii na bezpośrednim przedpolu grodu.

WIDORADZ POW. WIELUŃ, 2 POŁ. XIII–XIV W., MZW WIELUŃ, FOT. MM

▼ ZAMKI W POLSCE KAZIMIERZA WIELKIEGO

WG L. KAJZERA OPRACOWAŁ W. KUCHARSKI, RYS. JG

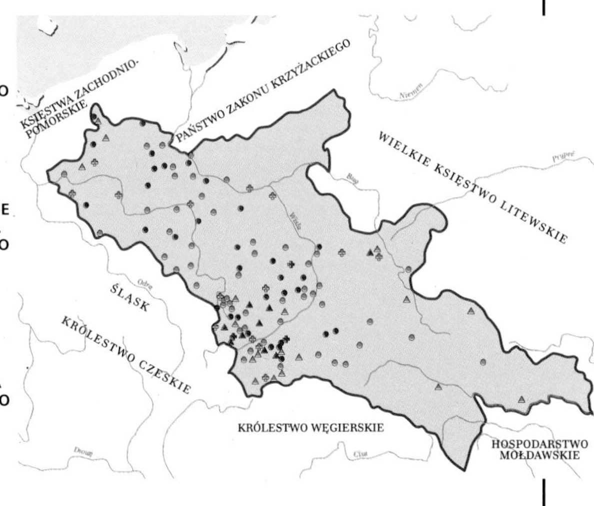

◄ PAPIEŻ W OTOCZENIU KARDYNAŁÓW
Miniatura przedstawia Bonifacego VIII, twórcę doktryny, według której rzeczą niezbędną do zbawienia jest podległość biskupowi Rzymu. On też jako pierwszy ogłosił rok jubileuszowy (w 1300 r.). Bonifacy przeprowadził gruntowną reformę kurii rzymskiej, tworząc z niej sprawny organ administracyjny, sądowniczy i fiskalny, udoskonalony następnie przez papieży awiniońskich, zwłaszcza przez Jana XXII.
BONIFACY VIII, „KSIĘGA SZÓSTA DEKRETÓW Z GLOSAMI", PŁN. WŁOCHY, 1 POŁ. XIV W., BJ KRAKÓW, FOT. TD

► ODLEW PIECZĘCI KSIĘCIA PŁOCKIEGO WACŁAWA (WAŃKI)
używanej w latach około 1313–1336 i niemal identycznej z pieczęcią jego starszego brata, Siemowita II, używanej w latach około 1311–1345. Na szczególną uwagę zasługuje uzbrojenie władcy: kołpak, zbroja kolcza z tuniką, włócznia z proporcem i tarcza (pawęż z charakterystycznym występem). Kołpak jest pochodzenia wschodniego, zbroja – typowa dla ówczesnej Europy, zaś ten typ pawęży wykształcił się zapewne na pograniczu litewsko-krzyżacko-mazowieckim.
ZNPH IH UJ, FOT. MM

▲ WARSZAWA
zapewne już w końcu XIII w. była siedzibą książęcą (na jej miejscu stanął zamek), jednak stolicę księstwa ustanowił tu dopiero Janusz Starszy. Mury miejskie, wzmiankowane po raz pierwszy w latach 70. XIV w., zastąpiły wał drewniano--ziemny. Wielkość i rozplanowanie wykazują podobieństwa do lokowanej w 1305 r. Iławy w ziemi chełmińskiej. Kultura materialna mieszkańców miasta w XIV w. stała na niewysokim poziomie; wzrost ich zamożności nastąpił na przełomie XIV i XV w.
MUR OBRONNY - 2 ĆW. XIV W.?; NACZYNIA I FORMA ODLEWNICZA - XIV W., MHMSW WARSZAWA; FOT. PC

postanowień. Tymczasem Kazimierz, mimo że warunki inowrocławskie przyjął, ponownie zwlekał z wystawieniem ostatecznych dokumentów.

Sąd papieski

Nie można wykluczyć, że powodem zwłoki w ratyfikacji układów inowrocławskich było oczekiwanie na powołanie spodziewanego sądu papieskiego w sporze polsko-krzyżackim. Od początku panowania Kazimierz zabiegał o papieskie poparcie. W Polsce dobrze pamiętano wyrok podobnego sądu papieskiego wydany w Inowrocławiu w 1321 r. Starania o jego egzekucję nie przyniosły co prawda spodziewanych rezultatów, ale przetarły drogi w kurii papieskiej.

Już w 1335 r. król i arcybiskup gnieźnieński złożyli skargę na zakon krzyżacki, oskarżając go o zabór ziem, palenie kościołów, gwałty i rozboje na ludności chrześcijańskiej. Skarga skłoniła papieża do podjęcia stosownych działań. Musiał przede wszystkim powołać specjalną komisję do zbadania zasadności stawianych Krzyżakom zarzutów. Śmierć członków papieskiej komisji i biurokracja kurialna sprawiły, że dopiero w 1338 r. papież wyznaczył sędziów: Galharda z Carcès i Piotra syna Gerwazego, doświadczonych papieskich kolektorów, czyli poborców podatków kościelnych.

Tzw. proces warszawski z 1339 r. został zignorowany przez Krzyżaków. Mimo to sędziowie przesłuchali ponad stu świadków strony polskiej. Z ich zeznań uzyskali ciekawy, ale jednostronny obraz wydarzeń. Wydany wyrok postanawiał, że zakon ma zwrócić Polsce Pomorze Gdańskie i ziemie zajęte podczas wojny z Łokietkiem oraz zapłacić olbrzymie odszkodowanie. Jednak z przyczyn formalnych papież Benedykt XII nie zatwierdził wyroku. Odzyskanie Pomorza Gdańskiego z pomocą papieską okazało się niemożliwe.

Pokój kaliski

Polskie starania o zatwierdzenie wyroku warszawskiego podejmowane w Awinionie ostatecznie załamały się w 1341 r. Papież powołał trzech mediatorów, którzy mieli doprowadzić do zawarcia trwałego pokoju. Jednocześnie podyktował im warunki układu. Były one bardziej korzystne dla zakonu krzyżackiego niż te wynegocjowane w Inowrocławiu. W tej sytuacji w Polsce powrócono do warunków układu inowrocławskiego. Było to tym łatwiejsze, że w otoczeniu Kazimierza do głosu doszło nowe pokolenie doradców, bardziej zainteresowane ekspansją na Rusi niż odzyskiwaniem Pomorza

Mazowsze w XIV w.

Podzielone na księstwa Mazowsze nie weszło w skład odrodzonego Królestwa Polskiego. Co gorsza, w 1329 r. księstwo płockie zostało nawet zhołdowane przez Jana Luksemburskiego. Sytuacja zmieniła się wraz ze wzrostem potęgi Polski pod panowaniem Kazimierza Wielkiego, gdy pokojowo uregulowano stosunki z Krzyżakami i Luksemburgami, umocniono sojusz z Węgrami i podjęto ekspansję na Rusi Czerwonej. W 1351 r., po śmierci księcia płockiego Bolesława III, Kazimierz przejął część jego księstwa. W 1355 r. jedyny żyjący wówczas książę mazowiecki, Siemowit III, otrzymał od króla polskiego pozostałą część Mazowsza jako lenno. Równocześnie jednak uzyskał ważne zapewnienie, że w wypadku bezpotomnej śmierci Kazimierza zostanie zwolniony z wszelkich zobowiązań wynikających z tego aktu i otrzyma księstwo płockie. W tej sytuacji śmierć króla bez legalnego dziedzica zakłóciła proces stopniowego przejmowania przez Królestwo Polskie kontroli nad Mazowszem. Także układy sukcesyjne Kazimierza z Andegawenami nie obejmowały księstw mazowieckich. Po objęciu tronu polskiego przez Ludwika Mazowsze odzyskało suwerenność.

Gdańskiego. W 1341 r. zmarł Dytryk z Altenburga, wielki mistrz zakonu, 2 miesiące później odszedł z tego świata wielki wróg Krzyżaków, arcybiskup gnieźnieński Janisław. W 1342 r. zmarli król Węgier Karol Robert i papież Benedykt XII.

Dzięki staraniom nowego arcybiskupa gnieźnieńskiego, Jarosława Bogorii ze Skotnik, w 1343 r. w Kaliszu doszło do zawarcia wieczystego pokoju z zakonem krzyżackim. W rzeczywistości dokonano ratyfikacji postanowień inowrocławskich z 1337 r. Zamiast potwierdzenia, jakie miał wystawić król Węgier, strony zgodziły się na gwarancje złożone przez przedstawicieli społeczeństwa. Ze strony polskiej traktat gwarantowali reprezentanci rycerstwa oraz miast Małopolski i Wielkopolski. Osobne dokumenty wystawili przedstawiciele Kościoła polskiego. Zrzekali się w nich wszelkich odszkodowań za straty poniesione w wyniku najazdów krzyżackich. Traktat kaliski okazał się trwały. Był przestrzegany aż do wybuchu wojny w 1409 r.

Wojna z Luksemburgami

Po zawarciu traktatu pokojowego z zakonem krzyżackim Kazimierz wykorzystał śmierć księcia żagańskiego i odzyskał ziemię wschowską, która stanowiła część Wielkopolski pozostającą pod władzą książąt śląskich jako relikt ich przejściowego w niej panowania. Wojska polskie spustoszyły księstwo żagańskie i obległy Ścinawę, a jeden z oddziałów zapuścił się aż do księstwa oleśnickiego. Oznaczało to najazd na ziemie lennika króla czeskiego, ale nie wywołało reperkusji ze strony Luksemburgów.

Król polski podejmował jednak dalsze nieprzychylne kroki wobec władców Czech. W 1345 r. zawarł sojusz z Wittelsbachami. W tym samym roku stronnik Kazimierza, książę świdnicki Bolko II Mały, popadł w konflikt z Janem Luksemburskim, który najechał na jego księstwo. Spowodowało to odwetową wyprawę króla Polski na księstwo opawskie. Najazd na Opawę sprowokował z kolei wyprawę Jana Luksemburskiego na Kraków i kilkudniowe oblężenie miasta. Wojna przerywana rozejmami nie przyniosła Kazimierzowi większych sukcesów. Opuszczony przez Wittelsbachów, naciskany przez papieża, nie miał większych szans na wzmocnienie polskich wpływów na Śląsku. W 1348 r. zawarł z nowym królem Czech, synem Jana Luksemburskiego, Karolem IV, pokój wieczysty w Namysłowie. Nie przyniósł on żadnych zmian terytorialnych, a jedynie umocnił związki niektórych księstw śląskich z koroną czeską. Wojna z Czechami związała jednak na dłuższy czas z Polską księcia świdnickiego Bolka Małego.

◄► JAROSŁAW BOGORIA ZE SKOTNIK
zaliczał się do kręgu najważniejszych dostojników Władysława Łokietka i Kazimierza Wielkiego. Jemu to i kasztelanowi krakowskiemu Spycimirowi z Tarnowa umierający Władysław powierzył opiekę nad synem. Znawca prawa, był jednym z inicjatorów jego kodyfikacji.
HERB ARCYBISKUPA W BIBLII FUNDOWANEJ DLA KATEDRY W GNIEŹNIE – 1373, AA GNIEZNO, FOT. RS; PIECZĘĆ ARCYBISKUPA – PRZY DOKUMENCIE Z 21 VIII 1352, AA POZNAŃ, FOT. MM

▲▼ *WALKI ALEKSANDRA WIELKIEGO Z LUDAMI AZJI* ORAZ *SZTURM NA MIASTO MIRARIS*
Obie miniatury dokładnie przedstawiają uzbrojenie i taktykę wojskową końca XIV w.; zwraca uwagę zastosowanie maszyn oblężniczych i kusz przy oblężeniu miasta.
MIKOŁAJ WURM „KWIAT ZWIERCIADŁA SASKIEGO", LEGNICA, 1397, BJ KRAKÓW, FOT. TD

KSIĄŻĘ ŚWIDNICKI BOLKO MAŁY ►
swoją potęgę zawdzięczał wspieraniu gospodarki oraz zdolnościom militarnym. Dwór księcia przyciągał obcych rycerzy – ich herby przedstawiono na książęcym nagrobku.
KOŚCIÓŁ WNIEBOWZIĘCIA NMP W KRZESZOWIE, OK. 1370?, FOT. WPAP

Dyplomacja

W XIV w. zawieraniu traktatów międzypaństwowych towarzyszył odpowiedni ceremoniał dyplomatyczny, mający podkreślać równość partnerów układu. Powszechnie obowiązywała zasada uroczystej wymiany dokumentów. Bardzo często podczas ceremonii ratyfikacji strony uroczyście składały publiczną przysięgę, zobowiązując się w ten sposób do przestrzegania układów. O szczególnie odświętną oprawę zadbano podczas zawierania traktatu kaliskiego. Na łące pod Kaliszem rozstawiono namioty. Mediator krążył z dokumentami między stronami, ustalając ostatnie szczegóły. Po sprawdzeniu treści układu Kazimierz Wielki i wielki mistrz zakonu krzyżackiego spotkali się konno w połowie drogi, wymienili dokumenty i złożyli uroczyste przysięgi. Wielki mistrz składał przysięgę na Ewangelię, natomiast król Polski złożył przysięgę na swoją koronę. Dopiero po takiej ceremonii można było uznać, że traktat został zawarty.

Budownictwo obronne Kazimierza Wielkiego

Zjednoczenie Królestwa Polskiego w XIV w. spowodowało konieczność stworzenia nowego systemu obronnego państwa. Zamki i ufortyfikowane miasta (często z zamkami sprzężone) broniły granic, szlaków handlowych i zaludnionych obszarów, wyznaczały też ważniejsze punkty administrowania państwem. Czasy Kazimierza Wielkiego przynoszą budowę licznych nowych zamków oraz rozbudowę starych zamków wieżowych. Miasta umacniano nowym systemem basztowym. Jak pokazuje umowa między królem a mieszczanami płockimi z 1353 r., koszty wznoszonych przez 16 lat umocnień miały być pokrywane w 80% z kasy królewskiej, a tylko w 20% – z kasy miejskiej. W szczególnych wypadkach mogło dochodzić do znacznej mobilizacji sił i środków. Janko z Czarnkowa tak pisał o zamku we Włodzimierzu: „W czasie budowania zaś tego zamku trzystu ludzi pracowało codziennie, przez dwa prawie lata bez przerwy, używając wielu zaprzęgów wolich i konnych, zaprawę, kamienie i cegły sprowadzając [...]. Na jego budowę więcej niż trzy tysiące grzywien z królewskiego skarbca wyłożono".

Pierwotnie prawo wznoszenia zamków należało do regaliów. Jeszcze Kazimierz Wielki wydawał, nieliczne co prawda, pozwolenia na budowę zamków w związku z nadaniem posiadłości ziemskich zaufanym możnym, w zamian za prawo wstępu doń wojsk królewskich podczas wojny. Jednak po jego śmierci ograniczenia te nie były stosowane. Już w okresie rządów Kazimierza zamki budowali możnowładcy świeccy i duchowni. Zamki biskupie i rycerskie, służące jako stałe lub czasowe rezydencje, broniły ich dóbr, a jednocześnie umacniały system obronny państwa.

W XIII w. odżywa w Europie idea regularnego zamku. Zazwyczaj ujednolicenie formy wiązało się z odgórnie sterowaną przez władcę akcją. Tak było we Francji, na Sycylii i w południowych Włoszech za Fryderyka II Hohenstaufa, w Anglii za Edwarda I czy w Czechach i Austrii za Przemysła Ottokara II. Od schyłku XIII w. regularny układ dominuje już w architekturze zamków krzyżackich. W powstających za Kazimierza Wielkiego zamkach takiej odgórnie narzuconej idei nie widać. Zróżnicowanie form jest znaczne, a podstawowy podział na zamki regularne i nieregularne przebiega raczej według zróżnicowań terytorialnych i geograficznych. W północnej części kraju dominował typ zamku regularnego, zwany też nizinnym, ale i tam pojawiały się założenia nieregularne. Zamki nieregularne, tzw. wyżynne, powstawały głównie na terenach południowych kraju z wykorzystaniem naturalnych obronnych walorów miejsca.

▲ **ZAMEK W KOLE**
należy do typu zamków nizinnych. Zbudowany został z cegły na kamiennych fundamentach, na rzucie zbliżonym do kwadratu. Głównym elementem obronnym była cylindryczna wieża o czworokątnej podstawie. Regularność założenia wskazywałaby na wpływ krzyżackiej architektury zamkowej. Od połowy XVI w. zamek popada w ruinę.
WIDOK OD PŁD., 3 ĆW. XIV W., FOT. MCIU

▲ **ZAMEK W ŁĘCZYCY,**
sprzężony z fortyfikacjami miejskimi, wybudowany został na sztucznym nasypie o wysokości 5 m. Głównym elementem obronnym była tu ośmioboczna wieża. Wejście do niej prowadziło z kurtyny ganku 10-metrowych murów obwodowych. Wzniesiony został przez wyspecjalizowany warsztat północny, ukształtowany w kręgu joannickiej architektury strefy bałtyckiej.
WIDOK OD PŁD. ZACH., 3 ĆW. XIV W., FOT. RS

▲ ZAMEK I MURY MIEJSKIE W SZYDŁOWIE
wzniesiono jednocześnie, z układanego warstwami łamanego piaskowca. Obszerny (ponad 7000 m² powierzchni) zamek składał się z dwóch członów: północnego – administracyjnego, i południowego – rezydencji królewskiej, w której skład wchodziła aula i dwie cylindryczne wieże. Rezydencja, przebudowana za czasów Ludwika Węgierskiego (o czym świadczy wspaniała kamieniarka), podupadła już w XV w.
WIDOK OD ZACH., 3 ĆW. XIV W., FOT. MM

◄ WIEŻA W BOLESŁAWCU
została wybudowana wewnątrz owalnego, ceglanego muru obwodowego. Ustawiona od strony ewentualnego zagrożenia, powodowała pogłębienie linii oporu. Dzięki znacznej grubości murów, wysokości wieży i umieszczeniu wejścia na trzeciej dopiero kondygnacji, w razie wdarcia się przeciwnika na teren zamku stawała się wieżą ostatecznej obrony.
WIDOK OD WSCH., PRZED 1340?, FOT. MM

▼ ZAMEK W CHĘCINACH
wzniesiony został w końcu XIII w. przez biskupa krakowskiego Jana Muskatę, wówczas namiestnika króla czeskiego Wacława. Po przebudowie w XIV w. składał się z połączonych murem obwodowym dwóch cylindrycznych wież i budynku mieszkalnego; stanowił wówczas ważny ośrodek administracyjno-gospodarczy. Zamek dolny powstał w XV w.
WIDOK NA ZACH. CZĘŚĆ I PODZAMCZE, FOT. MM

▲ ZAMEK W BĘDZINIE
powstał z przebudowy dawnego grodu. Pierwszym murowanym elementem obronnym była potężna wieża ostatecznej obrony (*bergfried*). Za czasów Kazimierza Wielkiego wzniesiono drugą wieżę i budynek mieszkalny, a całość otoczono podwójnym murem obwodowym. W 1834 r. Franciszek Maria Lanci dokonał przebudowy w duchu „romantycznego gotyku" – powstały wtedy m.in. arkady nad fosą i obniżono wieżę.
WIDOK Z LOTU PTAKA, 2 POŁ. XIII I OK. POŁ. XIV–POŁ. XV W., FOT. LWR

ORLE GNIAZDA ►
– tak określa się zespół małopolskich zamków wzniesionych na skalistych wapiennych wzgórzach przy granicy ze Śląskiem, należącym już wówczas do Czech. Zalicza się do nich zamek w Olsztynie pod Częstochową. Dostosowano go do ukształtowania terenu, wykorzystując skały i groty. Zamek Kazimierzowski składał się z cylindrycznej wieży i murów obwodowych, a późniejsze przebudowy (XV–XVI w.) zasadniczo zmieniły jego bryłę.
WIDOK OD ZACH., POŁ. XIV W., FOT. PC

W STRONĘ RUSI CZERWONEJ

Zajęcie Rusi Czerwonej zmieniło kształt terytorialny państwa polskiego i wpłynęło na jego dalsze dzieje

▲ ZAWIESZKI Z WIZERUNKAMI GRYFÓW I SEGMENT DIADEMU Z WIZERUNKIEM LWA
znalezione podczas badań archeologicznych są dowodem na to, że gród w Trepczy zamieszkiwała ruska arystokracja. Jego rolę przejął następnie Sanok, który przejściowo był nawet stolicą udzielnego księstwa.
POŁ. XII–POŁ. XIII W., MH SANOK, FOT. MM

◄ PIECZĘĆ RURYKA ROŚCISŁAWOWICZA
Do połowy XIII w. ruskie pieczęcie nie zawierały przedstawień władców, lecz jedynie świętych patronów ich i ich ojców. Ponieważ Ruryk otrzymał na chrzcie imię Wasilij, a jego ojciec – Michał, na tej pieczęci wyobrażono św. Bazylego i Michała Archanioła.
HORODYSZCZE POW. SANOK, XII/XIII W., MH SANOK, FOT. MM

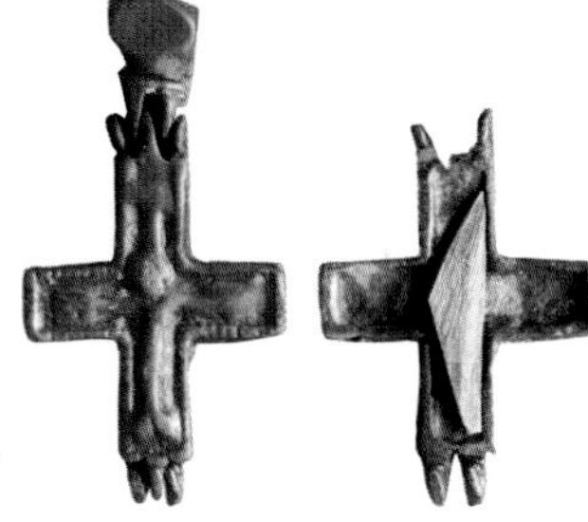

► ENKOLPION,
czyli krzyż noszony na piersiach, często zawierał relikwie – tu „relikwią" okazał się... fragment żelaza pochodzący z meteorytu.
HORODYSZCZE POW. SANOK, POŁ. XII–POŁ. XIII W., MH SANOK, FOT. JGIN

▼ PIECZĘĆ KSIĘCIA JERZEGO II
Na awersie król na majestacie i łacińska legenda „Pieczęć pana Jerzego króla Rusi", na rewersie zbrojny jeździec z lwem na tarczy i legenda „Pieczęć pana Jerzego księcia Włodzimierza". Takie zestawienie tytułów i typ pieczęci sugerują królewskie ambicje Jerzego II, który jednakże nigdy nie był koronowany.
ORYGINAŁ (PRZY DOKUMENCIE Z 1335) ZAGINIONY, ODLEW W ZNPH IH UJ, FOT. MM

Między Polską a Węgrami

Aktywną politykę na Rusi prowadził Kazimierz Sprawiedliwy oraz jego synowie: Leszek Biały i Konrad Mazowiecki – popierali oni różnych, konkurujących o tron książąt ruskich. Analogicznie postępowali władcy węgierscy. Polityka książąt polskich wobec Rusi splotła się w ten sposób z ich stosunkami z Węgrami. Próbą kompromisu był znany nam już układ z 1214 r., przypieczętowany małżeństwem Salomei, córki Leszka Białego, z Kolomanem, synem króla Węgier. Umożliwiło to koronację Kolomana na króla Rusi.

W połowie XIII w. liczne małżeństwa łączyły mazowiecką linię Piastów z ruskimi rodami książęcymi. Ruskie księżniczki poślubili Konrad Mazowiecki i i jego dwaj synowie, Bolesław i Siemowit; także córka Konrada, Dubrawka, wyszła za mąż za księcia ruskiego. Siemowit Konradowic pojął za żonę Perejesławę, córkę księcia halickiego Daniela. Wnuk Siemowita, Trojden, ożenił się z córką króla halickiego Jerzego I. Najstarszy syn z tego małżeństwa, Bolesław, objął w 1323 r. tron Rusi halicko-włodzimierskiej (zwanej Rusią Czerwoną) jako Jerzy II. Panowanie zawdzięczał nie tylko pomocy krewniaka, Władysława Łokietka, i przychylnych mu Węgier; nie bez znaczenia było także poparcie Litwy, rezultat jego małżeństwa z księżniczką Eufemią – siostrą Anny, żony Kazimierza Wielkiego.

W 1338 r. doszło w Wiszehradzie na Węgrzech do spotkania Jerzego II z królami Polski i Węgier. Przypuszczalnie wówczas właśnie uczynił on swoim sukcesorem – na wypadek bezpotomnej śmierci – krewniaka, Kazimierza Wielkiego. Zgoda Karola Roberta na taki układ została okupiona potwierdzeniem przez króla Polski wcześniejszego porozumienia uznającego sukcesję andegaweńską na tronie polskim po jego ewentualnej bezpotomnej śmierci. W ten sposób sprawa sukcesji tronu w Polsce została powiązana ze sprawą ruską. Był to dla Węgrów układ korzystny. Zyskiwali ekspektatywę na tron polski w razie braku męskiego potomka Kazimierza i nie wyrzekali się pretensji do Rusi Czerwonej, która w wypadku objęcia przez nich tronu polskiego znalazłaby się pod ich panowaniem.

Wyprawa z 1340 r.

W kwietniu 1340 r. został otruty przez własnych bojarów Jerzy II. Na wieść o jego śmierci Kazimierz wyprawił się na Ruś Czerwoną, by zgodnie z układem wiszehradzkim przejąć władzę. Wojska polskie dotarły do Lwowa; miasto zostało opanowane i spalone, a jego ludność zabrana do Polski. Kazimierz zdobył tu skarbiec książąt halickich, który również przewiózł do Polski. Musiał się jednak wycofać.

W czerwcu tego roku władca polski zorganizował drugą wyprawę, tym razem dobrze przygotowaną, na Ruś. Monarcha polski wykorzystał w niej zaciężne rycerstwo, m.in. z Mazowsza. Pomocy udzielił również król węgierski. Była ona konieczna, wojskom polskim zagrażały bowiem nie tylko oddziały ruskich bojarów, ale i armia tatarska – cała Ruś pozostawała pod formalnym zwierzchnictwem Tatarów i należało się liczyć z ich reakcją na poczynania władcy polskiego. Kazimierz zdołał zająć tylko halicką część Rusi Czerwonej; należąca do niej ziemia sanocka została włączona bezpośrednio do Królestwa Polskiego, a pozostałe tereny znalazły się pod zwierzchnictwem bojara Dymitra Detki, którego monarcha polski uczynił swym namiestnikiem. Część włodzimierską (z Włodzimierzem, Łuckiem, Bełzem i Chełmem) opanowali Litwini.

Po śmierci Anny sojusz polsko-litewski praktycznie przestał istnieć. Litwa w jeszcze większym stopniu niż Polska i Węgry była zainteresowana ekspansją na ziemie ruskie. Od tej chwili walka o Ruś Czerwoną miała się sprowadzać do wojen polsko-litewskich.

Wojny z Litwą

Dopiero w 1349 r. Kazimierz Wielki zorganizował kolejną wyprawę na Ruś. Wykorzystał zaangażowanie Ludwika Andegaweńskiego (panującego na Węgrzech od 1342 r. syna Karola Roberta) w Dalmacji, osłabienie Litwy pogrążonej w wojnie z Krzyżakami oraz wcześniej zawarte porozumienie z Tatarami. Bez trudu pokonał władającego tu księcia litewskiego Lubarta Giedyminowicza i zajął ziemię włodzimierską; zapewne w geście dobrej woli pozostawił mu, jako polskiemu lennikowi, władzę nad ziemią łucką. Sukcesy na Rusi Czerwonej sprowadziły na Polskę najazd litewski. W połowie 1350 r. Litwini spustoszyli ziemię łęczycką, a następnie najechali Ruś Czerwoną. Opanowali ziemię włodzimierską, dotarli do Lwowa i Halicza, a następnie do Małopolski, gdzie splądrowali Sandomierszczyznę. Kazimierz musiał zgodzić się na układ pokojowy, który przywracał stan sprzed 1349 r.

W tej sytuacji pomoc wojsk węgierskich okazała się niezbędna. W zamian za nią postanowiono w 1350 r., że gdyby Kazimierz Wielki miał syna, który obejmie tron w Polsce, Węgrzy będą mogli wykupić Ruś z rąk polskich za sumę 100 tysięcy florenów. Ruś Czerwona miała więc pozostać przy Polsce tylko w przypadku, gdyby tron polski objęli Andegawenowie. W roku następnym Kazimierz

► KAROL ROBERT I ELŻBIETA ŁOKIETKÓWNA Z DZIEĆMI
Król węgierski miał czterech synów. Najstarszy, zrodzony z nałożnicy Koloman, został biskupem Györu, Ludwik – następcą Karola Roberta i królem Polski, Andrzej przejął neapolitańskie dziedzictwo Andegawenów, a Stefan nie odegrał istotnej roli politycznej. Mimo licznego rozrodzenia ta linia Andegawenów wygasła już w następnym pokoleniu.
„WĘGIERSKA KRONIKA ILUSTROWANA", OK. 1360–1370, OSK BUDAPEST

Partia węgierska

Byli podkanclerzy Królestwa Polskiego Janko z Czarnkowa barwnie opisał w swej kronice najbliższe otoczenie Kazimierza Wielkiego, w tym swych politycznych przeciwników. Według kronikarza wielki wpływ na króla wywierali doradcy opłacani i wynagradzani przez Andegawenów. Władcy Węgier starali się ich pozyskać dla realizacji własnych celów politycznych. Chodziło przede wszystkim o zagwarantowanie im sukcesji na tronie polskim po bezpotomnej śmierci Kazimierza. Do czołowych zwolenników Andegawenów należeli Spycimir z Tarnowa z rodu Leliwitów oraz archidiakon krakowski, późniejszy arcybiskup gnieźnieński, Jarosław Bogoria ze Skotnik. Owemu stronnictwu prowęgierskiemu starała się przeciwstawić grupa wpływowych urzędników, którzy dążyli do rozluźnienia sojuszu z Andegawenami i nawiązania bliższej współpracy z Luksemburgami. Kazimierz zaś zmierzał do zachowania równowagi wpływów obu stronnictw. Wielkie różnice zdań na temat przyszłości państwa ujawniły się w pełni dopiero po śmierci króla.

▼ WALKI POLSKO-LITEWSKIE O RUŚ HALICKĄ W LATACH 1349–1350
WG Z. KACZMARCZYKA RYS. JG

- granice państwa polskiego
- granica litewska
- koncentracja i główny kierunek działań wojsk polskich w 1349 r.
- miejscowości oblegane przez wojska polskie
- kierunek działań polskiego oddziału wydzielonego w 1349 r.
- koncentracja i główny kierunek działań wojsk polskich w 1350 r.
- koncentracja i główny kierunek działań oddziałów mazowieckich w 1350 r.
- koncentracja i główny kierunek działań wojsk litewskich w 1350 r.
- kierunek działań litewskiego oddziału wydzielonego w 1350 r.
- koncentracja i główny kierunek działań wojsk litewskich w sierpniu 1350 r.
- kierunek działań litewskiego oddziału wydzielonego w sierpniu 1350 r.
- miejsce bitwy

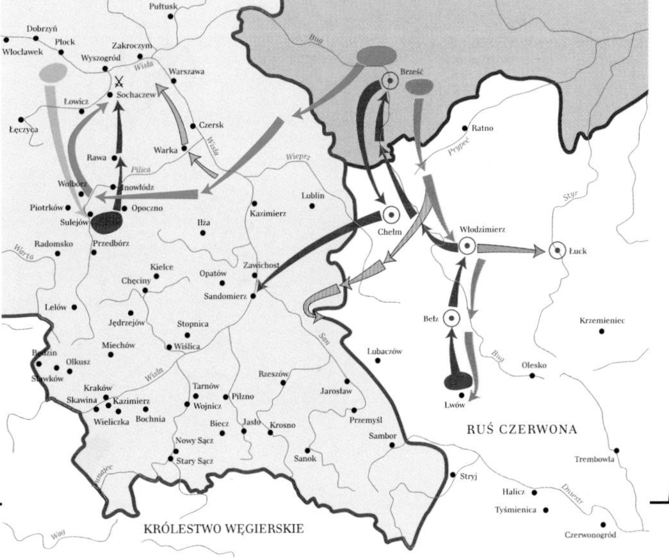

▲ BADANIA ARCHEOLOGICZNE NA RYNKU W KROŚNIE ujawniły jego zabudowę z czasów lokacji dokonanej przez Kazimierza Wielkiego około 1347 r. Głównym budynkiem była wzniesiona w zachodniej części Rynku murowana wieża wójtowska, przejęta następnie przez radę miejską i użytkowana przez nią do XVI w. Obok kramów zachowały się studnie i drewniane rury wodociągowe, które wymieniano mniej więcej co 20 lat.
FOT. JGAN

◄▲ PRZEDMIOTY ODKRYTE NA RYNKU świadczą o zamożności mieszkańców Krosna, zwanego „małym Krakowem".
PIASKOWCOWA FORMA ODLEWNICZA – OK. 1300; OŁOWIANE PLOMBY KUPIECKIE – XIV W.; NOŻE – XIV–XV W.; DREWNIANY UCHWYT? – XIV W.; KOŚĆ DO GRY – XIV W.; PION WARCABÓW? – XIII–XIV W.; MP KROSNO, FOT. MM

► ▼ ZAMEK LUBARTA W ŁUCKU wznoszony od XIII w. na miejscu grodu – siedziby książąt łuckich. Nieregularny obwód muru powstał na koronie dawnego wału. Zamek został rozbudowany i gruntownie przekształcony przez księcia litewskiego Lubarta Giedyminowicza. Budowlę poddawano dalszym modernizacjom i upiększeniom w XVI (wtedy powstały m.in. attyki) i XVII w.
FOT. ST; PC

Wielki i Ludwik Andegaweński, podpisawszy to porozumienie, zorganizowali wspólną wyprawę odwetową przeciwko Litwie. W jej trakcie król polski poważnie zachorował. Wobec groźby śmierci monarchy dostojnicy polscy złożyli pod przysięgą zobowiązanie, że w przyszłości uznają Ludwika za „naturalnego pana i króla Polski". Król Węgier przejął dowództwo nad wyprawą. Doszło wówczas do spektakularnego porozumienia z księciem litewskim Kiejstutem, który zgodził się przyjąć chrzest na Węgrzech. Na Litwie miano utworzyć osobne arcybiskupstwo, co niweczyło plany Kościoła polskiego, który z inspiracji Kazimierza podejmował próby chrystianizacji Litwy. Ludwik działał jednak w interesie własnego państwa.

Ucieczka Kiejstuta przekreśliła te zamiary. W 1352 r. trzeba było wszystko zaczynać od początku. Zorganizowano kolejną wspólną wyprawę przeciwko Litwie. Nie powiódł się szturm na Bełz. Straty były tak duże, że zdecydowano się wycofać. Tymczasem do walki o Ruś Czerwoną włączyli się Tatarzy. Po ich groźnym najeździe na Lubelszczyznę Kazimierz zmuszony był zawrzeć 2-letni rozejm z Litwą; Polska zachowała jedynie halicką część Rusi Czerwonej. Rozejm ten nie trwał jednak długo – już latem 1353 r. Lubart zniszczył Lwów i Halicz, a jesienią wojska polskie dotarły pod Bełz.

W następnym roku Kazimierz rozpoczął wielkie przygotowania do wojny z Litwą. Efektem wyprawy podjętej w 1355 r. było zdobycie Włodzimierza. Król polski umiejętnie starał się wygrywać konflikty między książętami litewskimi. Dzięki zabiegom dyplomatycznym zdołał doprowadzić do małżeństwa swego wnuka, Kazimierza słupskiego (zwanego w źródłach też Kaźkiem), z Kenną-Joanną, córką wielkiego księcia litewskiego Olgierda. Nie przestał też snuć planów chrystianizacji Litwy; zdołał nawet nimi zainteresować cesarza Karola IV. Pokojowe gesty kierowane pod adresem Litwy mogły doprowadzić do zbliżenia, zażegnać niebezpieczeństwo litewskich najazdów oraz wzmocnić wpływy polskie na całej Rusi Czerwonej. Było to o tyle istotne, że Ludwik Andegaweński miał wobec niej inne plany, a z aspiracjami Węgier należało się liczyć.

Dopiero w 1366 r. zdołał Kazimierz zorganizować kolejną wyprawę, skierowaną ponownie przeciw księciu Lubartowi – inni książęta litewscy sprzyjali królowi polskiemu. Zawarty w tym roku układ pokojowy okazał się trwały. Jego postanowienia dotyczyły wyłącznie Rusi włodzimierskiej, którą podzielono: Lubart otrzymał ziemię łucką, a ziemie bełska i chełmska przypadły litewskiemu księciu Jerzemu Narymutowiczowi, ale jako lenno, które otrzymał z rąk Kazimierza. Na identycznych zasadach kolejny z książąt litewskich, Aleksander Koriatowicz, otrzymał Włodzimierz, składając równocześnie władcy polskiemu hołd z dzierżonego przez siebie Podola.

Polityka prowadzona na Rusi Czerwonej zaczęła przynosić owoce. Kazimierz popierał postępy polskiego osadnictwa na tym terenie i otaczał opieką rozwijający się Kościół katolicki. Chciał nawet włączyć go w skład arcybiskupstwa gnieźnieńskiego. Tu napotkał jednak opór ze strony papiestwa, które traktowało te tereny jako misyjne, a więc sobie podległe.

Układy sukcesyjne

Polityka Kazimierza Wielkiego w sprawie Rusi była ściśle związana ze stosunkami polsko-węgierskimi – w swoich rachubach monarcha polski musiał uwzględniać węgierskie pretensje do Rusi Czerwonej. Bez zgody Andegawenów jej podbój byłby niemożliwy. Przyzwolenie okupiono układami sukcesyjnymi z węgierskim domem panującym. Ich genezy prawdopodobnie należy szukać w układzie, który, jak się przypuszcza, zawarł w 1327 r. z Karolem Robertem Władysław Łokietek w związku z chorobą Kazimierza, swojego jedynego syna i następcy. Podjęte wówczas zobowiązania dotyczące ewentualnego następstwa Andegawenów na tronie polskim były później podtrzymywane, a sam Kazimierz prawdopodobnie potwierdził je już w 1338 r. (podczas zjazdu wiszehradzkiego z Karolem Robertem i Jerzym II), a następnie w 1351 r.

Ze spodziewanej sukcesji węgierskiej w Polsce korzyści starało się wyciągnąć społeczeństwo. Na żądanie polskiej delegacji przybyłej do Budy Ludwik Andegaweński w 1355 r. udzielił mieszkańcom Królestwa Polskiego daleko idących przywilejów ekonomicznych. Ważniejsze od nich było jednak stwierdzenie, że gdyby Ludwik i jego bratanek zmarli bez męskiego potomstwa, wszelkie układy sukcesyjne stracą moc, a Polacy będą mogli swobodnie decydować o następstwie tronu. W ten sposób sukcesję węgierską ograniczono jedynie do męskich przedstawicieli dynastii andegaweńskiej.

Pod koniec swego panowania Kazimierz Wielki starał się rozluźnić związek z Węgrami. Kolejne, czwarte małżeństwo króla mogło pokrzyżować andegaweńskie plany. Papież nie godził się jednak na unieważnienie jego dotychczasowego, bezdzietnego małżeństwa, a Ludwik oświadczył w 1364 r., że jedynie zrodzony z legalnego związku syn Kazimierza może dziedziczyć tron w Polsce.

▲ ZAMEK W KAMIEŃCU PODOLSKIM, siedziba książąt Koriatowiczów. Początkowo ich stolicą był pobliski Smotrycz. Jego funkcję jednak szybko przejął lokowany w 1374 r. Kamieniec. Dostępu do miasta, położonego w zakolu rzeki, bronił od strony lądu wzniesiony w XIII (a być może już w XII) w. zamek, rozbudowany i gruntownie zmodernizowany przez Koriatowiczów. W skład ziem Korony wszedł ostatecznie dopiero w 1434 r., stając się najważniejszą twierdzą na jej południowej granicy.
WIDOK OD STRONY MIASTA, FOT. PC

▲ TABLICE POKREWIEŃSTWA I POWINOWACTWA ułatwiające określenie ich stopnia. Początkowo Kościół zakazywał małżeństw tylko między krewnymi I i II stopnia; z czasem jednak zaostrzył te zasady, aż do VII stopnia w X w. Niemożność przestrzegania tego zakazu sprawiła, że w 1215 r., na soborze laterańskim IV, ograniczono go do IV stopnia (czyli prawnuków po rodzeństwie). W praktyce jednak można było uzyskać papieską dyspensę dla stopnia IV i III, a niekiedy nawet II (np. stryj i bratanica).
„DEKRET GRACJANA", PARYŻ, FRANCJA, 4 ĆW. XIII W., BG PAN GDAŃSK, FOT. PC

Ostatnie małżeństwo Kazimierza

W lutym 1365 r. we Wschowie Kazimierz Wielki pojął za żonę córkę księcia żagańskiego Jadwigę. Ślubu udzielił biskup poznański, prawdopodobnie na podstawie sfałszowanej (o czym król raczej nie wiedział) dyspensy papieskiej. Dyspensa taka była konieczna, ponieważ król był wówczas żonaty z księżniczką heską Adelajdą. Od kilku lat Adelajda przebywała u swego ojca, landgrafa heskiego, nie zmieniało to jednak faktu, że wciąż pozostawała legalną małżonką Kazimierza. Na wieść o planowanym mariażu rozpoczęła wielką kampanię w obronie swych praw legalnej małżonki. Jej starania w kurii papieskiej sprawiły, że papież Urban V pozostał nieugięty i dyspensy nie udzielił. Oznaczało to, że ewentualny męski potomek zrodzony z nowo zawartego związku nie będzie posiadać praw do tronu polskiego. Królowi urodziły się z małżeństwa z Jadwigą trzy córki, których prawa sukcesyjne trzeba było legalizować w kurii papieskiej. Fałszerstwo dyspensy papieskiej i bigamiczne małżeństwo Kazimierza wywołały skandal na skalę europejską, który dyplomacja polska starała się – z różnym skutkiem – uciszać.

Księgi liturgiczne

Wśród dawnych ksiąg rękopiśmiennych kodeksy liturgiczne należały do najbardziej rozpowszechnionych. Ponieważ zawierały teksty czytań, modlitw, śpiewów oraz techniczne wskazówki umożliwiające sprawowanie liturgii, stawały się niezbędną pomocą przy odprawianiu nabożeństw, a także w modlitwach indywidualnych i zbiorowych. Znajdowały się w każdym kościele i klasztorze oraz w rękach osób duchownych i licznych świeckich.

Wczesnośredniowieczne księgi liturgiczne, tak jak i ówczesną liturgię, cechowała duża różnorodność. Ujednolicanie liturgii nabrało przyspieszenia w XI w. Towarzyszył mu proces scalania ksiąg przeznaczonych do różnych czynności liturgicznych. W ten sposób (z połączenia sakramentarza, lekcjonarza i graduału) powstał mszał, konieczny do odprawiania mszy, i brewiarz, służący do modlitwy w ramach tzw. liturgii godzin (zbierał teksty i śpiewy m.in. z hymnarza, lekcjonarza, pasjonału, Biblii, homiliarza i antyfonarza).

Wykorzystywane na ziemiach polskich księgi liturgiczne zrazu były importami z zachodu lub południa Europy i przybywały jako wyposażenie podążających do Polski duchownych bądź jako dary. Szybko rozpoczęto ich przepisywanie w skryptoriach kościelnych, a od XIV w. – także przez wyspecjalizowanych kopistów świeckich. Księgi kopiowane w Polsce wyróżniały się czasami jedynie niektórymi modlitwami bądź śpiewami związanymi z lokalną specyfiką, zwłaszcza z kultami świętych.

Sakralny charakter kodeksów liturgicznych sprawiał, że nadawano im szczególnie uroczystą formę. Na ogół pisano je bardziej eleganckim rodzajem pisma – począwszy od XIII w., była to tekstura gotycka; były też bogato iluminowane i kunsztownie oprawione. Księgi przeznaczone do śpiewów chórowych niejednokrotnie miały wielki format, umożliwiający jednoczesne korzystanie z nich przez większą grupę śpiewaków. Z kolei coraz częstsze od XIII w. rękopisy do użytku prywatnego stawały się poręczniejsze, czasem wręcz miniaturowe, a ich wytworność odzwierciedlała pozycję społeczną właściciela.

Najwięcej kodeksów liturgicznych powstawało w XIII–XV w. Wpłynął na to rozrost struktur kościelnych, zwłaszcza parafialnych, oraz rozwój indywidualnej, świadomej pobożności, pociągającej za sobą pogłębione życie wewnętrzne. Jego podstawą stawały się medytacja i modlitwa, inspirowane tekstami zawartymi w księgach rękopiśmiennych. Postępująca alfabetyzacja społeczeństwa sprawiała, że księgi te stawały się popularne w coraz szerszych kręgach już nie tylko duchowieństwa, ale i wykształconych osób świeckich.

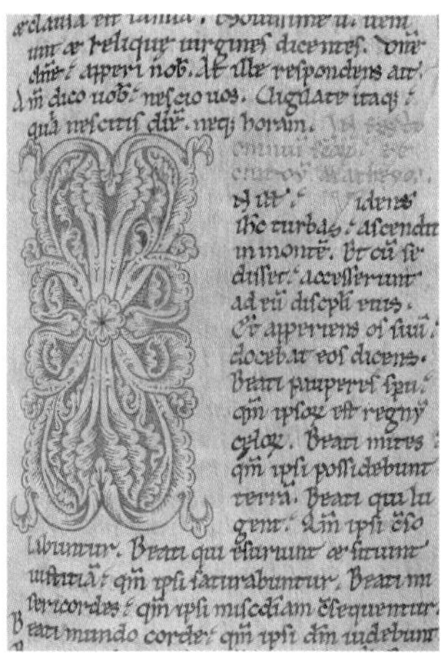

◄ PERYKOPY EWANGELICZNE, inaczej zwane ewangelistarzem, stanowiły wyciąg z ewangeliarza (czyli pełnego tekstu Ewangelii) ułożony według porządku czytań mszalnych. Tego typu rękopisy liturgiczne pojawiły się w VII, a upowszechniły w XI w. Używano ich w liturgii (szczególnie w uroczystej) aż do XVI w., kiedy zastąpiły je drukowane lekcjonarze.
KRAJ NADMOZAŃSKI, OK. 1160, AD PŁOCK, FOT. PC

◄ SAKRAMENTARZ to księga zawierająca opisy i formuły modlitw stosowane przy sprawowaniu sakramentów i mszy. Wyszedł z użycia wraz z powstaniem mszału.
„SAKRAMENTARZ TYNIECKI", OK. 1060, BOZ WARSZAWA, DEPOZYT W BN WARSZAWA, FOT. SF

▼ TABLICA KOMPUTYSTYCZNA I MAPA ŚWIATA
Tablice takie obejmowały zapis 19 lat słonecznych, odpowiadających 235 miesiącom księżycowym, i służyły do obliczenia najważniejszej w kalendarzu liturgicznym daty Wielkanocy. Na lewym marginesie sporządzono najstarszy znany spis biskupów krakowskich.
KRAKÓW, XIII W., AKM KRAKÓW, FOT. SM

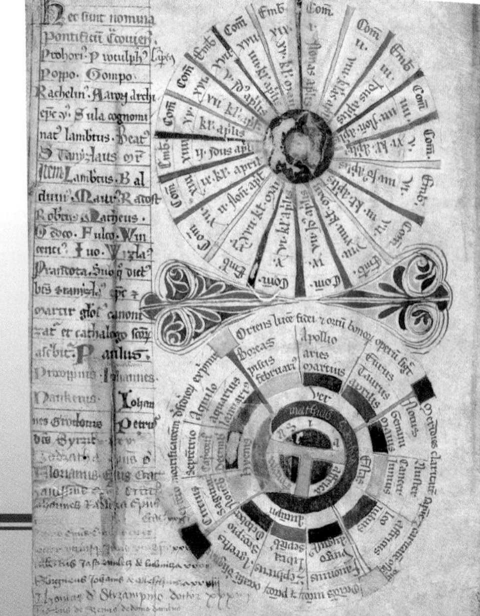

▲ GRADUAŁY

od czasów dokonanej w IX w. reformy ksiąg liturgicznych zawierały teksty i zapis muzyczny śpiewów – antyfon – mszalnych. Ze względu na różnice liturgiczne powstawały graduały diecezjalne (używane w katedrach, kościołach parafialnych i filialnych) oraz zakonne (używane w kościołach klasztornych). Dla poznania liturgii szczególne znaczenie mają graduały franciszkańskie, odzwierciedlały bowiem liturgię rzymską odprawianą na Lateranie.

GRADUAŁ KLARYSEK, KRAKÓW, POŁ. XIII W., KLASZTOR KLARYSEK W KRAKOWIE, FOT. MM; „GRADUAŁ OŁBIŃSKI", WROCŁAW, 1362, BUWR WROCŁAW, FOT. JKAT

► ANTYFONARZ,

czyli księga zawierająca teksty i zapis muzyczny śpiewów: początkowo zarówno mszalnych, jak i odprawianych podczas liturgii godzin. Później śpiewy mszalne zostały wydzielone do graduałów. W X–XIII w., przez dołączenie do antyfonarza innych tekstów, wykształciło się *antiphonarium plenarium* – zbiór wszystkich tekstów niezbędnych do odprawiania liturgii godzin; po odjęciu z niego nut powstał brewiarz.

„ANTYFONARZ LUBIĄSKI", LUBIĄŻ POW. WOŁÓW, 2 ĆW. XIII W., BUWR WROCŁAW, FOT. JKAT

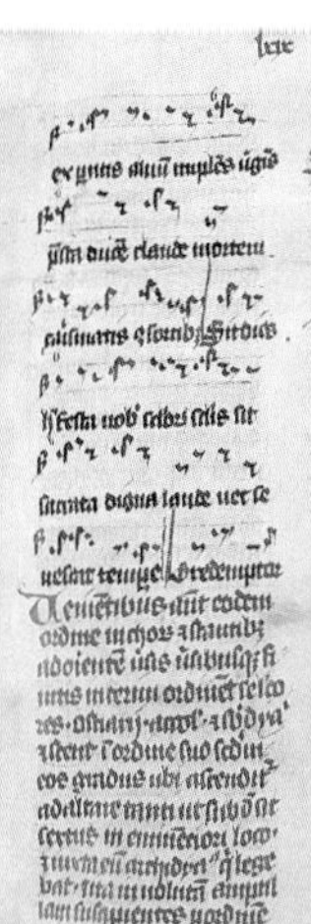

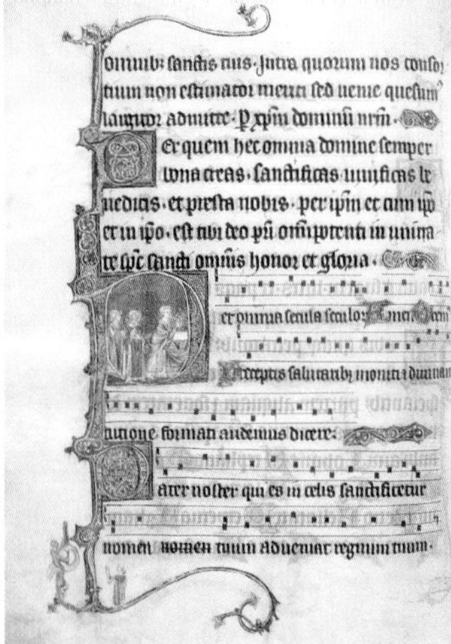

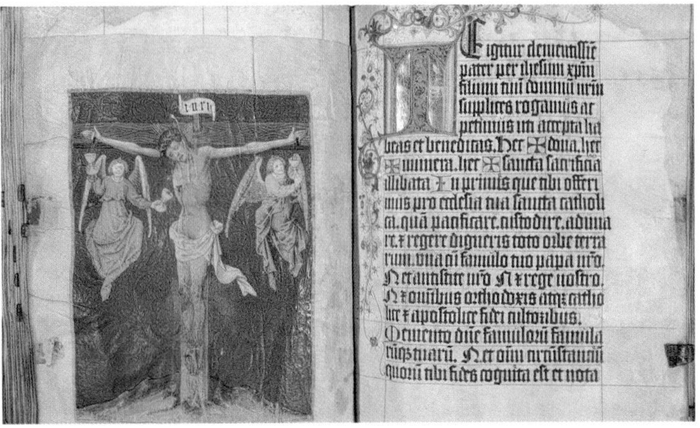

▲ PONTYFIKAŁY

zawierają teksty niezbędne do wykonywania czynności właściwych tylko biskupom, np. święcenia księży czy poświęcania kościołów i ołtarzy. Początkowo były to skromne książeczki niewielkiego formatu. Od XIII w. zdobiono je miniaturami przedstawiającymi na ogół poszczególne czynności pontyfikalne. Wtedy też zaczęli ich używać ci spośród opatów, którzy otrzymali prawo nie tylko do używania zewnętrznych oznak władzy biskupiej (pontyfikaliów), ale i do udzielania niższych święceń.

„PONTYFIKAŁ PŁOCKI", PŁOCK?, XIII W., BSB PŁOCK, FOT. MM; „PONTYFIKAŁ KAMIENIECKI", PŁN. FRANCJA, POCZ. XIV W., BUWR WROCŁAW, FOT. JKAT

▲ MSZAŁ

zawierał wszystkie teksty niezbędne do odprawienia mszy. W mszałach iluminowanych przy tekście modlitwy eucharystycznej często zamieszczano przedstawienie Ukrzyżowania.

MSZAŁ Z KOŚCIOŁA NMP W GDAŃSKU, 1 POŁ. XV W., BG PAN GDAŃSK, FOT. PC

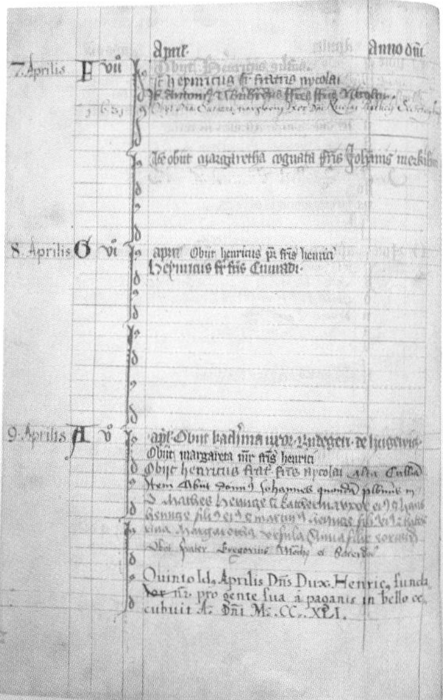

◄ NEKROLOG

zawierał daty śmierci i imiona zmarłych członków danej wspólnoty (zakonnej, kanonickiej, parafialnej lub brackiej) oraz innych osób, które były połączone z nią braterstwem duchowym lub też fundowały tu swój anniwersarz. Informacje te były niezbędne do liturgicznego wspomnienia tych osób.

KARTA Z INFORMACJĄ O ŚMIERCI HENRYKA POBOŻNEGO, „NEKROLOG HENRYKOWSKI", HENRYKÓW POW. ZĄBKOWICE ŚL., XIV W., BUWR WROCŁAW, FOT. JKAT

▼ HOMILIARZ,

czyli zbiór odczytywanych podczas mszy homilii – zwięzłych i przystępnych objaśnień tekstów biblijnych. W XIII w., na skutek rozwoju działalności zakonów żebraczych i uniwersytetów, homilie zaczęły ustępować miejsca znacznie bardziej rozbudowanym kazaniom.

GRZEGORZ WIELKI, „HOMILIE WEDŁUG EZECHIELA", POZNAŃ, XIII W., BWT UAM POZNAŃ, FOT. MM

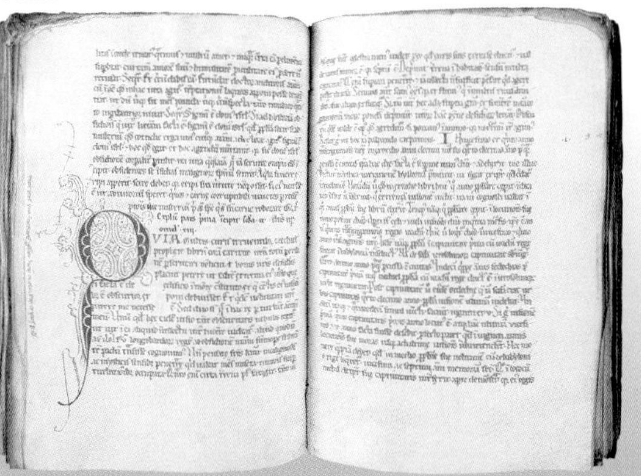

MONARCHIA KAZIMIERZOWSKA

Dzięki umiejętnej polityce wewnętrznej Kazimierz nazwany przez potomnych Wielkim zdołał przebudować i unowocześnić państwo

▲ ZWORNIKI Z KAMIENICY HETMAŃSKIEJ W KRAKOWIE stanowią część większego programu heraldycznego: pierwszy przedstawia hełm z klejnotem ziemi dobrzyńskiej – domniemanym wizerunkiem Kazimierza Wielkiego, drugi – być może wizerunek Elżbiety Łokietkówny, która w latach 1370–1375 sprawowała w Polsce władzę w imieniu syna, Ludwika Węgierskiego. *OK. 1370–1375, FOT. MM*

◄ POSTACIE Z BOKU TUMBY nagrobka Kazimierza Wielkiego przedstawiają królewskich doradców. Rada królewska była ciałem nieformalnym, powoływanym doraźnie przez króla. W jej skład wchodzili urzędnicy centralni (kanclerz, podkanclerzy i marszałek dworu) oraz ziemscy (wojewodowie i kasztelanowie). *KATEDRA W KRAKOWIE, PO 1370, FOT. SM*

Królewski dyplomata

Jan, syn Pakosława, należał do najciekawszych postaci z otoczenia Kazimierza Wielkiego. Pochodził z rodu Półkoziców, osiadłego w Małopolsce. Nie piastował nigdy żadnego urzędu. Znany jest głównie z działalności dyplomatycznej. Z ramienia króla posłował do chana Tatarów, a w podzięce za udaną misję otrzymał rozległe nadania, obejmujące Rzeszów wraz z okręgiem. Odbył kilka misji dyplomatycznych na dwór papieski. W 1363 r. stał na czele poselstwa królewskiego, które przybyło z obediencją do nowo wybranego papieża Urbana V. Prawdopodobnie już wówczas pojawił się problem ponownego małżeństwa króla. W latach 1364–1366 jeszcze kilkakrotnie posłował do Urbana V. Wraz z dyplomatami węgierskimi z powodzeniem bronił króla przed zarzutami fałszerstwa bulli papieskiej w sprawie unieważnienia małżeństwa z Adelajdą heską. Przy okazji poselstw zabiegał o beneficja dla swego syna Jana, studenta prawa na uniwersytecie w Padwie, późniejszego arcybiskupa lwowskiego.

Urzędy

Proces jednoczenia państwa był swego rodzaju kompromisem między aspiracjami władzy królewskiej, pojmującej państwo na sposób patrymonialny, a dążeniami elit politycznych i urzędniczych do zachowania praw i kompetencji otrzymanych w okresie rozdrobnienia dzielnicowego. Rozumiał to już Władysław Łokietek – nie zdecydował się bowiem na likwidację urzędów dzielnicowych. Podobnie postępował Kazimierz. Zamiast likwidacji tych urzędów starał się budować równoległy, ogólnopolski aparat administracyjny. Nie zrezygnował ze zwoływania wieców dzielnicowych, ale obok nich usiłował wprowadzić instytucję wiecu generalnego, ten jednak nie spełniał oczekiwań, ponieważ najczęściej gromadził przedstawicieli dzielnicy, w której go zwoływano.

Władca zapewne świadomie utrzymał kancelerstwa dzielnicowe – zawsze rezydował przy nim jeden z kanclerzy dzielnicowych. Dopiero reforma kancelarii przeprowadzona w latach 60. ograniczyła ich kompetencje. Janko z Czarnkowa przyjął tytuł podkanclerzego i uczynił z kancelarii jeden z najważniejszych urzędów centralnych w państwie. Wprowadzono nowy centralny urząd marszałka dworu. Ewolucję przeszedł – wywodzący się z dzielnicowego urzędu skarbnika – urząd podskarbiego, w którego rękach znalazł się zarząd wszystkimi dochodami z królewskiej domeny. Utrzymano wprowadzony przez Wacława II urząd starosty – królewskiego namiestnika, zarządzającego królewską domeną i pełniącego zwierzchnie funkcje nadzoru podatkowego i policyjno-sądowe. Początkowo nie było starostów w Małopolsce, jednak Kazimierz zaczął powoływać ich w ważniejszych grodach: Krakowie, Lublinie, Nowym Sączu, gdzie pełnili funkcje sądowe. Nowe urzędy ograniczały kompetencje urzędów ziemskich. Wojewodom pozostawiono sądownictwo w sprawach żydowskich i ustalanie cen maksymalnych w handlu miejskim.

Współistnienie ziemskiej hierarchii urzędniczej i starostów reprezentujących interesy władcy musiało prowadzić do konfliktów interesów. W 1352 r. rycerstwo wielkopolskie pod wodzą Maćka Borkowica jawnie wystąpiło przeciwko uprawnieniom starostów królewskich, deklarując jednocześnie wierność królowi.

Król budowniczy

Panuje powszechna opinia o Kazimierzu jako wielkim budowniczym, władcy, który zostawił Polskę murowaną. Działalność kolonizacyjna króla nosi cechy świadomej polityki dążącej do powiększenia domeny królewskiej. Lokacje miejskie były jej istotnym czynnikiem. Rzeczywiście w czasach jego panowania liczba lokowanych miast wzrosła znacznie: np. na Rusi powstało pięć miast królewskich i czternaście prywatnych, a w Wielkopolsce – dwa miasta królewskie i dwadzieścia lokowanych przez duchowieństwo i rycerstwo. Widać więc wielki rozmach inwestycyjny, zwłaszcza w domenie królewskiej – w Małopolsce król założył trzydzieści sześć miast. Polską specyfiką było to, że nie zakładano ich od podstaw, na tzw. surowym korzeniu. Działalność inwestycyjna sprowadzała się do nadawania prawa magdeburskiego istniejącym już ośrodkom o charakterze miejskim.

W królewskim programie rozwoju osadnictwa miejskiego ważne miejsce zajmowała obronność miast. Dążono do stworzenia całego systemu obronnego opierającego się na ufortyfikowanych miastach. Miały one zapewniać bezpieczeństwo mieszkańcom, wyznaczać granicę miejskiej autonomii i stanowić o prestiżu miasta. Budowa murów była inwestycją niezwykle kosztowną; małe miasta, a takie przeważały w Królestwie Polskim, nie były w stanie jej przeprowadzić. Niekiedy wsparcie władzy państwowej było konieczne. Realizacja polityki miejskiej była fragmentem wielkiego planu króla, zmierzającego do unowocześnienia państwa. Władca nie wahał się nawet zmieniać stosunków własnościowych w miastach. Prowadziło to niekiedy do wywłaszczeń i konfiskat. Uregulowanie stosunków własnościowych często stanowiło wstęp do nadania ośrodkowi miejskiemu prawa magdeburskiego. Do standardów należała również budowa zamków; pełniąc rolę militarną, symbolizowały zarazem królewską władzę i jej zasięg terytorialny. Część zamków włączono w obręb murów miejskich. Kazimierz miał ich wznieść trzydzieści sześć.

Szczególne miejsce w polityce miejskiej króla zajmował Kraków. Król dbał o jego rozwój, czasami wbrew interesom mieszkańców. Na wzgórzu wawelskim zbudował swoją reprezentacyjną siedzibę. Dążąc do stworzenia silnego centrum gospodarczo-handlowego, już w początkach panowania Kazimierz lokował w pobliżu Krakowa nowe miasta – Kazimierz, a w latach 60. Kleparz; w ten sposób powstało krakowskie trójmiasto.

Ważnym elementem osadniczej polityki króla były lokacje wiejskie na prawie polskim lub magdeburskim. Polegały one z reguły na komasacji gruntów i rozszerzeniu areału uprawnego o karczunki, a także na obowiązkowym stosowaniu trójpolówki. Nie przynosiły państwu doraźnych dochodów ze względu na wieloletnie zwolnienia od obowiązkowych świadczeń. Prowadzone były raczej z myślą

◄▲ KOŚCIOŁY FUNDOWANE PRZEZ KAZIMIERZA WIELKIEGO dekorowano malowidłami i rzeźbą z wykorzystaniem motywów heraldycznych. W ich skład wchodziły herby ziem Królestwa i możnowładców. Zestaw sześciu herbów ziem odpowiadał w zasadzie (poza Pomorzem Gdańskim) tytulaturze królewskiej. Szczególną rolę odgrywały herby ziemi dobrzyńskiej i Rusi Czerwonej – jako manifestacja zdobyczy Kazimierza.

KOŚCIÓŁ ŚW. PIOTRA I PAWŁA W STOPNICY POW. BUSKO, 1362–OK. 1370: WNĘTRZE OD ZACH.; ANTEPEDIUM OŁTARZA GŁÓWNEGO; ZWORNIK Z HERBEM ZIEMI DOBRZYŃSKIEJ; ZWORNIK Z HERBEM ZIEMI DOBRZYŃSKIEJ – KOLEGIATA NMP W WIŚLICY, 3 ĆW. XIV W.; FOT. MM

►▼ PODKRAKOWSKI KAZIMIERZ, lokowany w 1335 r., zajmował wśród fundacji Kazimierza Wielkiego miejsce szczególne. Świadczą o tym: nadane miastu nazwa i herb – królewski monogram, niespotykane rozmiary (45 ha, podczas gdy np. ówczesny Lwów liczył wówczas 21 ha), szybkie otoczenie Kazimierza murami oraz ufundowanie aż dwóch wielkich kościołów: parafialnego Bożego Ciała i klasztornego św. Katarzyny.

KOŚCIÓŁ ŚW. KATARZYNY – PO 1342; MURY OBRONNE OD STRONY STRADOMIA – OK. 1350; PIECZĘĆ ŁAWNICZA – PRZY DOKUMENCIE Z 1392, AKLKR KRAKÓW; FOT. MM

► PIECZĘĆ RADZIECKA BOCHNI, podobnie jak pieczęć Wieliczki, eksponuje narzędzia górnicze, gdyż źródłem zamożności obu miast było wydobycie soli objęte królewskim regale. Miasta te, lokowane już w XIII w., zostały w okresie rządów Kazimierza Wielkiego opasane murami obronnymi.

PRZY DOKUMENCIE Z 1378, AKL CYSTERSÓW MOGIŁA, FOT. MM

Śmierć wikariusza

Marcin Baryczka był wikariuszem katedry krakowskiej. Według tradycji, spisanej przez Jana Długosza, miał w 1349 r. upominać króla, by zaniechał rozwiązłego życia i nie nakładał ciężarów na diecezję krakowską. Wedle relacji kronikarza Marcin Baryczka wystąpił przed Kazimierzem jako posłaniec biskupa krakowskiego Bodzęty. Rozgniewany monarcha polecił utopić w Wiśle odważnego wikariusza. Inna wersja podaje, że to dworzanie, chcąc przypodobać się królowi, utopili duchownego. Tak czy inaczej królewski udział w jego zamordowaniu był zagrożony *ipso facto* klątwą kościelną. Aby uzyskać zwolnienie od ekskomuniki, Kazimierz zobowiązał się m.in. ufundować kościół pod wezwaniem św. Katarzyny na Kazimierzu. Prawdopodobnie dopiero w 1350 r., dzięki zabiegom specjalnego poselstwa w Awinionie, uzyskał rozgrzeszenie. Od XVI w. kościół św. Katarzyny uchodzi za miejsce pochówku nieszczęsnego wikariusza.

◄ REKONSTRUKCJA TŁOKA PIECZĘCI RADZIECKIEJ KRAKOWA,
podkreślającej związek miasta z piastowskimi książętami. Ponad środkową wieżą orzeł, nawiązujący być może do Bolesława Wstydliwego; po bokach – herb Leszka Czarnego z kujawskiej linii Piastów, władającego w Krakowie w latach 1279–1288.
AP KRAKÓW, FOT. MM

▲ FUNDACJE KOŚCIELNE KAROLA IV I KAZIMIERZA WIELKIEGO
nosiły znamiona swoistej rywalizacji, łącząc motywy dewocyjne z ostentacją władzy. Biorąc pod uwagę różnicę potencjałów gospodarczych i politycznych, Kazimierz nie mógł w tej rywalizacji zwyciężyć.
OBRAZ WOTYWNY ARCYBISKUPA JANA OČKI – PRZED 1371, NG PRAHA; TABLICA UPAMIĘTNIAJĄCA FUNDACJĘ KOLEGIATY NMP W WIŚLICY – 1464, FOT. MM

◄ ŚMIERĆ JAKO ŻNIWIARZ
koszący ludzi bez względu na ich stan. Przedstawienia tego typu rozpowszechniły się w Europie po wybuchu epidemii dżumy w 1347 r.
BREWIARZ Z KLASZTORU BENEDYKTYNÓW W OPATOWICACH, CZECHY, OK. 1370–1380, AKM KRAKÓW, FOT. SM

►▼ PRZEDSTAWIENIA KRÓLA
w fundacjach Kazimierzowskich były stosunkowo rzadkie. Przeważnie zastępował je monogram królewski – ukoronowana litera K.
FIGURKA – KOLEGIATA NMP W WIŚLICY, OK. 1370, MUJ KRAKÓW; DRZWI KATEDRY W KRAKOWIE – OK. 1363–1364, FOT. MM

o dalszej przyszłości, a profity monarchii mogły być wielorakie: wzrastał ogólny poziom zamożności społeczeństwa, król mógł korzystać z usług prawdziwej armii sołtysów, którzy byli zobligowani do publicznej służby wojskowej. Nie bez znaczenia były również dochody z przyszłych podatków.

Kazimierz wprowadził powszechny roczny podatek gruntowy, tzw. poradlne, w wysokości 12 groszy od łana kmiecego. Płacili go właściciele ziemscy od gruntów swych kmieci, dzieląc się tym samym dochodami ze skarbem królewskim. Poradlnego nie wprowadzono jedynie w domenie królewskiej, gdzie kmiecie płacili roczny czynsz, który wynosił 48 groszy z jednego łana.

Istotne miejsce w dochodach Kazimierza – wzorem innych współczesnych władców (zwłaszcza czeskiego Karola IV) – zajmowały dochody z intensywnie rozwijanego w okolicach Olkusza górnictwa srebra, cyny i ołowiu. Wielkie znaczenie miały też dochody z królewskich żup solnych w Bochni i Wieliczce, które były zarządzane przez specjalnego urzędnika, a w 1368 r. uzyskały królewski statut regulujący ich funkcjonowanie.

Gdy Europa Zachodnia pogrążała się w drugiej połowie XIV w. w coraz większym kryzysie gospodarczym, demograficznym i politycznym, kraje Europy Środkowej, w tym Czechy Karola IV i Polska Kazimierzowska, rozkwitały. Stosunkowo nieznacznie dotknięte przez szalejącą od 1347 r. w innych regionach Europy epidemię dżumy, tzw. czarną śmierć, sprawnie rządzone i cieszące się pokojem, przeżywały złoty okres, szybko rozwijając się gospodarczo i demograficznie.

Unifikacja prawa i monety

U podstaw działalności kodyfikacyjnej Kazimierza leżała chęć unifikacji prawa, a co za tym idzie – dążenie do integracji ziem wchodzących w skład Królestwa Polskiego. Praktyka pokazała, że był to program zbyt ambitny, a jego realizacja napotkała trudności wynikające z dziedzictwa rozdrobnienia dzielnicowego. Prawodawstwo króla raczej więc utrwaliło różnice praw stosowanych w Małopolsce i Wielkopolsce. Poza kodyfikacją pozostały partykularne prawa ziem łęczyckiej i sieradzkiej oraz Kujaw.

Po 1357 r. powstał statut dla Wielkopolski. Pierwotnie liczył trzydzieści cztery artykuły. Prawdopodobnie jeszcze za życia króla uzupełniono go o dalsze, tak że w ostatecznej redakcji miał zawierać pięćdziesiąt jeden artykułów. Nieco późniejszy statut dla Małopolski liczył odpowiednio dwadzieścia pięć i sześćdziesiąt artykułów. Przedmiotem kodyfikacji królewskiej było tzw. prawo ziemskie, służące warstwie rycerskiej oraz ludności wieśniaczej zamieszkującej dobra rycerskie i szlacheckie. Nie dotyczyło ono mieszczan, posługujących się prawem niemieckim, i duchowieństwa, które rządziło się prawem kościelnym (kanonicznym). Statuty te miały zapewnić poczucie ładu w wymiarze sprawiedliwości. Kodyfikowały prawo oparte na gruncie stanowym. Widać w nich wyraźnie wpływ zasad sformułowanych w prawie kanonicznym. Jest to zupełnie zrozumiałe, skoro jednym z autorów statutów był wychowanek uniwersytetu bolońskiego, doktor dekretów, arcybiskup gnieźnieński Jarosław Bogoria ze Skotnik.

W prawodawczą działalność Kazimierza należy wpisać również działania zmierzające do uporządkowania sądownictwa prawa niemieckiego. Król dbał o rozwój tego fragmentu wymiaru sprawiedliwości i powołał lub zreorganizował wiele sądów wyższych prawa niemieckiego. W 1336 r. ustanowił odrębny Sąd Zamkowy w Sandomierzu, natomiast w 1356 r. powołał Sąd Najwyższy Prawa Niemieckiego i Sąd Sześciu Miast na Zamku Krakowskim, zakazując przy tym apelacji do Magdeburga. W innych miastach (Bydgoszczy, Kruszwicy, Inowrocławiu, Bieczu, Nowym Sączu, Poznaniu) również powstawały wyższe sądy regionalne, a ich siedziby podnosiły pozycję miast. Jednocześnie król zyskiwał kontrolę nad miastami i ludnością podległą prawu niemieckiemu, co niewątpliwie wzmacniało jego prestiż.

Dopiero w latach 60. król zdecydował się na przeprowadzenie reformy monetarnej. Podobnie jak działalność inwestycyjna i prawodawcza, była ona ważnym elementem unowocześniania państwa. Polska grzywna obrachunkowa w całym Królestwie (poza Rusią) odpowiadała czterdziestu ośmiu groszom. Grosz dzielił się na dwa kwartniki, te zaś na dwa ćwierćgrosze i cztery denary – na grosz wchodziło szesnaście denarów. Stworzono w ten sposób tzw. krakowski system monetarny. Nie przetrwał on jednak długo, ponieważ zwiększyła się dość prędko liczba denarów w stosunku do większych jednostek pieniężnych. Mimo to samo wprowadzenie jednolitego systemu monetarnego było wielkim osiągnięciem władzy państwowej.

Uniwersytet

W kwietniu 1363 r. na prośbę Kazimierza papież Urban V udzielił mu uprawnień do założenia w Krakowie szkoły, która posiadałaby przywileje przysługujące uniwersytetom. 12 V 1364 r. kancelaria królewska wystawiła przywilej dla uniwersytetu. Kazimierz wystąpił w roli fundatora uczelni, a więc tego,

DOSTOJNICY DUCHOWNI I ŚWIECCY ► – miniatura ze spisanych w XV w. *Statutów królów polskich i książąt mazowieckich*. Detale strojów wskazują, iż pierwowzór tej miniatury powstał w czasach Kazimierza Wielkiego. Być może zdobił on iluminowany egzemplarz któregoś z królewskich statutów?

FKCZART KRAKÓW, FOT. MS

◄ PIECZĘCIE SĄDU WYŻSZEGO PRAWA NIEMIECKIEGO przedstawiały zrazu państwowe godło (ukoronowanego orła). Z czasem w użycie wszedł nowy wzór – ukoronowana królewska głowa z rogami. Niewykluczone, że to zagadkowe przedstawienie nawiązuje do Mojżesza jako prawodawcy.

PRZY DOKUMENTACH Z 28 IX 1358 I 9 II 1362, AKL KLARYSEK KRAKÓW, FOT. MM

► CHRYSTUS PRZEKAZUJE DWA MIECZE WŁADZY: duchownej – papieżowi, świeckiej – cesarzowi. Zgodnie z ówczesną ideologią jedynie papież i cesarz byli władcami w pełni suwerennymi, pozostali powinni uznawać ich prymat.

MIKOŁAJ WURM, PRAWO SASKIE, LEGNICA, 1387, BJ KRAKÓW

◄ SĘDZIA POMIĘDZY POWODEM A POZWANYM – karta z rękopisu prawa saskiego opracowanego na zlecenie księcia legnickiego Ruperta przez prawnika Mikołaja Wurma. Rękopis ten w XV w. dostał się do Zgorzelca, gdzie opatrzono go komentarzami.

LEGNICA, 1387, BJ KRAKÓW

DOKUMENT FUNDACYJNY UNIWERSYTETU KRAKOWSKIEGO ► stanowi podstawowe źródło pozwalające poznać jego organizację w XIV w.

12 V 1364, AUJ KRAKÓW

◄ BISKUP NAUCZAJĄCY SĘDZIÓW
Biskup był z mocy prawa kościelnego najwyższym sędzią w swojej diecezji. Od XIII w. większość spraw sądowych cedowano na archidiakonów, a następnie na specjalnie w tym celu powołanych oficjałów.
DURAND Z MENDE, „ZWIERCIADŁO SĘDZIEGO", WŁOCHY, XIV W., AA GNIEZNO, FOT. RS

ZNAK PANNY W KALENDARZU ASTRONOMICZNYM ►
Astrologia rozwinęła się w Europie w okresie wypraw krzyżowych, a jej rozkwit przypadł na XIV i XV w.; na uniwersytetach w Padwie i Bolonii powstały wówczas katedry astrologii. W Krakowie była wykładana łącznie z astronomią. Wielkim propagatorem rozwoju astrologii był cesarz Wacław Luksemburski, syn Karola IV.
„TEORIA PLANET", CZECHY, 2 POŁ. XIV W., BUMK TORUŃ, FOT. MM

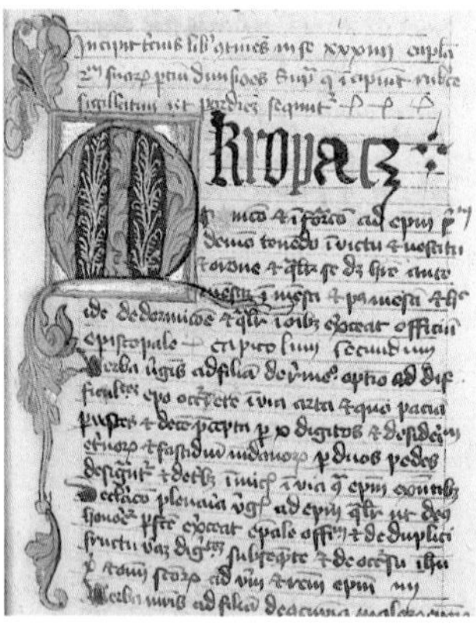

◄ WPIS JANA KROPACZA Z KŁOBUCKA,
jednego z pierwszych znanych nam zawodowych kopistów. Kopiści uwieczniali się niejednokrotnie w tzw. kolofonach, czyli formułach końcowych, zawierających dane kopisty, czas i miejsce kopiowania, często imię zleceniodawcy, a także różne dodatki, w tym poważne lub żartobliwe sentencje.
ŚW. BRYGIDA SZWEDZKA, „KSIĘGA OBJAWIEŃ", 1400, BSD PŁOCK, FOT. MM

◄ MURY OBRONNE WSCHODNIEJ CZĘŚCI KAZIMIERZA
– prawdopodobnie właśnie przy murze obronnym, zapewne nieco na północ od tego odcinka, rozpoczęto wznoszenie budynków uniwersyteckich.
OK. 1350 (MODERNIZOWANE W XV W.), FOT. MM

SALA KAZIMIERZOWSKA ►
w Wieży Łokietkowej – czyli przekształconym aneksie romańskiego jeszcze pałacu wawelskiego – jest jednym z niewielu zachowanych wnętrz z czasów Kazimierza Wielkiego. Kazimierz rozbudował wawelską rezydencję, nadając jej kształt nieregularnego czworoboku otoczonego krużgankiem.
3 ĆW. XIV W., ZKW KRAKÓW, FOT. SM

który nadawał jej odpowiednie uposażenie i określony zakres wolności. Niezależnie od króla, ale zapewne na jego polecenie, osobny dokument gwarantujący uniwersyteckie wolności wystawili mieszczanie krakowscy. Tymczasem jednak w kancelarii papieskiej uznano, że udzielone królowi polskiemu pełnomocnictwa były zbyt szerokie. Ostatecznie 1 IX 1364 r. Urban V powołał w Krakowie uniwersytet, nadając mu uprawnienia identyczne z posiadanymi przez inne uczelnie, jednak zwierzchnictwo nad nim powierzył biskupowi krakowskiemu, a nie, jak planował król, kanclerzowi Uniwersytetu.

Uczelnia miała mieć prawniczy charakter wzorowany na uniwersytetach w Bolonii i Padwie. Kazimierz nie przewidział uposażenia dla wydziału teologicznego. Nie wiadomo, czy początkowo nie planowano jego utworzenia, czy też wiedziano, że papież nie wyrazi zgody na jego powołanie. Pewną nowością było to, że w Polsce uposażenie gwarantowała władza państwowa, a nie miasto, jak to miało miejsce we Włoszech. W Krakowie planowano kształcenie w pełnym zakresie prawa rzymskiego i kanonicznego. Stąd wzięła się w dokumencie królewskim liczba ośmiu katedr prawniczych. Uzupełniały je dwie katedry medycyny i jedna sztuk wyzwolonych, uposażona na beneficjum szkoły przy kościele NMP w Krakowie.

Fundacja uniwersytetu była kolejnym dowodem troski Kazimierza o unowocześnienie państwa, a sama uczelnia dodawała splendoru monarchii. Król, zgodnie z panującymi wówczas obyczajami, chciał uchodzić za opiekuna nauki. Nie bez znaczenia było zapewne i podniesienie prestiżu Krakowa, który awansował do rangi miasta uniwersyteckiego.

O funkcjonowaniu uczelni za życia Kazimierza nie mamy praktycznie żadnych wiadomości. Prawdopodobnie zaraz po fundacji planowano zmianę modelu organizacyjnego szkoły. System hospicjalny (w którym sami studenci opłacali wykładowców) miał zostać zastąpiony, na wzór uniwersytetu w Pradze, systemem kolegialnym (opartym na fundacji dobrze uposażonych kolegiów, stanowiących miejsce zamieszkania wykładowców i prowadzenia zajęć; ich członkowie mieli zapewnione wynagrodzenie). Król rozpoczął nawet budowę budynków kolegium w Kazimierzu. Śmierć władcy przerwała inwestycje. Prawdopodobnie funkcjonowanie rozpoczęły jedynie wydziały sztuk wyzwolonych i medycyny.

W wirze europejskiej polityki

W realiach politycznych XIV w. niezwykle ważną rolę odgrywała polityka małżeńska; poprzez nią wzmacniano zawierane układy międzypaństwowe. Prawdziwym mistrzem w jej realizowaniu był cesarz Karol IV, który zawarł dwadzieścia różnych projektów małżeńskich dla swoich dziewięciorga dzieci. Możliwości Kazimierza były w tym względzie bardziej ograniczone. Planowane małżeństwo jego córki z synem margrabiego brandenburskiego doszło do skutku po wielu perypetiach. Ważną rolę odegrało małżeństwo innej córki Kazimierza, Elżbiety, z księciem słupskim Bogusławem V. Sam zaś król był żonaty czterokrotnie.

Po pokoju namysłowskim uregulowano ostatecznie stosunki z Czechami. Pewne komplikacje wywoływały jednak problemy z księstwami śląskimi. Karol IV poślubił w 1353 r. Annę, bratanicę księcia świdnickiego Bolka II Małego. Dzięki temu małżeństwu wszedł w posiadanie ostatniego niezależnego dotąd księstwa śląskiego. Po śmierci Anny ożenił się z Elżbietą, wnuczką Kazimierza Wielkiego, córką księcia pomorskiego Bogusława V. Uroczystości weselne odbyły się w Krakowie w 1363 r. Ze strony cesarza było to znakomite posunięcie. Małżeństwem tym rozrywał koalicję złożoną z Habsburgów, Ludwika Andegaweńskiego i Kazimierza, zażegnując groźbę wojny. Trwający od 1362 r. spór został oddany pod arbitraż Kazimierza i Bolka Małego, którzy w grudniu 1363 r. ogłosili wyrok nakazujący stronom zawarcie pokoju. Uroczyste podpisanie odpowiednich układów miało miejsce w Krakowie we wrześniu 1364 r. Na spotkanie monarchów przybył również król Cypru, który zabiegał o wsparcie dla organizowanej krucjaty antytureckiej. Krakowskie spotkanie monarchów środkowoeuropejskich świadczyło o wzroście znaczenia monarchii Kazimierza Wielkiego. Umacniały je dobre stosunki z wszystkimi sąsiadami oraz opanowanie Rusi Czerwonej.

Mimo układów sukcesyjnych z Węgrami pod koniec swego panowania król prowadził samodzielną politykę. Starał się wygrywać rozbieżności między Węgrami a Czechami oraz osłabić pozycję zakonu krzyżackiego na arenie międzynarodowej. Celowi temu miały służyć poprawne stosunki z papiestwem. Polska umiejętnie podkreślała fakt położenia na rubieżach chrześcijaństwa i podległości (wyrażanej płaceniem świętopietrza) Stolicy Apostolskiej. W zamian oczekiwała od papiestwa poparcia i pomocy finansowej na walkę z poganami, czyli Litwinami i Tatarami. Papieże traktowali jednak Polskę instrumentalnie. Uwidoczniło się to m.in. w sprawie polityki kościelnej na Rusi, gdzie hamowali utworzenie związanej z Polską samodzielnej organizacji kościelnej w postaci arcybiskupstwa w Haliczu.

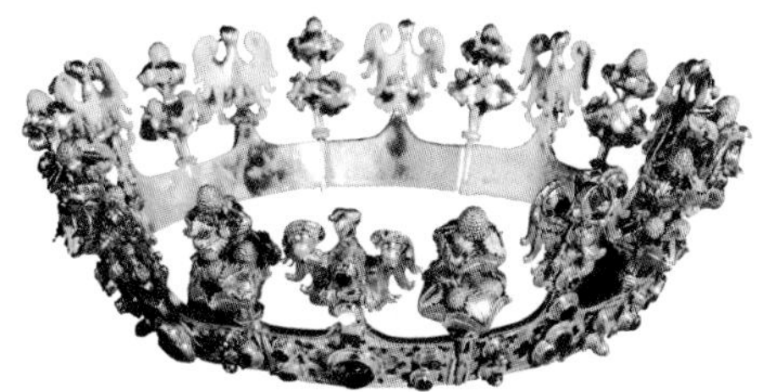

▲► FRAGMENT SKARBU ŚREDZKIEGO, odkrytego w 1988 r. podczas rozbiórki jednego z domów Starego Miasta w Środzie Śląskiej. Oprócz ozdób znaleziono niemal 8000 monet. Przypuszcza się, że skarb mógł być własnością jednego z kupców żydowskich, a ozdoby – zastawem Karola IV złożonym w zamian za pożyczkę. Niewykluczone, że wchodzącej w jego skład korony używała królowa Ryksa-Elżbieta.

KORONA – NIEMCY LUB CZECHY, POCZ. XIV W.; ZAPONA – PŁD. WŁOCHY LUB PŁD. NIEMCY, OK. 1230–1280; MN WROCŁAW, DEPOZYT W MUZ. ŚRODA ŚL.

Uczta Wierzynka

Informacja o wspaniałej uczcie, jaką miał wydać Mikołaj Wierzynek dla uczestników krakowskiego spotkania władców w 1364 r., została zapisana w połowie XV w. w *Rocznikach* Jana Długosza. Trudno dać wiarę relacji piszącego prawie wiek po wydarzeniu kronikarza, jakoby Mikołaj Wierzynek na własny koszt gościł liczne grono władców i towarzyszące im osoby. Był on rajcą krakowskim, bogatym kupcem i przedsiębiorcą utrzymującym rozległe kontakty. Prawdopodobnie jako zarządca dworu królewskiego miał obowiązek zatroszczyć się o uroczystą oprawę krakowskiego spotkania, natomiast koszty przyjęcia uczestników zjazdu spadały na społeczność stołecznego Krakowa. Było to normalne obciążenie miasta królewskiego. Przepych, z jakim zorganizowano ucztę, wywarł wielkie wrażenie na współczesnych i przyszłych pokoleniach – opiewali ją w swych pieśniach trubadurzy z odległych stron.

◄ PIECZĘĆ MISTRZA RACŁAWA, magistra medycyny, kanonika krakowskiego, zmarłego po 1304 r. Duchowni ze środowiska katedralnego należeli do najlepiej wykształconych ludzi swej epoki; niejednokrotnie odbywali studia uniwersyteckie.

PRZY DOKUMENCIE Z 16 IV 1304, AKL KLARYSEK KRAKÓW, FOT. MM

KOPIE OSTRÓG Z GROBU KAZIMIERZA WIELKIEGO ► Zgodnie z ówczesnym obyczajem króla pochowano z insygniami władzy i stanu rycerskiego.

PRZED 1370, SKW KRAKÓW, FOT. MM

Wypadek na polowaniu

Dnia 8 IX 1370 r. Kazimierz Wielki, polując koło Przedborza nad Pilicą, doznał kontuzji. W pogoni za jeleniem spadł z konia. Stłuczenie nogi mogło okazać się groźne, tym bardziej że było połączone z gorączką. Polowanie przerwano i zarządzono powrót do Krakowa przez Sandomierz. Gorączka wkrótce ustąpiła. Wbrew zaleceniom lekarzy król skorzystał z łaźni, co wywołało kolejny atak gorączki. Orszak królewski był już w Sandomierzu. Mimo choroby monarcha ruszył w dalszą drogę. Po drodze odpoczywał w majątku kasztelana lubelskiego. Tu ponownie dopadła go gorączka. W Koprzywnicy, w opactwie Cystersów, władca pozostał kilka dni. Po chwilowej poprawie zdrowia wyruszono w dalszą drogę. Choroba jednak nie ustępowała. Mimo tego lekarze zapewniali władcę o rychłym powrocie do zdrowia. 3 XI król polecił sporządzić testament. Zmarł 5 XI w zamku królewskim na Wawelu, prawdopodobnie na zapalenie płuc. Miał 60 lat.

Złotnicze fundacje Kazimierza Wielkiego

Zachowało się kilka dzieł złotnictwa z fundacji króla Kazimierza dla niektórych kościołów polskich, a informacje o nich uzupełnia kronika Janka z Czarnkowa, w której streszcza on królewski testament. O zapisach drogocennych relikwiarzy dla głównych katedr polskich czytamy: „Krzyż złoty, bardzo wielkiej ceny, wartości przeszło dziesięciu tysięcy florenów, zapisał katedrze krakowskiej, ramię św. Kosmy we wspaniałym pozłacanym cyborium – katedrze poznańskiej, monstrancję z relikwiami i Biblię ozdobną – katedrze gnieźnieńskiej". O losach darów dla katedr w Poznaniu i Gnieźnie nie mamy informacji, natomiast drogocenny krzyż darowany katedrze wawelskiej to najprawdopodobniej bizantyjski krzyż relikwiarzowy, wymieniany później w inwentarzach skarbca koronacyjnego, wywieziony przez Jana Kazimierza do Francji, zniszczony w czasie rewolucji francuskiej, z uratowaną jednak relikwią, przechowywaną obecnie w skarbcu katedry paryskiej.

Zachowały się dary złotnicze Kazimierza dla katedry w Płocku (herma św. Zygmunta), opactwa Kanoników Regularnych w Trzemesznie (kielich), kolegiaty NMP w Kaliszu (kielich) oraz fundowanego przez króla kościoła w Stopnicy (kielich i herma św. Marii Magdaleny). Musiało takich fundacji być znacznie więcej; większość z nich była realizowana w krakowskich warsztatach złotniczych.

Zachowane i opisane przez Janka z Czarnkowa precjoza, zestawione z innymi fundacjami króla na polu rzeźby i architektury, pozwalają domyślać się przyczyn obdarowywania takich właśnie, a nie innych instytucji kościelnych. Zwraca uwagę przede wszystkim obdarowanie zapisem testamentowym katedr w Krakowie, Poznaniu i Gnieźnie – wszystkie trzy za czasów Kazimierza podległy gotyckiej przebudowie. W katedrze wawelskiej król ufundował kaplicę Wniebowzięcia NMP, podobnie królewską kaplicę wzniósł w katedrze gnieźnieńskiej, w katedrze poznańskiej wziął ślub z Adelajdą heską, a na zakończenie gotyckiej przebudowy korpusu nawowego wystawił nagrobek Bolesława Chrobrego. Swą protekcję rozciągał jednakowo nad trzema najstarszymi i najważniejszymi katedrami Królestwa. Obdarowanie katedry płockiej, następnie starego opactwa w Trzemesznie, w którym legenda umiejscowiła pierwszy grób św. Wojciecha, zanim pochowano go w Gnieźnie, świadczy o konsekwentnie realizowanej wobec Kościoła polityce fundacyjnej, która wzmacniała jedność Królestwa, nadal rozdzieranego dzielnicowymi antagonizmami.

▲ KIELICH FUNDOWANY DLA KLASZTORU KANONIKÓW REGULARNYCH W TRZEMESZNIE jest najwcześniejszym wśród zachowanych kielichów fundacji Kazimierza Wielkiego. Zwraca uwagę piękny i rzadko spotykany ornament z wirujących liści akantu rozłożonych na stopie kielicha. Program przedstawień zawiera postacie Marii i św. Wojciecha – patronów kościoła klasztornego.

KRAKÓW?, 1351, ZKW KRAKÓW, FOT. SM

▲► KIELICH FUNDOWANY DLA KOŚCIOŁA PARAFIALNEGO W STOPNICY
Na stopie wygrawerowano napis: + CALIX. REGIS. KAZIMIRI. Na pierścieniu widnieją tarcze z herbami Królestwa Polskiego, a zarazem ziemi krakowskiej, oraz Wielkopolski. U spodu czary i na stopie kielicha umieszczono odlewane plakietki ze scenami Zwiastowania, Narodzenia, Ukrzyżowania i Zmartwychwstania.

KRAKÓW, 1362, KOŚCIÓŁ ŚW. PIOTRA I PAWŁA W STOPNICY, DEPOZYT W SK KIELCE, FOT. MBRON

HERMA ŚW. ZYGMUNTA DLA KATEDRY PŁOCKIEJ ►

wykonana prawdopodobnie w Akwizgranie lub w Krakowie według wzorów akwizgrańskich. W fundacji tej Kazimierz Wielki naśladował zapewne Karola IV, który ufundował hermy Karola Wielkiego i Wacława, patronów cesarstwa i Królestwa Czeskiego, oraz św. Zygmunta – patrona władców chrześcijańskich.

1351–1356, SK PŁOCK, FOT. PC

▼ HERMA ŚW. MARII MAGDALENY

– dar Kazimierza Wielkiego dla ufundowanego przez niego kościoła parafialnego w Stopnicy, wykonana najprawdopodobniej w Krakowie. W tym właśnie czasie złotnicy krakowscy zaczęli organizować się w cech.

1370, KOŚCIÓŁ ŚW. PIOTRA I PAWŁA W STOPNICY, DEPOZYT W SK KIELCE, FOT. MM

◄ TARCZE HERBOWE

były najbardziej widocznym elementem przypominającym o fundatorze. Podobnie jak w dekoracjach architektonicznych, herbowi Królestwa (a zarazem herbowi króla) towarzyszyły herby ziemskie. Szczególnie widoczne jest to w dziełach fundowanych dla kościoła w Stopnicy.

ORZEŁ JAKO HERB KRÓLA, KRÓLESTWA I ZIEMI KRAKOWSKIEJ: HERMA ŚW. MARII MAGDALENY; KIELICH ZE STOPNICY; GŁOWA BAWOLA JAKO HERB WIELKOPOLSKI: KIELICH ZE STOPNICY; KOŚCIÓŁ ŚW. PIOTRA I PAWŁA W STOPNICY, DEPOZYT W SK KIELCE; FOT. MM

KIELICH FUNDOWANY DLA KOLEGIATY WNIEBOWZIĘCIA NMP W KALISZU ►

jest najpóźniejszym i najbogatszym wśród zachowanych kielichów fundacji Kazimierza Wielkiego. Ze złoconym srebrem kielicha kontrastuje emaliowana dekoracja wykonana ze stylizowanych kwiatów lilii, ułożonych na kształt królewskiej korony. O królewskiej godności fundatora dodatkowo informują przedstawienia Orła Białego w górnej części stopy oraz inskrypcja.

KRAKÓW, 1363, SK KALISZ, FOT. MBRON

Andegawenowie

ANDEGAWENOWIE W POLSCE

Rządy Ludwika Węgierskiego to okres sporów wewnętrznych i wzrostu znaczenia możnowładztwa

◄ NAGROBEK KAZIMIERZA WIELKIEGO, podobnie jak jego ojca, jest nagrobkiem tumbowym z baldachimem oraz przedstawieniami: postaci zmarłego na płycie wierzchniej i dostojników królewskich na bokach tumby. Nietypowe jest wykorzystanie tumby jako rzeczywistego grobu, zwykle bowiem ustawiano ją, pustą, nad grobem wykopanym pod posadzką kościoła. Fundatorem był zapewne Ludwik Węgierski, a całość wykonano w Wiedniu, skąd przywieziono gotowe do złożenia elementy.

KATEDRA W KRAKOWIE, PO 1370, FOT. SM

Egzekwie

Janko z Czarnkowa w swojej kronice opisał egzekwie, jakie miały miejsce w Krakowie po śmierci Kazimierza Wielkiego, z udziałem koronowanego już na króla Polski Ludwika Andegaweńskiego, arcybiskupa gnieźnieńskiego, biskupów i wielu książąt. Uroczystą procesję do kościoła katedralnego poprzedzały cztery wozy, przy których zarówno konie, jak i woźnice odziani byli w czarne sukno. Za nimi postępowało czterdziestu uzbrojonych rycerzy dzierżących dwanaście chorągwi oraz symbolizujący osobę zmarłego monarchy rycerz na królewskim rumaku okrytym purpurą. Następnie szli mężowie ze świecami, zakonnicy, wreszcie król Ludwik, dostojnicy świeccy i duchowni oraz dworzanie zmarłego króla i licznie przybyli krakowscy mieszczanie. Kolejnym etapem królewskich egzekwii była uroczysta msza w katedrze, sprawowana przez biskupa krakowskiego Floriana Mokrskiego, podczas której złożono przy ołtarzach liczne ofiary. Wedle zwyczaju połamano też chorągwie, czemu towarzyszył płacz i lament zgromadzonych.

Zmiana dynastii

5 XI 1370 r. zmarł w zamku królewskim na Wawelu Kazimierz Wielki, ostatni Piast na polskim tronie. Zgodnie z wcześniejszymi uzgodnieniami władzę w Polsce miał objąć król Węgier Ludwik Andegaweński, zwany na Węgrzech Wielkim, a w Polsce Węgierskim. Co prawda przed śmiercią Kazimierz adoptował wnuka, księcia słupskiego Kaźka (czyli Kazimierza, pochodzącego z małżeństwa córki króla Elżbiety z księciem pomorskim Bogusławem V), i przekazał mu w testamencie dużą część państwa – m.in. ziemie dobrzyńską, sieradzką i łęczycką – jednak ten fragment ostatniej woli króla został zaraz po jego zgonie unieważniony przez zwolenników panowania Andegawenów w Polsce.

Pełnomocnik króla Węgier, książę Władysław Opolczyk, który przybył do Krakowa, aby zabezpieczyć dla Ludwika sukcesję w Polsce, postanowił wstrzymać wykonanie testamentu do chwili przybycia nowego władcy. Gdy 7 XI u bram grodu krakowskiego stanął Ludwik Andegaweński, ciało ostatniego Piasta od kilku godzin spoczywało już w grobie. Przedwczesny pogrzeb króla był afrontem wobec nowego monarchy, wyrządzonym za sprawą wrogo nastawionych doń dostojników państwowych. Ludwik początkowo polecił w całości wykonać postanowienia zawarte w testamencie, lecz niebawem zakwestionował część zapisów, mianowicie legaty na rzecz synów naturalnych Kazimierza oraz zapis dla Kaźka słupskiego, który został pozbawiony ziem sieradzkiej i łęczyckiej. Te działania Ludwika, inspirowane przez „niektórych zawistnych" (stronnictwo andegaweńskie), wynikały z obawy przed sięgnięciem przez Kaźka z pomocą cesarza Karola IV po koronę polską.

Ludwik koronował się na króla Polski 17 XI 1370 r. w katedrze wawelskiej. Przy tej okazji Kaźko otrzymał w lenno ziemię dobrzyńską oraz Bydgoszcz, Kruszwicę, Wielatów (dzisiejszy Złotów) i Wałcz. Ludwik wynagrodził też zasługi Władysława Opolczyka, przekazując mu w lenno ziemię wieluńską oraz zamki Bobolice i Olsztyn w ziemi krakowskiej. Władysław – w zamyśle króla – miał stać się filarem rządów andegaweńskich w Polsce. Nowy król odwiedził Wielkopolskę, jednakże mimo obietnicy danej Wielkopolanom nie pojawił się w stroju koronacyjnym w katedrze gnieźnieńskiej ani nie złożył tam insygniów monarszych. Szybko wrócił na Węgry, zabierając ze sobą polskie insygnia koronacyjne – powróciły one na Wawel dopiero w 1412 r. W zastępstwie nieobecnego monarchy władzę regencyjną sprawowała jego matka, królowa Elżbieta Łokietkówna.

Po śmierci Kazimierza ukształtowały się trzy ugrupowania polityczne mające największy wpływ na rządy państwem. Byli to: zwolennicy nowej dynastii, do których należeli głównie panowie małopolscy (tzw. ugrupowanie legitymistów); obstający przy postanowieniach ostatniej woli zmarłego króla; i wreszcie zdeklarowani przeciwnicy Andegawena, wywodzący się głównie z Wielkopolski. Ci ostatni mieli niebawem wysunąć własnego kandydata do korony.

Zmiana na tronie przyniosła Królestwu Polskiemu utratę kilku terytoriów lennych: Santoku i Drezdenka na rzecz Marchii Brandenburskiej, a Włodzimierza na rzecz Litwy i Mazowsza. Mazowszem rządził książę Siemowit III, który faktycznie uniezależnił się od Korony. Poważnym problemem miały się szybko okazać szczodre nadania lenne na rzecz Władysława Opolczyka. Najdotkliwsze było jednak przejęcie przez Węgry Rusi Czerwonej.

Władysław Biały

Rządy regencyjne Elżbiety Łokietkówny nie należały do łatwych. Była co prawda siostrą Kazimierza Wielkiego, ale od 50 lat przebywała na Węgrzech i sprawy polskie nie leżały w kręgu jej głównych zainteresowań. Ponadto była już w podeszłym wieku, co z pewnością nie ułatwiało jej działań mających na celu pogodzenie zwaśnionych stronnictw. Nie udało się regentce osłabić opozycji wielkopolskiej, która wysunęła własnego kandydata do korony. Był nim były książę gniewkowski Władysław Biały, ostatni potomek kujawskiej linii Piastów, z której wywodził się król Kazimierz.

Ze względu na swój burzliwy żywot Władysław jest nazywany w historiografii błędnym rycerzem. Po śmierci żony zastawił ojcowiznę Kazimierzowi Wielkiemu i, zmęczony licznymi peregrynacjami po świecie, wstąpił do benedyktyńskiego opactwa w Dijon w Burgundii. Tu zastała go wiadomość o śmierci Kazimierza. Wezwany przez Wielkopolan, mimo nieuzyskania papieskiej dyspensy od złożonych ślubów zakonnych, przybył w 1373 r. do Polski i rozpoczął starania o koronę królewską.

Z królewskimi aspiracjami Władysława wiąże się sprawa Janka z Czarnkowa, podkanclerzego Królestwa i znanego kronikarza. Dopuścił się on kradzie-

granice Królestwa Polskiego w chwili śmierci Kazimierza Wielkiego
ziemie odziedziczone przez Kazimierza Wielkiego w 1333 r.
ziemie włączone do Królestwa Polskiego po wymarciu Piastów kujawskich
ziemie odzyskane i zdobyte przez Kazimierza Wielkiego
ziemie zhołdowane przez Kazimierza Wielkiego
ziemie we władaniu czasowym
Królestwo Czeskie i jego lenna
księstwa zachodniopomorskie
inne państwa niemieckie

▲ KRÓLESTWO POLSKIE W 1370 R.
WG Z. KACZMARCZYKA, ZE ZMIANAMI, RYS. JG

Corona Regni Poloniae

Prawno-ustrojowa doktryna *Corona Regni* (Korona Królestwa), zakładając jedność i niezbywalność terytorium Królestwa, oddzielała przywileje władcy od ogółu uprawnień monarchii. Państwo stawało się osobą prawną – władca nie był już jego właścicielem, lecz jedynie królem, a jego uprawnienia wynikały nie tyle z racji dziedziczenia, co z samej godności, którą sprawował. Był zobowiązany do przestrzegania praw Korony i zachowania całości Królestwa. Stosowana w monarchiach Luksemburgów i Andegawenów, w Polsce zyskała na atrakcyjności po bezpotomnej śmierci Kazimierza Wielkiego. Pozwalała bowiem na ograniczenie władzy przedstawiciela obcej dynastii mającego zasiąść na piastowskim tronie. Dlatego elity małopolskie zaczęły szybko ją upowszechniać: Ludwik Andegaweński był już królem Korony Królestwa Polskiego i to dla niej zobowiązywał się odzyskać wszystkie utracone ziemie. W imię interesów Korony zażądano też od niego unieważnienia testamentu Kazimierza, bowiem zapis ziem dla wnuka był sprzeczny z jej prawem do zachowania integralności terytorialnej. Kiedy zabrakło króla, wyrazicielami praw Korony stali się przedstawiciele społeczeństwa.

◄ DAWID ŚPIĄCY NA ŁONIE ABISAG
– iluminacja z Biblii fundowanej dla katedry gnieźnieńskiej przez arcybiskupa Jarosława Bogorię ze Skotnik. W rękopisie zwracają uwagę miniatury podkreślające majestat władzy królewskiej, m.in.: *Powołanie Mojżesza*, *Sędzia z księgą praw i mieczem*, *Amalekita przynoszący Dawidowi wieść o śmierci Saula*.
WARSZTAT CZESKI?, 1373, AA GNIEZNO, FOT. RS

▲ KOPIE INSYGNIÓW GROBOWYCH KAZIMIERZA WIELKIEGO
Nie wiemy, czy insygnia włożone do grobu Kazimierza były przez niego używane za życia przy mniej uroczystych okazjach, czy też wykonano je specjalnie w celu złożenia do grobu (na co może wskazywać tani materiał – złocona miedź). Pośpiech, z jakim zorganizowano pogrzeb, przemawia za pierwszą hipotezą. To właśnie te insygnia wykradł Janko z Czarnkowa. Podczas otwarcia grobu w 1863 r. wykonano niniejsze kopie, a oryginały włożono z powrotem do grobu.
ALEKSANDER ZIĘBOWSKI, SKW KRAKÓW, FOT. SM

▲ KORD
to tania broń jednosieczna, przypominająca duży nóż. W XIV i XV w. był bardzo popularny; nosili go na co dzień plebejusze, a niekiedy także rycerze.
WYSPA LEDNICZKA POW. GNIEZNO, XIV W., MPP NA LEDNICY, FOT. RS

NAGROBEK WŁADYSŁAWA BIAŁEGO ►
Władysław zakończył swój burzliwy żywot w Strasburgu, jednak pochowany został w opactwie w Dijon. Na płycie nagrobnej zmarłego ukazano w stroju książęcym, koronowanego przez anioła; po obu stronach jego głowy widnieją herby Kujaw i ziemi dobrzyńskiej.

◄ LUDWIK WĘGIERSKI NA TRONIE,
w otoczeniu poddanych: rycerzy uzbrojonych na sposób zachodni i koczowników.
„WĘGIERSKA KRONIKA ILUSTROWANA", OK. 1360–1370, OSK BUDAPEST

GOTYCKA KATEDRA GNIEŹNIEŃSKA ►▼
powstawała od 1342 r., czyli od chwili objęcia arcybiskupstwa przez Jarosława Bogorię ze Skotnik. Do lat 60. ukończono chór i rozpoczęto budowę korpusu nawowego – na oszczędności i pośpiech przy jego wznoszeniu wskazuje m.in. zastosowanie elementów prefabrykowanych i sztucznego kamienia. Wnętrze udekorowano płycinami z ornamentem roślinnym i maskami.
WIDOK NA PREZBITERIUM; FRAGMENT FILARU KORPUSU; PORTAL KRUCHTY PŁD.; FOT. RS

ży z grobu Kazimierza insygniów grobowych, które – w związku z wywiezieniem insygniów koronacyjnych przez Ludwika na Węgry – miały posłużyć do przeprowadzenia królewskiej koronacji, prawdopodobnie Władysława Białego. Został jednak złapany, pozbawiony urzędu i skazany w 1372 r. na konfiskatę dóbr i banicję. Po pewnym czasie wrócił do ojczyzny, osiadł w Gnieźnie i zajął się pisaniem kroniki, stanowiącej rodzaj pamiętnika politycznego czasów andegaweńskich, czyli lat 1370–1384.

We wrześniu 1373 r. Władysław Biały pojawił się niespodziewanie kolejno w Gnieźnie i Inowrocławiu, które bez trudu opanował. Następnymi jego zdobyczami były rodzinne Gniewkowo, Złotoria nad rzeką Drwęcą oraz gród Szarlej. W krótkim czasie opanował zatem tereny należące niegdyś (oprócz Gniezna) do jego ojca. Jednak równie szybko je utracił, kiedy zostało przeciwko niemu wysłane wojsko królewskie ze starostą generalnym Wielkopolski na czele. Nie mając dość zbrojnych, a nadto zdradzony przez swoich niedawnych zwolenników, Władysław opuścił Kujawy i osiadł w Drzdenku, gdzie obmyślił na nowo plan odzyskania księstwa gniewkowskiego.

Druga faza rywalizacji rozpoczęła się w 1375 r. od zajęcia podstępem Złotorii. Z pomocą swego protektora, Ulryka von Osten, pana Drezdenka, Władysław zdobył też Raciążek i Gniewkowo. W 1376 r. do ostatecznej z nim rozprawy przystąpiły wojska królewskie dowodzone przez starostę generalnego wielkopolskiego. Pod murami Złotorii Władysław Biały poniósł klęskę, pomimo wsparcia rycerzy przysłanych mu przez władcę Burgundii, Filipa Śmiałego. Książę gniewkowski przegrał rywalizację z Ludwikiem i w wyniku podjętych rokowań sprzedał mu swoją ojcowiznę za 10 tysięcy florenów, otrzymując poza tym w zarząd najstarsze opactwo benedyktyńskie na Węgrzech, w Pannonhalma.

Kwestia Rusi

Jak wiemy, układy sukcesyjne otwierające Andegawenom drogę na tron polski były powiązane z kwestią Rusi Czerwonej, której zajęcie przez Kazimierza Wielkiego wbrew Węgrom byłoby niemożliwe. Już 1350 r. Ludwik Andegaweński zagwarantował sobie prawo wykupu Rusi w wypadku, gdyby nie uzyskał korony polskiej. Po dojściu do skutku unii personalnej polsko-węgierskiej status Rusi Czerwonej nie był do końca jasny. Początkowo zarządzali nią polscy starostowie, jednak w 1372 r. tutejszym namiestnikiem został blisko związany z Andegawenami książę Władysław Opolczyk. Jego rządy namiestnicze zaowocowały rozwojem gospodarczym Rusi Czerwonej i utworzeniem (w 1375 r.) arcybiskupstwa w Haliczu.

Oprócz Węgier i Polski o władzę na Rusi Czerwonej zabiegała od dawna Litwa. W 1376 r. Litwini z pomocą księcia bełskiego Jerzego Narymuntowicza najechali ziemie polskie, pustosząc Lubelszczyznę. W roku następnym odwetową akcję przedsięwziął Ludwik Węgierski. Wojska polsko-węgierskie zdobyły m.in. Chełm oraz Bełz, które zostały przyłączone do Rusi Czerwonej. Jednak Władysław Opolczyk na Ruś już nie powrócił, a zarząd nad nią przejęli węgierscy starostowie. Nie oznaczało to co prawda formalnego oderwania Rusi Czerwonej od Polski, sprzyjało jednakże jej bliższemu związaniu z Królestwem Węgier.

W zamian za rezygnację z zarządu Rusią uzyskał Władysław Opolczyk funkcję namiestnika króla w Polsce. Jednakże protest szlachty spowodował jego szybkie odwołanie – jako rekompensatę otrzymał wówczas książę opolski duże nadanie lenne, obejmujące części dawnych włości Władysława Białego oraz zmarłego w 1377 r. Kaźka słupskiego: ziemię dobrzyńską oraz część Kujaw z ziemią gniewkowską, Inowrocławiem z pobliskim Tucznem, Bydgoszczą i Złotorią oraz grodem Szarlej.

Przywilej koszycki

Obejmując tron polski, Ludwik Andegaweński miał tylko córkę Katarzynę. W latach następnych urodziły mu się kolejne córki: w 1371 r. Maria i w końcu 1373 lub na początku 1374 r. Jadwiga. W myśl układu budzińskiego z 1355 r. sukcesja w Polsce była zagwarantowana tylko dla męskiej linii Andegawenów. Jeśli zatem Ludwik chciał zapewnić w Polsce następstwo po sobie jednej z córek, musiał doprowadzić do zmiany podjętych wcześniej zobowiązań, co wymagało uzyskania zgody polskich elit politycznych. Nadto córki Ludwika były już zaręczone z różnymi władcami. W 1372 r. król węgierski porozumiał się z cesarzem Karolem IV, obiecując jego synowi, Zygmuntowi Luksemburskiemu, rękę jednej ze swoich córek, czyli Katarzyny lub Marii. Katarzynę 2 lata później przeznaczono na żonę dla Ludwika Orleańskiego, młodszego syna króla francuskiego Karola V, zatem Maria miała zostać małżonką Zygmunta. Również najmłodszą Jadwigę rychło po narodzinach zaręczono z księciem habsburskim Wilhelmem.

Ludwik Węgierski, w celu pozyskania szlachty dla swoich planów sukcesyjnych, przeprowadził tzw. akcję restytucyjną, która miała doprowadzić do zwrotu szlacheckich majątków ziemskich skonfiskowanych w czasach Kazimierza Wielkiego. Jed-

▲ MONETY RUSKIE LUDWIKA WĘGIERSKIEGO
Ludwik, choć dążył do przyłączenia Rusi Czerwonej do Węgier, wybijał we Lwowie niemal takie same monety jak Kazimierz Wielki: zmieniono jedynie monogram (Kazimierzowski „K" na „L") oraz tytulaturę władcy (z polskiej na węgierską).
GROSZ MAŁY RUSKI; PUŁO RUSKIE; LWÓW, UKRAINA; 1370–1372; MN KRAKÓW; FOT. MM

▲ PIECZĘCIE MAJESTATYCZNE LUDWIKA WĘGIERSKIEGO I WŁADYSŁAWA OPOLCZYKA
Władysław próbował zbudować obszerne władztwo terytorialne. O jego aspiracjach świadczy pieczęć Władysława jako księcia ruskiego, naśladująca królewską: umieszczono na niej po obu stronach księcia herby opolski i ruski. Zamiast nieprzysługującej mu korony nosi, zgodnie z ruską tradycją, książęcy kołpak, a zamiast berła dzierży miecz.
PIECZĘĆ LUDWIKA WĘGIERSKIEGO (LUŹNA) – AP KRAKÓW; PIECZĘĆ WŁADYSŁAWA OPOLCZYKA – PRZY DOKUMENCIE Z 23 III 1373, AKL KLARYSEK KRAKÓW; FOT. MM

◄▲ DARY LUDWIKA ANDEGAWEŃSKIEGO
dla kaplicy węgierskiej w Akwizgranie przekazane w 1367 r. Wyróżniają się wysokim poziomem artystycznym oraz obfitą dekoracją heraldyczną (herby Andegawenów, węgierskie i polskie). Wśród darów znalazły się elementy uroczystego stroju (widoczne zapinki płaszcza i centralny element pasa) oraz trzy obrazy o tematyce maryjnej.
WĘGRY, PRZED 1367, DS AACHEN

◄ PIECZĘĆ KRÓLOWEJ ELŻBIETY ŁOKIETKÓWNY
prezentuje trzy herby zwieńczone wspólną koroną: Andegawenów, Orła Białego i kujawskiego półorła, półlwa. Ten ostatni, wskazujący na pochodzenie z konkretnej linii Piastów, został tu przedstawiony analogicznie do wyobrażeń na pieczęciach majestatycznych jej ojca i brata.
ODCISK Z 1 VIII 1373, AKL KLARYSEK KRAKÓW, FOT. MM

◄ HERB LUDWIKA ANDEGAWEŃSKIEGO
jako króla Węgier i Polski w *Herbarzu Gerlego*. Na tarczy przedstawiono herby: węgierskiej linii Andegawenów, polski, tzw. nowowęgierski i dalmacki. Układ ten odpowiada trzem najważniejszym tytułom używanym przez Ludwika w dokumentach i na pieczęciach. Nad tarczą klejnot – struś trzymający podkowę. Na tej karcie herbowi Ludwika towarzyszą herby książąt śląskich i mazowieckich. W herbarzu znajduje się ponadto kilkadziesiąt polskich herbów rycerskich.
OK. 1369–1379 (HERBY WŁADCÓW) I OK. 1379–1399 (POZOSTAŁE), BRA BRUXELLES

▼ REZYDENCJE OBRONNE POLSKI ŚRODKOWEJ W ŚREDNIOWIECZU
WG L. KAJZERA OPRACOWAŁ W. KUCHARSKI, RYS. JG

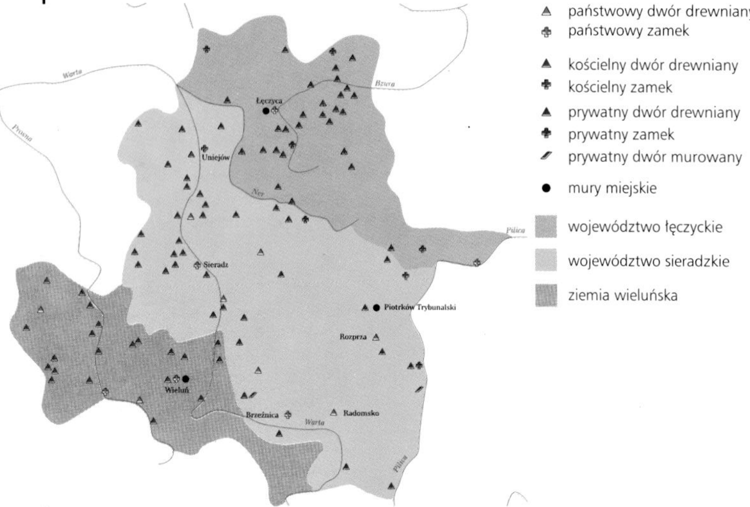

nak najważniejszym przedsięwzięciem króla na drodze do zmiany sukcesji w Polsce było wydanie przywileju koszyckiego w 1374 r. Na jego mocy szlachta została zwolniona ze wszystkich podatków z wyjątkiem poradlnego w wysokości 2 groszy rocznie z każdego łana kmiecego. Jej obowiązki wojskowe zostały ograniczone do obrony granic kraju, a za wyprawy zagraniczne król zobowiązał się wypłacać żołd oraz odszkodowanie za ewentualną niewolę. Szlachta została ponadto zwolniona z obowiązku pomocy przy budowie zamków. Ludwik obiecał obsadzać urzędy tylko krajowcami i nie nadawać zamków i grodów Królestwa osobom z książęcych rodów.

Przywilej koszycki do niedawna był uważany za niekorzystny dla gospodarki państwa. Najnowsze badania dowiodły jednak, że skarb królewski w wyniku podjętych postanowień nie ucierpiał. Wprost przeciwnie: regularne uiszczanie niewielkiego co prawda podatku przyniosło lepszy rezultat aniżeli nieregularne ściąganie dużego podatku nadzwyczajnego (wynoszącego zazwyczaj 12 groszy z łana).

Przywilej ów nie objął duchowieństwa, które nadal opierało się zmianie postanowień sukcesyjnych Kazimierza Wielkiego. Kościół ustąpił dopiero w 1381 r., kiedy otrzymał od Ludwika podobny przywilej. W myśl nowych uregulowań dobra duchowieństwa świeckiego zostały obciążone rocznym podatkiem w wysokości 2 groszy z łana, natomiast z domen klasztornych miano uiszczać podatek w wymiarze 4 groszy z łana oraz odrabiać 2-dniową robociznę chłopów w ciągu roku w dobrach królewskich.

Efektem wydania przywileju koszyckiego był hołd złożony przez panów polskich we wrześniu 1374 r. córce Ludwika, Katarzynie. Po jej rychłej śmierci w 1378 r. na następczynię Ludwika na tronie polskim została desygnowana Maria, zaręczona z Zygmuntem Luksemburskim, niezbyt lubianym wśród polskiej szlachty.

Bezkrólewie

W nocy z 10 na 11 XI 1382 r. zmarł król Węgier i Polski Ludwik Andegaweński. W chwili jego śmierci przebywał już w Polsce Zygmunt Luksemburski, który, jako przyszły mąż Marii, po odebraniu kilka miesięcy wcześniej hołdu od starostów Królestwa przystąpił do odbierania hołdów od miast. Akcja młodego Luksemburga natrafiła jednak na zdecydowany opór polskiej szlachty, która widziała w nim przedstawiciela wrogiej Polsce dynastii. Nadto, ku zadowoleniu polskiej elity politycznej, Maria została wybrana na królową Węgier – a tym samym przed Zygmuntem otwierała się perspektywa objęcia korony św. Stefana.

Królewski lekarz

Ludwik Andegaweński zmarł jesiennej nocy 1382 r. w wieku 56 lat. Przez wiele lat chorował. Jego dolegliwości źródła określają mianem *lepra*, co historycy łączą z trądem lub chorobą weneryczną (syfilisem) – cierpiała na nią cała dynastia Andegawenów węgierskich, co z pewnością przyczyniło się do jej szybkiego wymarcia. W związku ze swoją chorobą monarcha unikał chłodnego klimatu (po odbyciu koronacji w 1370 r. więcej do Polski nie przybył), poszukiwał nadto dobrych lekarzy za granicą. Za radą króla francuskiego od 1376 r. leczył go Polak Jan Radlica, wybitny medyk, wykształcony na uniwersytetach w Montpellier i Paryżu. Nie uratował on władcy przed śmiercią, ale z pewnością przedłużył mu życie. Otrzymał za to od króla w 1382 r. biskupstwo krakowskie.

W listopadzie 1382 r. odbył się w Radomsku zjazd przedstawicieli Wielkopolski i Małopolski. Podjęto tam postanowienie oddania tronu polskiego tej córce Ludwika, która przebywałaby stale w Polsce. Pamięć rządów regencyjnych pod nieobecność króla była świeża i skłaniała możnowładców do takiego rozwiązania. Zygmunt Luksemburski, pozbawiony oparcia, nie został nawet wpuszczony do Krakowa i wyjechał z Polski. Pertraktacje w sprawie następstwa po Ludwiku na tronie krakowskim przybrały na sile. Posłowie węgierscy przebywający w Polsce w lutym 1383 r. podczas zjazdu sieradzkiego zapowiedzieli szybki przyjazd do kraju najmłodszej córki Ludwika, Jadwigi, która stała się teraz główną kandydatką do polskiego tronu.

Sytuacja wewnętrzna w kraju w czasie bezkrólewia stawała się coraz bardziej skomplikowana. W Wielkopolsce doszło do zamieszek wewnętrznych spowodowanych wojną dwóch potężnych rodów, Grzymalitów i Nałęczów. W tym samym czasie z pretensjami do korony polskiej wystąpił książę mazowiecki Siemowit IV, który planował nawet potajemnie uprowadzić Jadwigę, aby zawrzeć z nią małżeństwo. Zamiar nie powiódł się, jako że Jadwiga nie przybyła w planowanym terminie do Krakowa. W tej sytuacji dumny książę podjął działania wojenne. Po opanowaniu Kujaw został nawet obwołany królem przez garstkę popleczników, jednakże akt ten nie miał większego znaczenia. Ostatecznie Siemowit IV został pokonany na Mazowszu przez połączone siły Małopolan i Węgrów i w październiku 1383 r. zmuszony był zawrzeć ugodę.

Podczas kolejnego zjazdu w Radomsku, 2 III 1384 r., zniecierpliwieni reprezentanci możnowładztwa małopolskiego i wielkopolskiego wyznaczyli węgierskiej królowej wdowie, Elżbiecie Bośniaczce, kolejny termin przysłania Jadwigi do Polski na maj 1384 r. W razie jego niedotrzymania grozili zerwaniem dotychczasowych układów i wybraniem własnego kandydata do korony. Podjęto też wówczas postanowienia mające na celu zapewnienie bezpieczeństwa w kraju wobec przedłużającego się bezkrólewia. Zanim Elżbieta Bośniaczka zdecydowała się przysłać Jadwigę do Krakowa, podjęła jeszcze jedną próbę osadzenia w Polsce Zygmunta Luksemburskiego jako gubernatora. Plan się nie powiódł, a Zygmunt nie został wpuszczony do Polski. Jesienią 1384 r. najmłodsza córka zmarłego króla Ludwika, Jadwiga, przybyła do Krakowa, gdzie – za sprawą bliskiego pokrewieństwa z ostatnim Piastem uznana za przyrodzoną panią Królestwa – 16 X została ukoronowana na króla Polski. Zakończyło się w ten sposób trwające ponad 2 lata bezkrólewie.

▲ OBRONNA WIEŻA MIESZKALNA W GOŁAŃCZY, wzniesiona zapewne niedługo przed 1383 r. przez ród Pałuków, jest typowym przykładem prywatnego zamku tego czasu. W latach 60. XV w. Gołańcz przeszła w ręce Grudzińskich, którzy rozbudowali założenie: dodali mur obwodowy, bramę wjazdową, cylindryczną wieżę narożną i piętrowy budynek mieszkalny. Zapewne nie przypadkiem data powstania zamku przypada na czas niepokojów w Wielkopolsce i osłabienia władzy centralnej.

FOT. RS

PIECZĘĆ Z HERBEM GRZYMAŁA ► przedstawiającym mur z trzema wieżami (każda o trzech blankach) i otwartą bramą. Analogicznym herbem posługiwał się śląski ród panów z Pogorzeli, z którego pochodził m.in. biskup wrocławski Przecław; trudno jednak ustalić, czy oba rody miały wspólnego przodka. Grzymalici doszli do potęgi za panowania Kazimierza Wielkiego, a pierwszym, który zrobił urzędniczą karierę, był Jarosław z Iwna, kasztelan (1334–1339), a następnie wojewoda (1340–1343) poznański.

PRZY DOKUMENCIE Z 2 V 1399, AP KRAKÓW, FOT. MM

SZPILA Z GŁOWĄ KRÓLA ► była tylko ozdobą, czy też polityczną manifestacją?

PŁOCK, 2 POŁ. XIV–POCZ. XV W., PSOZ O/PŁOCK ZBA, FOT. MM

Nałęcze kontra Grzymalici

Niepokoje związane z bezkrólewiem po śmierci Ludwika Węgierskiego najgwałtowniej przebiegały w Wielkopolsce. Licznych zwolenników miał tam książę mazowiecki Siemowit IV, ale miejscowy starosta Domarat z Pierzchna mocno wspierał kandydaturę Zygmunta Luksemburskiego, męża starszej córki Ludwika, Marii. Za Domaratem stanęli tylko jego krewni z rodu Grzymałów. Zdecydowana większość szlachty sympatyzowała ze stronnictwem „ziemian" czy „ziomków", które – pod wodzą kasztelana nakielskiego Sędziwoja Świdwy z Szamotuł (z rodu Nałęczów) i wojewody poznańskiego Wincentego z Kępy (z rodu Doliwów) – nie miało jednak wyrazistego programu, a spojone było głównie niechęcią do Domarata. Połączenie zebranych pod Pyzdrami „ziemian" z siłami zwolenników Siemowita w styczniu 1383 r. stało się sygnałem do otwartej walki ze znienawidzonym starostą. Ten zamknął się w zamkach i wypadami łupił dobra przeciwników, oni zaś pustoszyli majątki Grzymałów. Walki, niezbyt ściśle nazywane „wojną Nałęczów z Grzymalitami" (po stronie ziemian stali wszak nie tylko Nałęcze), trwały wiele miesięcy i z czasem zatraciły wszelką przejrzystość: ponad politycznymi podziałami stanęły zwykłe waśnie rodzinne i sąsiedzkie, a każdy bił się z każdym. Pacyfikacja przyszła dopiero po objęciu rządów przez Władysława Jagiełłę.

NIEBO, PIEKŁO I CZYŚCIEC

Podstawowym elementem średniowiecznego nauczania chrześcijańskiego była perspektywa zbawienia, czekającego wiernych przestrzegających nakazów Kościoła. Spowiednicy przypominali, że dostąpią go nawet grzesznicy, jeśli wyrażą skruchę za swoje grzechy w godzinie śmierci. Nagroda pośmiertna miała zrekompensować niedostatki życia doczesnego. Wiązała się ze stałym obcowaniem z Bogiem i zapewniała zbawionym uczucie szczęścia, dostatku i sytości. Wyobrażenia nieba i raju, apokaliptyczna wizja Jeruzalem, odwoływały się do mentalności człowieka średniowiecza, stąd były synonimem bezpieczeństwa, piękna i bogactwa.

Kościół stale przypominał jednak o wiecznej karze czekającej nieprzejednanych grzeszników. Wizja piekła odwoływała się do pojęcia nieustających cierpień. Męki piekielne przedstawiano jako okrutne tortury z przeróżnymi karami cielesnymi oraz stałe, nieprzezwyciężone pragnienie, głód, zimno i skwar.

Trudne do zaakceptowania przez wiernych pojęcia nieprzemijalności kary i nieodwołalności wyroku wiecznego potępienia spowodowały konieczność wprowadzenia do nauki Kościoła wizji miejsca dla grzeszników z lżejszymi przewinieniami, która by im dawała nadzieję na zbawienie. Dlatego szczelnie zamknięte piekło zaczęto odróżniać od czyśćca – miejsca kary przemijającej, z którego uwolnienie przynieść mogły modlitwy, msze i donacje żywych. W późnym średniowieczu wizja czyśćca była już utrwalona w nauce Kościoła, jednakże odwoływano się do niej rzadko i ukazywano najczęściej jako miejsce zbliżone do piekła, ale z cierpieniami przejściowymi.

Człowiek średniowiecza wyobrażał sobie karę i nagrodę za życie doczesne na podstawie tego, co znał z doświadczeń ziemskich. Duszę postrzegano zatem jako niewielkie ciało, śmierć jako kostuchę z kosą, a niebo, piekło i czyściec kojarzono odpowiednio z radością, lękiem i bólem. Kościół późnego średniowiecza dawał wiernym wiele nadziei na zbawienie; w tekstach popularni święci patroni oraz Matka Boża i Chrystus, jako pośrednicy między Bogiem a ludźmi, nierzadko w ostatniej chwili pomagali grzesznikom uniknąć mąk piekielnych, dając im jeszcze jedną szansę na pokutę.

Wszystko to sprawiło, że w XIV i XV w. wzrosła indywidualna troska o zbawienie swoje i swoich bliskich. Jej przejawem były mnożące się nadania na rzecz Kościoła, fundacje ołtarzy i kaplic, mszy wotywnych i anniwersarzy, rozpowszechnienie praktyki spisywania testamentów, wzrost indywidualnej pobożności, kult relikwii oraz duża popularność pielgrzymek.

DUSZA OPUSZCZA CIAŁO ▲
w obecności Boga, Chrystusa Bolesnego, Matki Boskiej, anioła i szatana. Na podstawie wrażeń zmysłowych i estetycznych znanych z życia doczesnego duszę ludzką wyobrażano sobie jako niewielkie ciało.
MSZAŁ KATEDRY KRAKOWSKIEJ, WARSZTAT KRAKOWSKI, OK. 1440–1450, AKM KRAKÓW, FOT. SM

◄ CHRYSTUS ZSTĘPUJE W OTCHŁAŃ
– w tej biblijnej wizji wyswobodzenia przez Chrystusa dusz proroków starotestamentowych oraz Adama i Ewy akcentowano zniszczenie przez Niego wrót piekielnych. Piekło kojarzyło się bowiem z miejscem szczelnie zamkniętym, z którego nie było wyjścia.
GRADUAŁ „DE TEMPORE", PELPLIN, 2 POŁ. XIV W., BSD PELPLIN, FOT. PC

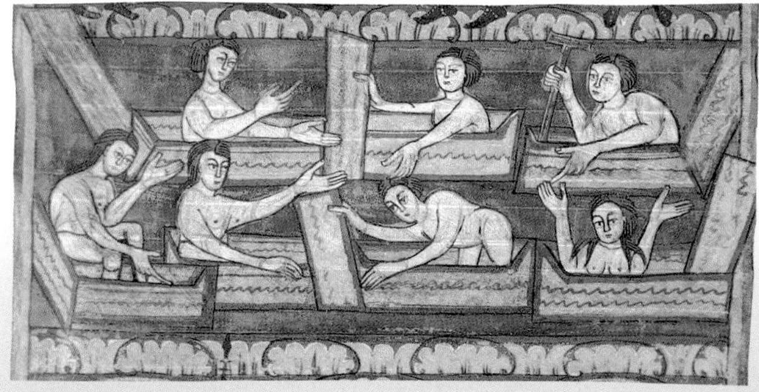

▲ CMENTARZ
był miejscem pochówku dla ogółu wiernych, w przeciwieństwie do klasztorów i kościołów, przeznaczonych dla duchownych oraz zasłużonych laików (władców, fundatorów i najważniejszych donatorów).
„ZŁOTY KODEKS GNIEŹNIEŃSKI", BAWARIA, NIEMCY, 2 POŁ. XI W., AA GNIEZNO, FOT. RS

◄▼ WIZJA SĄDU OSTATECZNEGO

w wyobraźni ludzi średniowiecza: Chrystus Sędzia, z mieczami w ustach (symbolizującymi Słowo Boże) i Baranek Boży z ewangelistami. Zmarli powstają na głos trąb anielskich, po prawicy zbawieni, po lewicy potępieńcy. Modnie ubrane Panny Głupie przedstawione są w asyście diabłów, Mądre – aniołów.

FRESKI Z KAPLICY PRZY KAPITULARZU KLASZTORU CYSTERSÓW W LĄDZIE, LATA 60. XIV W., FOT. MM

▼ SYMBOL BRAMY,

często wykorzystywany w sztuce sepulkralnej, miał ukazać granicę między życiem doczesnym a wiecznością. Rozpięta nad zmarłym arkada to czytelny znak przejścia w świat pozagrobowy i odwołanie się do słów Chrystusa: „Ja jestem bramą. Jeśli ktoś wejdzie przeze mnie, będzie zbawiony".

PŁYTA NAGROBNA BISKUPA URIELA GÓRKI, WARSZTAT VISCHERÓW, NORYMBERGA, NIEMCY, OK. 1496, KATEDRA W POZNANIU, FOT. MM

◄ ŚMIERĆ

przedstawiano jako przerażającą postać z kosą w ręku; jej potędze ulegają wszyscy bez względu na urodzenie, stan czy majątek.

KAFEL PIECOWY, GNIEZNO, OK. 1490–1495, MPPP GNIEZNO, FOT. JSIECZ

▼ PIEKŁO,

widziane zgodnie z przekazem apokaliptycznym jako jezioro ognia, do którego zostali wrzuceni grzesznicy. Szatan z Antychrystem to antyteza Madonny z Dzieciątkiem.

GRADUAŁ BOLESŁAWA MAZOWIECKIEGO, PŁOCK, XIII–XIV W., FKCZART KRAKÓW, FOT. MS

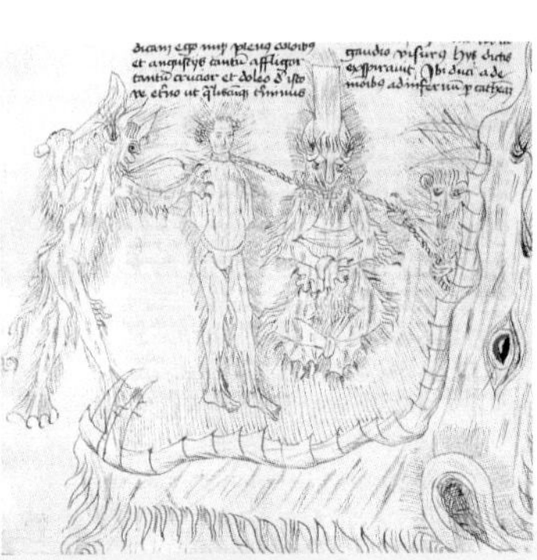

▲ MĘKI PIEKIELNE

wyobrażano sobie jako kary stosowane przez doczesny aparat wymiaru sprawiedliwości, a więc: chłostę, krępowanie kajdanami lub sznurami, wrzucanie do ognia, topienie, strącanie w przepaść czy tortury.

ULRICH MEINHAMMER, „O PIEKLE", WIELKOPOLSKA?, 1426–1427, AA GNIEZNO, FOT. MBRON

UNIA Z LITWĄ

Zawarcie unii polsko--litewskiej prowadziło do schrystianizowania Litwy i podważało sens istnienia państwa krzyżackiego

▲ ZAPINKI TARCZOWATE I PODKOWIASTE
były typowymi ozdobami Bałtów. Wykonywano je najczęściej z brązu, rzadziej ze srebra. Końce zapinek podkowiastych zdobiono guzami lub stylizowanymi głowami zwierząt.
XIII–XIV W.; BRĄZ, KIERNÓW, LITWA, KVAIRM KERNAVĖ, FOT. ABAL; SREBRO, ŠVENTÝBRASTIS, LITWA, PMA WARSZAWA, FOT. BT

▼ BROŃ ZACZEPNA
używana przez Litwinów była bardzo zróżnicowana. Większość wojowników posługiwała się łukami, toporami lub buławami. Znacznie rzadziej używano mieczy, które od zachodnioeuropejskich różniły się tylko pochwami, zdobionymi charakterystycznymi okładzinami z poroża.
TOPÓR; OKŁADZINA POCHWY MIECZA; BUŁAWA (TRZONEK REKONSTRUOWANY); KIERNÓW, LITWA; XIII–XIV W.; KVAIRM KERNAVĖ; FOT. ABAL

Giedyminowicze

Założycielem dynastii był panujący pod koniec XIII w. Pukuwer, ale jej nazwa pochodzi od jednego z najwybitniejszych przedstawicieli, jego syna Giedymina (panował w latach 1316–1341). Początki rodu nie są jasne. Przyjmuje się, że Giedyminowicze pochodzili z Auksztoty, a ich włości znajdowały się na obszarze dawnej domeny Mendoga, twórcy państwa litewskiego (czyli na obszarze między rzekami Niemen i Neris). W monarchii patrymonialnej, jaką stanowiło Wielkie Księstwo Litewskie, rola dynastii, zakresu władzy księcia zwierzchniego oraz stosunków panujących między członkami dynastii była dominująca. Władza wielkoksiążęca była dziedziczna, a o obsadzie tronu decydowała desygnacja następcy przez panującego.

Imponujący był rozrost rodu Giedyminowiczów. Pukuwer miał czterech (może pięciu) synów, jego młodszy syn Giedymin, który objął rządy po bracie Witenesie, miał synów siedmiu lub nawet ośmiu i ponad trzydziestu wnuków. W połowie XIV w. działało na Litwie około czterdziestu Giedyminowiczów. Wielu spośród nich to wybitne jednostki, jak choćby Witenes, Giedymin oraz jego synowie Olgierd i Kiejstut czy wnukowie: Jagiełło, Skirgiełło i Witold.

Początki Litwy

W pierwszej połowie XIV w. sąsiadujące z Polską rozległe i o dużym potencjale militarnym państwo litewskie zyskało znaczącą pozycję w Europie Środkowowschodniej. Postępującemu od XIII w. procesowi scalania pod jedną władzą plemion litewskich towarzyszył duży wysiłek militarny, skierowany przeciwko ziemiom ruskim, łotewskim i polskim. Z walk kniaziów-wodzów o prymat zwycięsko wyszedł w połowie XIII w. Mendog, słusznie uważany za twórcę państwa. I choć po jego zabójstwie (w 1263 r.) doszło do krwawych starć między pretendentami do władzy, konsolidacja plemion litewskich była na tyle zaawansowana, że samo państwo przetrwało kryzys. Jeden z następców Mendoga, książę Trojden, ugruntował pozycję księcia zwierzchniego, zaś władcy z dynastii Giedyminowiczów umocnili budowę wewnętrzną Litwy i wytyczyli nowe kierunki ekspansji na Rusi.

Tymczasem od strony zachodniej nasilał się napór Krzyżaków, którzy dążyli do opanowania Żmudzi, stanowiącej wraz z Auksztotą (czyli Litwą właściwą) macierzyste ziemie plemion litewskich. Rozciągająca się aż po brzegi Bałtyku Żmudź rozdzielała dwie gałęzie zakonu krzyżackiego: pruską i inflancką. Powstrzymywanie rejz krzyżackich oraz powiększanie zdobyczy na Rusi wymagało odpowiedniej siły militarnej i ekonomicznej państwa, a także zręcznej dyplomacji ze strony litewskich władców. W pierwszej połowie XIV w., za panowania Giedymina, w krótkim czasie południowa granica państwa przesunęła się ku środkowemu Dnieprowi. Władca ten ponadto podporządkował Połock, uzależnił Witebsk i przejściowo Smoleńsk, a także przyłączył Podlasie. Sukcesom litewskim sprzyjało rozdrobnienie polityczne oraz niepopularność na Rusi zwierzchnictwa tatarskiego. Dlatego też wielcy książęta litewscy na drodze w dużym stopniu pokojowej opanowywali nowe ziemie. Kniaziowie, których osadzali na zdobytych ziemiach ruskich, powierzając im zarząd terytorialny, zachowywali miejscowe prawo, żenili się z Rusinkami, przyjmowali prawosławie. Aby nie dopuścić do zatracenia litewskiej tożsamości zdobywców w przytłaczającej masie Rusinów, wielki książę, który rozporządzał terytorium całego państwa wedle swej woli, wyznaczał krewniakom dzielnice na Rusi, ale na swojego następcę na tronie hospodarskim (zwierzchnim) desygnował tylko tego syna, który trwał przy pogańskiej wierze przodków. Wskazanie następcy przesądzało tak naprawdę o obsadzie tronu wielkoksiążęcego, nie zdarzyło się bowiem, by wybór elekcyjny nie potwierdził desygnacji.

Granice ekspansji

Wobec konieczności równoczesnego angażowania się w sprawy Rusi i walkę z najazdami krzyżackimi syn Giedymina, Olgierd, podzielił się z bratem Kiejstutem, księciem trockim, obowiązkami, zachowując jednak pozycję nadrzędną w państwie. Olgierd koncentrował się na polityce wschodniej, dążąc do realizacji celu wyrażonego powiedzeniem „cała Ruś winna należeć do Litwy". Zajął Briańsk, utrwalił panowanie nad ziemiami czernihowsko-siewierską i kijowską oraz Wołyniem. Kiejstut zaś wziął na siebie obronę państwa przed ekspansją Krzyżaków. Jednak nie udało mu się wprowadzić w życie programu politycznego, w myśl którego w skład państwa powinny wejść ziemie plemion bałtyjskich (Jaćwingów, Prusów, Łotyszów) znajdujące się pod władzą zakonu.

Był on niemożliwy do wykonania, gdyż w walce z Krzyżakami w XIV w. Litwa znajdowała się w defensywie. Na dziewięćdziesiąt sześć rejz krzyżackich (w latach 1345–1382) Litwini byli w stanie zrewanżować się tylko czterdzieści dwa razy. Zakon w dodatku, który przedstawiał swe akcje jako działania podejmowane w celu schrystianizowania ostatniego bastionu pogaństwa w Europie, mógł liczyć na pełne poparcie rycerstwa zachodnioeuropejskiego oraz papiestwa. Wielcy książęta starali się w różny sposób przeciwdziałać najazdom krzyżackim. Niezbyt udane okazały się próby zbliżenia z rywalizującym z zakonem na terenie Inflant arcybiskupem ryskim oraz z książętami mazowieckimi (służyły temu mazowieckie mariaże Giedyminówien). Przymierze zawarte w 1325 r. z Władysławem Łokietkiem wkrótce się rozpadło. Naporu Krzyżaków nie powstrzymały też składane sporadycznie oferty gotowości przyjęcia chrztu. Wszystkie te działania nie były w stanie rozwiązać problemu.

To, co stanowiło o sile i potędze państwa litewskiego, szybko mogło się przeciwko niemu obrócić. Militarna struktura państwa i społeczeństwa wymagała ciągłego prowadzenia wojen, co sprawiło, że obszar państwa znacznie się powiększył. Dzięki temu wzrósł prestiż wielkich książąt, a litewscy bojarzy zyskali nowe, znaczne tereny w użytkowanie. Nasilały się jednak trudności zewnętrzne: wzrosła liczba najazdów krzyżackich na etniczne ziemie litewskie, Polska włączyła się do walki o zachodnie ziemie ruskie, a na Rusi umocniły się wpływy polityczne książąt moskiewskich.

Pogłębiały się również trudności wewnętrzne, które w znacznym stopniu wynikały z rywalizacji przedstawicieli rozrodzonej dynastii Giedyminowi-

▲ KIERNÓW
powstał w XIII w. i mógł stanowić jedną z rezydencji Mendoga. Wedle tradycji tu właśnie Witenes został wybrany na wielkiego księcia, tu też początkowo rezydował jego syn, Giedymin. Następnie Kiernów pełnił rolę stolicy dzielnicy Monwida (syna Giedymina) i Wigunta (brata Jagiełły). Po zniszczeniu w 1365 r. przez Krzyżaków został odbudowany, ale nie powrócił już do dawnej świetności. Podczas kolejnej wyprawy krzyżackiej w 1390 r. mieszkańcy sami spalili Kiernów i wycofali się w stronę Wilna. Później powstała tu wieś, a następnie miasteczko.
BADANIA DOLNEGO MIASTA W 1993; REKONSTRUKCJA KIERNOWA W XIII–XIV W. – WG A. LUCHTANASA I J. SAZONOVASA, KVAIRM KERNAVĖ; FOT. GGR

▲► XIV-WIECZNE CERKWIE
Na podbitych ziemiach ruskich Litwini stanowili mniejszość, więc musieli okazywać tolerancję wobec wiary swoich poddanych. Książęta osadzani na ruskich dzielnicach fundowali cerkwie i ich wyposażenie, a czasami nawet sami przechodzili na prawosławie.
CERKIEW BŁAGOWIESZCZAŃSKA – WITEBSK, BIAŁORUŚ; CERKIEW ZBAWICIELA – POŁOCK, BIAŁORUŚ; FOT. PJAM

KONTAKTY HANDLOWE KIERNOWA ►
były bardzo rozległe. Powstanie państwa pozwoliło najważniejszym litewskim ośrodkom miejskim przejąć od przechodzących kryzys miast północnoruskich kontakty handlowe z Europą Zachodnią.
KIERNÓW, LITWA; PLOMBA KUPIECKA Z HERBEM WENECJI – XIII–XIV W., KVAIRM KERNAVĖ, FOT. ABAL; TZW. PERKUNAS (FAKTYCZNIE FRAGMENT KANDELABRA, IMPORTU Z HILDESHEIM, NIEMCY) – 1 POŁ. XIII W., LNM VILNIUS

Krwawa przysięga

W pogańskim państwie, jakim była Litwa, zawarcie ugody (także pokoju) było połączone z obrzędem „rozlania krwi", tzw. krwawą przysięgą. Najpełniejszy opis tego zwyczaju odnosi się do zaprzysiężenia przez księcia Kiejstuta pokoju z Węgrami i Polską w 1351 r. Nakazał on przyprowadzić wołu, po czym naciął żyły na jego karku. Gdy trysnęła krew, co stanowiło pomyślną wróżbę, odciął zwierzęciu łeb. Na koniec przechodził trzykrotnie między leżącymi na ziemi częściami ciała zwierzęcia ofiarnego, wypowiadając przy tym słowa przysięgi. Ceremonia ta, w oczach chrześcijan bardzo egzotyczna, dla Litwinów stanowiła nieodzowne połączenie obyczaju dyplomatycznego z religijnym. Taki przebieg obrzędu zrelacjonowało niezależnie od siebie dwóch kronikarzy – można zatem mieć zaufanie do rzetelności ich opisu. Jest tylko jedna wątpliwość: następnego dnia po złożeniu przysięgi Kiejstut potajemnie zbiegł z obozu Ludwika Andegaweńskiego, co by sugerowało, iż nie miał zamiaru dotrzymać warunków dopiero co zawartej umowy. Czy wobec tego dokonał obrzędu zaprzysiężenia zgodnie z wszelkimi jego zasadami?

▲ ZAMEK GÓRNY W WILNIE
został, według tradycji, założony przez Giedymina. Około połowy XIV w. powstał tu zamek murowany, który kilkakrotnie zwycięsko stawił czoło oblężeniom krzyżackim. Najazdom tym nie oparły się chronione drewnianymi umocnieniami Kiernów oraz wileński Krzywy Gród. Od XV w. Zamek Górny pełnił rolę cytadeli, a rezydencja wielkiego księcia mieściła się w Zamku Dolnym.
FOT. PC; PJAM

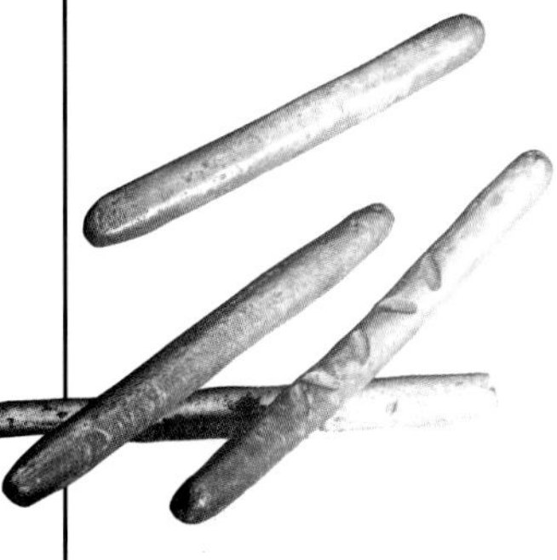

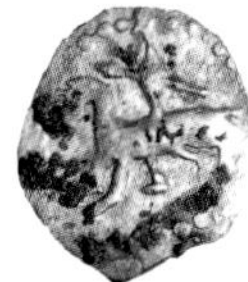

▲ PIENIĄDZ LITEWSKI
początkowo miał formę srebrnych grzywien (tzw. paluszkowych), dopiero po 1387 r. wielcy książęta litewscy zaczęli bić własne monety.
GRZYWNY SREBRNE; MONETY WITOLDA: AWERS – GROT WŁÓCZNI I KRZYŻ, REWERS – NAPIS RUSKI ПЕЧАТ (PIECZĘĆ), KON. XIV W.; AWERS – KOLUMNY GIEDYMINA Z GOTYCKĄ LITERĄ A, REWERS – HERB POGOŃ, POCZ. XV W.; MONETY JAGIEŁŁY: AWERS – JEŹDZIEC, REWERS – PODWÓJNY KRZYŻ; KIERNÓW, LITWA; KVAIRM KERNAVĚ; FOT. DVA

Ucieczka Kiejstuta

Książę na Trokach Kiejstut, brat i najbliższy współpracownik Olgierda, zdobył sławę jako nie tylko niezłomny obrońca Litwy przed Krzyżakami, ale i pełen bohaterstwa i dzielności rycerz. Jego odwagę i śmiałość docenił krzyżacki kronikarz Wigand z Marburga – opisał m.in. brawurową ucieczkę księcia z niewoli u braci zakonnych. Zdarzyło się to w 1361 r.
Podczas jednego z wypadów Litwinów na ziemie krzyżackie Kiejstut wpadł w zasadzkę w okolicy dzisiejszego Giżycka. Kiedy w Malborku cieszono się na wieść o schwytaniu najcenniejszego jeńca, ten już przygotowywał plan ucieczki. Przetrzymywanemu w jakiejś izbie malborskiego zamku udało się zrobić otwór w murze, przez który przecisnął się na zewnątrz. Mimo niemłodego wieku zszedł po gzymsie i skrył się w pobliskim rowie, gdzie wierny sługa czekał już z zakonnym płaszczem. Przebrany za Krzyżaka, na skradzionych koniach, pod osłoną nocy ruszył przed siebie. Gdy drogę zastąpił mu rycerz zakonny, Kiejstut pozdrowił go śmiało, po czym wjechał do lasu. Krótko ukrywał się na bagnach w pobliżu Elbląga, a potem nocami, już pieszo, przedzierał się ku granicy państwa zakonnego z Mazowszem. Udało mu się w końcu szczęśliwie dotrzeć do siostry, Elżbiety, wdowy po księciu płockim Wacławie. Gdy odpoczął po trudach karkołomnej ucieczki, powrócił na Litwę i wznowił walki z Krzyżakami.

czów dążących do rozszerzenia swego stanu posiadania bądź nawet do usamodzielnienia się. Dynastia i władza wielkoksiążęca były czynnikami scalającymi poszczególne ziemie wchodzące w skład Wielkiego Księstwa, jednak zwyczaj zaopatrywania wszystkich członków rodu panującego w księstwa-dzielnice, zwłaszcza na odmiennej kulturowo Rusi, podważał wewnętrzną spoistość państwa. Taki system zarządzania funkcjonował sprawnie, gdy poszczególni przedstawiciele dynastii harmonijnie współpracowali z władcą zwierzchnim. Jednak w wypadku pojawienia się książąt malkontentów natychmiast dochodziło do naruszenia tej równowagi, a to groziło poważnym kryzysem.

Jagiełło

W 1377 r. po śmierci Olgierda na tron wielkoksiążęcy wstąpił jeden z jego młodszych synów, Jagiełło. Nowego władcę wspierał początkowo stryj, stary i doświadczony książę trocki Kiejstut. Jednak rozbieżności między nimi w kwestii stosunku do zakonu krzyżackiego doprowadziły do załamania się współpracy. Aby mieć swobodę działania we wschodniej Rusi, Jagiełło był gotów chronić Litwę przed atakami Krzyżaków nawet kosztem Żmudzi. Zawarł więc z nimi układ, którego Kiejstut nie zaaprobował. Stryj zaatakował bratanka, a w 1381 r. objął nawet na krótko władzę wielkoksiążęcą. W roku następnym Jagiełło odzyskał tron, a Kiejstut został zamordowany. Wojna domowa z lat 1381–1382 poważnie nadszarpnęła autorytet i siłę wielkiego księcia. Uwidocznił to kolejny układ z zakonem, na mocy którego Jagiełło zobowiązał się przyjąć chrzest i odstąpić połowę Żmudzi w zamian za 4-letni rozejm. Do realizacji uzgodnień nie doszło, albowiem zbiegły syn zamordowanego Kiejstuta, Witold, uzyskał zbrojną pomoc Krzyżaków w walce o Troki, które chciał przejąć jako spadek po ojcu. Jednak niszcząca wyprawa z 1383 r. nie przyniosła oczekiwanego rezultatu, mimo że Krzyżacy zajęli Kowno i Troki oraz podeszli pod Wilno – zdobyć go jednak nie zdołali. W tej sytuacji książę Witold po raz kolejny zmienił front i w zamian za dzielnicę grodzieńską i Podlasie przeszedł na stronę Jagiełły.

W toku tych walk uwidoczniło się osamotnienie wielkiego księcia litewskiego, izolowanego na arenie międzynarodowej i zależnego od poparcia dzielnicowych kniaziów. Kluczem do wzmocnienia jego pozycji, a więc także utrzymania kontroli nad wszystkimi ziemiami Wielkiego Księstwa, było znalezienie oparcia poza państwem litewskim. Początkowo w Wilnie myślano o przymierzu z Moskwą –

planowano małżeństwo Jagiełły z córką księcia moskiewskiego Dymitra Dońskiego i przyjęcie prawosławia na Litwie. Ostatecznie zdecydowano się na korzystniejsze z punktu widzenia interesu litewskiego układy z Królestwem Polskim.

Geneza unii w Krewie

Główną przyczyną ówczesnego zbliżenia Litwy do Polski było zagrożenie, jakie niosło państwu litewskiemu sąsiedztwo potężnego zakonu krzyżackiego. Dążył on do połączenia Prus z państwem inflanckim przez zajęcie należącej do Litwy Żmudzi. Innym powodem ekspansji krzyżackiej na Litwę była chęć chrystianizacji pogańskich jeszcze Litwinów i Żmudzinów. W tym samym czasie myśl połączenia Polski i Litwy dojrzewała w umysłach panów małopolskich (m.in. Tarnowskich, Melsztyńskich, Kurozwęckich), decydujących o polityce zagranicznej Królestwa Polskiego. Wybór Jagiełły na męża dla młodziutkiej Jadwigi zapewniał Polsce definitywne przyłączenie Rusi Czerwonej i dawał perspektywę na dalsze nabytki na Rusi. Prowadził też do korzystnego (choćby z punktu widzenia interesów polskich na Mazowszu oraz wobec zagrożenia rosnącą potęgą Luksemburgów) sojuszu z Litwą i pozwalał na schrystianizowanie ziem litewskich przez Kościół polski. Litwa z kolei zyskiwała potężnego sojusznika, a jej chrystianizacja wytrącała z rąk zakonu krzyżackiego główny argument na rzecz dalszej ekspansji.

Trudno ustalić, od kogo wyszła inicjatywa nawiązania kontaktów pomiędzy Litwą i Polską. Uważa się, że pierwszym sygnałem do wzajemnego zbliżenia był przywilej udzielony przez Jagiełłę kupcom lubelskim w Wilnie w 1383 r. Faktycznie jednak dopiero koronacja Jadwigi na króla Polski w październiku 1384 r. mogła przyczynić się do nadania wspólnym planom realnych kształtów. Podczas uroczystości koronacyjnych Jadwigi przebywali w Krakowie posłowie litewscy. W styczniu 1385 r. zjawiło się w Krakowie wielkie poselstwo litewskie ze Skirgiełłą, bratem Jagiełły, na czele, które zwróciło się z oficjalną prośbą o rękę Jadwigi. W wyniku przeprowadzonych wówczas rozmów ustalono, że Jagiełło wraz z całą rodziną przyjmie chrzest, doprowadzi do schrystianizowania Litwy i przyłączy ją do Polski.

Mariaż Jadwigi z księciem litewskim oznaczał zerwanie jej zaręczyn z księciem austriackim Wilhelmem Habsburgiem, na co musiała wyrazić zgodę matka Jadwigi, Elżbieta Bośniaczka. Królowa wdowa nie czyniła jednak przeszkód, zdając się w tej mierze na opinię córki i panów małopolskich.

▲► ZABYTKI ZE SKÓRY I DREWNA zachowały się na terenie nieufortyfikowanego dolnego miasta kiernowskiego w dolinie Pojaty. Zamieszkiwali je głównie rzemieślnicy – odkryto tu m.in. warsztat rogowniczy. Na obszarze 11 ha oprócz targu znajdowało się około stu zagród, ogrodzonych palisadami lub solidnymi płotami z grubych desek sosnowych.

XIII–XIV W., KVAIRM KERNAVĖ, FOT. ABAL

▲▼ ZAMKI EUROPY PÓŁNOCNO-WSCHODNIEJ miały najczęściej regularny kształt. Decydujący wpływ na budownictwo obronne tego obszaru (szczególnie Mazowsza i Litwy) wywarł model zamku krzyżackiego: z dwiema wieżami narożnymi wysuniętymi przed lico murów i flankującymi wjazd oraz z domem mieszkalnym położonym po przeciwnej stronie.

NIDZICA, OK. 1370–1400, FOT. WS; CIECHANÓW, OK. 1420–1430, FOT. MCIU; TROKI, LITWA, KON. XIV–POCZ. XV W., FOT. PC

Wilhelm i Jadwiga

W 1378 r. 8-letni Wilhelm Habsburg i 4-letnia Jadwiga Andegaweńska zostali z woli rodziców połączeni specyficzną, uznawaną przez Kościół formą małżeństwa *in futuro*. Aby stało się ważne, musiało ono zostać dopełnione fizycznie (za obopólną zgodą i już bez ponowienia ceremonii zaślubin) po uzyskaniu przez zainteresowanych wieku sprawnego, czyli 14 lat w wypadku mężczyzny i 12 – kobiety. W wyjątkowych sytuacjach prawo kościelne dopuszczało przyspieszenie tego aktu o 6 miesięcy. W wypadku Jadwigi taki najwcześniejszy termin przypadał na sierpień 1385 r. Wtedy właśnie, gdy w Krewie finalizowano unię polsko-litewską, zrywającą jego niedopełnione małżeństwo z Jadwigą, przybył do Krakowa Wilhelm. Jednakże zainteresowani mariażem Jadwigi z Jagiełłą panowie małopolscy nie wpuścili go na wawelski zamek. Według piszącego 70 lat później Jana Długosza Jadwiga pragnęła dopełnienia małżeństwa z Wilhelmem i gdy została zamknięta w komnatach królewskich, posunęła się nawet do próby wyrąbania drzwi siekierą. Jest to raczej tylko plotka. Przed ślubem z Jagiełłą Jadwiga złożyła w obliczu Kościoła przysięgę o swojej czystości.

◄ SALA JADWIGI I JAGIEŁŁY na Wawelu powstała w wyniku przebudowy chodnika prowadzącego do wieży wodnej. Po skróceniu chodnika dobudowano nad nim mieszkalny wykusz o trójbocznym zamknięciu przypominającym kaplicę. Datację tej przebudowy umożliwiają herby Jagiellonów i Andegawenów umieszczone na zwornikach.

1385–1399, ZKW KRAKÓW, FOT. SM

▼ AKT UNII KREWSKIEJ został wystawiony przez Jagiełłę 14 VIII 1385 r. w Krakowie. Brak pieczęci oraz fakt złożenia aktu nie w archiwum koronnym, lecz w archiwum kapituły katedralnej, budziły niekiedy zastrzeżenia co do jego autentyczności. Zgłaszali je przede wszystkim badacze litewscy, kwestionujący zobowiązanie Jagiełły do włączenia Litwy do Królestwa Polskiego. Ponieważ jednak treść i forma tego dokumentu są wiarygodne, jest on niewątpliwie autentyczny.

AKM KRAKÓW, FOT. SM

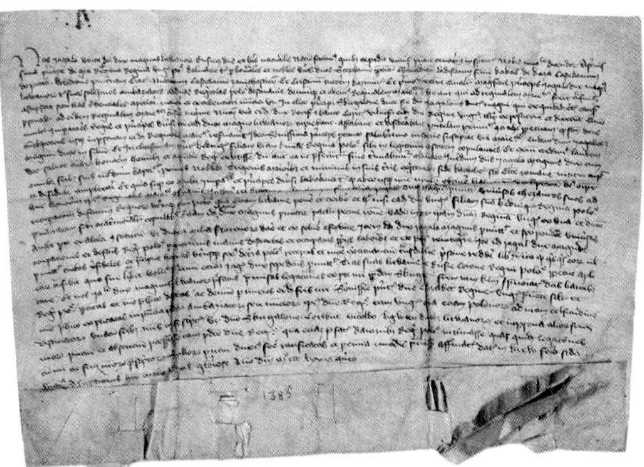

◄ PIECZĘĆ JANUSZA STARSZEGO, księcia wyszogrodzkiego, ciechanowskiego, zakroczymskiego, czerskiego i warszawskiego, używana w latach 1379–1429, jest niemal dokładnym powtórzeniem poprzedniej, z lat 1374–1379. Zmiana tłoka pieczętnego była konieczna po przekazaniu przez Janusza ziemi wiskiej bratu, Siemowitowi IV. Książę został ukazany w pełnej zbroi płytowej (jest to jedno z najstarszych jej przedstawień na ziemiach polskich), w otwartym hełmie typu łebka, w prawej ręce dzierży miecz, w lewej – tarczę z orłem.

AGAD WARSZAWA, FOT. ZW

RACJONAŁ BISKUPÓW KRAKOWSKICH ► został ofiarowany przez królową Jadwigę; według tradycji haftowała go własnoręcznie. Krój liter, tarcz herbowych i stylizacja wypełniających je godeł wskazują, że został gruntownie przerobiony w XVI w. Racjonał stanowił namiastkę paliusza i był nadawany przez papieża niektórym biskupom. Mogli go używać tylko we własnej katedrze podczas celebry pontyfikalnej, obowiązującej w trakcie największych uroczystości i świąt.

1384–1386?, SKW KRAKÓW, FOT. SM

Po przyjęciu propozycji litewskich na zjeździe generalnym w Krakowie, latem 1385 r. wysłano na Litwę poselstwo, które miało doprowadzić do zawarcia umowy z Jagiełłą. W czasie gdy poselstwo polsko-węgierskie uzgadniało w Krewie z Jagiełłą treść dokumentu finalizującego unię polsko-litewską, książę austriacki Leopold, ojciec Wilhelma, wymógł na królowej Elżbiecie zobowiązanie do wydania Jadwigi za syna. W tym celu latem 1385 r. Wilhelm zjawił się w Krakowie, chcąc doprowadzić do fizycznego dopełnienia małżeństwa z zaręczoną mu w dzieciństwie Jadwigą. Jednak zniechęcony postawą możnych małopolskich, którzy nie wpuścili go na zamek, szybko opuścił Kraków.

Akt unii

Akt tzw. unii krewskiej, wystawiony 14 VIII 1385 r., zawierał zobowiązania wielkiego księcia litewskiego Jagiełły wobec Królestwa Polskiego. Jagiełło obiecywał przyjąć chrzest wraz z braćmi i krewnymi, zapłacić Habsburgom odszkodowanie w wysokości 200 tysięcy florenów za zerwanie zaręczyn z Jadwigą, odzyskać dla Korony utracone niegdyś ziemie, uwolnić wszystkich polskich jeńców przebywających na Litwie i wreszcie wcielić Wielkie Księstwo Litewskie do Królestwa Polskiego. Łacińskie słowo *applicare* użyte na oznaczenie włączenia Litwy do Polski wywoływało od samego początku wiele emocji. Inaczej rozumieli je Litwini, uważając, że Litwa zostanie przyłączona do Królestwa Polskiego, ale zachowa swoją samodzielność, inaczej zaś panowie polscy, którzy sądzili, że Litwa zostanie wcielona do Polski.

11 I 1386 r. panowie polscy wystawili własny dokument, zobowiązując się oddać Jadwigę za żonę Jagielle, natomiast 2 II na zjeździe w Lublinie dokonano właściwej elekcji Jagiełły na tron polski. Potem wydarzenia potoczyły się szybko: 15 II, po przybyciu Jagiełły do Krakowa, miał miejsce chrzest księcia litewskiego oraz jego braci i krewnych. Na chrzcie Jagiełło przyjął imię Władysław, Witold został ochrzczony imieniem Aleksander, Korygiełło – Kazimierz, natomiast Świdrygiełło – Bolesław. Do niedawna uważano, że ojcem chrzestnym Jagiełły był książę Władysław Opolczyk. Teza ta nie znajduje jednak źródłowego uzasadnienia. Ślub Jadwigi i Władysława Jagiełły odbył się 3 dni później, a 4 III książę litewski został uroczyście koronowany na króla Polski.

Pod koniec roku Jagiełło wyruszył na Litwę celem przeprowadzenia jej chrystianizacji. Już w lutym 1387 r. erygował biskupstwo w Wilnie, bogato je uposażając. Nowa diecezja została włączona do arcybiskupstwa gnieźnieńskiego, a jej pierwszym biskupem został franciszkanin Andrzej Jastrzębiec. Akcja misyjna na Litwie objęła swym zasięgiem zarówno możnych, jak i prosty lud; nie ulega wątpliwości, że przy likwidacji pogańskich zwyczajów i reliktów wobec opornych stosowano przymus. Dla pozyskania litewskich bojarów Jagiełło obdarzył ich przywilejem, z którego zostali wyłączeni prawosławni bojarzy ruscy. Ówczesna akcja chrystianizacyjna nie objęła jednak szczególnie przywiązanych do pogaństwa i wrogich nowej religii Żmudzinów, walczących z ciągłymi najazdami Krzyżaków. Chrystianizacja Żmudzi miała rozpocząć się dopiero w 1413 r.

Unia wileńsko-radomska

Chrzest Władysława Jagiełły i jego małżeństwo z Jadwigą spowodowały gwałtowną reakcję Krzyżaków. Na dworach europejskich i w Stolicy Apostolskiej ich wysłańcy rozpowszechniali pogłoski o nielegalności tego małżeństwa i pozornym tylko przyjęciu chrztu przez Jagiełłę. Po zawarciu unii w Krewie zakon krzyżacki wzmógł też wyprawy zbrojne na teren Litwy. Oprócz rywalizacji krzyżacko-litewskiej uwidoczniły się na Litwie spory wewnętrzne. Książę Witold, niezadowolony z otrzymanych ziem, wśród których zabrakło ojcowizny – księstwa trockiego – nawiązał kontakty z Krzyżakami, znajdując u nich schronienie na przełomie lat 1389 i 1390. Ceną poparcia krzyżackiego było oddanie zakonowi Żmudzi. Latem 1390 r. Krzyżacy zorganizowali ekspedycję na Litwę z udziałem Witolda, podczas której bohatersko broniło się Wilno. Dalsze walki zakończyły się zawarciem pomiędzy Jagiełłą a Witoldem 4 VIII 1392 r. w Ostrowie ugody, na mocy której Witold otrzymał księstwo trockie oraz rządy namiestnicze na Litwie.

Pierwsze lata rządów Witolda stały pod znakiem umacniania jego władzy na Litwie i rozluźniania związków z Polską. Od 1395 r. zaczął używać tytułu wielkiego księcia litewskiego, a w 1398 r., za cenę pozostawienia Żmudzi w rękach Krzyżaków, udało mu się uzyskać ich rezygnację z dalszej ekspansji na ziemie litewskie (pokój na wyspie Salin). Wkrótce jednak klęska w bitwie nad Worsklą zmusiła Witolda do ponownego zacieśnienia więzi z Polską. W rezultacie w 1401 r. oba państwa zawarły nową unię, tzw. wileńsko-radomską. Witold został dożywotnio wielkim księciem litewskim, jednak z zachowaniem władzy zwierzchniej Jagiełły. Nie było już mowy o wcieleniu Litwy do Polski. Z kolei w razie wcześniejszej śmierci Władysława Jagiełły nowy król polski miał być wybrany za zgodą panów litewskich.

PIECZĘĆ KSIĘCIA HENRYKA ► (syna Siemowita III), biskupa płockiego, eksponuje orła – rodowy herb książęcy. O godności biskupiej świadczą umieszczony za tarczą pastorał i legenda. Podobnych pieczęci używali inni biskupi z rodu Piastów, m.in. Jan Kropidło.

PRZY DOKUMENCIE Z 3 II 1392, AD PŁOCK, FOT. MM

Tajna misja

W 1392 r. Henryk, syn księcia mazowieckiego Siemowita III, podjął się za namową Władysława Jagiełły tajnej misji mającej na celu pogodzenie króla z jego stryjecznym bratem Witoldem, przebywającym u Krzyżaków. Henryk był wówczas od 2 lat biskupem płockim, jakkolwiek ciągle nie objął stolicy biskupiej. Misja mazowieckiego Piasta zakończyła się powodzeniem. Udało mu się bowiem nakłonić Witolda do pogodzenia się z Jagiełłą – ugoda między Jagiełłą a Witoldem została zawarta w sierpniu tego roku w Ostrowie. Nikt nie przewidział jednak skutków powierzenia Henrykowi tej misji. Zakochał się on mianowicie w siostrze Witolda, Ryngalle, i pojął ją za żonę, rezygnując zarazem z biskupstwa. Był to bardzo nierozważny krok, który być może przyczynił się do jego śmierci. Henryk zmarł w Łucku zimą 1392/93 r., prawdopodobnie otruty przez Krzyżaków. Inna wersja głosi, że otruła go jego własna żona.

▼ POLSKA I LITWA W 1390 R.

RYS. JG

- Królestwo Polskie
- lenna Królestwa Polskiego
- księstwa mazowieckie we władaniu Janusza I i Siemowita IV
- Wielkie Księstwo Litewskie
- ziemie zależne od Litwy
- państwo zakonu krzyżackiego
- terytoria we władaniu dynastii Luksemburgów
- księstwo Austrii
- księstwa zachodniopomorskie
- księstwa ruskie

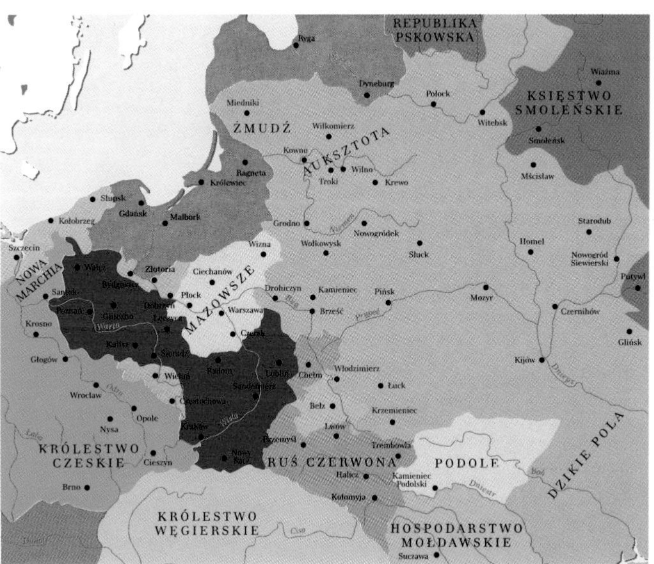

Litwa pogańska

Politeistyczna religia Litwinów miała ścisły związek ze zjawiskami przyrody. W świętych gajach, gdzie płonęły wieczne ognie, oddawano cześć słońcu, gwiazdom, piorunowi, zwierzętom i roślinom. Wierzono w życie pośmiertne oraz w to, że na życie ziemskie silny wpływ mają moce nadnaturalne. Stąd brała się konieczność palenia ogni rytualnych oraz składania ofiar w postaci jadła i zwierząt siłom natury i duszom zmarłych. Litwini czcili swoich bogów w otoczeniu przyrody. Obrzędom kultowym, które celebrowano pod gołym niebem w lasach i koniecznie przy wiecznie płonącym ogniu, przewodzili ofiarnicy, a najwyższym ofiarnikiem był z urzędu wielki książę litewski.

Wyjątkowo długie trwanie i szczególna pozycja pogaństwa na Litwie wynikały z roli, jaką własna religia odegrała w procesie powstawania państwowości litewskiej, a następnie zachowania suwerenności i tożsamości kulturowej. Otoczeni przez silne i ekspansywne państwa, z dawna już chrześcijańskie, XIII-wieczni władcy litewscy zdawali sobie sprawę z ryzyka, jakie dla zachowania młodej i kruchej państwowości niosłoby przyjęcie chrześcijaństwa za pośrednictwem któregoś z sąsiadów. Rosnące od początku XIV w. zagrożenie militarne ze strony Krzyżaków raczej oddalało myśl o przyjęciu chrztu – mogło ono bowiem spowodować poważne straty terytorialne (zwłaszcza na Żmudzi), a nawet utratę niezależności. Decyzji takiej nie sprzyjała też szybka ekspansja na ziemie ruskie, która stała się możliwa po rozbiciu większości księstw ruskich przez Mongołów. Własne wierzenia pozwalały Litwinom zachować tożsamość wśród przeważającej liczebnie i kulturowo ludności ruskiej.

Wszystko to sprawiło, że religia pogańska stała się na Litwie jedną z podstawowych więzi ponadplemiennych. Oddziaływanie chrześcijaństwa spowodowało ewolucję wierzeń w kierunku wykształcenia się bóstwa naczelnego oraz powstawanie nowych form organizacji kultu i warstwy kapłanów. Powoli z masy bóstw zaczęły wyłaniać się bóstwa główne, które miały już własne imiona. W wierzeniach Litwinów świat składał się ze sfer podziemnej, ziemskiej i niebiańskiej. W każdej z nich działały odpowiednie bóstwa, które od XIII w. występowały w postaci spersonifikowanej. Wyróżniali się wśród nich Nunadiewi-Andaja, bóg światła, Telaweli, kojarzony z mrokiem i podziemiem, oraz Żworuna, opiekująca się zwierzętami. Najbardziej znanym bóstwem był Perkunas, opiekun wojowników i władca piorunów (jego ranga rosła od XIII w., a w XV w. uchodził za bóstwo naczelne).

▲ GROBY KONI
są jednym z wyznaczników kształtującej się w IV–V w. kultury kurhanów wschodniolitewskich, która przetrwała aż do XIII w., dzięki czemu stanowi archeologiczne świadectwo formowania się narodu litewskiego. Od VIII w. pochówki końskie stają się liczniejsze; od X w. ich wyposażenie jest coraz bogatsze, a groby zajmują często odrębne sektory cmentarzysk. Łby końskie ozdabiano zawieszkami i dzwoneczkami, a w grzywę wplatano brązowe spirale i blaszki. Konie niekiedy towarzyszyły swoim właścicielom po śmierci: według Jana Długosza Olgierd został spalony na stosie wraz z osiemnastoma rumakami w paradnych uprzężach.

ORLISZKI (Z KURHANU), LITWA, IX–X W., KVAIRM KERNAVĖ, FOT. DVA

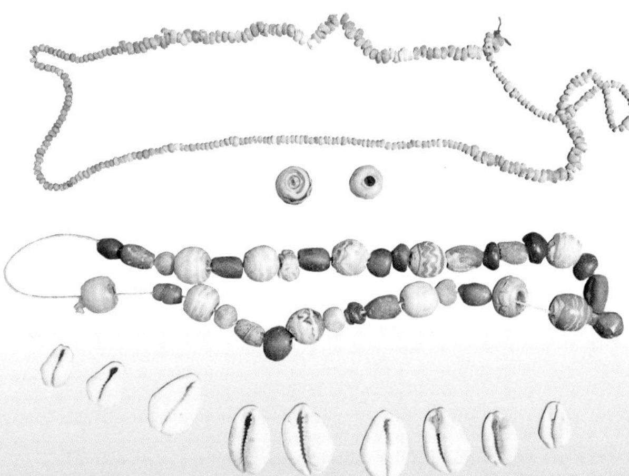

▲ KOLIA Z PACIORKÓW SZKLANYCH, MUSZLI KAURI I DZWONECZKA
– jeden z typowych elementów wyposażenia grobów kobiecych.

XIII–XIV W., KVAIRM KERNAVĖ, FOT. ABAL

▼ KLUCZ
włożony do grobu miał zapewne pomóc zmarłemu otworzyć drogę w zaświaty. O niecodziennym przeznaczeniu tego przedmiotu świadczy materiał, z jakiego został wykonany – stop cynowo-ołowiany.
XIII–XIV W., KVAIRM KERNAVĖ, FOT. ABAL

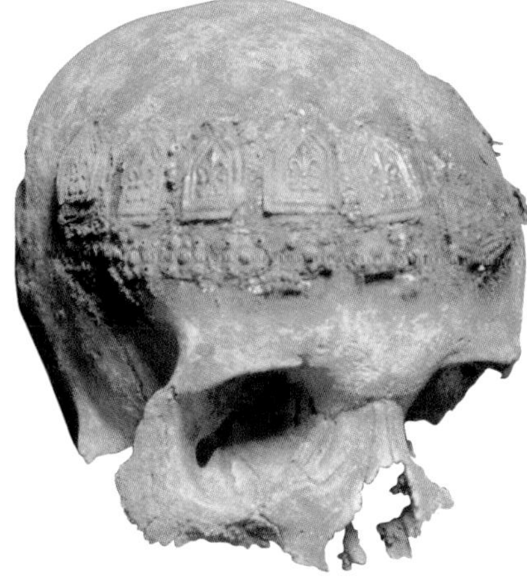

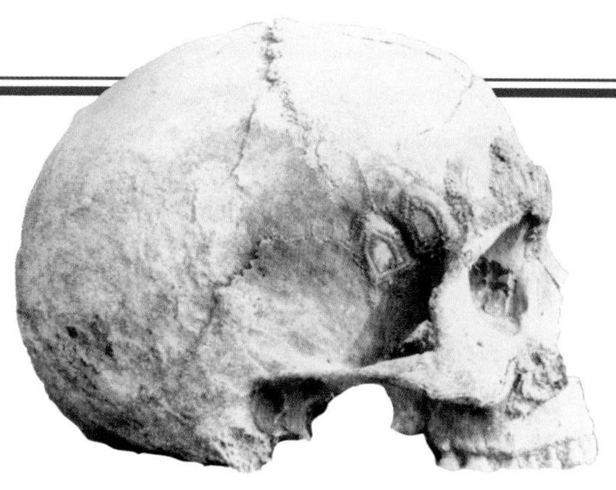

◄▲▼ DIADEMY
Cechą charakterystyczną pochówków odkrytych na cmentarzysku w Kiernowie były bogate dary znalezione w niemal wszystkich grobach kobiecych. Wśród grobów męskich natomiast zaledwie połowa była wyposażona, uboższej zresztą niż pochówki kobiece. Wydaje się to wskazywać na inne miejsce pochówku lub wręcz inny obrządek pogrzebowy (ciałopalny?) stosowany przy grzebaniu mężczyzn należących do elity społecznej.
XIII–XIV W., KVAIRM KERNAVĖ, FOT. DVA; ABAL

▼ PIERŚCIEŃ ZE SWASTYKĄ,
symbolem solarnym. W podobny sposób były zdobione także diademy.
XIII–XIV W., KVAIRM KERNAVĖ, FOT. ABAL

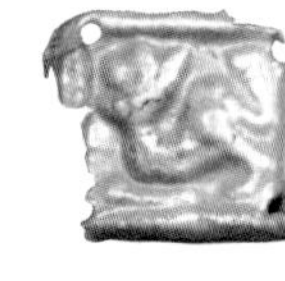

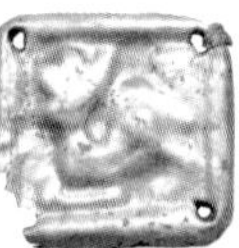

▼ PRUSKI GAJ POGAŃSKI
przedstawiony na rycinie z XVII w. Autor *Katechizmu litewskiego* z 1547 r., opisując pozostałości pogaństwa na Litwie, wymienił na pierwszym miejscu kult drzew, następnie rzek, węży i kamieni, a dopiero na końcu personifikowanych bóstw. Dla XVII-wiecznego badacza zwyczaj oddawania czci siłom i elementom przyrody był już tak niezrozumiały, że na drzewach, jak w kaplicy, umieścił postacie bóstw.
CHRISTOPH HARTKNOCH, „ALT UND NEUES PREUSSEN...", FRANCKFURT UND LEIPZIG, 1684

▼ PRUSKI KAPŁAN-WRÓŻBITA I OŁTARZ
– przykład typowo humanistycznej rekonstrukcji religii pogańskiej z wykorzystaniem wzorców greckich i rzymskich. Przekazy o „Olimpie litewskim" pochodzą głównie z XVI w. i stanowią w dużej mierze rezultat dedukcji opartej na antycznych schematach lub, jak relacja Łasickiego o bogach żmudzkich z 1580 r. – zupełne zmyślenie.
CHRISTOPH HARTKNOCH, „ALT UND NEUES PREUSSEN...", FRANCKFURT UND LEIPZIG, 1684

ANDEGAWENKA I LITWIN

Obrona zagrożonych ziem, uregulowanie stosunków z sąsiadami oraz działalność fundacyjna to najważniejsze osiągnięcia wspólnych rządów Jadwigi i Jagiełły

▲ CHRYSTIANIZACJA LITWY
w głównych ośrodkach państwa przebiegała bardzo sprawnie. Zadecydowały o tym m.in. silna władza książęca oraz ponadstuletnia obecność dużych grupy ludności chrześcijańskiej (prawosławnej i katolickiej) skupionej w najważniejszych grodach.
KRZYŻYKI – KIERNÓW, LITWA, XIII–XIV W., KVAIRM KERNAVĖ, FOT. ABAL; FARA (OB. KATEDRA) W KOWNIE, LITWA – 1413, FOT. PC

▼ DOKUMENT HOŁDU LENNEGO HOSPODARA MOŁDAWSKIEGO ROMANA I,
który objął rządy po swym bracie Piotrze I. Roman ślubuje w nim wspierać Jadwigę i Jagiełłę przeciwko ich wrogom, z wyłączeniem jednak terytoriów na północ od Krakowa (w tym wymienionych konkretnie ziem pruskich i litewskich). W rzeczywistości zatem to wsparcie miało dotyczyć jedynie wspólnych akcji przeciw królowi węgierskiemu Zygmuntowi oraz przeciw Tatarom.
5 I 1393, AGAD WARSZAWA, FOT. ZW

Odzyskanie Rusi Czerwonej

Słabą początkowo pozycję nowego władcy ukazują koncesje, jakie musiał poczynić na rzecz możnych i szlachty. Już w 1386 r., zaraz po rozpoczęciu wspólnych rządów z Jadwigą, Władysław Jagiełło wydał przywilej dla szlachty, zwany od miejsca wystawienia krakowskim. Rozszerzono go 2 lata później w Piotrkowie. W razie dostania się do niewoli podczas obrony kraju szlachcic miał zostać z niej wykupiony przez króla; uregulowano też kwestię wysokości żołdu za udział rycerstwa w wyprawach zagranicznych. Poza tym władca obiecał znieść urząd tzw. justycjariuszy; byli to pomocnicy starosty w wykonywaniu funkcji policyjno-prokuratorskich. Dali się oni mocno we znaki szlachcie, zwłaszcza przy wykonywaniu tzw. prawa ciążenia, czyli zajmowaniu majątków szlacheckich na poczet przyszłego wyroku sądowego.

Na początku 1387 r., gdy Władysław Jagiełło przeprowadzał chrystianizację Litwy, Jadwiga wyruszyła wraz z panami małopolskimi na Ruś Czerwoną celem przyłączenia jej do Królestwa Polskiego. Akcji tej sprzyjała trudna sytuacja polityczna na Węgrzech, gdzie trwała wojna domowa. Załogi węgierskie bez walki opuszczały Ruś, a próbujący oporu Halicz został w sierpniu zmuszony do kapitulacji przez wysłane z polecenia Jagiełły posiłki litewskie. Ruś Czerwoną przyłączono do Polski, a jej pierwszym starostą mianowano Jaśka z Tarnowa.

Zajęcie Rusi halicko-włodzimierskiej wzmocniło wpływy polskie w zagrożonych przez Turków księstwach naddunajskich. Jeszcze w 1387 r. hołd lenny polskiej parze królewskiej w Lwowie złożył hospodar mołdawski Piotr; 2 lata później jego śladami poszedł hospodar wołoski Mircza Stary. Polska uzyskała swobodny dostęp do Morza Czarnego.

Władysław Opolczyk i Krzyżacy

Zawiązanie unii polsko-litewskiej przyczyniło się do znacznego pogorszenia stosunków Polski z zakonem krzyżackim oraz z Zygmuntem Luksemburskim, nowym królem Węgier. W latach 90. XIV w. duży udział w tym konflikcie miał znany nam już książę Władysław Opolczyk, pan obszernych włości lennych na pograniczu polsko-krzyżackim. Ciągle potrzebujący pieniędzy książę zastawił Krzyżakom w 1391 r. Złotorię w ziemi dobrzyńskiej. Wywołało to zbrojną interwencję strony polskiej, zaniepokojonej takim rozwojem sytuacji. Walki zakończyły się zajęciem kilku zamków Opolczyka w ziemiach gniewkowskiej, wieluńskiej i krakowskiej; Złotoria jednakże pozostała w rękach Krzyżaków.

W październiku na zamku w podczęstochowskim Olsztynie zawarto rozejm obowiązujący do czerwca 1392 r. Tuż po jego upływie, 28 VII, Władysław Opolczyk zastawił za 72 900 złotych węgierskich Krzyżakom całą ziemię dobrzyńską, którą zakon natychmiast obsadził wojskiem. Podczas pobytu w Prusach książę opolski przedstawił wielkiemu mistrzowi plan rozbioru Polski. Przewidywał on podział kraju między zakon krzyżacki, Węgry, Czechy oraz margrabiego morawskiego. Wobec sprzeciwu Krzyżaków, zaangażowanych wówczas militarnie na Żmudzi, intryga ta spełzła na niczym. W tej sytuacji Władysław Opolczyk postanowił (do czego nie miał najmniejszego prawa) sprzedać zakonowi ziemię dobrzyńską. Zygmunt Luksemburski, powołując się na swoje – rzekome – prawa sukcesyjne po Ludwiku Andegaweńskim, udzielił mu, nielegalnego oczywiście, pozwolenia na dysponowanie tą ziemią. Stanowcza postawa Polski, której wojska na początku 1393 r. ponownie uderzyły na włości Opolczyka, włączając część z nich do Korony, udaremniła transakcję.

Decydująca dla losów Władysława Opolczyka była kampania w 1396 r. W jej trakcie zostały mu odebrane i przyłączone z powrotem do Królestwa Polskiego wszystkie pozostałe posiadłości na Kujawach i w ziemi wieluńskiej. Wojska, osobiście dowodzone przez Jagiełłę, zjawiły się pod Opolem, gdzie 6 VIII bratankowie Opolczyka zawarli z królem Polski pokój. Pieczętował on klęskę starego księcia, który ostatnie lata spędził w rodzinnym Opolu; tu zmarł w maju 1401 r.

Po zakończeniu walk z Władysławem Opolczykiem uregulowano stosunki Polski z Węgrami. Z Zygmuntem Luksemburskim Władysław Jagiełło spotkał się w 1397 r. na zjeździe w Spiskiej Starej Wsi, gdzie zawarto rozejm na 16 lat. W zamian za rezygnację króla polskiego ze zwierzchnictwa nad Podolem i Mołdawią Zygmunt przekazał Jagielle węgierskie prawa do Rusi Czerwonej. Natomiast Jadwiga zrezygnowała z tytułu królowej Węgier, którego używała od 1395 r., czyli od czasu śmierci jej siostry Marii.

Z zakonem krzyżackim także próbowano uregulować wzajemne kontakty na zasadach pokojowych. Dążenia polskie zmierzały przede wszystkim w kierunku odzyskania ziemi dobrzyńskiej zastawionej bezprawnie Krzyżakom przez Władysława Opolczyka w 1392 r. Niestety, pomimo rozmów Jadwigi najpierw z wielkim mistrzem, a następnie z przedstawicielem zakonu, polskie żądania nie zostały spełnione. Ziemia dobrzyńska wróciła do Królestwa Polskiego dopiero w 1404 r. w wyniku postanowień na zjeździe w Raciążu.

Fundacja jasnogórska

Klasztor Paulinów na Jasnej Górze ufundował w 1382 r. książę Władysław Opolczyk, sprowadzając grupę szesnastu zakonników z węgierskiego klasztoru w Márianosztra. Jednak dopiero dodatkowe nadania ziemskie dokonane w 1393 r. przez Władysława Jagiełłę i Jadwigę umożliwiły ostateczną stabilizację klasztoru. Paulini jasnogórscy, początkowo wiodący życie pustelniczo-kontemplacyjne, po uzyskaniu na początku XV w. papieskiego zezwolenia rozwinęli działalność kaznodziejską i duszpasterską.
Już w 1384 r. uzyskali od fundatora malowany temperą na desce lipowej obraz przedstawiający Matkę Boską z Dzieciątkiem. Prawdopodobnie został on przywieziony z Bełza na Rusi, zdobytego w 1377 r. W 1430 r., podczas rabunkowego napadu na klasztor, został poważnie uszkodzony. Odnowiony w Krakowie na polecenie Jagiełły, w 1434 r. został uroczyście przeniesiony z powrotem do klasztoru. Wydarzenia te wpłynęły na rozpowszechnienie się jego kultu. Jasna Góra stała się powoli najważniejszym w Polsce pielgrzymkowym sanktuarium maryjnym; jego największy rozkwit przypada na drugą połowę XVII w. oraz czasy współczesne.

OBRAZ JASNOGÓRSKI ▶
należy do tzw. typu Hodegetrii, przedstawiającego Marię z Dzieciątkiem na lewym ręku. Termin ten pochodzi od nazwy portowej dzielnicy Konstantynopola, zwanej Hodegon, gdzie w jednym z klasztorów znajdował się obraz z takim przedstawieniem, zniszczony w 1453 r. przez Turków. Jego wygląd znamy dzięki opisom i XIV-wiecznej miniaturze.
KLASZTOR PAULINÓW NA JASNEJ GÓRZE

▲ DOKUMENT FUNDACYJNY OPACTWA JASNOGÓRSKIEGO
wystawiony przez Władysława Opolczyka, w którym nadaje on paulinom kościół parafialny NMP. Dzięki badaniom archeologicznym wiemy, że paulini przejęli także murowaną warownię, a przy wznoszeniu klasztoru wykorzystano starsze założenie.
1382, AKL PAULINÓW JASNA GÓRA

▼ ZAMEK W BOLESŁAWCU
został wzmocniony i rozbudowany przez Władysława Opolczyka, dzięki czemu przetrwał kilka oblężeń, m.in. w latach 1391 i 1393; w czasie drugiego oblegające go wojska polskie użyły armat. Jagiełło odzyskał zamek dopiero w 1401 r. – przekazała mu go wówczas wdowa po Opolczyku.
FOT. MM

◄ TAMERLAN
na XV-wiecznej miniaturze perskiej został przedstawiony w typowym dla mongolskich wojowników elitarnych uzbrojeniu, złożonym z pancerza, stożkowatego hełmu i karawaszy. Broń zaczepną stanowiły włócznia, łuk i szabla.

▼ RELIKWIARZ KRZYŻA ŚWIĘTEGO
z opactwa łysogórskiego. Relikwie te przekazał benedyktynom zapewne Władysław Łokietek w 1306 r. W połowie XIV w. kościół otrzymał nowe wezwanie – św. Krzyża – i odtąd Świętym Krzyżem zaczęto nazywać cały szczyt. Klasztor cieszył się szczególną opieką Jagiełły; król ufundował m.in. polichromię kościoła opackiego, dziś niezachowaną. Szczyt znaczenia Łysej Góry jako ośrodka pielgrzymkowego przypada na drugą połowę XV w.; od połowy XVII w. rolę głównego ośrodka pielgrzymkowego Rzeczypospolitej przejęła Jasna Góra.
FUNDACJA OPATA BOGUSŁAWA RADOSZEWSKIEGO, 1626, KLASZTOR MISJONARZY OBLATÓW NA ŁYSEJ GÓRZE, FOT. MM

CZARNY KRUCYFIKS ►
z katedry wawelskiej. Wedle tradycji modliła się przy nim królowa Jadwiga, która w 1384 r. ofiarowała go katedrze. W XIX w. figurę pokryto czarną farbą; od tego czasu zyskała miano Czarnego Krucyfiksu.
OK. 1380, FOT. SM

Bitwa nad Worsklą

Zawarcie przez Witolda pokoju salińskiego z zakonem krzyżackim umożliwiło mu prowadzenie aktywniejszej polityki na wschodzie. Jego plany, zaakceptowane przez Jagiełłę, zakładały wyprawę przeciwko Mongołom Tamerlana, restytucję władzy pokonanego przez Tamerlana Tochtamysza na obszarze Tatarszczyzny i przy jego pomocy objęcie przez Litwę zwierzchnictwa nad całą Rusią. Były one bardzo ambitne, ale i trudne do zrealizowania. Mimo to w 1399 r. wielki książę litewski Witold, wspomagany posiłkami krzyżackimi oraz polskimi – dowodzonymi przez Spytka z Melsztyna – wyprawił się na wschód. Ekspedycja zakończyła się klęską nad rzeką Worsklą 12 VIII tego roku. Poległo wielu litewskich kniaziów, a także Spytko. Witold wraz z Tochtamyszem szczęśliwie uniknęli śmierci. Klęska nad Worsklą praktycznie przekreśliła plany opanowania przez Litwę całej Rusi.

Królowa Jadwiga

W tym samym 1399 r., 17 VII, w wieku 25 lat zmarła królowa Jadwiga. Współczesny autor zapiski w *Kalendarzu katedry krakowskiej* zanotował następującą opinię o zmarłej: „była niestrudzoną pomnożycielką kultu Bożego, opiekunką Kościoła, sługą sprawiedliwości, towarzyszką wszelkich cnót, pokorną i łaskawą matką sierot, a według powszechnego mniemania nie widziano wówczas w świecie podobnego jej człowieka z królewskiego rodu". Jan Długosz natomiast przechował dla potomnych słowa współczucia królowej nad wielkopolskimi chłopami, którzy zostali zrujnowani pobytem w ich dobrach orszaku królewskiego.

Stosunki Jagiełły i Jadwigi układały się poprawnie, aczkolwiek historycy podkreślają, że nie łączył ich raczej bliższy związek uczuciowy. Za duża była różnica między wykształconą na elitarnym dworze królewną a analfabetą pochodzącym z dworu dopiero aspirującego do kontaktów z cywilizowanym światem. Pomimo tych różnic stworzyli parę królewską świetnie funkcjonującą na arenie nie tylko politycznej. Z biegiem czasu na ich pożyciu zaważył brak potomka, legalnego dziedzica królewskiej korony. Może właśnie to sprawiło, że Jadwiga zwróciła się ku zwiększonej pobożności.

Królowa była osobą nie tylko niesłychanej urody (złotowłosa, smukła i wysoka) i znakomitego wykształcenia, ale też religijności. Ta pobożność Jadwigi zaowocowała opieką królowej nad klasztorami, m.in. nad dominikanami w Sandomierzu i w Lwowie, cystersami w Koprzywnicy i kartuzami w Lech-

Piotr Wysz

Ten znakomity prawnik i dyplomata (wykształcenie zdobył na uniwersytecie w Padwie), rozpoczął karierę na dworze Władysława Jagiełły. Od 1389 r. pełnił obowiązki nuncjusza i kolektora papieskiego. Dzięki poparciu pary królewskiej Piotr Wysz w 1392 r. został biskupem krakowskim; jako pasterz diecezji zasłynął z działań reformatorskich, które przyczyniły się do podniesienia poziomu moralnego i intelektualnego kleru. Za jego sprawą około 1390 r. wznowił działalność Uniwersytet Krakowski, a w 1397 r. wszechnica ta uzyskała wydział teologiczny. Piotr został również egzekutorem testamentu królowej Jadwigi, która zapisała swoje klejnoty i szaty na rzecz uniwersytetu. Jako biskup krakowski brał udział we wszystkich ważnych wydarzeniach politycznych. W służbie Jagiełły odbywał liczne misje do kurii papieskiej, wziął też udział w soborze w Pizie. Po zakończeniu soboru odbył pielgrzymkę do Ziemi Świętej, a w drodze powrotnej zachorował, co rzekomo (w rzeczywistości zaważyły względy polityczne i niełaska króla) miało przyczynić się do jego przeniesienia w 1412 r. na mniej znaczące biskupstwo poznańskie. Po śmierci w 1414 r. pogrzebano go w tamtejszej katedrze.

nicy, klasztorze leżącym już na terytorium Królestwa Węgierskiego. Jadwiga wraz z Jagiełłą sprowadziła w 1390 r. na Kleparz pod Krakowem benedyktynów obrządku słowiańskiego, chcąc w ten sposób przygotować pole do przyszłej działalności misyjnej na Rusi.

Silnym związkom królowej z rozpowszechniającymi się wówczas prądami tzw. nowej pobożności, zwracającymi większą uwagę na indywidualne przeżycie religijne, zawdzięcza powstanie klasztor Kanoników Regularnych św. Augustyna przy kościele Bożego Ciała w Kazimierzu pod Krakowem, dziś dzielnicy Krakowa. Fundację tę zakończył w 1405 r. Jagiełło razem z biskupem krakowskim Piotrem Wyszem, najbliższym współpracownikiem zmarłej królowej. Przybyli do klasztoru z Kłodzka kanonicy byli związani z ważnym ruchem reformy zakonnej zapoczątkowanej w czeskim klasztorze w Roudnicach. To w Kłodzku zapewne powstał na zamówienie Jadwigi *Psałterz floriański*. Krakowscy kanonicy regularni (popularnie zwani Bożeciołkami) stworzyli w swoim klasztorze ważne centrum religijne i intelektualne, utrzymujące kontakty z odnowionym, także dzięki staraniom królowej, Uniwersytetem Krakowskim.

Jadwiga rozpoczęła też budowę kościoła NMP na Piasku w Krakowie i osadziła przy nim karmelitów – z tą fundacją wiąże się legenda o „stopce królowej", odciśniętej w kamieniu, na którym królowa oparła trzewik. Do tych pobożnych donacji należy również przekazanie pewnych kosztowności na rzecz świeżo wybudowanej katedry wileńskiej oraz ufundowanie dwu altarii w katedrze krakowskiej. Do najważniejszych osiągnięć jej krótkiego życia trzeba zaliczyć unię polsko-litewską i chrystianizację Litwy. Dowodem opieki Jadwigi nad Litwinami może być ufundowanie przez nią w 1397 r. kolegium w Pradze – była to bursa dla Litwinów studiujących teologię na tamtejszym uniwersytecie.

Jadwiga już za życia była otoczona aureolą świętości; przeświadczeni o niej byli krakowscy profesorowie, dając temu wyraz w swoich mowach. Również królewski dyplomata, Mikołaj Lasocki, w wystąpieniu na soborze w Bazylei mówił o świętości Jadwigi. Już w 1426 r. została powołana komisja, która miała zająć się badaniem cudów doznanych za wstawiennictwem królowej. Były to prace przygotowujące jej kanonizację. Procedury utknęły jednak w martwym punkcie i wznowiono je dopiero w XX w. Starania o kanonizację królowej Jadwigi zostały sfinalizowane w 1997 r., gdy na krakowskich Błoniach, w obecności osiemdziesięciu kardynałów i biskupów oraz ponad dwóch milionów wiernych, papież Jan Paweł II wyniósł ją na ołtarze.

KOŚCIÓŁ BOŻEGO CIAŁA ► na Kazimierzu został ufundowany przez Kazimierza Wielkiego jako parafialny około 1340 r. Jego budowa, prowadzona etapami, trwała blisko 150 lat – nawy boczne ukończono dopiero około 1480 r. Już w 1405 r. Jagiełło nadał go przybyłym z Kłodzka kanonikom regularnym św. Augustyna i ufundował tu ich klasztor.

WIDOK OD PŁN. WSCH., FOT. MM

◄ PIECZĘĆ MAJESTATYCZNA JADWIGI przedstawia ją jako króla i sukcesora Piastów. Zwraca uwagę wyeksponowanie herbu Piastów kujawskich (Jadwiga była prawnuczką Władysława Łokietka) i obecność herbów głównych dzielnic Królestwa Polskiego: orzeł jako herb Królestwa i Małopolski, głowa bawołu – Wielkopolski. Brak natomiast rodowego herbu Andegawenów.

PRZY DOKUMENCIE Z 7 I 1385, AP KRAKÓW, FOT. MM

▲► LUKSUSOWE PRZEDMIOTY tradycyjnie łączone z osobą królowej Jadwigi. Podobne do tej skrzyneczki z kości słoniowej, dekorowane scenami z romansów rycerskich, służyły jako element wyprawy ślubnej lub jako puzderko na klejnoty ofiarowane z okazji zaręczyn. Scyfus (puchar) z herbami andegaweńskimi stanowił, prawdopodobnie już niewręczony, dar Jagiełły dla Jadwigi. Do Drezna trafił zapewne w 1496 r., jako wyprawa ślubna Barbary, córki Kazimierza Jagiellończyka, wydanej za księcia saskiego Jerzego Brodatego.

PARYŻ, FRANCJA, 2 ĆW. XIV W., SKW KRAKÓW, FOT. SM; PARYŻ, FRANCJA, 2 POŁ. XIV W. (KRYSZTAŁ) I KRAKÓW, PRZED 1399 (OPRAWA), SK GG DRESDEN

▼ INSYGNIA wydobyte z grobu królowej Jadwigi podczas jego otwarcia w 1949 r.

DREWNO ZŁOCONE, 1399, KATEDRA WAWELSKA, FOT. SM

Najstarsze zabytki języka polskiego

Dominacja łaciny, która utrzymała się aż po połowę XVI w. jako język piśmiennictwa, bardzo utrudnia śledzenie dziejów kształtowania się polskiego języka narodowego i literackiego.

Historycy języka zwykli wyodrębniać dwie podstawowe epoki: przedpiśmienną i piśmienną. Początek drugiej wyznacza *Bulla gnieźnieńska* z 1136 r., w której papież Innocenty II wziął pod opiekę posiadłości arcybiskupstwa. Znajdujemy w niej pierwszy duży zbiór polskich nazw własnych, zarówno miejscowych, jak i osobowych, ważny zwłaszcza dla poznania cech fonetycznych ówczesnej polszczyzny. Wcześniej w różnych łacińskich dokumentach i kronikach, często zresztą obcego pochodzenia, pojawiały się tylko pojedyncze nazwy i imiona, niekiedy mocno przekręcone przez cudzoziemskich autorów. Tym samym nie jesteśmy dziś w stanie wiele powiedzieć na temat procesu przekształcania się języków plemiennych w jeden wspólny język; braki we wczesnej dokumentacji leżą też u podstaw trwających od dawna i dalekich od zakończenia sporów o to, czy polski język narodowy powstał głównie na bazie dialektów wielko-, czy też małopolskich.

Niewątpliwie w epoce przedpiśmiennej nastąpiło jedno wydarzenie o kardynalnym znaczeniu dla dalszego rozwoju języka: przyjęcie chrześcijaństwa w wersji zachodniej wraz z alfabetem łacińskim nieprzystającym do potrzeb miejscowych. Przez całe średniowiecze trwał proces kształtowania się i doskonalenia konwencji graficznych odpowiadających fonetycznym transformacjom, jakim podlegała polszczyzna.

Rosnąca od XIII w. liczba zachowanych tekstów o różnym charakterze pozwala obserwować inne językowe zmiany: stopniowe zanikanie aorystu czy trzeciej – podwójnej – liczby, przyswajanie obcego słownictwa (głównie łacińskiego, czeskiego i niemieckiego) i wzbogacenie stylistycznych możliwości języka, wymuszane choćby przez podejmowane od czasu do czasu próby przekładów Biblii i poszczególnych jej ksiąg (zwłaszcza psalmów).

Jako język literatury polszczyzna torowała sobie drogę bardzo powoli. Wprawdzie już na samym początku (w drugiej połowie XIII w.) natrafiamy na prawdziwe arcydzieła, jakimi były *Bogurodzica*, a wkrótce po niej utrzymane w wyrafinowanej stylistyce *Kazania świętokrzyskie*, jednak na szerszą skalę twórczość w języku narodowym zaczyna się dopiero pod koniec epoki, w XV w. Obok przekładów biblijnych, kazań, opowieści apokryficznych i pieśni religijnych pojawiają się wówczas również nieliczne utwory o tematyce świeckiej: wiersze dydaktyczne, okolicznościowe, satyryczne, a nawet próby erotyków powstające głównie w środowisku żakowskim.

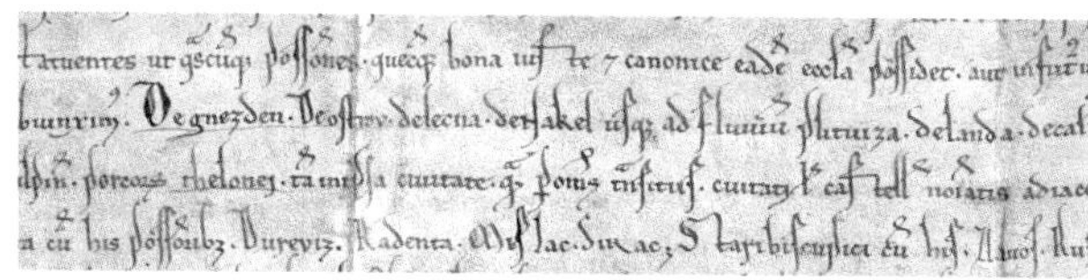

▲ ZŁOTĄ BULLĄ JĘZYKA POLSKIEGO nazwał *Bullę gnieźnieńską* Aleksander Brückner. Ten pochodzący z 1136 r. protekcyjny przywilej papieski dla arcybiskupstwa gnieźnieńskiego spisano wprawdzie po łacinie, zawiera jednak czterysta dziesięć polskich nazw własnych – głównie nazw miejscowości w dobrach arcybiskupich i imion ich mieszkańców.

AA GNIEZNO, FOT. MŁ

▲ PIERWSZE POLSKIE PEŁNE ZDANIE zostało zanotowane w spisanej po łacinie *Księdze henrykowskiej*, poświęconej początkom założonego w latach 20. XIII w. opactwa cysterskiego w Henrykowie. Miał je wygłosić, przed 1201 r., osadnik z Czech, Boguchwał o przydomku Brukał, do swej żony obracającej żarnami: „Day, ut ia pobrusa, a ti poziwai". W swoim dziele zapisał je zaś około 1270 r. przybyły do Henrykowa z pierwszym konwentem niemiecki cysters Piotr, usłyszawszy opowieść być może od Brukałowych wnuków.

AA WROCŁAW

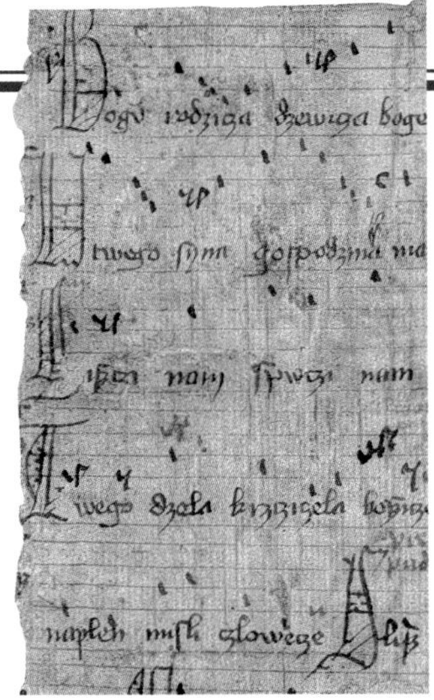

▲ *BOGURODZICA*
– rękopis najstarszej zachowanej, XV-wiecznej redakcji utworu. Czas jego powstania i pierwotna funkcja od lat stanowią przedmiot naukowych sporów, dalekich, jak można sądzić, od ostatecznego rozstrzygnięcia. W XV w. pieśń ta stała się rodzajem dynastycznego hymnu Jagiellonów.
BJ KRAKÓW, FOT. MŁ

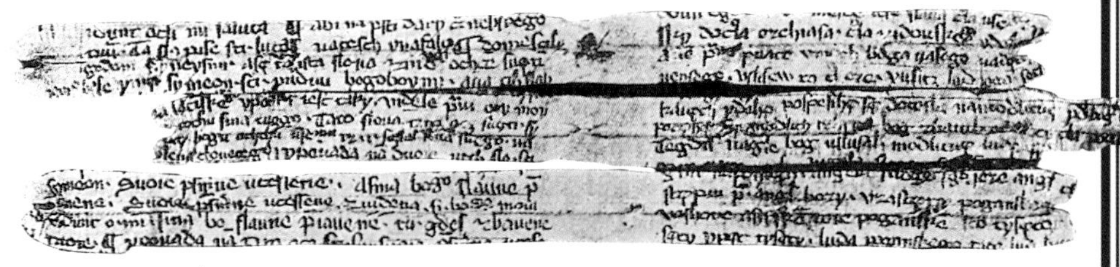

▲ *KAZANIA ŚWIĘTOKRZYSKIE,*
czyli fragmenty polskich kazań powstałych na początku XIV w. w Małopolsce, być może w opactwie benedyktyńskim na Łysej Górze. Stanowią najdłuższy znany polski tekst z tak wczesnego okresu. W pierwszej połowie następnego stulecia, jako już nieaktualne, zostały pocięte na paski i użyte do oprawy jednego z rękopisów klasztornych. Dlatego właśnie zachowało się z nich tylko jedno kazanie w całości i pięć w niewielkich fragmentach.
BN WARSZAWA

KAZANIA GNIEŹNIEŃSKIE ►
pochodzą z końca XIV lub początku XV w. W rękopisie znajduje się dziesięć kazań polskich i ponad sto łacińskich, opatrzonych licznymi glosami w języku polskim. Przypuszcza się, że kazania i glosy były dziełem specjalizujących się w kaznodziejstwie dominikanów.
AA GNIEZNO, FOT. MŁ

▼ *PSAŁTERZ PUŁAWSKI*
został wykonany na przełomie XV i XVI w., z pewnością jako kopia dzieła o około 50 lat wcześniejszego. Pisarz był zapewne z pochodzenia Wielkopolaninem. Porównanie jego wersji ze starszym o kilkadziesiąt lat *Psałterzem floriańskim* ukazuje przemiany polszczyzny, a także czytelne regionalizmy.
FKCZART KRAKÓW

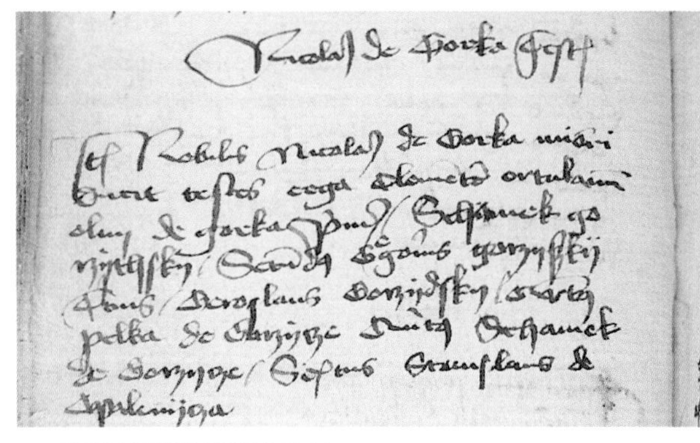

▲ WIELKOPOLSKIE ROTY SĄDOWE
Roty sądowe mają wielkie znaczenie dla badaczy polszczyzny, gdyż każda z zapisek jest dokładnie datowana. Cały przewód sądowy opisywano po łacinie, ale przysięgi osób nieznających tego języka – w ich języku ojczystym.
AP POZNAŃ, FOT. MM

▼ RYBAŁT
z torbą zawierającą roznoszone przez niego pisma. Waganci, rybałci i żacy nie cieszyli się zbyt dobrą reputacją. Często dorabiali jako kopiści, pozostawiając na marginesach przepisywanych ksiąg notki w rodzaju: „Dum bibo piwo, stat mihi kolano krzywo" lub też „przeto źle napisano, eże mało piwa we dzbanie imiano".
JAKUB DE CESSOLIS, „KSIĘGA SZACHOWA", OK. 1422–1426, BUWR WROCŁAW, FOT. JKAT

◄▼ *PSAŁTERZ FLORIAŃSKI*
pisany w Krakowie dla królowej Jadwigi jest rójjęzyczny; po każdym wersecie łacińskim astępuje polski, a po nim niemiecki. Tekst olski jest najstarszym znanym polskim rzekładem psalmów.
RAKÓW, PO 1393–1399, BN WARSZAWA

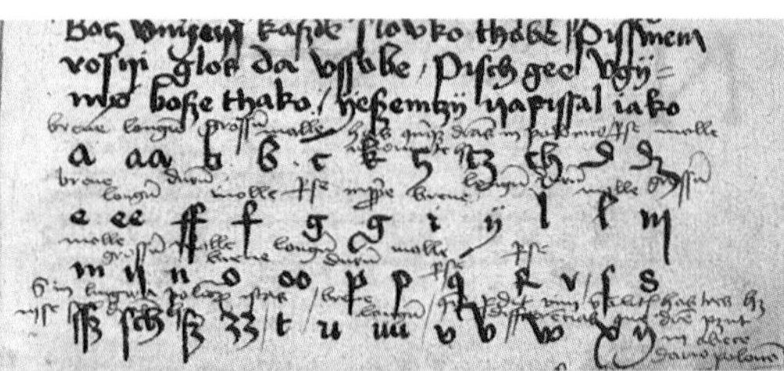

▲ *ORTOGRAFIA* JAKUBA PARKOSZOWICA,
profesora Uniwersytetu Krakowskiego i rektora uczelni w 1439 r. W krótkim wierszu podjął on próbę przedstawienia zasad polskiej pisowni. Jego propozycje nie przyjęły się; były zresztą wśród nich pomysły dziwaczne, np. postulat zapisywania spółgłosek twardych literami kanciastymi, a miękkich – okrągłymi.
OK. 1440, BJ KRAKÓW, FOT. MŁ

Polska – Sąsiedzi

Polska

1039 ► powrót Kazimierza Odnowiciela. Odzyskanie Mazowsza (1047 r.), części Pomorza Wschodniego (1048 r.) i Śląska (1050 r.)
ok. 1050 ► fundacja opactw benedyktyńskich w Tyńcu i Mogilnie
1058 ► śmierć Kazimierza Odnowiciela. Bolesław Szczodry u władzy
1060, 1063 ► interwencje polskie na Węgrzech
1068–1071 ► interwencje polskie w Czechach
1069 ► interwencja polska na Rusi
1075 ► odnowienie arcybiskupstwa w Gnieźnie. Utworzenie biskupstwa w Płocku
1076, 25 XII ► koronacja królewska Bolesława Szczodrego
1077 ► druga interwencja polska na Rusi
1079, 9 IV ► zabójstwo biskupa Stanisława. Bolesław Szczodry zbiega na Węgry. Władysław Herman u władzy
1093 ► bunt Zbigniewa
1097 ► nadanie dzielnic Zbigniewowi i Bolesławowi Krzywoustemu
1102, 4 VI ► śmierć Władysława Hermana. Dwuwładza Zbigniewa i Bolesława Krzywoustego
1102 ► początek wojen o Pomorze
1106 ► Bolesław Krzywousty występuje przeciw Zbigniewowi i wypędza go (ok. 1107/1108 r.)
1109, VIII–IX ► wojna polsko-niemiecka. Obrona Głogowa
1116–1122 ► Bolesław Krzywousty zajmuje Pomorze
1118 ► bunt Skarbimira
ok. 1124 ► utworzenie biskupstw lubuskiego i kujawskiego
1132 ► wojska Bolesława Krzywoustego, popierającego w rywalizacji o tron węgierski Borysa, pobite nad Sajó. Walki polsko-węgierskie trwają do 1135 r.
1135, VIII ► Bolesław Krzywousty składa hołd cesarzowi Lotarowi III
1136, 7 VII ► bulla protekcyjna Innocentego II dla arcybiskupstwa gnieźnieńskiego
1138, 28 X ► śmierć Bolesława Krzywoustego. W życie wchodzi jego statut (zapewne z 1117 r.). Władysław Wygnaniec księciem zwierzchnim
1146 ► wygnanie Władysława Wygnańca. Bolesław Kędzierzawy księciem zwierzchnim
1157, VIII ► wyprawa Fryderyka Barbarossy przeciw Polsce. Pokój i hołd w Krzyszkowie
1163 ► powrót synów Władysława Wygnańca na Śląsk
1173 ► śmierć Bolesława Kędzierzawego. Początek rządów Mieszka Starego w Krakowie
1177 ► Mieszko Stary odsunięty od tronu krakowskiego. Kazimierz Sprawiedliwy u władzy
1180 ► zjazd w Łęczycy

Kraje niemieckie

1046 ► wyprawa Henryka III do Italii i jego koronacja cesarska
1056 ► śmierć Henryka III. Henryk IV u władzy (do 1105 r.)
1073–1075 ► powstanie saskie przeciw rządom Henryka IV, rozbite w bitwie pod Homburgiem
1076, 24 I ► synod biskupów w Wormacji nie uznaje wyboru Grzegorza VII na papieża; ten rzuca klątwę na Henryka IV – zaognienie sporu o inwestyturę
1076, X ► zjazd książąt w Triburze nakazuje Henrykowi IV oczyszczenie się z klątwy
1077, 25–28 I ► Henryk IV korzy się przed Grzegorzem VII w Canossie. Papież cofa rzuconą klątwę
1077, 15 III ► opozycja wybiera księcia szwabskiego Rudolfa na króla niemieckiego. Ginie on podczas wojny domowej (w bitwie pod Hohenmölsen w 1080 r.)
1084 ► koronacja cesarska Henryka IV w Rzymie przez antypapieża
1093 ► syn Henryka IV, Konrad, przechodzi do opozycyjnej partii papieskiej
1098 ► wybór Henryka V (syna Henryka IV) na króla
1104 ► wojna domowa w Niemczech. Na czele opozycji przeciw Henrykowi IV staje Henryk V. Henryk IV abdykuje w niewoli (1105 r.)
1106 ► Henryk V powszechnie uznany za króla niemieckiego
1110 ► wyprawa Henryka V do Italii i jego koronacja cesarska (1111 r.)
1115 ► bitwa pod Mansfeldem – Henryk V pobity przez opozycję, kierowaną przez księcia saskiego Lotara z Supplinburga
1122, 23 IX ► konkordat w Wormacji
1125 ► Lotar z Supplinburga u władzy (od 1133 r. cesarz; panuje do 1137 r.)
1138 ► Konrad III z dynastii Hohenstaufów u władzy. Hohenstaufowie na tronie niemieckim zasiadają do 1254 r.
1147 ► krucjata przeciw Słowianom północno-zachodnim dowodzona m.in. przez księcia saskiego Henryka Lwa
1152 ► śmierć Konrada III. Fryderyk Barbarossa u władzy
1156, 17 IX ► Austria uniezależnia się od Bawarii. Księciem zostaje Henryk II (zwany Jasomirgott) z rodu Babenbergów
1160 ► Henryk Lew podbija państwo Obodrzyców
1161 ► powstanie związku kupców niemieckich odwiedzających Gotlandię. Z czasem wyrasta z niego Hanza
1178–1180 ► wojna domowa między Hohenstaufami a Welfami. Książę Henryk Lew (Welf) zostaje wygnany, a jego lenna rozdzielone

Czechy

1040 ► odparcie wyprawy króla niemieckiego Henryka III
1041 ► Brzetysław I zhołdowany przez Henryka III
1062 ► Wratysław II poślubia Świętosławę (Swatawę), siostrę Bolesława Szczodrego
1063 ► restytuowanie biskupstwa w Ołomuńcu
1079 ► nieudana próba zajęcia Miśni przez Czechy
1085 ► cesarz Henryk IV koronuje księcia Wratysława II na króla Czech i Polski (tytuł królewski nadany *ad personam*)
1099 ► Brzetysław II tłumi opozycję książąt morawskich
1100 ► śmierć Brzetysława II. Borzywoj II u władzy
1107 ► Borzywoj II obalony przez Świętopełka, którego wspomagał m.in. Bolesław Krzywousty. Świętopełk u władzy
1108 ► wymordowanie z rozkazu Świętopełka rodu Wrszowców, oskarżonego o współpracę z Polakami
1109 ► Świętopełk zamordowany podczas wyprawy przeciw Polsce z wojskami cesarskimi. Z rywalizacji o władzę zwycięsko wychodzi Władysław I
1110 ► klęska Czechów w bitwie z wojskami polskimi nad Trutiną
1125 ► umiera Kosmas, pierwszy kronikarz czeski
1126 ► wojska niemieckie dowodzone przez cesarza Lotara III pokonane przez Sobiesława I w bitwie pod Chlumcem. Wzrost samodzielności państwa
1137 ► pokój z Polską zawarty w Kłodzku. Uregulowanie wzajemnych stosunków
1140 ► śmierć Sobiesława I. Jego bratanek Władysław II u władzy
1140–1142 ► zwycięskie walki Władysława II z opozycją książąt morawskich
1158 ► Władysław II koronowany na króla przez cesarza Fryderyka Barbarossę
1163 ► interwencja czeska na Węgrzech na rzecz Stefana III
1172 ► Władysław II zrzeka się władzy na rzecz swego syna Biedrzycha-Fryderyka
1173 ► Fryderyk Barbarossa ustanawia księciem Czech Oldrzycha (syna Sobiesława I); ten zrzeka się władzy na rzecz brata Sobiesława II
1178 ► Fryderyk Barbarossa ustanawia księciem Czech złożonego z tronu Biedrzycha-Fryderyka, który wypędza Sobiesława II

WĘGRY

1039 ► ucieczka książąt węgierskich – Andrzeja, Beli i Lewente – do Czech, a następnie do Polski i na Ruś
1041 ► bunt przeciwników króla Piotra Orseolo, który ucieka z Węgier. Aba Samuel u władzy
1044 ► w bitwie na polach Ménfö ponosi klęskę Aba Samuel. Wspomagany przez króla niemieckiego Henryka III Piotr Orseolo ponownie u władzy
1045 ► król Piotr Orseolo składa hołd królowi niemieckiemu Henrykowi III
1046 ► reakcja pogańska (tzw. bunt Vaty). Wezwany z wygnania Andrzej I zostaje królem i zażegnuje bunt
1060 ► Bela I, przy poparciu Bolesława Szczodrego, zasiada na tronie. Śmierć Andrzeja I
1060–1063 ► drugi bunt pogański (dowodzony przez syna Vaty – Janosa)
1063 ► król niemiecki Henryk IV ustanawia królem Salomona (panuje do 1074 r.)
ok. 1070 ► Połowcy zajmują Mołdawię
1072–1074 ► konflikt króla Salomona z Gejzą i Władysławem
1074 ► Gejza I przy poparciu Bolesława Szczodrego zasiada na tronie (do 1077 r.)
1077 ► popierany przez Bolesława Szczodrego Władysław Święty u władzy (do 1095 r.; kanonizowany w 1192 r.)
1091 ► ostateczne przyłączenie Siedmiogrodu do Węgier; początek podboju Chorwacji
1095 ► Koloman Uczony u władzy (do 1116 r.)
1102–1105 ► ukończenie podboju Chorwacji. Król Koloman przyjmuje tytuł króla Chorwacji i Dalmacji
1108 ► wyprawa wojsk niemieckich i czeskich, nieudana wskutek dywersji polskiej
1115–1125 ► wojna węgiersko-wenecka o Dalmację zakończona zwycięstwem Wenecji
1127 ► wojny węgiersko-bizantyjskie. Z początku Węgrzy zajmują Belgrad, Nisz, Sofię (1127 r.) i Bośnię (1137 r.); ostatecznie zostali wyparci z Bałkanów (1155 r.)
1131 ► śmierć króla Stefana II. Bela Ślepy u władzy. Rywalizacja o tron pomiędzy Belą a Borysem (do 1135 r.)
1141 ► śmierć Beli Ślepego. Gejza II u władzy (do 1162 r.). Wzrost wpływów bizantyjskich na Węgrzech
1152–1155 ► wojna węgiersko-bizantyjska. Gejza II zmuszony do kapitulacji
1172 ► Bela III u władzy (do 1196 r.). Uniezależnienie Węgier od wpływów Bizancjum. Okres świetności wczesnego państwa węgierskiego

RUŚ

1041 lub 1043 ► sojusz Jarosława Mądrego z Kazimierzem Odnowicielem
1047 ► wyprawa wojsk ruskich na Mazowsze
1051 ► powstanie tzw. Ławry Peczerskiej, najstarszego klasztoru na Rusi
1054 ► akt sukcesyjny księcia kijowskiego Jarosława Mądrego – Ruś podzielona między pięciu jego synów. Ustanowienie zasady senioratu
1061 ► najazd Połowców na Ruś kijowską
1068 ► klęska w bitwie z Połowcami
1068 ► wygnanie Izjasława I z Kijowa. Na jego rzecz skutecznie interweniuje Bolesław Szczodry
1073 ► ponowne wygnanie Izjasława z Kijowa
1077 ► przy poparciu Bolesława Szczodrego Izjasław I wraca na tron kijowski
ok. 1113 ► *Powieść doroczna*, najstarsza kronika ruska, sporządzona przez mnicha klasztoru peczerskiego Nestora
1113 ► Włodzimierz Monomach po zwycięstwach nad Połowcami jednoczy państwo ruskie i zasiada na tronie kijowskim (do 1125 r.)
1132 ► umiera wielki książę kijowski Mścisław Harald. Ponowny rozpad państwa na dzielnice. Z czasem wyłaniają się trzy główne księstwa: rostowsko-suzdalskie, halicko-włodzimierskie i nowogrodzkie. Na znaczeniu traci Kijów
1142/1143, 1144 ► interwencje ruskie w Polsce na rzecz Władysława Wygnańca
1152 ► panowanie księcia Jarosława Ośmiomysła na Rusi halicko-włodzimierskiej (do 1187 r.). Wzmocnienie pozycji księstwa na Rusi
1157 ► Andrzej Bogolubski księciem rostowsko-suzdalskim (do 1174 r.). Przenosi stolicę swego księstwa do Włodzimierza nad Klaźmą
1169 ► książę rostowsko-suzdalski Andrzej Bogolubski zdobywa i niszczy Kijów i przenosi stolicę wielkoksiążęcą do Suzdalu
1176 ► Wsiewołod Wielkie Gniazdo księciem włodzimiersko-suzdalskim (do 1212 r.)

KRAJE NADBAŁTYCKIE

ok. 1060 ► umiera Edmund Stary, ostatni przedstawiciel dynastii Ynglingów w Szwecji. Stenkil u władzy
1104 ► utworzenie arcybiskupstwa w Lundzie (do XVII w. Lund należał do Danii) – uniezależnienie się Kościoła duńskiego od metropolii hambursko-bremeńskiej
1124–1125 ► pierwsza misja pomorska Ottona z Bambergu wspierana przez Bolesława Krzywoustego
1127 ► opanowanie Pomorza zaodrzańskiego przez księcia Warcisława I
1128 ► druga misja pomorska Ottona z Bambergu wspierana przez króla niemieckiego Lotara III
1129 ► sojusz duńsko-polski (przetrwał do 1134 r.)
1129 ► wyprawa duńsko-polska na Pomorze. Książę pomorski Warcisław pobity
1131–1157 ► walki wewnętrzne w Danii, w czasie których dwukrotnie interweniowało cesarstwo. Kres walkom kładzie dojście do władzy Waldemara I
1140 ► utworzenie biskupstwa w Wolinie
1147 ► wyprawa krzyżowa przeciw Słowianom połabskim
1152 ► utworzenie arcybiskupstwa w Nidaros (dzisiejsze Trondheim) dla Norwegii
1155 ► pierwsza misja chrystianizacyjna w Finlandii zorganizowana przez króla Szwecji Eryka IX
1155/1156 ► podział Pomorza Zachodniego na część przedodrzańską (szczecińską) i zaodrzańską (dymińską lub wołogoską)
1157 ► Waldemar I królem Danii (panuje do 1182 r.). Dania osiąga przewagę w rejonie Bałtyku
1158 ► początek podboju ziem obodrzyckich przez księcia saskiego Henryka Lwa (zhołdowane w 1164 r.)
1160 ► król szwedzki Eryk IX zamordowany podczas nabożeństwa; wkrótce uznano go za świętego
1164 ► utworzenie arcybiskupstwa w Uppsali – Kościół szwedzki uniezależnia się od metropolii w Lundzie
1175/1176 ► przeniesienie siedziby biskupstwa z Wolina do Kamienia
1177 ► sasko-duńska wyprawa przeciw Pomorzanom
1188 ► papież zatwierdza przeniesienie siedziby biskupstwa z Wolina do Kamienia i podporządkowuje je bezpośrednio Rzymowi

POLSKA – ŚWIAT

POLSKA

1039 ► powrót Kazimierza Odnowiciela. Odzyskanie Mazowsza (1047 r.), części Pomorza Wschodniego (1048 r.) i Śląska (1050 r.)
ok. 1050 ► fundacja opactw benedyktyńskich w Tyńcu i Mogilnie
1058 ► śmierć Kazimierza Odnowiciela. Bolesław Szczodry u władzy
1060, 1063 ► interwencje polskie na Węgrzech
1068–1071 ► interwencje polskie w Czechach
1069 ► interwencja polska na Rusi
1075 ► odnowienie arcybiskupstwa w Gnieźnie. Utworzenie biskupstwa w Płocku
1076, 25 XII ► koronacja królewska Bolesława Szczodrego
1077 ► druga interwencja polska na Rusi
1079, 9 IV ► zabójstwo biskupa Stanisława. Bolesław Szczodry zbiega na Węgry. Władysław Herman u władzy
1093 ► bunt Zbigniewa
1097 ► nadanie dzielnic Zbigniewowi i Bolesławowi Krzywoustemu
1102, 4 VI ► śmierć Władysława Hermana. Dwuwładza Zbigniewa i Bolesława Krzywoustego
1102 ► początek wojen o Pomorze
1106 ► Bolesław Krzywousty występuje przeciw Zbigniewowi i wypędza go (ok. 1107/1108 r.)
1109, VIII–IX ► wojna polsko-niemiecka. Obrona Głogowa
1116–1122 ► Bolesław Krzywousty zajmuje Pomorze
1118 ► bunt Skarbimira
ok. 1124 ► utworzenie biskupstw lubuskiego i kujawskiego
1132 ► wojska Bolesława Krzywoustego, popierającego w rywalizacji o tron węgierski Borysa, pobite nad Sajó. Walki polsko-węgierskie trwają do 1135 r.
1135, VIII ► Bolesław Krzywousty składa hołd cesarzowi Lotarowi III
1136, 7 VII ► bulla protekcyjna Innocentego II dla arcybiskupstwa gnieźnieńskiego
1138, 28 X ► śmierć Bolesława Krzywoustego. W życie wchodzi jego statut (zapewne z 1117 r.). Władysław II księciem zwierzchnim
1146 ► wygnanie Władysława II. Bolesław Kędzierzawy księciem zwierzchnim
1157, VIII ► wyprawa Fryderyka Barbarossy przeciw Polsce. Pokój i hołd w Krzyszkowie
1163 ► powrót synów Władysława II na Śląsk
1173 ► śmierć Bolesława Kędzierzawego. Początek rządów Mieszka Starego w Krakowie
1177 ► Mieszko Stary odsunięty od tronu krakowskiego. Kazimierz Sprawiedliwy u władzy
1180 ► zjazd w Łęczycy

ITALIA I PAPIESTWO

1054, 16 VII ► początek schizmy między Kościołem wschodnim i zachodnim
1057 ► wystąpienia patarii w Mediolanie
1059 ► dekret o wyborze papieża przez kardynałów (bez udziału cesarza)
1061 ► początek podboju Sycylii przez Normanów
1071 ► Normanowie zdobywają Bari, ostatnią posiadłość bizantyjską na Półwyspie Apenińskim
1073–1085 ► pontyfikat Grzegorza VII. Okres reform w Kościele i sporu o inwestyturę z królem Henrykiem IV
1076, 14 II ► Grzegorz VII rzuca klątwę na Henryka IV
1077, 25–28 I ► ukorzenie się Henryka IV w Canossie
1084 ► po kilkuletnim oblężeniu Henryk IV wkracza do Rzymu. Wygnanie Grzegorza VII. Na jego miejsce osadzony antypapież Klemens III
ok. 1100 ► powstanie uniwersytetu w Bolonii
1110 ► zaognienie sporu o inwestyturę między królem Henrykiem V a papieżem Paschalisem II
1122, 23 IX ► konkordat w Wormacji
1123 ► sobór laterański I zbiera wszystkie postanowienia dotyczące reformy Kościoła
1127 ► połączenie przez Rogera II posiadłości normańskich na Sycylii i w Italii w jedno państwo
1130 ► papież nadaje Rogerowi II godność królewską – powstanie Królestwa Obojga Sycylii
1130 ► po zwycięstwie nad Amalfi dominującą pozycję w handlu śródziemnomorskim zajmuje Piza
1130 ► podwójny wybór papieża – Innocentego II i Anakleta II – tzw. schizma Anakleta II
1139 ► sobór laterański II zwołany dla zażegnania skutków schizmy Anakleta II
1154 ► Fryderyk Barbarossa tłumi powstanie mieszczan rzymskich dowodzonych przez Arnolda z Brescii
1158 ► zjazd w Roncaglio – Fryderyk Barbarossa ogranicza prawa miast włoskich
1162 ► zdobycie i zniszczenie Mediolanu przez Fryderyka Barbarossę
1163 ► zawiązanie ligi miast włoskich pod przewodnictwem Werony, przekształconej w 1167 r. w Ligę Lombardzką
1176, 29 V ► klęska Fryderyka Barbarossy w bitwie z Ligą Lombardzką pod Legnano
1177, 1 VIII ► pokój w Wenecji – Fryderyk Barbarossa uznaje legalność wyboru Aleksandra III i zawiera rozejm z miastami lombardzkimi
1179 ► sobór laterański III zatwierdza zasadę wyboru papieża większością 2/3 głosów kolegium kardynalskiego

FRANCJA, NIDERLANDY I WYSPY BRYTYJSKIE

1042 ► na tron angielski wraca królewska linia Wessexu; królem zostaje Edward Wyznawca (do 1066 r.)
1060 ► Filip I królem Francji (do 1108 r.). Okres stabilizacji władzy królewskiej
1066, 14 X ► bitwa pod Hastings. Po zwycięstwie nad Haroldem II do władzy w Anglii dochodzi Wilhelm Zdobywca (do 1087 r.), pierwszy przedstawiciel dynastii normańskiej
1067, 1072 ► krwawo stłumione powstania antynormańskie w Anglii
1086 ► *Domesday Book* (*Księga Sądu Ostatecznego*), wynik spisu ludności w Anglii
1095, 18 XI ► papież Urban II na synodzie w Clermont ogłasza wyprawę krzyżową
1098 ► Robert z Molesmes zakłada klasztor w Cistercium (dzisiejsze Cîteaux koło Dijon), który dał początek zakonowi cystersów
1100 ► Henryk I, syn Wilhelma Zdobywcy, królem angielskim (do 1135 r.). Okres stabilizacji struktur państwowych
1106 ► król angielski Henryk I pokonuje księcia Normandii Roberta i zajmuje jego księstwo
1108 ► Ludwik Gruby królem Francji (do 1137 r.). Wzmocnienie władzy i uporządkowanie domeny królewskiej
1120 ► Norbert z Xanten zakłada klasztor na pustkowiu Prémontré, który dał początek zakonowi premonstratensów (norbertanów)
1135 ► Stefan z Blois, wnuk Wilhelma Zdobywcy, królem Anglii (do 1154 r.)
ok. 1143 ► początek ruchu katarów (albigensów) w południowej Francji, z czasem potępionego przez Kościół
ok. poł. XII w. ► początki gotyku we Francji
ok. 1150 ► założenie uniwersytetu w Paryżu
1154 ► Henryk II (Plantagenet) królem Anglii (do 1189 r.)
1163 ► początek budowy katedry Notre-Dame w Paryżu (ukończona ok. 1230 r.)
1164 ► artykuły klarendońskie ograniczające uprawnienia Kościoła angielskiego
1170, 29 XII ► arcybiskup Canterbury Thomas Becket zamordowany z powodu odmowy podpisania artykułów klarendońskich
1171 ► podbój Irlandii przez Henryka II
1173 ► kupiec lyoński Piotr Valdo głosi idee dobrowolnego ubóstwa i pokuty. Z czasem tworzy nowy Kościół waldensów
1174 ► król szkocki zhołdowany przez króla angielskiego Henryka II
1180 ► Filip August królem Francji (do 1223 r.)

Kraje Półwyspu Pirenejskiego

1054 ► król Kastylii i Leónu Ferdynand Wielki wznawia rekonkwistę
1078–1128 ► budowa romańskiej katedry w Santiago de Compostela
1085 ► król Kastylii i Leónu Alfons Mężny odzyskuje Toledo z rąk arabskich
1086, 23 X ► Almorawidzi (dynastia muzułmańska pochodzenia berberyjskiego) pokonują w bitwie pod Badajoz wojska Kastylii i Leónu
1094 ► Cyd (Rodrigo Díaz de Vivar), rycerz wypędzony przez Alfonsa Mężnego, zdobywa Walencję. Włada nią do śmierci w 1099 r.
1097 ► utworzenie hrabstwa Portugalii
1118 ► król Aragonii Alfons Waleczny odbiera Arabom Saragossę, która staje się stolicą jego państwa
1126 ► król Alfons Dobry u władzy w Kastylii i Leónie (do 1157 r.); jego państwo wysuwa się na pierwsze miejsce na Półwyspie Pirenejskim
1128 ► Alfons Zdobywca hrabią Portugalii
1137 ► połączenie Katalonii z Aragonią pod panowaniem hrabiego Barcelony Rajmunda Berengara IV
1139 ► hrabia Portugalii Alfons Zdobywca przyjmuje tytuł królewski, a w 1143 r. uznaje się za wasala papiestwa
1146 ► początek interwencji Almohadów (muzułmańskiej dynastii pochodzenia berberyjskiego) na Półwyspie Pirenejskim
1147 ► król Portugalii Alfons Zdobywca zdobywa Lizbonę, która staje się stolicą państwa
1149 ► Almohadzi zdobywają przewagę w arabskiej Hiszpanii
1157 ► powstanie Alcántara – zakonu rycerskiego do walki z Maurami na Półwyspie Pirenejskim. W 1158 r. powstaje kolejny zakon – Calatrava
1157 ► śmierć króla Alfonsa Dobrego – podział Kastylii i Leónu między jego synów Sancha III i Ferdynanda II

Bizancjum i kraje bałkańskie

1040 ► antybizantyjskie powstanie Słowian bałkańskich pod wodzą Piotra Deliana (Odeliana); powstanie upada w 1041 r.
1045 ► cesarz bizantyjski Konstantyn Monomach ogłasza Atos górą świętą
1054, 16 VII ► schizma między Kościołem wschodnim i zachodnim
1065 ► Turcy seldżuccy pod wodzą sułtana Alp Arslana wdzierają się na wschodnie tereny Bizancjum
1071, 19 VIII ► bitwa pod Manzikertem (w Armenii) – wojska bizantyjskie rozbite przez Turków
1071 ► król Chorwacji Piotr Kreszimir Wielki włącza Dalmację do swego państwa
1072–1073 ► antybizantyjskie powstanie w Macedonii pod wodzą Georgija Wojciecha
1074 ► najazd Normanów italskich na Chorwację. Wycofali się po podporządkowaniu się Chorwacji papiestwu w 1076 r.
1077 ► powstanie serbskiego królestwa Zety (Dukli; dziś Czarnogóra), uzależnionego politycznie i kościelnie od Rzymu
1080 ► Turcy kończą podbój Azji Mniejszej, gdzie zakładają sułtanat Rumu
1081 ► Aleksy I, pierwszy władca z dynastii Komnenów, na tronie bizantyjskim (do 1118 r.)
1081 ► Konstantyn Bodin carem Zety (do ok. 1101 r.). Jego państwo obejmuje wszystkie ziemie serbskie
1082 ► układ Bizancjum z Wenecją, przyznający kupcom weneckim liczne przywileje handlowe
1096 ► uczestnicy I krucjaty docierają do Konstantynopola
1097, VI ► zdobycie Nicei (dzisiejsze Iznik w Turcji) przez krzyżowców
1108 ► Normanowie dowodzeni przez Boemunda po przegranej bitwie pod Awloną zmuszeni do uznania zwierzchności Bizancjum
1118 ► przywódca bogomiłów bułgarskich Wasilij spalony na stosie w Konstantynopolu
1122 ► cesarz bizantyjski Jan II odpiera najazd Pieczyngów
1167 ► cesarz bizantyjski Manuel I zdobywa Dalmację, Chorwację i Bośnię
ok. 1170 ► Stefan Nemania, założyciel dynastii Nemaniciów, wielkim żupanem Raszki (do 1196 r.). U schyłku panowania jego władztwo obejmowało Raszkę (Starą Serbię), Zetę, część Albanii i Kosowe Pole
1171 ► aresztowanie Wenecjan w Bizancjum oraz konfiskata ich majątków
1172 ► powstanie serbskie pod wodzą Stefana Nemani, stłumione przez Bizancjum
1176, 17 IX ► wojska bizantyjskie rozbite przez Turków pod Myriokefalonem

Inne kraje pozaeuropejskie

1040–1055 ► podbój Iranu przez Turków seldżuckich
1044 ► król Anawratha zakłada państwo birmańskie ze stolicą w Pagan – początek rządów dynastii Pagan (do 1277 r.)
1045 ► całkowite uzależnienie Armenii przez Bizancjum
1049 ► najazd Turków seldżuckich na Gruzję. Do kolejnego doszło w 1072 r.
1060 ► rządy dynastii Almorawidów w Marrakeszu (do 1147 r.)
1072 ► panowanie sułtana Malika Szacha w państwie Turków seldżuckich, które przeżywa okres szczególnego rozwoju (do 1092 r.)
1080 ► powstanie ormiańskiego księstwa w Cylicji (od 1198 r. królestwo)
1088 ► zdobycie Tbilisi przez Turków seldżuckich
1089 ► Dawid Odnowiciel królem Gruzji (do 1125 r.). Uniezależnienie wschodniej części Gruzji od Seldżuków
1090 ► państwo ismailitów (siedmiowców) w północnym Iranie, założone przez Hassana ibn Sabbaha (do 1256 r.)
1092 ► państwo Turków seldżuckich po śmierci Malika Szacha rozpada się na sułtanaty
1096–1099 ► I krucjata. Krzyżowcy tworzą łacińskie hrabstwo Edessy, księstwo Antiochii oraz Królestwo Jerozolimskie
ok. 1110 ► powstanie państwa Hojsalów. W XIII w. zajmuje południowy Dekan i jest najsilniejszym państwem półwyspu
1115 ► Dżurdżeni po zdobyciu części państwa Liao tworzą własne państwo Cin (północno-wschodnie Chiny)
1125 ► upadek państwa Kitanów, Liao
1126–1141 ► wojna chińsko-dżurdżeńska – cesarstwo Sung zmuszone do uznania zwierzchności Dżurdżenów
1147 ► rządy dynastii Almohadów w Marrakeszu (do 1269 r.)
1147–1149 ► II krucjata. Krzyżowcy rozbici (25 X 1147 r.) pod Doryleum (dzisiejsze Eskişehir w Turcji). Niepowodzeniem kończy się oblężenie Damaszku
1167 ► Kiyomori z rodu Taira obejmuje urząd kanclerski w Japonii. Okres przewagi rodu Taira
1168 ► początek wędrówki Méxicas (zwanych też Aztekami) z północy na tereny dzisiejszego Meksyku, gdzie przyczyniają się do upadku Majów i zakładają państwo z ośrodkiem w Tenochtitlán (w XIV w.)
1171 ► Salah ad-Din (Saladyn) obala ostatniego Fatymidę Al-Adida i zasiada na tronie w Kairze – początek rządów dynastii Ajjubidów w Egipcie (do 1250 r.)
1173 ► Muhammad Ghori władcą islamskiego państwa Ghaznawidów (do 1206 r.). Okres reform i podbojów

Polska – sąsiedzi

Polska

1194, 5 V ► nagła śmierć Kazimierza Sprawiedliwego. Walki o władzę w Krakowie
1195, 13 IX ► bitwa nad Mozgawą
1202, 13 lub 14 III ► śmierć Mieszka Starego. Władysław Laskonogi u władzy w Krakowie
1202 ► obalenie Władysława Laskonogiego. Leszek Biały u władzy w Krakowie
1205, 19 VI ► książę halicki Roman pokonany w bitwie pod Zawichostem
1210 ► przywileje na rzecz Kościoła na synodzie w Borzykowej
przed 1211 ► Złotoryja jako pierwsze miasto na ziemiach polskich lokowana na prawie niemieckim
1227, 23 lub 24 XI ► zabójstwo Leszka Białego na zjeździe w Gąsawie
1228 ► sprowadzenie Krzyżaków do ziemi chełmińskiej
1231, 3 XI ► śmierć Władysława Laskonogiego. Z rywalizacji o tron krakowski zwycięsko wychodzi Henryk Brodaty
1234 ► Henryk Brodaty uzależnia część Wielkopolski oraz Santok i Śrem
1238, 19 III ► śmierć Henryka Brodatego. Henryk Pobożny u władzy
1240–1241 ► najazd mongolski. W bitwie pod Legnicą (9 IV 1241 r.) ginie Henryk Pobożny
1241, VII ► Konrad Mazowiecki zajmuje Kraków
1243 ► bitwa pod Suchodołem. Bolesław Wstydliwy księciem krakowskim i sandomierskim
1248 ► podział Śląska między synów Henryka Pobożnego
1249 ► utrata ziemi lubuskiej
1253 ► podział Wielkopolski między synów Władysława Odonica
1257 ► śmierć Przemysła I. Bolesław Pobożny u władzy w Wielkopolsce
1259–1260 ► drugi najazd mongolski
1279, 13 lub 14 IV ► śmierć Bolesława Pobożnego. Przemysł II u władzy w Wielkopolsce
1279, 7 XII ► śmierć Bolesława Wstydliwego. Leszek Czarny u władzy
1280, 23 II ► książę halicki Lew Danielowicz pokonany pod Goślicami
1287–1288 ► trzeci najazd mongolski
1288, 30 IX ► śmierć Leszka Czarnego. Henryk Prawy u władzy
1290, 23 VI ► śmierć Henryka Prawego (otruty). Król Czech Wacław II zajmuje Małopolskę (1291 r.)
1295, 26 VI ► koronacja królewska Przemysła II
1296, 8 II ► Przemysł II zamordowany. Władysław Łokietek u władzy w Wielkopolsce
1300 ► wygnanie Władysława Łokietka. Wacław II królem Polski
1305, 21 VI ► śmierć Wacława II. Wacław III u władzy (zamordowany 4 VIII 1306 r.)

Kraje niemieckie

1190, 10 VI ► podczas III krucjaty w rzece Salef tonie Fryderyk Barbarossa. Henryk VI u władzy (cesarz od 1191 r.)
1190 ► powstanie rycerskiego zakonu Krzyżaków
1192 ► przyłączenie Styrii do Austrii
1198 ► śmierć Henryka VI. Zwolennicy Staufów wybierają na króla księcia Filipa Szwabskiego (brata Henryka VI), ich przeciwnicy – Welfa Ottona IV (syna Henryka Lwa)
1208 ► Filip Szwabski zamordowany. Otto IV jedynym królem niemieckim (cesarz od 1209 r.)
1212 ► Fryderyk II (syn Henryka VI) wybrany na króla niemieckiego. Otto IV ustępuje dopiero po bitwie pod Bouvines (1214 r.)
1220 ► koronacja cesarska Fryderyka II
ok. 1220 ► Eike von Repgow sporządza *Sachsenspiegel* (*Zwierciadło saskie*), spis praw wschodniosaskich
1235, 15 VIII ► przywilej Fryderyka II (tzw. *Landfrieden*) ustalający prawa książąt niemieckich
1245 ► papież Innocenty IV detronizuje Fryderyka II
1246 ► w bitwie z Węgrami nad Litawą ginie książę austriacki Fryderyk II, na którym wygasa męska linia Babenbergów
1246 ► landgraf turyński Henryk Raspe wybrany na (anty)króla niemieckiego
1247 ► wybór hrabiego Holandii Wilhelma na (anty)króla niemieckiego
1250, XII ► śmierć Fryderyka II. Jego syn Konrad IV u władzy
1254 ► śmierć króla Konrada IV. Początek tzw. wielkiego bezkrólewia w Niemczech (do 1273 r.)
1254 ► powstanie Związku Miast Reńskich pod przewodnictwem Moguncji
1257 ► podwójna elekcja w Niemczech: stronnictwo Staufów wybiera na króla władcę kastylijskiego Alfonsa Mądrego, a zwolennicy Welfów – Ryszarda z Kornwalii
1273 ► Rudolf I (Habsburg) królem niemieckim
1282 ► Albrecht I z dynastii habsburskiej księciem Austrii. Habsburgowie panują w Austrii do 1918 r.
1291, 1 VIII ► powstanie związku wieczystego kantonów szwajcarskich Uri, Schwyz i Unterwalden, zaczątku Związku Szwajcarskiego
1292 ► Adolf z Nassau królem niemieckim
1298 ► król Adolf zdetronizowany. Albrecht I, syn Rudolfa, u władzy. Albrecht pokonuje Adolfa w bitwie pod Göllheim

Czechy

1189 ► śmierć Biedrzycha-Fryderyka. Książę morawski Konrad Otto u władzy – połączenie władzy książęcej w Czechach i na Morawach przez jedną osobę
1189 ► statut Konrada Ottona, najstarsza kodyfikacja prawa czeskiego
1192 ► Przemysł Ottokar I u władzy
1193 ► Przemysł Ottokar I odsunięty od władzy za udział w spisku przeciw cesarzowi Henrykowi VI. Na tron wraca w 1197 r.
1212 ► król niemiecki Fryderyk II w *Złotej bulli* sycylijskiej uznaje dziedziczność czeskiego tytułu królewskiego
1230 ► śmierć Przemysła Ottokara I. Wacław I u władzy (do 1253 r.)
ok. 1231 ► w Pradze powstaje rycerski zakon krzyżowców z czerwoną gwiazdą
1246 ► wymiera męska linia Babenbergów austriackich – do państwa czeskiego włączone Austria (1251 r.), Styria (1261 r.), Kraina i Karyntia (1269 r.)
1252–1254 ► wojna czesko-węgierska o spadek po Babenbergach austriackich
1253 ► Przemysł Ottokar II u władzy (do 1278 r.). Szczyt potęgi średniowiecznego państwa czeskiego
1273 ► Przemysł Ottokar II kandyduje do tronu niemieckiego
1276 ► król niemiecki Rudolf I występuje o zwrot zajętych przez Czechy krajów austriackich, co staje się przyczyną konfliktu zbrojnego
1278, 26 VIII ► bitwa pod Suchymi Krutami (dzisiejsze Dürnkrut w Austrii) – Rudolf I pokonuje Przemysła Ottokara II, który ginie na polu bitwy
1282 ► Austria, Styria, Kraina i Karyntia oderwane od Czech i podzielone między członków rodu Habsburgów
1283 ► Wacław II u władzy (do 1288 r. regencja; panuje do 1305 r.)
1300 ► reforma monetarna Wacława II, wprowadzająca grosze praskie
1300 ► po opanowaniu większej części ziem polskich Wacław II koronowany w Gnieźnie na króla Polski
1301, 27 VIII ► Wacław III, syn Wacława II, koronowany na króla Węgier; rządzi jako Władysław V do 1305 r.
1305 ► Wacław III u władzy w Czechach
1306, 4 VIII ► Wacław III zamordowany w Ołomuńcu. Koniec rządów Przemyślidów w Czechach

Węgry

1188 ► opanowanie Rusi halickiej, gdzie do władzy dochodzi Andrzej (syn Beli III)
1196–1205 ► walki o tron między potomkami Beli III
1205 ► Andrzej II u władzy (do 1235 r.)
1211 ► osadzenie Krzyżaków w zagrożonej przez pogańskich Kumanów tzw. ziemi Borsa w Siedmiogrodzie
1214 ► kompromis węgiersko-polski w sprawie Rusi halickiej, przypieczętowany zaręczynami syna Andrzeja II, Kolomana, z córką Leszka Białego, Salomeą
1222 ► Andrzej II wydaje *Złotą bullę* gwarantującą szlachcie wolność podatkową oraz inne przywileje
1224 ► Andrzej II nadaje szerokie uprawnienia autonomiczne kolonistom saskim w Siedmiogrodzie (tzw. *privilegium Andreanum*)
1225 ► usunięcie Krzyżaków z Siedmiogrodu
1231 ► odnowienie *Złotej bulli* Andrzeja II
1235 ► Bela IV u władzy (do 1270 r.)
1239 ► Bela IV godzi się na osiedlenie Kumanów na Węgrzech
1241, 11 IV ► bitwa na równinie Mohi nad rzeką Sajó – klęska Węgrów w walce z najazdem mongolskim. Mongołowie wycofują się w połowie 1242 r.
1246 ► sojusz Węgier z księciem halickim Danielem Romanowiczem
1246 ► wojna węgiersko-austriacka. W bitwie nad Litawą ginie książę austriacki Fryderyk II. Węgry odbierają trzy przygraniczne komitaty
1252–1254 ► wojna czesko-węgierska o spadek po Babenbergach austriackich. Przyłączenie Styrii do Węgier (do 1261 r.)
1267 ► *Złota bulla* Beli IV rozszerzająca uprawnienia magnatów (baronów) i szlachty (serwientów)
1280 ► krwawa bitwa z Kumanami na polach Hódtó. Po klęsce Kumanowie, jako poddani chłopi, zostali uzależnieni od możnych węgierskich
1301 ► umiera Andrzej III, ostatni Arpad na tronie węgierskim
1301, 27 VIII ► Wacław III, syn króla Czech i Polski Wacława II, królem węgierskim (jako Władysław V; do 1305 r.)
1301 ► Karol Robert z dynastii andegaweńskiej u władzy (do 1342 r.). Rządy andegaweńskie (do 1387 r.) to okres stabilizacji politycznej i rozwoju państwa

Ruś i Litwa

1187 ► próby uzależnienia Rusi halickiej od Węgier i Polski
1189 ► umowa handlowa między kupcami hanzeatyckimi a księciem ruskim Jarosławem. W Nowogrodzie powstaje kantor niemiecki – Peterhof
1216 ► bitwa na Lipickim Polu – książę nowogrodzki Mścisław Udały utrzymuje niezależność swego księstwa od księcia włodzimiersko-suzdalskiego Jerzego II i skupionej wokół niego koalicji
1223, 31 V ► bitwa nad Kałką – Mongołowie pokonują koalicję książąt ruskich i Połowców, dowodzoną przez Mścisława Udałego
1237 ► początek podboju Rusi przez Mongołów dowodzonych przez Batu-chana
ok. 1238 ► zjednoczenie plemion litewskich. Z rywalizacji między przywódcami plemiennymi zwycięsko wychodzi Mendog
1238, 4 III ► bitwa nad Sitą – Mongołowie pokonują wojska księcia włodzimiersko-suzdalskiego Jerzego II. Ruś uzależniona przez Mongołów
1240 ► książę nowogrodzki Aleksander Newski zwycięża nad Newą Szwedów
1240, 5 XII ► zdobycie Kijowa przez Mongołów
1242, 5 IV ► książę nowogrodzki Aleksander Newski zwycięża na zamarzniętym jeziorze Pejpus (Czudzkim) Krzyżaków
1243 ► powstanie Złotej Ordy ze stolicą w Saraju nad Wołgą
1251 ► książę litewski Mendog przyjmuje chrzest
1252 ► Aleksander Newski wielkim księciem Rusi (do 1263 r.). Stolicą jego zależnego od Mongołów księstwa staje się Włodzimierz (nad Klaźmą)
1253 ► książę Mendog koronuje się na króla Litwy
1255 ► książę włodzimiersko-halicki koronuje się na króla
1263 ► król litewski Mendog ginie w zamachu. Walki wewnętrzne na Litwie do 1290 r., z których zwycięsko wychodzą bracia Budiwid i Pukuwer
1276 ► Daniel, syn Aleksandra Newskiego, księciem moskiewskim (księstwo moskiewskie wyodrębniło się w połowie XIII w. z dawnego księstwa włodzimiersko-suzdalskiego)
1289 ► nasilenie najazdów krzyżackich na Litwę. Szczególne natężenie przypada na lata 1300–1315
1299 ► przeniesienie metropolii z Kijowa do Włodzimierza
1302 ► włączenie księstwa perejesławskiego do księstwa moskiewskiego

Kraje nadbałtyckie

1181 ► zhołdowanie Pomorza Zachodniego przez cesarstwo
1185 ► książę zachodniopomorski Bogusław I zhołdowany przez króla duńskiego Kanuta IV
ok. 1200 ► Saxo Grammaticus pisze *Gesta Danorum* (*Czyny Duńczyków*)
1201 ► biskup inflancki Albert zakłada Rygę i osiedla tam kupców niemieckich
1202 ► w Inflantach powstaje zakon kawalerów mieczowych
1207, 2 II ► król niemiecki Filip Szwabski nadaje Inflanty tamtejszemu biskupowi Albertowi jako lenno Rzeszy
1222–1223 ► krucjaty książąt polskich przeciw Prusom
1226 ► *Złota bulla* z Rimini Fryderyka II, nadająca Krzyżakom pełne prawa do zdobywanych terenów pruskich
1227, 22 VII ► bitwa pod Bornhöved – Duńczycy pokonani przez koalicję książąt niemieckich. Dania traci większość posiadłości nad Bałtykiem
1234 ► Krzyżacy wspomagani przez książąt mazowieckich i księcia gdańskiego Świętopełka Wielkiego w bitwie nad Dzierzgoniem pokonują Prusów
1237 ► połączenie zakonu krzyżackiego z inflanckim zakonem kawalerów mieczowych
1241 ► umiera król Danii Waldemar II. Podział królestwa na dzielnice (do 1340 r.)
1242–1247 ► wojna księcia gdańskiego Świętopełka Wielkiego z Krzyżakami
1246 ► pruskie powstanie antykrzyżackie, zakończone ugodą w Dzierzgoniu (1249 r.)
1250 ► koronacja Waldemara I, pierwszego przedstawiciela dynastii Folkungów na tronie szwedzkim
ok. 1250 ► powstanie parlamentu duńskiego (Danehof)
1254–1255 ► wyprawa Przemysła Ottokara II do Prus. Założenie Królewca
1261–1262 ► Grenlandia i Islandia podporządkowane przez Norwegię
1275 ► bitwa pod Hova – zwyciężony przez opozycję król Szwecji Waldemar I zrzeka się korony; brat Waldemara, Magnus I, u władzy (do 1290 r.)
1282 ► król Danii Eryk Klipping wydaje przywilej ograniczający jego uprawnienia i rozszerzający prawa możnowładztwa
1284 ► powstanie zależnego od Szwecji księstwa Finlandii
1284–1285 ► wojna między Hanzą a Norwegią. Norwegia zmuszona do nadania Hanzie licznych przywilejów
1286–1305 ► walki wewnętrzne w Danii z wygnanymi przywódcami możnowładztwa (tzw. wojny z emigrantami)
1290 ► umiera król Szwecji Magnus I. Wobec niepełnoletności następcy, Birgera, wzrasta znaczenie możnowładztwa
1295 ► podział Pomorza Zachodniego na księstwa wołogoskie i szczecińskie

Polska – Świat

Polska

1194, 5 V ► nagła śmierć Kazimierza Sprawiedliwego. Walki o władzę w Krakowie

1195, 13 IX ► bitwa nad Mozgawą

1202, 13 lub 14 III ► śmierć Mieszka Starego. Władysław Laskonogi u władzy w Krakowie

1202 ► obalenie Władysława Laskonogiego. Leszek Biały u władzy w Krakowie

1205, 19 VI ► książę halicki Roman pokonany w bitwie pod Zawichostem

1210 ► przywileje na rzecz Kościoła na synodzie w Borzykowej

przed 1211 ► Złotoryja jako pierwsze miasto na ziemiach polskich lokowana na prawie niemieckim

1227, 23 lub 24 XI ► zabójstwo Leszka Białego na zjeździe w Gąsawie

1228 ► sprowadzenie Krzyżaków do ziemi chełmińskiej

1231, 3 XI ► śmierć Władysława Laskonogiego. Z rywalizacji o tron krakowski zwycięsko wychodzi Henryk Brodaty

1234 ► Henryk Brodaty uzależnia część Wielkopolski oraz Santok i Śrem

1238, 19 III ► śmierć Henryka Brodatego. Henryk Pobożny u władzy

1240–1241 ► najazd mongolski. W bitwie pod Legnicą (9 IV 1241 r.) ginie Henryk Pobożny

1241, VII ► Konrad Mazowiecki zajmuje Kraków

1243 ► bitwa pod Suchodołem. Bolesław Wstydliwy księciem krakowskim i sandomierskim

1248 ► podział Śląska między synów Henryka Pobożnego

1249 ► utrata ziemi lubuskiej

1253 ► podział Wielkopolski między synów Władysława Odonica

1257 ► śmierć Przemysła I. Bolesław Pobożny u władzy w Wielkopolsce

1259–1260 ► drugi najazd mongolski

1279, 13 lub 14 IV ► śmierć Bolesława Pobożnego. Przemysł II u władzy w Wielkopolsce

1279, 7 XII ► śmierć Bolesława Wstydliwego. Leszek Czarny u władzy

1280, 23 II ► książę halicki Lew Danielowicz pokonany pod Goślicami

1287–1288 ► trzeci najazd mongolski

1288, 30 IX ► śmierć Leszka Czarnego. Henryk Prawy u władzy

1290, 23 VI ► śmierć Henryka Prawego (otruty). Król Czech Wacław II zajmuje Małopolskę (1291 r.)

1295, 26 VI ► koronacja królewska Przemysła II

1296, 8 II ► Przemysł II zamordowany. Władysław Łokietek u władzy w Wielkopolsce

1300 ► wygnanie Władysława Łokietka. Wacław II królem Polski

1305, 21 VI ► śmierć Wacława II. Wacław III u władzy (zamordowany 4 VIII 1306 r.)

Italia i papiestwo

1183, 25 VI ► pokój w Konstancji – Fryderyk Barbarossa uznaje Ligę Lombardzką

1194 ► cesarz Henryk VI podporządkowuje południową Italię i Sycylię i koronuje się na króla sycylijskiego

1198–1216 ► pontyfikat Innocentego III, najwybitniejszego zwolennika uniwersalizmu papieskiego

1202 ► Zadar zdobyty przez uczestników IV krucjaty i ponownie przyłączony do Wenecji

1209 ► Innocenty III zatwierdza pierwszą regułę franciszkańską

1215 ► powstanie inkwizycji

1216 ► początki zwalczających się stronnictw – procesarskiego gibelinów oraz propapieskiego gwelfów

1216 ► Honoriusz III zatwierdza zakon dominikanów

1226 ► umiera Franciszek z Asyżu (kanonizowany w 1228 r.), założyciel zakonów franciszkanów i klarysek

1231 ► cesarz i król sycylijski Fryderyk II nadaje konstytucje z Melfi, stanowiące podstawę centralistycznego ustroju państwa sycylijskiego

1236 ► wybuch wojny Fryderyka II z popieranymi przez papiestwo miastami północnowłoskimi (do 1250 r.)

1263 ► Urban IV nadaje Sycylię jako lenno papieskie Karolowi Anjou (Andegaweńskiemu)

1266, 26 II ► bitwa pod Benewentem – w walce z Karolem Anjou ginie król Sycylii Manfred (nieślubny syn Fryderyka II). Koniec panowania Hohenstaufów w południowej Italii

1268 ► Karol Anjou królem Sycylii i Neapolu. Wzmożony napływ Francuzów na Sycylię

1274 ► sobór lyoński II. Kościół bizantyjski uznaje zwierzchność Rzymu w tzw. unii lyońskiej

1281 ► antybizantyjski traktat w Orvieto zawarty przez tytularnego cesarza łacińskiego Filipa, Karola Anjou i Wenecję. Koniec unii lyońskiej

1282, 30 III ► tzw. nieszpory sycylijskie – krwawe powstanie antyfrancuskie na Sycylii. Wyspa przechodzi pod panowanie króla Aragonii Piotra Wielkiego, Karol Anjou zachowuje Królestwo Neapolu

1284 ► Genua pokonuje Pizę w bitwie morskiej u wybrzeży wyspy Meloria. Okres przewagi Genui w handlu lewantyńskim

1300 ► Bonifacy VIII ogłasza rok 1300 rokiem świętym

1302, 18 XI ► bulla *Unam sanctam* Bonifacego VIII, uzasadniająca wyższość władzy duchownej nad świecką

1303–1307 ► chłopskie powstanie antyfeudalne w północnych Włoszech

Francja, Niderlandy i Wyspy Brytyjskie

1189 ► Ryszard Lwie Serce królem Anglii (do 1199 r.). Jego długotrwała nieobecność osłabia władzę królewską

1199 ► Jan bez Ziemi królem Anglii (do 1216 r.). Nieudolne rządy powodują dalsze osłabienie władzy królewskiej

1202 ► Filip August ogłasza konfiskatę posiadłości angielskich we Francji, a następnie zajmuje je (z wyjątkiem Akwitanii i Gaskonii)

1207–1213 ► konflikt Jana bez Ziemi z papieżem Innocentym III

1209 ► założenie uniwersytetu w Cambridge

1209–1229 ► krucjata przeciw katarom

1214, 27 VII ► bitwa pod Bouvines – Jan bez Ziemi i Otto IV oraz ich sprzymierzeńcy pokonani przez Filipa Augusta

1214 ► założenie uniwersytetu w Oksfordzie

1215, 15 VI ► Jan bez Ziemi nadaje Wielką Kartę Swobód

1216–1272 ► Henryk III, syn Jana bez Ziemi, królem Anglii

1226–1270 ► Ludwik Święty, w średniowieczu uważany za władcę idealnego, królem Francji

1251 ► krwawo stłumione chłopskie powstanie pastuszków we Francji

1263 ► wojna domowa w Anglii między królem a zwolennikami reform pod wodzą Szymona de Montfort

1265 ► Szymon de Montfort zwołuje do Londynu pierwszy parlament angielski

1265, VIII ► Szymon de Montfort pobity pod Evesham przez baronów sprzymierzonych z synem króla, Edwardem

1272–1307 ► Edward I królem Anglii. Okres reform wewnętrznych i ekspansji przeciw Walii i Szkocji

1285–1314 ► Filip Piękny królem Francji. Wzmocnienie władzy królewskiej

1294 ► Edward I włącza Walię do królestwa Anglii

1296 ► odparcie najazdu szkockiego na Anglię. Władca Szkocji John Balliol abdykuje na rzecz króla Anglii

1296 ► konflikt między królem Francji Filipem Pięknym a papieżem Bonifacym VIII

1297 ► powstanie Williama Wallace'a przeciw panowaniu angielskiemu w Szkocji (do 1314 r.)

1300 ► Filip Piękny przyłącza hrabstwo Flandrii do Francji

1302, IV ► Filip Piękny zwołuje do Paryża Stany Generalne

1302, 17–18 V ► powstanie przeciw rządom francuskim we Flandrii (tzw. jutrznia brugijska)

1302, 11 VII ► bitwa pod Courtrai (tzw. bitwa ostróg) – zwycięstwo mieszczan i chłopów flandryjskich nad rycerstwem francuskim

1305 ► Flandria autonomicznym hrabstwem

Kraje Półwyspu Pirenejskiego

1188 ► zwołanie w Leónie pierwszego stanowego organu przedstawicielskiego w Hiszpanii – Kortezów
1195 ► Almohadzi pokonują wojska kastylijskie pod Alarcos
1207 ► powstaje *Cantar de mio Cid* (*Pieśń o Cydzie*), hiszpański poemat opiewający ideał rycerski okresu rekonkwisty
1211 ► pierwsze Kortezy (zgromadzenie prałatów, możnowładców i pomniejszej szlachty) w Portugalii
1212, 16 VII ► przełomowe w dziejach rekonkwisty zwycięstwo zjednoczonych sił Kastylii, Leónu, Aragonii, Portugalii i Nawarry nad Arabami pod Las Navas de Tolosa
1218 ► założenie uniwersytetu w Salamance
1226 ► w Aragonii powstaje pierwszy związek miast (*hermandad*), obejmujący Saragossę, Huescę i Jaca
1230 ► ostateczne połączenie Leónu i Kastylii przez króla Ferdynanda Świętego
1232 ► powstanie pierwszego trybunału inkwizycyjnego (w Aragonii)
1236 ► król Kastylii Ferdynand Święty zdobywa dawną stolicę muzułmańskiej Hiszpanii – Kordobę
1237 ► Muhammad I, założyciel dynastii Nasrydów, u władzy w emiracie Grenady (do 1273 r.)
1238 ► król Aragonii Jakub Zdobywca odzyskuje Walencję z rąk arabskich
1246 ► emir Grenady Muhammad I uznaje się za lennika Kastylii
1248 ► Kastylia zdobywa Sewillę
1252 ► Alfons Mądry u władzy w Kastylii (do 1284 r.). Był wybitnym protektorem nauki i literatury
1258 ► traktat w Corbeil – Francja zrzeka się zwierzchności lennej nad hrabstwami Roussillon i Barcelony na rzecz króla Aragonii Jakuba Zdobywcy
1259 ► Kastylia zdobywa Kadyks. W rękach muzułmańskich pozostaje jedynie – jako lenno kastylijskie – emirat Grenady
1262 ► podział królestwa Aragonii między synów Jakuba Zdobywcy
1282 ► król Aragonii Piotr Wielki zajmuje Sycylię
1284 ► królowa Nawarry Joanna I poślubia przyszłego króla Francji (Filipa Pięknego). Nawarra pod panowaniem władców francuskich (do 1328 r.)
1287 ► król Aragonii Alfons Szczodry nadaje przywilej rozszerzający uprawnienia możnych
1295 ► miasta kastylijskie organizują własny związek miast

Bizancjum i kraje bałkańskie

1182 ► pogrom ludności łacińskiej (zwłaszcza pochodzenia włoskiego) w Konstantynopolu
1185–1187 ► antybizantyjskie powstanie Piotra i Asena w Bułgarii. Utworzenie drugiego państwa bułgarskiego ze stolicą w Tyrnowie; carem zostaje Asen I
1190 ► zwycięstwo Bizancjum nad wojskami Stefana Nemani. W traktacie pokojowym Bizancjum uznaje jednak niezależność państwa serbskiego
1197–1207 ► panowanie cara Iwana Kałojana w Bułgarii; od papieża Innocentego III otrzymuje koronę królewską
1204, 13 IV ► zdobycie i splądrowanie Konstantynopola przez uczestników IV krucjaty. Utworzenie Cesarstwa Łacińskiego; niezależność zachowują państwa greckie w Trapezuncie, Epirze i Nicei
1208 ► władca Nicei Teodor Laskaris koronowany na cesarza bizantyjskiego
1214 ► traktat w Nymfaion – wzajemne uznanie się cesarstw Bizantyjskiego i Łacińskiego
1217 ► powstanie królestwa serbskiego – Stefan Nemania otrzymuje od papieża Honoriusza III koronę królewską
1218–1241 ► panowanie cara Iwana Asena II w Bułgarii. Czasy świetności państwa
1219 ► utworzenie serbskiego arcybiskupstwa autokefalicznego z siedzibą w Žiczy
1224 ► książę Epiru Teodor Angelos zdobywa Saloniki i koronuje się na króla bizantyjskiego
1230 ► klęska wojsk Teodora Angelosa w bitwie z Bułgarami pod Kłokotnicą. Bułgaria zajmuje większą część Epiru
1235 ► car Bułgarii Iwan Asen II zrywa stosunki z Rzymem i zawiera przymierze z Bizancjum przeciw Cesarstwu Łacińskiemu. Utworzenie autonomicznego patriarchatu Bułgarii
1242 ► Mongołowie pod wodzą Batu-chana podbijają Bułgarię
1243 ► najazd Mongołów na Azję Mniejszą. Nietknięte państwo nicejskie wzmacnia przewagę w Azji Mniejszej
1243–1276 ► panowanie Stefana Urosza I w Serbii. Odbudowa znaczenia politycznego i rozwój państwa
1261, 25 VII ► zdobycie Konstantynopola przez nicejskiego wodza Aleksego Strategopulosa. Upadek Cesarstwa Łacińskiego. Cesarz Michał VIII restauruje państwo bizantyjskie
1264 ► despota Epiru Michał II uznaje zwierzchność cesarza konstantynopolitańskiego
1277–1280 ► powstanie chłopów bułgarskich pod wodzą Iwajły
1303 ► cesarz bizantyjski Andronik II angażuje do walki z Turkami tzw. kompanie katalońskie

Inne kraje pozaeuropejskie

1181–1203 ► podbój znacznej części Indii przez Muhammada Ghori
1185 ► ród Taira pokonany przez wschodniojapoński ród Minamoto
1187, 5 VII ► bitwa pod Hittin – sułtan egipski Salah ad-Din pokonuje krzyżowców i zajmuje Jerozolimę
1189–1192 ► III krucjata. Krzyżowcy zdobywają Akkę, która staje się stolicą Królestwa Jerozolimskiego
1192 ► Minamoto Yoritomo szogunem państwa japońskiego. Początek szogunatu Kamakura (lub Minamoto)
ok. 1197–1206 ► Temudżyn zostaje chanem Mongołów i przybiera tytuł Czyngis-chana. Podboje ludów południowej Syberii
ok. 1200 ► powstanie państwa Inków z ośrodkiem w Cuzco
1206 ► powstanie sułtanatu delhijskiego
1210–1215 ► najazdy mongolskie na Chiny, zakończone zdobyciem Pekinu
1218–1221 ► V krucjata. Krzyżowcy mimo zdobycia Damietty w Egipcie zmuszeni do odwrotu
1219 ► ród Hojo opanowuje szogunat
1219–1221 ► podbój Chorezmu przez Mongołów
1221–1223 ► Mongołowie pokonują Gruzinów i wyruszają za Kaukaz
1227 ► śmierć Czyngis-chana. Jego trzeci syn Ugedej u władzy (do 1242 r.)
1228–1229 ► VI krucjata. Restytucja, w drodze pertraktacji, Królestwa Jerozolimskiego
1234 ► północne Chiny (cesarstwo Cin) podbite przez Mongołów
1235–1239 ► podbój Zakaukazia przez Mongołów
1243 ► pod naporem mongolskim upada sułtanat Rum (Azja Mniejsza)
1248–1254 ► VII krucjata. Krzyżowcy zajmują Damiettę (1249 r.), z której jednak muszą się wycofać. Dalsze walki toczą się w Syrii
1250 ► początek panowania Mameluków w Egipcie (do 1517 r.)
1259 ► podbój Korei przez Mongołów
1260–1294 ► Kubilaj chanem mongolskim. Jako cesarz Chin otwiera okres rządów dynastii Yuan (do 1368 r.)
1270 ► VIII (ostatnia) krucjata. Król francuski Ludwik Święty umiera na zarazę w Tunisie, a jego wyprawa załamuje się
1277 ► najazd mongolski na Birmę. Upadek dynastii Pagan. Powstanie państw Tajów i Monów
1279 ► zakończenie podboju południowych Chin przez Mongołów. Upadek dynastii Song
przed 1288 ► Ertogrul na gruzach sułtanatu Rum zakłada nowe państwo tureckie (od 1299 r. sułtanat)
1291 ► upadek Akki, ostatniej posiadłości krzyżowców na Wschodzie
1292–1293 ► wyprawa mongolska na Jawę i Sumatrę

Polska – sąsiedzi

Polska

1305–1306 ► Władysław Łokietek zajmuje Małopolskę, a Henryk głogowski Wielkopolskę

1308–1309 ► Krzyżacy sprowadzeni do obrony przed Brandenburczykami zajmują Gdańsk, a następnie Pomorze Gdańskie

1311 ► tzw. bunt wójta Alberta w Krakowie

1314 ► Władysław Łokietek zajmuje Wielkopolskę

1320, 20 I ► koronacja królewska Władysława Łokietka

1320–1321 ► proces polsko-krzyżacki w Inowrocławiu i Brześciu Kujawskim

1327, 1329–1332 ► walki polsko-krzyżackie. Bitwa pod Płowcami (27 IX 1331 r.). Krzyżacy zajmują Kujawy

1333, 2 III ► śmierć Władysława Łokietka. Kazimierz Wielki u władzy

1338, VII ► zjazd w Wiszehradzie – ustalenia w sprawie sukcesji andegaweńskiej w Polsce i sukcesji polskiej na Rusi halicko-włodzimierskiej

1339, II–IX ► polsko-krzyżacki proces warszawski

1340, 7 IV ► książę halicko-włodzimierski Jerzy II otruty. Początek wypraw polskich na Ruś Czerwoną, zakończonych jej zajęciem w 1366 r.

1343, 8 VII ► polsko-krzyżacki pokój wieczysty w Kaliszu

1355, 24 I ► przywilej budziński

1355 ► Mazowsze lennem polskim

po 1357 ► kodyfikacja prawa sądowego dla Wielkopolski, później dla Małopolski

1364, 12 V ► założenie Uniwersytetu Krakowskiego

1364 ► kongres krakowski

1365, 14 V ► Santok i Drezdenko zhołdowane przez Polskę

1370, 5 XI ► śmierć Kazimierza Wielkiego. Ludwik Węgierski u władzy. Zerwane związki lenne Polski z Santokiem i Drezdenkiem, Mazowszem oraz Włodzimierzem

1372 ► Władysław Opolczyk królewskim namiestnikiem Rusi Czerwonej (do 1378 r.). Zbliżenie Rusi do Węgier

1374, 17 IX ► przywilej koszycki

1382, 10/11 IX ► śmierć Ludwika Węgierskiego. Bezkrólewie do 1384 r.

1384, 16 X ► koronacja Jadwigi na króla Polski

1385, 14 VIII ► unia polsko-litewska w Krewie

1386, 15 II ► chrzest Jagiełły (przyjmuje imię Władysław), ślub z Jadwigą (18 II) i koronacja królewska (4 III)

1391 ► wyprawy Władysława Jagiełły przeciw Władysławowi Opolczykowi (do 1396 r.)

1397, 11 I ► utworzenie wydziału teologicznego w Krakowie

1399, 17 VII ► śmierć królowej Jadwigi

Kraje niemieckie

1308 ► król Albrecht I zamordowany. Na następcę zostaje wybrany hrabia Luksemburga Henryk VII

1314 ► Ludwik Bawarski (Wittelsbach) królem niemieckim (do 1347 r.; cesarz od 1328 r.)

1315, 15 XI ► bitwa w wąwozie Morgarten – kantony szwajcarskie zadają druzgocącą klęskę wojskom austriackim

1315–1317 ► klęska głodu

1322, 28 IX ► bitwa pod Mühldorfem – pretendujący do tronu Fryderyk Piękny (Habsburg) pobity i wzięty do niewoli przez Ludwika IV

1323 ► papież Jan XXII żąda od Ludwika IV ustąpienia z tronu niemieckiego

1331 ► królewskie miasta Szwabii zawiązują Związek Miast Szwabskich

1332 ► do Związku Szwajcarskiego przystępuje Lucerna. Z czasem Związek powiększa się o Zurych (1351 r.), Glarus (1352 r.) i Berno (1353 r.)

1338, 16 VII ► na zjeździe w Rhense elektorzy negują prawo papieża do każdorazowego zatwierdzania i koronacji króla niemieckiego

1346, VII ► elektorzy detronizują Ludwika IV i wybierają na króla niemieckiego Karola IV Luksemburskiego

1347–1350 ► epidemia dżumy (tzw. czarna śmierć)

1348 ► kulminacja ruchu biczowników w związku z epidemią czarnej śmierci

1354 ► wyprawa Karola IV do Italii i koronacja na cesarza (1355 r.)

1356 ► pierwszy ogólny zjazd miast hanzeatyckich. Hanza, zrzeszająca około stu pięćdziesięciu miast, wchodzi w szczytowy okres swego rozwoju

1356 ► *Złota bulla* Karola IV, określająca sposób wyboru króla niemieckiego

1365 ► Rudolf IV zakłada uniwersytet w Wiedniu

1373 ► Karol IV przejmuje Brandenburgię z rąk Wittelsbachów

1378 ► umiera Karol IV. Wacław IV u władzy (wybrany już w 1376 r.)

1385 ► założenie uniwersytetu w Heidelbergu

1386, 9 VII ► bitwa pod Sempach – dążący do niezależności Związek Szwajcarski rozbija wojska austriackie Leopolda III

1388, 9 IV ► bitwa pod Näfels – kolejne zwycięstwo Związku Szwajcarskiego nad wojskami austriackimi

1393, 10 VII ► tzw. *Sempacher Brief*, dokument zacieśniający współpracę między kantonami szwajcarskimi

1396 ► pierwszy sejm krajowy (Landtag) w Austrii

Czechy

1306–1310 ► rywalizacja o władzę między zwolennikami Habsburgów i Henryka Karynckiego

1310 ► ślub Jana Luksemburskiego z córką Wacława III. Jan Luksemburski królem Czech (do 1346 r.)

po 1310 ► *Kronika Dalimila*, pierwsza kronika w języku czeskim (wierszowana)

1311 ► Jan Luksemburski nadaje szlachcie czeskiej przywileje ograniczające władzę królewską

1319 ► przyłączenie rejonu Budziszyna do państwa czeskiego

1322 ► przyłączenie Egeru (dzisiejszy Cheb) do państwa czeskiego

1327, 1329 ► zhołdowanie księstw śląskich przez Jana Luksemburskiego

1329 ► przyłączenie Zgorzelca do państwa czeskiego

1333 ► początek budowy Hradczan w Pradze (ukończona w 1774 r.)

1334 ► Karol Luksemburski margrabią morawskim

1335 ► Jan Luksemburski zrzeka się praw do korony polskiej

1344, 30 IV ► założenie arcybiskupstwa w Pradze (z sufraganiami w Ołomuńcu i Litomyślu)

1345–1348 ► wojna z Polską o Śląsk, zakończona pokojem w Namysłowie – Śląsk pozostaje przy państwie czeskim

1346, 26 VIII ► w bitwie pod Crécy ginie Jan Luksemburski. Karol IV u władzy (wcześniej król Niemiec, od 1355 r. cesarz). Jego rządy to okres rozkwitu państwa

1348, 7 IV ► Karol IV zakłada uniwersytet w Pradze

1355 ► próba kodyfikacji prawa (tzw. *Maiestas Carolina*); wskutek oporu sejmu nie powiodła się

1364 ► przyłączenie Łużyc do państwa czeskiego

1364 ► umiera Arnošt z Pardubic, pierwszy arcybiskup praski, reformator Kościoła czeskiego

1373 ► Karol IV nadaje swoim synom Brandenburgię jako lenno

1376 ► Wacław IV, syn Karola IV, królem niemieckim

1378, 29 XI ► śmierć Karola IV. Wacław IV u władzy w Czechach (do 1419 r.). Okres kryzysu politycznego i wzrostu niepokojów wewnętrznych

1391 ► założenie Kaplicy Betlejemskiej w Pradze. Głosił w niej kazania Jan Hus

1393, 20 III ► konflikt Wacława IV z arcybiskupem praskim Janem z Jenstejnu. Arcybiskup zostaje wypędzony, a jego wikariusz Jan Nepomucen po torturach strącony z mostu do Wełtawy (kanonizowany w 1729 r.)

1397 ► polska królowa Jadwiga zakłada w Pradze kolegium dla studentów z Litwy

Węgry	Ruś i Litwa	Kraje nadbałtyckie
1330 ► bitwa pod Posadą – wyprawa węgierska przeciw wojewodzie wołoskiemu Basarabowi rozgromiona. Na Wołoszczyźnie powstaje państwo stopniowo uniezależniające się od Węgier 1342 ► Ludwik Wielki (w Polsce zwany Węgierskim) u władzy (do 1382 r.) ok. 1345 ► wyparcie Tatarów z Mołdawii 1347 ► wojna węgiersko-neapolitańska, zakończona zdobyciem Neapolu przez Ludwika Wielkiego. W wyniku późniejszych walk Ludwik rezygnuje z pretensji do tronu neapolitańskiego 1353 ► utworzenie zależnej od Węgier marchii granicznej z ośrodkiem w Baia – zaczątek państwa mołdawskiego 1355 ► po podziałach Serbii i carstwa bułgarskiego (1363 r.) Ludwik Wielki rozciąga zwierzchność węgierską na Bośnię, Serbię i część Bułgarii 1355 ► wojna węgiersko-wenecka o Dalmację zakończona w 1358 r. ponownym czasowym przyłączeniem Dalmacji do Węgier 1359 ► wojewoda Bogdan uniezależnia Mołdawię od Węgier 1359 ► utworzenie metropolii prawosławnej w Curtea de Argeş w państwie wołoskim 1367 ► założenie pierwszego uniwersytetu węgierskiego w Pécsu (przetrwał do 1382 r.) 1370 ► unia personalna z Polską – Ludwik Wielki zasiada na tronie polskim (do 1382 r.) 1381 ► pokój turyński kończy kolejną wojnę węgiersko-wenecką o Dalmację. Węgry zajmują Dalmację 1382 ► umiera Ludwik Wielki. Na tron wstępuje jego małoletnia córka Maria (do 1395 r.) 1386 ► Mircza Stary hospodarem wołoskim (do 1418 r.) 1387, 26 IX ► hospodar mołdawski Piotr Muşar składa hołd Jadwidze i Władysławowi Jagielle 1387 ► Zygmunt z dynastii Luksemburgów u władzy (do 1437 r.; do 1395 r. u boku Marii) 1388 ► podbój Dobrudży przez Turków 1389 ► hospodar wołoski Mircza Stary składa hołd Jadwidze i Władysławowi Jagielle 1395 ► Mircza Stary zwycięża Turków na równinie Rowina 1396 ► krucjata antyturecka kierowana przez Zygmunta Luksemburskiego 1397 ► pokój węgiersko-polski w Spiskiej Starej Wsi	1316 ► do władzy na Litwie dochodzi Giedymin 1325 ► Iwan Kalita księciem moskiewskim (do 1340 r.). Rozpoczął on proces jednoczenia („zbierania") ziem ruskich pod przewodnictwem Moskwy 1325 ► sojusz litewsko-polski, umocniony małżeństwem Kazimierza Wielkiego z Anną, córką księcia Giedymina 1326 ► przeniesienie metropolii z Włodzimierza do Moskwy 1328 ► przeniesienie stolicy wielkoksiążęcej z Włodzimierza do Moskwy 1341/42 ► śmierć władcy Litwy Giedymina i podział państwa między siedmiu jego synów ok. 1345 ► konsolidacja państwa litewskiego pod panowaniem Olgierda i Kiejstuta 1348 ► porażka Litwy w bitwie z Krzyżakami nad rzeką Strawą 1351 ► polsko-węgierska wyprawa na Ruś Czerwoną 1359 ► Dymitr Doński wielkim księciem moskiewskim (do 1389 r.) po 1360 ► początek budowy Kremla w Moskwie 1363 ► po zwycięstwie nad Tatarami nad Sinymi Wodami Litwa uzależnia Ruś kijowską 1368, 1370, 1372 ► wyprawy litewskie na Moskwę 1375 ► utworzenie arcybiskupstwa w Haliczu 1377 ► śmierć wielkiego księcia litewskiego Olgierda. Z rywalizacji o władzę zwycięsko wychodzi Jagiełło 1380, 8 IX ► bitwa na Kulikowym Polu – Dymitr Doński pokonuje Tatarów dowodzonych przez chana Mamaja 1381–1382 ► wojna Jagiełły z Kiejstutem. Kiejstut zamordowany 1382 ► najazd Tatarów na Moskwę. Zajęcie Moskwy nie przywróciło panowania tatarskiego nad Rusią 1386 ► początek chrystianizacji Litwy. Utworzenie biskupstwa w Wilnie (1387 r.) 1390–1398 ► wojna krzyżacko-litewska 1392, 4 VIII ► ugoda w Ostrowie – Witold księciem trockim i namiestnikiem (z nadania Jagiełły *de facto* wielkim księciem) Litwy 1397 ► na mocy pokoju w Spiskiej Starej Wsi Ruś Czerwona wraca do Polski 1398, 12 X ► pokój krzyżacko-litewski na wyspie Salin. Litwa rezygnuje ze Żmudzi 1399, 12 VIII ► klęska wojsk litewskich w bitwie z Tatarami nad Worsklą	1309 ► przeniesienie siedziby wielkiego mistrza krzyżackiego z Wenecji do Malborka 1319 ► unia personalna Szwecji i Norwegii – 3-letni król szwedzki Magnus u władzy 1319, 13 XI ► śmierć króla Danii Eryka VI. Jego następca Krzysztof II zobowiązany do poddania się kontroli rady królewskiej 1323 ► pokój w Nöteborgu ustalający granicę między posiadłościami Szwecji i Nowogrodu Wielkiego 1332 ► umiera król Danii Krzysztof II. Wybuch powstania w Skanii, którą powstańcy oddają w ręce króla Szwecji Magnusa II 1340 ► Waldemar Atterdag (Dojutrek) królem Danii (do 1375 r.). Zdołał scentralizować rozbite królestwo 1343 ► koniec unii personalnej Szwecji i Norwegii – wybór Eryka XII, starszego syna Magnusa, na króla Szwecji, i młodszego, Håkona VI, na króla Norwegii 1346 ► Brygida (zmarła w 1373 r., kanonizowana w 1391 r.) zakłada zakon brygidek 1360 ► pokój krajowy (*Landfreden*) w Danii, określający zasady władzy królewskiej. Król Waldemar Atterdag odzyskuje Skanię oraz zdobywa Gotlandię wraz z hanzeatyckim miastem Wisby, co doprowadza do konfliktu z Hanzą 1364 ► król Szwecji Magnus II i jego syn Håkon zdetronizowani. Możni wybierają uległego im Albrechta III z Meklemburgii 1368 ► floty miast hanzeatyckich, Meklemburgii, Holsztynu i Szwecji zdobywają Kopenhagę 1368/1372 ► wydzielenie księstwa słupskiego z księstwa wołogoskiego 1370 ► pokój w Stralsundzie między królem Danii Waldemarem Atterdagiem a Hanzą. Hanza uzyskuje liczne przywileje handlowe w Sundzie 1375 ► umiera Waldemar Atterdag. Olaf II, nieletni syn Małgorzaty I (córki Waldemara) i króla Norwegii Håkona VI, królem Danii 1380 ► umiera król Norwegii Håkon VI. Jego następcą zostaje król Danii Olaf II (IV) 1387 ► umiera król Danii i Norwegii Olaf II (IV). Jego matka Małgorzata I u władzy w obu krajach 1389, 22 II ► bitwa pod Fallköping – wojska duńsko-norweskie rozbijają siły szwedzkie Albrechta III. Południowa Szwecja pod rządami Małgorzaty I 1397 ► unia kalmarska, zawarta w wyniku działań królowej Małgorzaty I, jednocząca Danię, Norwegię i Szwecję

Polska – Świat

Polska

1305–1306 ► Władysław Łokietek zajmuje Małopolskę, a Henryk głogowski Wielkopolskę
1308–1309 ► Krzyżacy sprowadzeni do obrony przed Brandenburczykami zajmują Gdańsk, a następnie Pomorze Gdańskie
1311 ► tzw. bunt wójta Alberta w Krakowie
1314 ► Władysław Łokietek zajmuje Wielkopolskę
1320, 20 I ► koronacja królewska Władysława Łokietka
1320–1321 ► proces polsko-krzyżacki w Inowrocławiu i Brześciu Kujawskim
1327, 1329–1332 ► walki polsko--krzyżackie. Bitwa pod Płowcami (27 IX 1331 r.). Krzyżacy zajmują Kujawy
1333, 2 III ► śmierć Władysława Łokietka. Kazimierz Wielki u władzy
1338, VII ► zjazd w Wiszehradzie – ustalenia w sprawie sukcesji andegaweńskiej w Polsce i sukcesji polskiej na Rusi halicko--włodzimierskiej
1339, II-IX ► polsko-krzyżacki proces warszawski
1340, 7 IV ► książę halicko-włodzimierski Jerzy II otruty. Początek wypraw polskich na Ruś Czerwona, zakończonych jej zajęciem w 1366 r.
1343, 8 VII ► polsko-krzyżacki pokój wieczysty w Kaliszu
1355, 24 I ► przywilej budziński
1355 ► Mazowsze lennem polskim
po 1357 ► kodyfikacja prawa sądowego dla Wielkopolski, później dla Małopolski
1364, 12 V ► założenie Uniwersytetu Krakowskiego
1364 ► kongres krakowski
1365, 14 V ► Santok i Drezdenko zhołdowane przez Polskę
1370, 5 XI ► śmierć Kazimierza Wielkiego. Ludwik Węgierski u władzy. Zerwane związki lenne Polski z Santokiem i Drezdenkiem, Mazowszem oraz Włodzimierzem
1372 ► Władysław Opolczyk królewskim namiestnikiem Rusi Czerwonej (do 1378 r.). Zbliżenie Rusi do Węgier
1374, 17 IX ► przywilej koszycki
1382, 10/11 IX ► śmierć Ludwika Węgierskiego. Bezkrólewie do 1384 r.
1384, 16 X ► koronacja Jadwigi na króla Polski
1385, 14 VIII ► unia polsko-litewska w Krewie
1386, 15 II ► chrzest Jagiełły (przyjmuje imię Władysław), ślub z Jadwigą (18 II) i koronacja królewska (4 III)
1391 ► wyprawy Władysława Jagiełły przeciw Władysławowi Opolczykowi (do 1396 r.)
1397, 11 I ► utwożenie wydziału teologicznego w Krakowie
1399, 17 VII ► śmierć królowej Jadwigi

Italia i papiestwo

1309 ► Robert Anjou królem Neapolu (do 1343 r.). Okres największych wpływów Andegawenów w Italii
1309 ► Klemens V przenosi rezydencję papieską do Awinionu we Francji (do 1377 r.)
1312 ► wyprawa króla Niemiec Henryka VII do Italii i jego koronacja cesarska
1321 ► umiera Dante Alighieri, poeta włoski, autor m.in. *Boskiej komedii*
1327 ► wyprawa króla Niemiec Ludwika IV do Italii i jego koronacja cesarska (1328 r.)
1337 ► umiera Giotto, najwybitniejszy przedstawiciel *trecenta* w malarstwie i architekturze
1347 ► wybuch największej epidemii dżumy w dziejach średniowiecznej Europy (tzw. czarnej śmierci)
1347 ► Cola di Rienzo ustanawia republikę rzymską, która upada po kilku miesiącach
1348 ► kulminacja ruchu biczowników w związku z czarną śmiercią
2 poł. XIV w. ► początki humanizmu we Włoszech
1354 ► rządy Coli di Rienzo jako senatora Rzymu
1357 ► *Constitutiones Aegidianae* regulujące zasady funkcjonowania Państwa Kościelnego
1374 ► umiera Francesco Petrarca, poeta włoski, autor utworów lirycznych, prekursor humanizmu
1375 ► umiera Giovanni Boccaccio, humanista, poeta włoski, autor m.in. *Dekameronu*
1377 ► powrót papieża Grzegorza XI z Awinionu do Rzymu
1378 ► podział Kościoła na obediencję rzymską i awiniońską – początek wielkiej schizmy zachodniej (do 1417 r.)
1378 ► powstanie robotników tekstylnych zwanych *ciompi* (łachmaniarze) we Florencji
1380 ► umiera Katarzyna ze Sieny (kanonizowana w 1461 r.)
1381 ► bitwa morska pod Chioggią – ostateczne zwycięstwo Wenecji nad Genuą w rywalizacji o kontrolę handlu śródziemnomorskiego
1395 ► pierwsze nowe księstwo w Italii – król Wacław IV tworzy księstwo Mediolanu. Księciem zostaje dotychczasowy signor Gian Galeazzo Visconti

Francja, Niderlandy i Wyspy Brytyjskie

1307, 13 X ► król Francji Filip Piękny występuje przeciw templariuszom. W 1312 r. zakon zostaje zlikwidowany
1307 ► Edward II królem Anglii (do 1327 r.). Jego nieudolna polityka wywołuje zamęt w kraju
1314 ► Edward II uznaje niezależność królestwa Szkocji
1323 ► powstanie mieszczan i chłopów flandryjskich (tzw. powstanie Flandrii Morskiej); rozbite w bitwie pod Cassel 23 VIII 1328 r.
1327 ► abdykacja króla Anglii Edwarda II. Edward III u władzy (do 1377 r.)
1328 ► śmierć Karola Pięknego, ostatniego Kapetynga na tronie francuskim. Filip VI z dynastii Walezjuszy (młodszej linii Kapetyngów) u władzy
1337, 24 V ► Filip VI ogłasza konfiskatę lenn angielskich we Francji. Początek wojny stuletniej (do 1453 r.)
1338 ► powstanie rzemieślników w Gandawie kierowane przez Jakuba van Artevelde
1340, 23 VI ► bitwa morska pod Sluis – flota francuska rozgromiona przez Anglików
1346, 26 VIII ► bitwa pod Crécy – Anglicy rozbijają wojska francuskie
1347–1350 ► epidemia dżumy (tzw. czarna śmierć)
1350–1364 ► Jan Dobry królem Francji
1356, 19 VIII ► zwycięstwo Anglików pod Poitiers, król Jan Dobry w niewoli
1357 ► bunty mieszczan paryskich kierowane przez Stefana Marcela
1358, V–VI ► żakieria – krwawo stłumione powstanie chłopskie w rejonie Beauvais we Francji
1364 ► Karol Mądry królem Francji
1369–1375 ► Francja odzyskuje większą część ziem zajętych przez Anglików, co sankcjonuje rozejm w Brugii
1377 ► śmierć króla Anglii Edwarda III. Małoletni Ryszard II u władzy (do 1399 r.)
1379 ► powstanie mieszczaństwa flandryjskiego pod wodzą Filipa van Artevelde. Upada po klęsce pod Roosebeek (27 XI 1382 r.)
1380 ► umiera król Francji Karol Mądry. Małoletni Karol Szalony u władzy (do 1422 r.)
1381, V–VII ► chłopskie powstanie Wata Tylera w Anglii
1382 ► powstania berdyszników w Paryżu oraz mieszczaństwa w Rouen
1384 ► książę burgundzki Filip Śmiały księciem Flandrii. Początek jednoczenia Niderlandów
1392 ► król Francji Karol Szalony popada w chorobę umysłową. Rywalizacja o wpływy między burgundczykami a armaniakami
1399 ► król angielski Ryszard II zdetronizowany. Henryk IV, książę Lancaster, u władzy. Początek rządów Lancasterów

Kraje Półwyspu Pirenejskiego

1314 ► założenie metropolii w Saragossie
1319 ► nieudana próba podboju Grenady przez Kastylię
1323 ► aragoński Jakub Sprawiedliwy wypiera Pizańczyków z Sardynii i obejmuje nad nią faktyczną władzę
1328 ► Joanna II z mężem Filipem Evreux obejmują tron Nawarry. Ród Evreux panuje w Nawarze do 1425 r.
1340, 30 X ► walne zwycięstwo sprzymierzonych wojsk Kastylii i Portugalii nad muzułmanami nad Río Salado
1341 ► odkrycie Wysp Kanaryjskich przez Portugalczyków
1343 ► król Piotr Ceremonialny jednoczy królestwo Aragonii
1348 ► król Aragonii Piotr Ceremonialny, dążąc do wzmocnienia królestwa, unieważnia przywilej z 1287 r. W walce z możnymi korzysta z poparcia miast katalońskich
1353 ► król Kastylii Piotr Okrutny tłumi opozycję swych przyrodnich braci Henryka i Fadrique Trastamara
1354 ► Muhammad V emirem Grenady (do 1391 r.). Okres rozkwitu emiratu
1369 ► Henryk Trastamara z francuską pomocą pokonuje pod Montiel Piotra Okrutnego i zasiada na tronie kastylijskim (do 1379 r.)
1383 ► król Kastylii Jan I usiłuje zająć Portugalię, jednak ponosi klęskę pod Aljubarrota (1384 r.)
1391 ► wielkie pogromy żydów w Kastylii, Aragonii i Katalonii

Bizancjum i kraje bałkańskie

1311 ► usamodzielniające się kompanie katalońskie zdobywają środkową Grecję, gdzie tworzą własne księstwo
1322–1353 ► Stefan Kotromanić banem Bośni. Wzrost potęgi państwa
1330, 28 VII ► Serbowie rozbijają Bułgarów w krwawej bitwie pod Welbużdem. Okres przewagi Serbii na Bałkanach
1331 ► zdobycie Nicei przez Turków
1342–1347 ► ruch zelotów w Salonikach, stłumiony przez przyszłego cesarza bizantyjskiego Jana Kantakuzena
1346, 16 IV ► król serbski Stefan Duszan ogłasza się carem Serbów i Greków
1346 ► przekształcenie arcybiskupstwa serbskiego w patriarchat
1349, 1354 ► car Stefan Duszan kodyfikuje serbskie prawo zwyczajowe
1352–1354 ► Turcy zajmują półwysep Gallipoli, pierwszy przyczółek na kontynencie europejskim
1355, 20 XII ► śmierć cara serbskiego Stefana Duszana. Rozpad jego carstwa na liczne państewka
1362 ► Turcy zdobywają Adrianopol, dokąd w 1365 r. przenoszą stolicę swego państwa
1363 ► podział państwa bułgarskiego na dwa wrogie carstwa – tyrnowskie i widyńskie
1371, 26 IX ► bitwa nad Maricą. Bułgaria i Bizancjum zmuszone do uznania zwierzchności tureckiej
1377 ► ban Bośni Stefan Tvrtko I koronuje się na króla Bośni i Serbii
1387 ► Turcy zdobywają Saloniki
1389, VI ► bitwa na Kosowym Polu. Mimo braku rozstrzygnięcia Turcy umacniają się na Bałkanach
1391 ► śmierć króla Bośni i Serbii Tvrtka I. Rozpad jego państwa na liczne niezależne państewka
1393 ► Turcy zdobywają Tyrnowo, stolicę jednego z carstw bułgarskich
1396, 22 IX ► bitwa pod Nikopolis – klęska krucjaty antytureckiej dowodzonej przez Zygmunta Luksemburskiego w starciu z wojskami Bajazyta I
1396 ► Turcy zdobywają Widyń – ostateczny upadek drugiego państwa bułgarskiego

Inne kraje pozaeuropejskie

1308–1311 ► podbój Dekanu przez sułtana delhijskiego Ala ad-Dina
1314–1346 ► Jerzy Wspaniały królem Gruzji. Uniezależnienie państwa od Mongołów
1320 ► Tughlak Szach sułtanem delhijskim. Początek rządów dynastii Tughlaków
ok. 1325 ► powstaje Texcoco, jedno z trzech głównych miast (obok Tenochtitlán i Tlacopán) związku miast-państw Méxicas
1326 ► Muhammad Tughlak (sułtan delhijski w latach 1325–1351) przenosi stolicę sułtanatu do Dewagiri
1333 ► wystąpienia samurajów w Japonii. Po zajęciu Kamakura upada szogunat określany tą nazwą
1335 ► rozpad chanatu Hulagidów na mniejsze państwa
1335 ► początek „okresu dwu dynastii" (północnej i południowej) w Japonii
1339 ► muzułmanie zajmują Kaszmir
1350 ► powstanie Syjamu (Tajlandii)
1351 ► wybuch antymongolskiego powstania Czerwonych Turbanów w Chinach
1365 ► powstanie sarbedarów w Samarkandzie w obliczu najazdu Timura Lenka (Tamerlana)
1366 ► Timur zdobywa Samarkandę, w której zakłada stolicę swego państwa
1368 ► koniec panowania mongolskiego w Chinach – przywódca Czerwonych Turbanów Czu Jüan-czang cesarzem Chin (jako Ming Tai-cu). Początek rządów dynastii Ming (do 1644 r.)
1368–1369 ► obalenie dynastii mongolskiej w Korei. Król Kongmin ogłasza niezależność państwa
1372 ► uzależnienie Chorezmu przez Timura
1380 ► chińska wyprawa przeciw Mongolii. Zniszczenie dawnej stolicy państwa Karakorum
1381 ► podbój Iranu przez wojska Timura (do 1393 r.)
1381 ► spis ludności w Chinach. Utworzone tzw. żółte listy stały się podstawą dla systemu podatkowego i robót publicznych
1391 ► wyprawa Timura przeciw chanowi Złotej Ordy Tochtamyszowi. Wojska Tochtamysza rozgromione pod Kunduzczą
1392 ► dowódca wojskowy Li Song-gie, założyciel dynastii Li, królem Korei. Przeniesienie stolicy państwa do Seulu
1392 ► abdykuje Kameyama, „południowy" cesarz Japonii. Przezwyciężenie rozbicia kraju
1395 ► kolejna wyprawa Timura przeciw Tochtamyszowi, zakończona zwycięstwem nad rzeką Terek
1398 ► wyprawa Timura do Indii i zdobycie Delhi

Tablice genealogiczne

Tylko tablica genealogiczna Piastów obejmuje wszystkich członków dynastii. W pozostałych tablicach ograniczono się do wskazania ważniejszych postaci oraz zawężono zakres informacji na ich temat. Strzałki oznaczają istnienie dalszych pokoleń rodu (w linii męskiej), które wykraczają poza zakres chronologiczny tomu.

PIASTOWIE
linia główna i książęta małopolscy

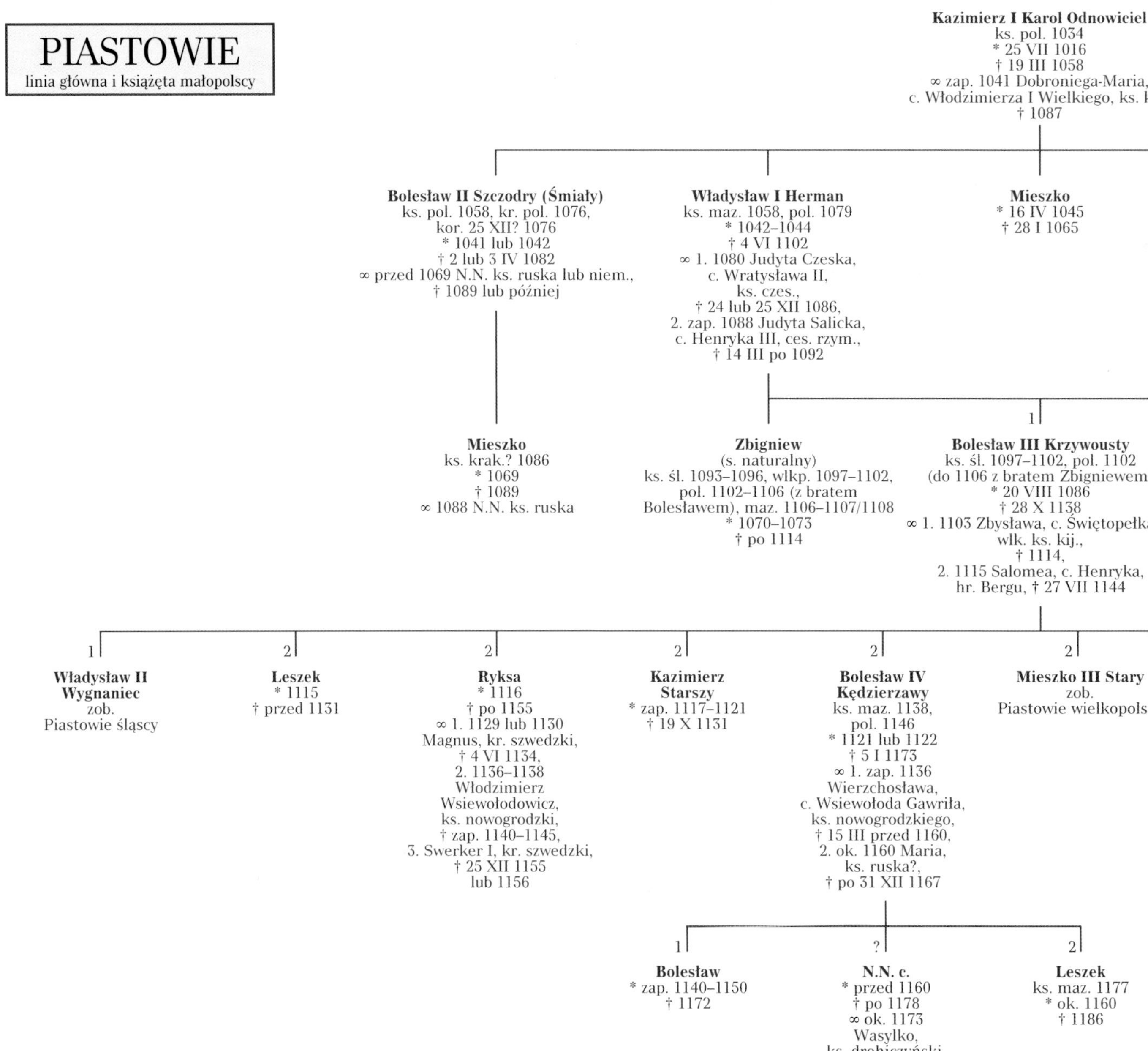

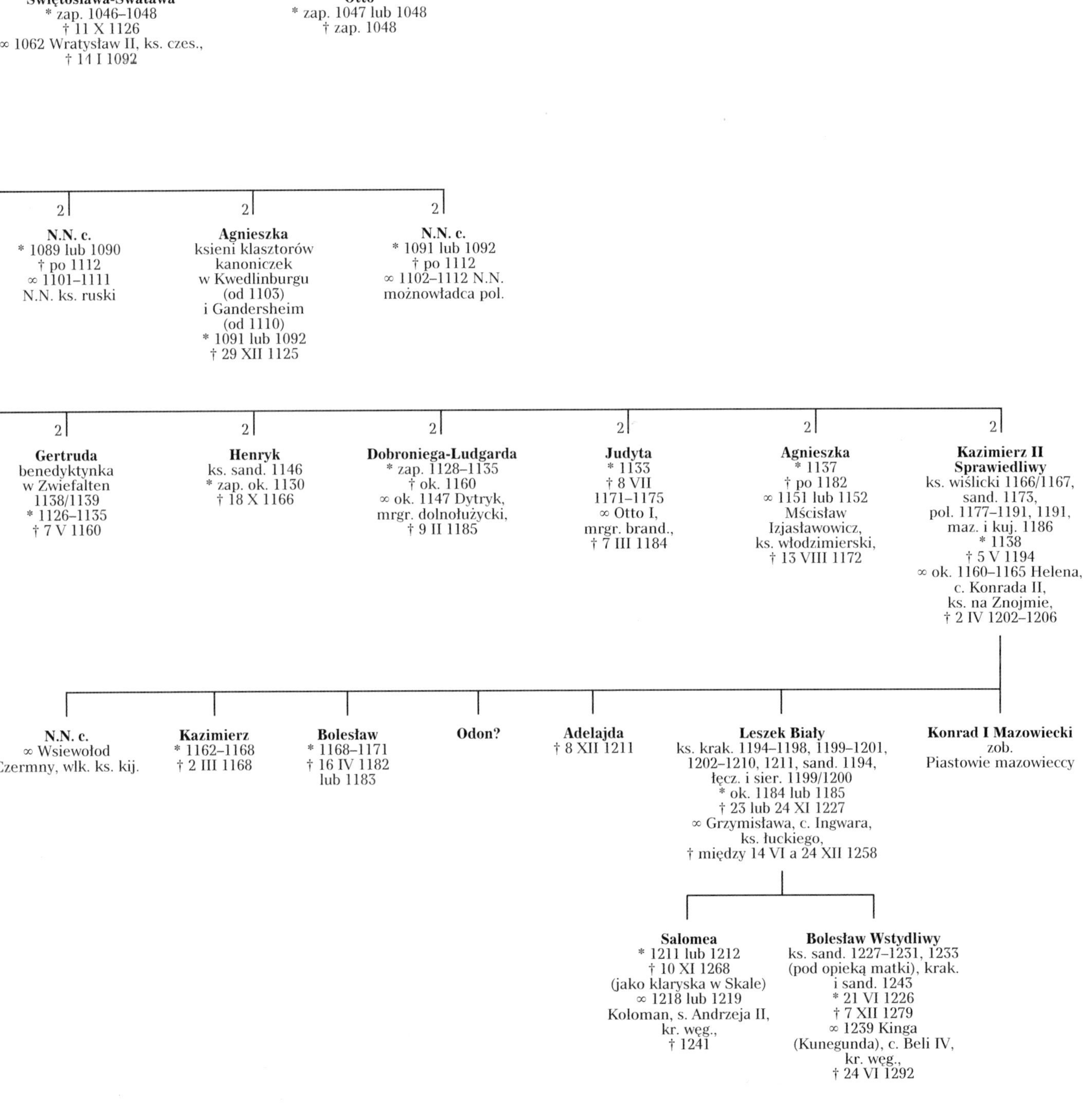
Świętosława-Swatawa
* zap. 1046–1048
† 11 X 1126
∞ 1062 Wratysław II, ks. czes.,
† 14 I 1092
Otto
* zap. 1047 lub 1048
† zap. 1048
2
N.N. c.
* 1089 lub 1090
† po 1112
∞ 1101–1111
N.N. ks. ruski
2
Agnieszka
ksieni klasztorów
kanoniczek
w Kwedlinburgu
(od 1103)
i Gandersheim
(od 1110)
* 1091 lub 1092
† 29 XII 1125
2
N.N. c.
* 1091 lub 1092
† po 1112
∞ 1102–1112 N.N.
możnowładca pol.
2
Gertruda
benedyktynka
w Zwiefalten
1138/1139
* 1126–1135
† 7 V 1160
2
Henryk
ks. sand. 1146
* zap. ok. 1130
† 18 X 1166
2
Dobroniega-Ludgarda
* zap. 1128–1135
† ok. 1160
∞ ok. 1147 Dytryk,
mrgr. dolnołużycki,
† 9 II 1185
2
Judyta
* 1133
† 8 VII
1171–1175
∞ Otto I,
mrgr. brand.,
† 7 III 1184
2
Agnieszka
* 1137
† po 1182
∞ 1151 lub 1152
Mścisław
Izjasławowicz,
ks. włodzimierski,
† 13 VIII 1172
2
Kazimierz II
Sprawiedliwy
ks. wiślicki 1166/1167,
sand. 1173,
pol. 1177–1191, 1191,
maz. i kuj. 1186
* 1138
† 5 V 1194
∞ ok. 1160–1165 Helena,
c. Konrada II,
ks. na Znojmie,
† 2 IV 1202–1206
N.N. c.
∞ Wsiewołod
Czermny, wlk. ks. kij.
Kazimierz
* 1162–1168
† 2 III 1168
Bolesław
* 1168–1171
† 16 IV 1182
lub 1183
Odon?
Adelajda
† 8 XII 1211
Leszek Biały
ks. krak. 1194–1198, 1199–1201,
1202–1210, 1211, sand. 1194,
łęcz. i sier. 1199/1200
* ok. 1184 lub 1185
† 23 lub 24 XI 1227
∞ Grzymisława, c. Ingwara,
ks. łuckiego,
† między 14 VI a 24 XII 1258
Konrad I Mazowiecki
zob.
Piastowie mazowieccy
Salomea
* 1211 lub 1212
† 10 XI 1268
(jako klaryska w Skale)
∞ 1218 lub 1219
Koloman, s. Andrzeja II,
kr. węg.,
† 1241
Bolesław Wstydliwy
ks. sand. 1227–1231, 1233
(pod opieką matki), krak.
i sand. 1243
* 21 VI 1226
† 7 XII 1279
∞ 1239 Kinga
(Kunegunda), c. Beli IV,
kr. węg.,
† 24 VI 1292

PIASTOWIE WIELKOPOLSCY

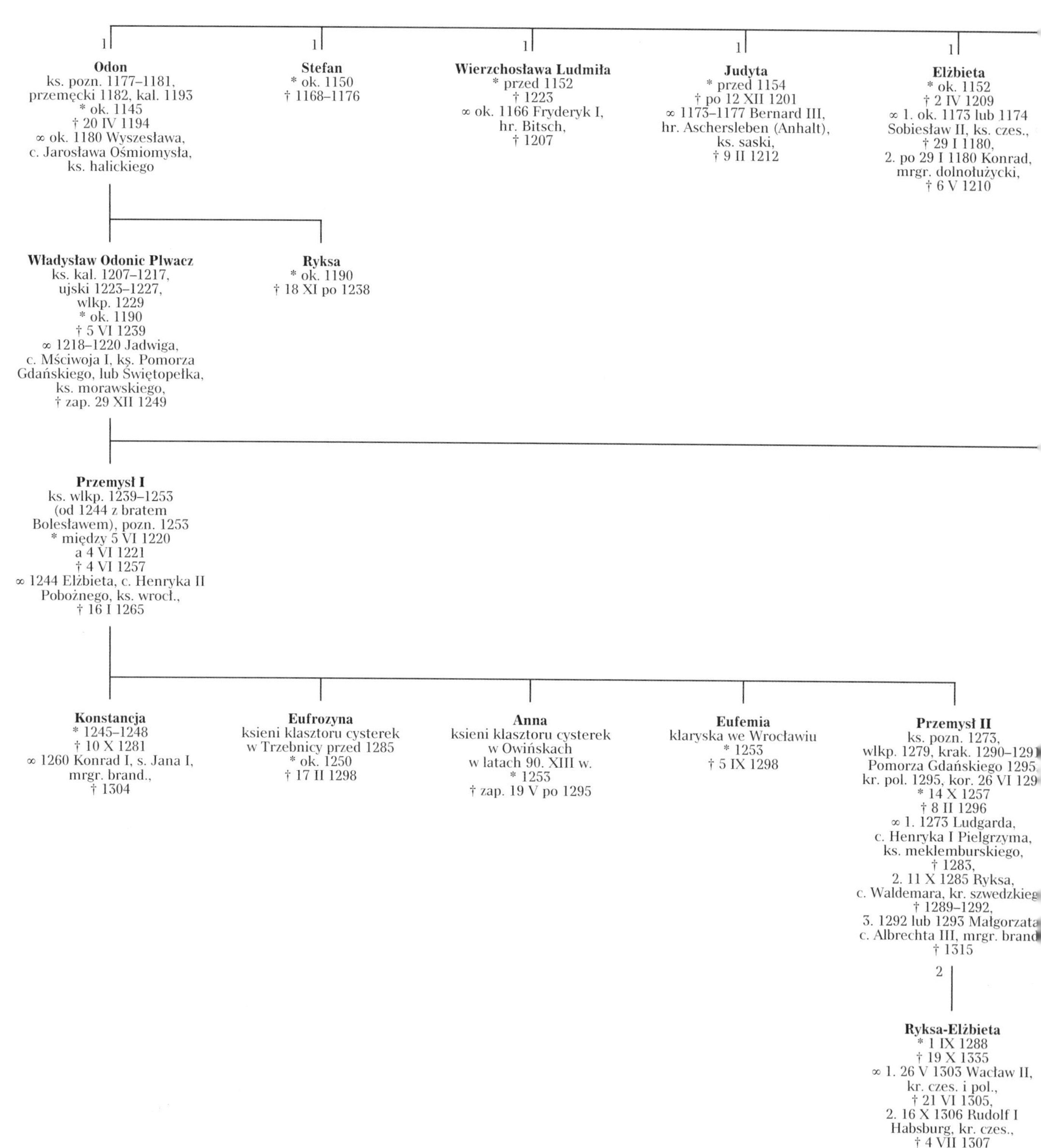

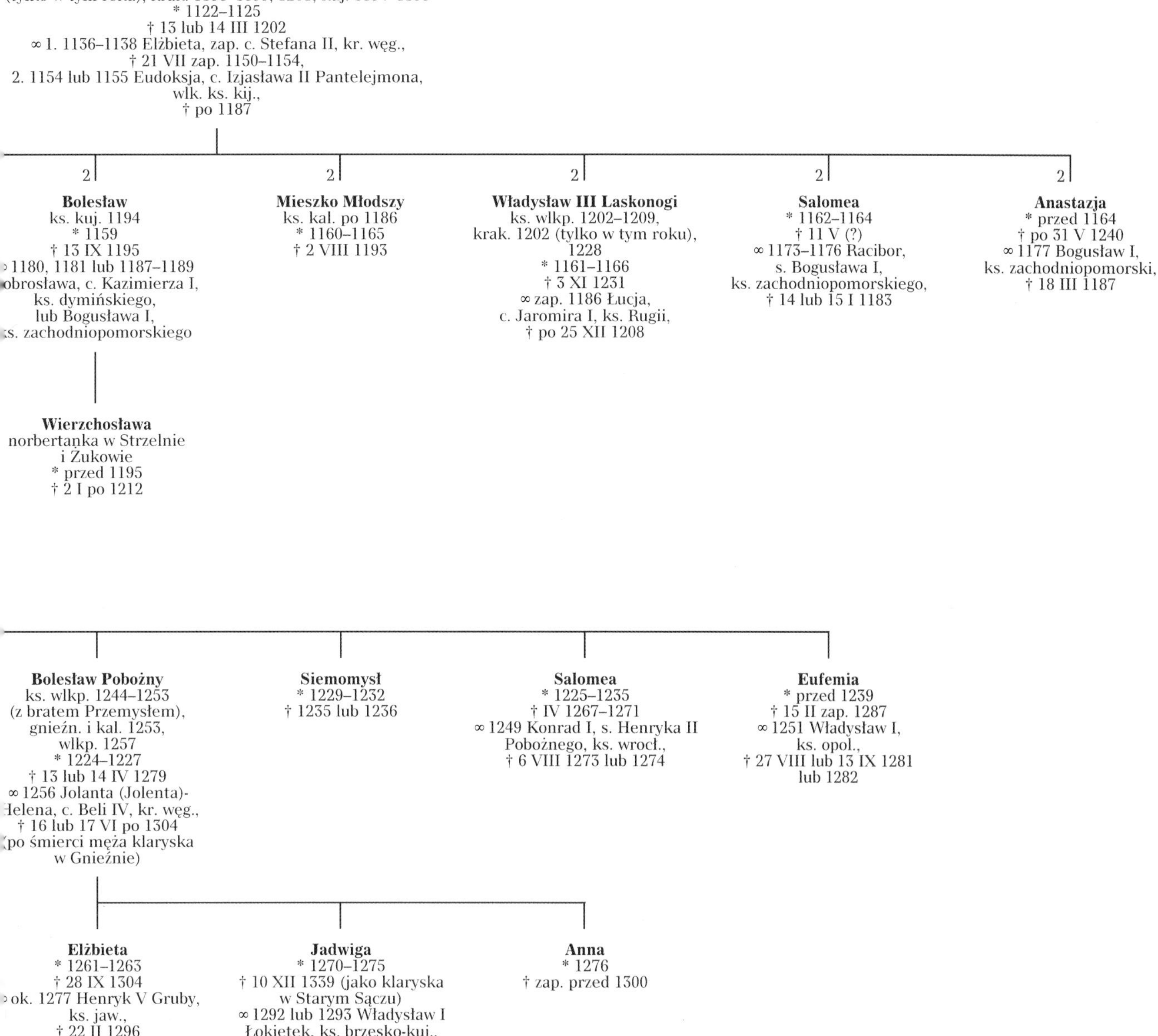

Mieszko III Stary
pozn. 1138–1146, wlkp. 1146–1177, 1181, pol. 1173–1177, 1191
(tylko w tym roku), krak. 1198–1199, 1201, kuj. 1194–1195
* 1122–1125
† 13 lub 14 III 1202
∞ 1. 1136–1138 Elżbieta, zap. c. Stefana II, kr. węg.,
† 21 VII zap. 1150–1154,
2. 1154 lub 1155 Eudoksja, c. Izjasława II Pantelejmona,
wlk. ks. kij.,
† po 1187
2
Bolesław
ks. kuj. 1194
* 1159
† 13 IX 1195
1180, 1181 lub 1187–1189
obrosława, c. Kazimierza I,
ks. dymińskiego,
lub Bogusława I,
s. zachodniopomorskiego
2
Mieszko Młodszy
ks. kal. po 1186
* 1160–1165
† 2 VIII 1193
2
Władysław III Laskonogi
ks. wlkp. 1202–1209,
krak. 1202 (tylko w tym roku),
1228
* 1161–1166
† 3 XI 1231
∞ zap. 1186 Łucja,
c. Jaromira I, ks. Rugii,
† po 25 XII 1208
2
Salomea
* 1162–1164
† 11 V (?)
∞ 1173–1176 Racibor,
s. Bogusława I,
ks. zachodniopomorskiego,
† 14 lub 15 I 1183
2
Anastazja
* przed 1164
† po 31 V 1240
∞ 1177 Bogusław I,
ks. zachodniopomorski,
† 18 III 1187
Wierzchosława
norbertanka w Strzelnie
i Żukowie
* przed 1195
† 2 I po 1212
Bolesław Pobożny
ks. wlkp. 1244–1253
(z bratem Przemysłem),
gnieźn. i kal. 1253,
wlkp. 1257
* 1224–1227
† 13 lub 14 IV 1279
∞ 1256 Jolanta (Jolenta)-
Helena, c. Beli IV, kr. węg.,
† 16 lub 17 VI po 1304
(po śmierci męża klaryska
w Gnieźnie)
Siemomysł
* 1229–1232
† 1235 lub 1236
Salomea
* 1225–1235
† IV 1267–1271
∞ 1249 Konrad I, s. Henryka II
Pobożnego, ks. wrocł.,
† 6 VIII 1273 lub 1274
Eufemia
* przed 1239
† 15 II zap. 1287
∞ 1251 Władysław I,
ks. opol.,
† 27 VIII lub 13 IX 1281
lub 1282
Elżbieta
* 1261–1263
† 28 IX 1304
ok. 1277 Henryk V Gruby,
ks. jaw.,
† 22 II 1296
Jadwiga
* 1270–1275
† 10 XII 1339 (jako klaryska
w Starym Sączu)
∞ 1292 lub 1293 Władysław I
Łokietek, ks. brzesko-kuj.,
† 2 III 1333
Anna
* 1276
† zap. przed 1300

PIASTOWIE KUJAWSCY

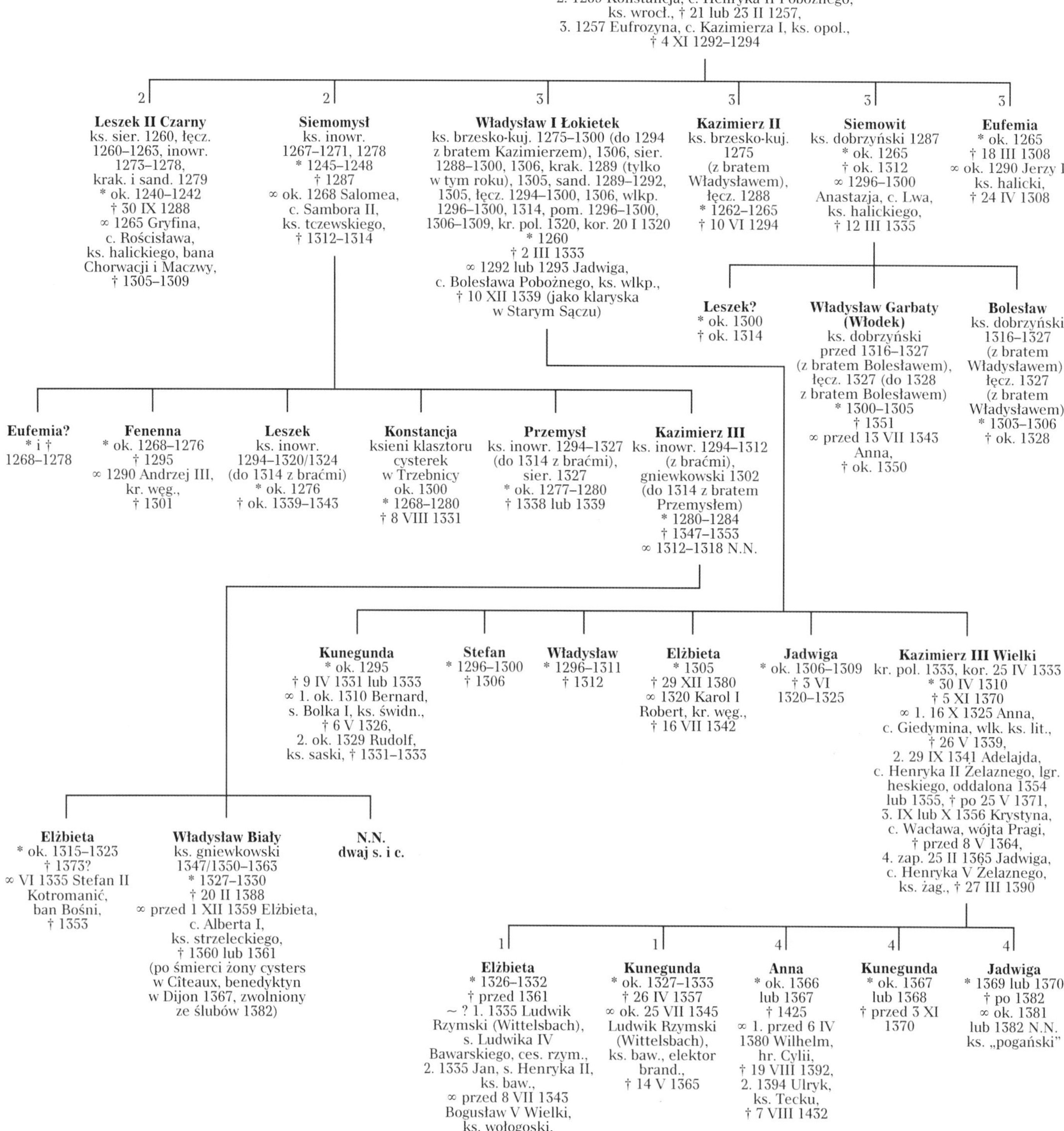

PIASTOWIE ŚLĄSCY
(linia wrocławska)

Władysław II Wygnaniec
ks. pol. 1138–1146
* 1105
† 30 V 1159
∞ 1123 lub 1124 Agnieszka, c. Leopolda III, mrgr. austr., † 24 lub 25 I 1160–1163

Bolesław I Wysoki
ks. śl. 1163–1172 (z bratem Mieszkiem), wrocł. 1173, opol. 1201
* 1127
† 7 lub 8 XII 1201
∞ 1. 1142 Zwinisława, c. Wsiewołoda II, wlk. ks. kij., † 1159–1163,
2. ok. 1163 Krystyna, † 23 II 1204–1208

Mieszko I Plątonogi
zob. Piastowie opolscy

Ryksa
* 1130–1140
† 16 VI 1185?
∞ 1. 1152 Alfons VII, kr. Kastylii, † 1157,
2. 1161 Rajmund Berengar II, hr. Prowansji, † 1166,
3. po 1166 Albrecht II, hr. Everstein

Konrad
ks. głog. 1178
* 1146–1157
† 17 I 1180–1190

Albert
† przed 1178

---

1 **Jarosław**
ks. opol. 1173, bp wrocł. 1198
* 1143–1160
† 22 III 1201

1 **Olga**
* 1155–1160
† 27 VI 1175–1180

2? **Berta**
† po 1163 lub po 1174

2 **Bolesław**
* ok. 1163
† 2 lub 3 V 1175–1181

2 **Konrad**
* 1164–1168
† 5 VII przed 1190

2 **Jan**
* ok. 1169
† przed 1173

2 **Henryk I Brodaty**
ks. wrocł. 1201, śl. 1230, krak. 1231, wlkp. 1234
* 1165–1170
† 19 III 1238
∞ 1190–1192 Jadwiga, c. Bertolda IV, ks. Meranii, hr. Andechs, † 14 X 1243

2 **Adelajda Zbysława**
* 1165–1178
† 29 III po 1213
∞ 1175–1180 Dypold II, ks. czes., † 1190

2 **Władysław**
* 1180–1190
† 1190–1200

Bolesław
* 1190–1194
† 10 lub 11 IX 1206–1208

Konrad Kędzierzawy
* 1191–1198
† 4 lub 5 XI 1213

Henryk II Pobożny
ks. wlkp. 1234, wrocł. i krak. 1238
* 1196–1207
† 9 IV 1241
∞ 1214–1218 Anna, c. Przemysła Ottokara I, kr. czes., † 26 VI 1265

Agnieszka
* 1190–1200
† 11 V przed 1214

Zofia
* 1190–1200
† 22 III przed 1214

Gertruda
ksieni klasztoru cysterek w Trzebnicy 1232
* ok. 1200
† 30 XII 1267
~ przed 1208 Otto Wittelsbach, † 5 III 1209

N.N. s. (Władysław?)
* 1208
† 1214–1217

Gertruda
*1218–1220
† 1244–1247
∞ 1232? Bolesław I, s. Konrada I Mazowieckiego, ks. maz., † po 25 II 1248

Bolesław II Rogatka (Łysy)
zob. Piastowie legnicko-brzescy

Mieszko
* 1223–1227
† 1241 lub 1242

Konstancja
* przed 1227
† 21 lub 23 II 1257
∞ 1239 Kazimierz I, ks. kuj., † 14 XII 1267

Elżbieta
* 1224–1232
† 16 I 1265
∞ 1244 Przemysł I, ks. wlkp., † 4 VI 1257

Henryk III Biały
ks. wrocł. 1248
* 1227–1230
† 3 XII 1266
∞ 1. 2–8 II 1252 Judyta, c. Konrada I Mazowieckiego, ks. maz., † 4 XII 1257–1263,
2. Helena, c. Albrechta I, ks. saskiego, † 12 VI 1309

Konrad I
zob. Piastowie głogowscy i żagańscy

Agnieszka
ksieni klasztoru cysterek w Trzebnicy ok. 1270/1272–1278
* po 1230
† 14 V po 1278

Władysław
abp Salzburga 1265, ks. wrocł. 1266
* ok. 1237
† 27 IV 1270

Jadwiga
ksieni klasztoru klarysek we Wrocławiu 1267–1280
* 1238–1241
† 3 IV 1318

N.N. co najmniej dwoje dzieci

---

1 **Jadwiga**
* 1252–1256
† zap. przed 14 XII 1300
∞ 1. 1271 lub 1272 Henryk, lgr. turyński, † 1282,
2. 1283 Otto Tłusty, hr. Anhaltu, † 1304 lub 1305

1 **Henryk IV Prawy (Probus)**
ks. wrocł. 1270, krak. 1288, ścinawski 1289
* 1257 lub 1258
† 23 VI 1290
∞ 1. 1278 Konstancja, c. Władysława I, ks. opol., rozw. 1286 lub 1288, † 1351,
2. 1287 lub 1288 Matylda, c. Ottona V Długiego, mrgr. brand., † zap. przed 1 VI 1298

PIASTOWIE MAZOWIECCY

Konrad I Mazowiecki
ks. maz. 1199/1200–1234, kuj.
202–1230, łęcz. 1229, sier. 1229–1233,
1234, czerski 1234, krak. 1241–1243
* 1187 lub 1188
† 31 VIII 1247
1208 lub 1209 Agafia, c. Świętosława,
ks. nowogrodzko-siewierskiego,
† po 31 VIII 1247

Ludmiła
* 1225 lub wcześniej
† młodo

Siemomysł
* ok. 1220
† 1241

Salomea
klaryska w Skale?
* ok. 1220–1225
† po 30 VIII 1268

Judyta
* 1222–1227
† 4 XII 1257–1263
∞ 1. 1238 lub 1239 Mieszko II Otyły, ks. opol., † 22 X 1246,
2. 2–8 II 1252 Henryk III Biały, ks. wrocł., † 3 XII 1266

Dubrawka (Helena?)
* ok. 1230
† 1265
∞ ok. 1245 Wasylko, ks. wołyński, † 1269

Mieszko (Chościsko?)
* 1235 lub wcześniej
† 1237 lub wcześniej

---

2 **Eufrozyna**
* 1292–1294
† 26 XII po 1327
∞ 1304–1308 Władysław I, s. Mieszka I, ks. ciesz.,
między XI 1321 a 14 V 1324

2 **Wacław (Wańko)**
ks. płocki 1313
* ok. 1295
† 17 V 1336–1338
∞ 1319 Elżbieta, c. Giedymina, wlk. ks. lit., † 1364

2 **Berta**
benedyktynka w Pradze
* 1298 lub wcześniej
† 1312 lub później

Anna
* 1318–1325
† 16 II 1363
∞ ok. 1337 Henryk V Żelazny, s. Henryka II Wiernego, ks. żag., † 13 IV 1369

Bolesław III
ks. płocki 1336, wiski i sochacz. 1345
* po 1320
† 20 VII 1351

---

2 **dwóch N.N. s.**
† w dzieciństwie

2 **Henryk**
bp płocki 1390–1392
* 1368–1370
† 1392 lub 1393
∞ Ryngałła-Anna, c. Kiejstuta, ks. trockiego, † przed 1433

Eufemia
* 1396 lub 1397
† 1447
∞ XI 1412 Bolesław I, ks. ciesz., † 6 V 1431

Amelia
* 1397–1399
† po 3 V 1434
∞ 16 V 1413 Wilhelm II Bogaty, lgr. turyński, mrgr. miśn.

Kazimierz II
ks. płocki i bełski 1426–1434 (z braćmi), bełski 1434
* 1401–1403
† 15 IX 1442
∞ 26 VI 1442 Małgorzata, c. Wincentego z Szamotuł, kasztelana międzyrzeckiego

Trojden
ks. płocki i bełski 1426 (z braćmi)
* 1403–1406
† 24 VII 1427

Władysław I
ks. płocki i bełski 1426–1434 (z braćmi), płocki, płoński, zawkrzański 1434
* 1406–1409
† 11 lub 12 XII 1455
∞ 1442 lub 1443 Anna, c. Konrada V Kąckiego, ks. oleśnickiego i kozielskiego, † przed 29 III 1481

Anna
* 1411
† przed 1427

Maria
* 1412–1415
† 14 II 1454–1456
∞ 24 VI 1432 Bogusław IX, ks. słupski, † 7 XII 1446

Katarzyna
* 1413–1416
† 1479 lub później
∞ 1440–1445 Michał Bolesław, s. Zygmunta Kiejstutowicza, wlk. ks. lit., † 1452

Aleksandra
* 1407–1410
† po 1426

PIASTOWIE LEGNICKO-BRZESCY

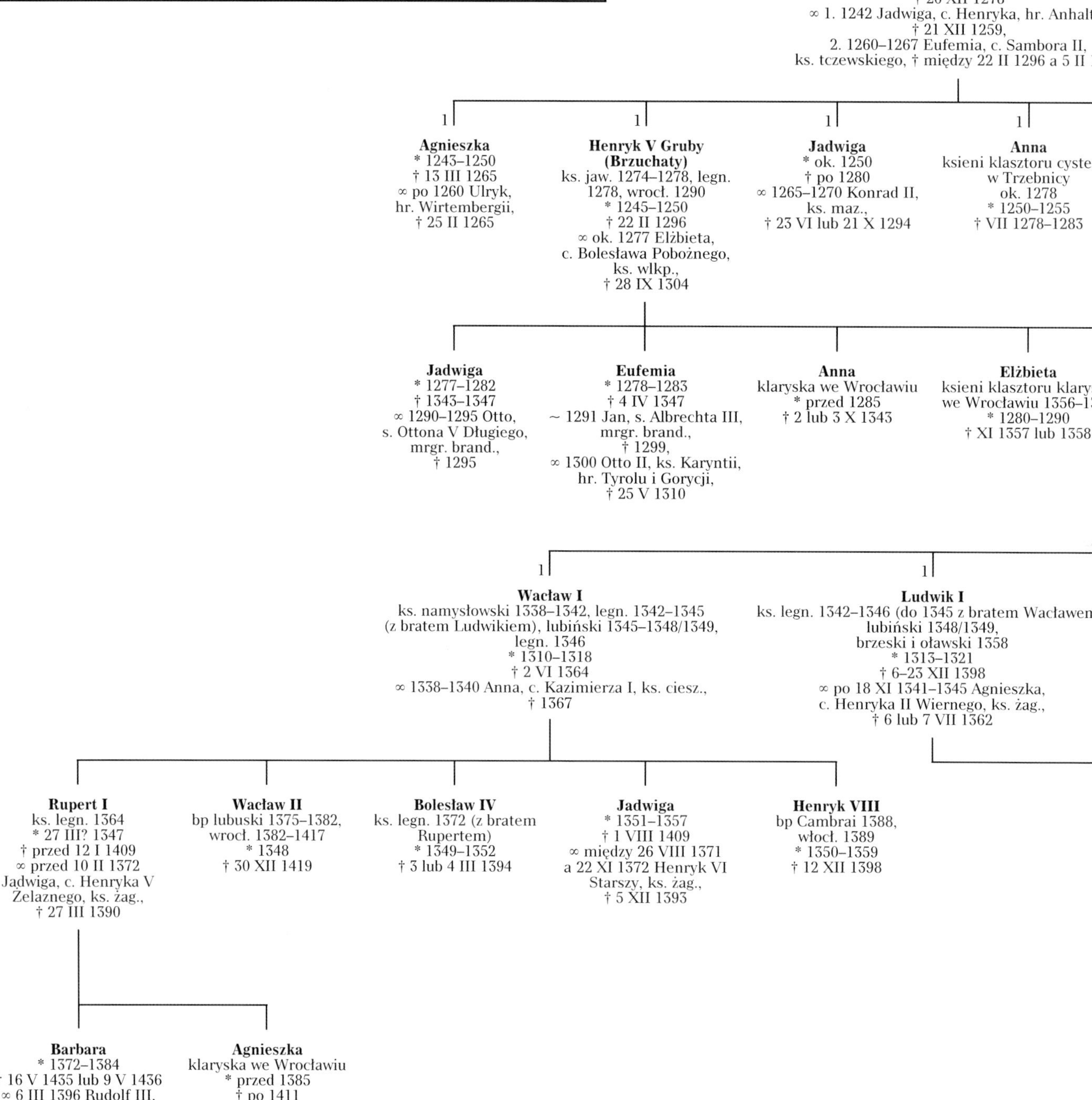

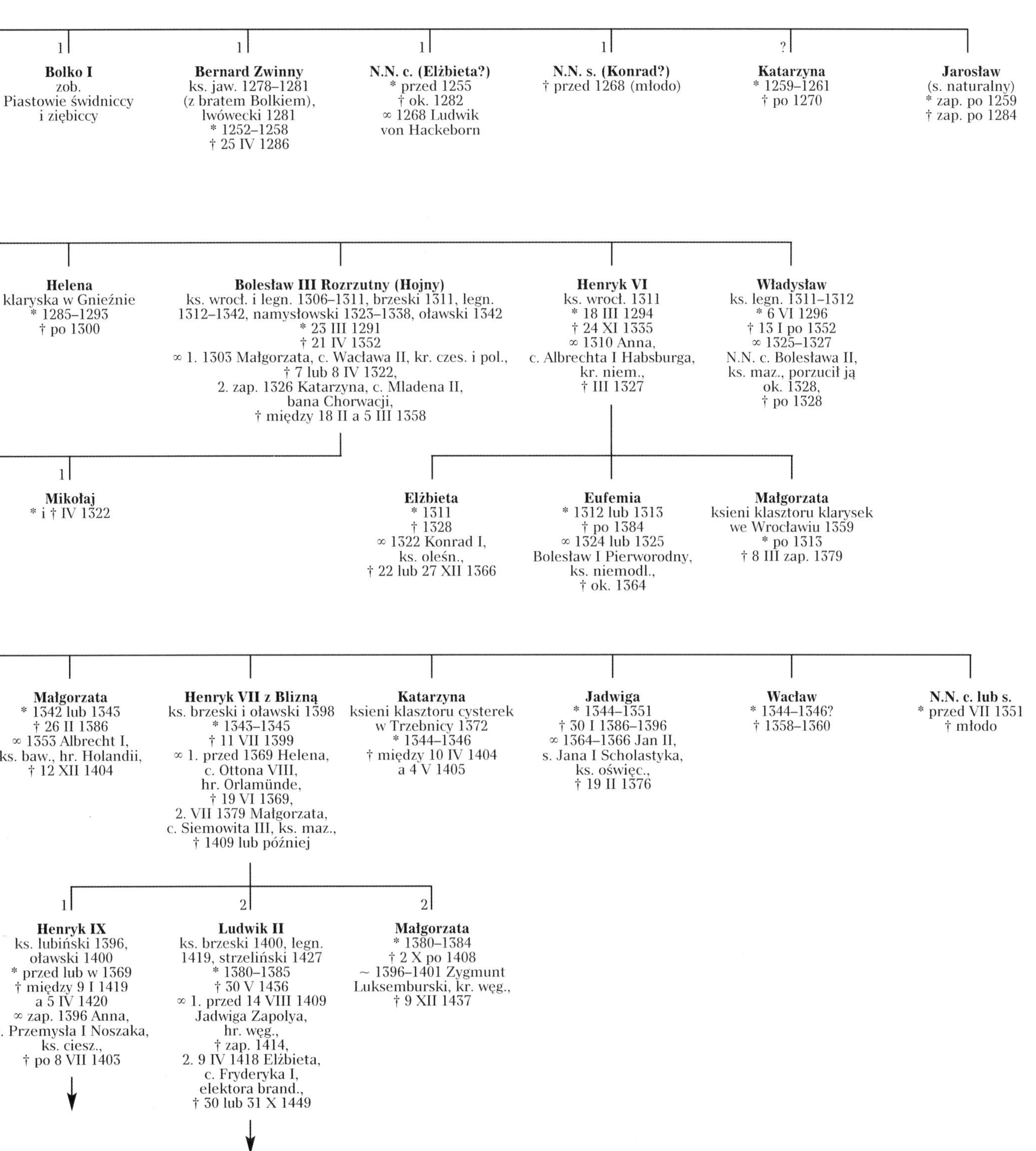
1
Bolko I
zob.
Piastowie świdniccy
i ziębiccy
1
Bernard Zwinny
ks. jaw. 1278–1281
(z bratem Bolkiem),
lwówecki 1281
* 1252–1258
† 25 IV 1286
1
N.N. c. (Elżbieta?)
* przed 1255
† ok. 1282
∞ 1268 Ludwik
von Hackeborn
1
N.N. s. (Konrad?)
† przed 1268 (młodo)
?
Katarzyna
* 1259–1261
† po 1270
Jarosław
(s. naturalny)
* zap. po 1259
† zap. po 1284
Helena
klaryska w Gnieźnie
* 1285–1293
† po 1300
Bolesław III Rozrzutny (Hojny)
ks. wrocł. i legn. 1306–1311, brzeski 1311, legn.
1312–1342, namysłowski 1323–1338, oławski 1342
* 23 III 1291
† 21 IV 1352
∞ 1. 1303 Małgorzata, c. Wacława II, kr. czes. i pol.,
† 7 lub 8 IV 1322,
2. zap. 1326 Katarzyna, c. Mladena II,
bana Chorwacji,
† między 18 II a 5 III 1358
Henryk VI
ks. wrocł. 1311
* 18 III 1294
† 24 XI 1335
∞ 1310 Anna,
c. Albrechta I Habsburga,
kr. niem.,
† III 1327
Władysław
ks. legn. 1311–1312
* 6 VI 1296
† 13 I po 1352
∞ 1325–1327
N.N. c. Bolesława II,
ks. maz., porzucił ją
ok. 1328,
† po 1328
1
Mikołaj
* i † IV 1322
Elżbieta
* 1311
† 1328
∞ 1322 Konrad I,
ks. oleśn.,
† 22 lub 27 XII 1366
Eufemia
* 1312 lub 1313
† po 1384
∞ 1324 lub 1325
Bolesław I Pierworodny,
ks. niemodl.,
† ok. 1364
Małgorzata
ksieni klasztoru klarysek
we Wrocławiu 1359
* po 1313
† 8 III zap. 1379
Małgorzata
* 1342 lub 1343
† 26 II 1386
∞ 1353 Albrecht I,
ks. baw., hr. Holandii,
† 12 XII 1404
Henryk VII z Blizną
ks. brzeski i oławski 1398
* 1343–1345
† 11 VII 1399
∞ 1. przed 1369 Helena,
c. Ottona VIII,
hr. Orlamünde,
† 19 VI 1369,
2. VII 1379 Małgorzata,
c. Siemowita III, ks. maz.,
† 1409 lub później
Katarzyna
ksieni klasztoru cysterek
w Trzebnicy 1372
* 1344–1346
† między 10 IV 1404
a 4 V 1405
Jadwiga
* 1344–1351
† 30 I 1386–1396
∞ 1364–1366 Jan II,
s. Jana I Scholastyka,
ks. oświęc.,
† 19 II 1376
Wacław
* 1344–1346?
† 1358–1360
N.N. c. lub s.
* przed VII 1351
† młodo
1
Henryk IX
ks. lubiński 1396,
oławski 1400
* przed lub w 1369
† między 9 I 1419
a 5 IV 1420
∞ zap. 1396 Anna,
c. Przemysła I Noszaka,
ks. ciesz.,
† po 8 VII 1403
2
Ludwik II
ks. brzeski 1400, legn.
1419, strzeliński 1427
* 1380–1385
† 30 V 1436
∞ 1. przed 14 VIII 1409
Jadwiga Zapolya,
hr. węg.,
† zap. 1414,
2. 9 IV 1418 Elżbieta,
c. Fryderyka I,
elektora brand.,
† 30 lub 31 X 1449
2
Małgorzata
* 1380–1384
† 2 X po 1408
~ 1396–1401 Zygmunt
Luksemburski, kr. węg.,
† 9 XII 1437

PIASTOWIE ŚWIDNICCY I ZIĘBICCY

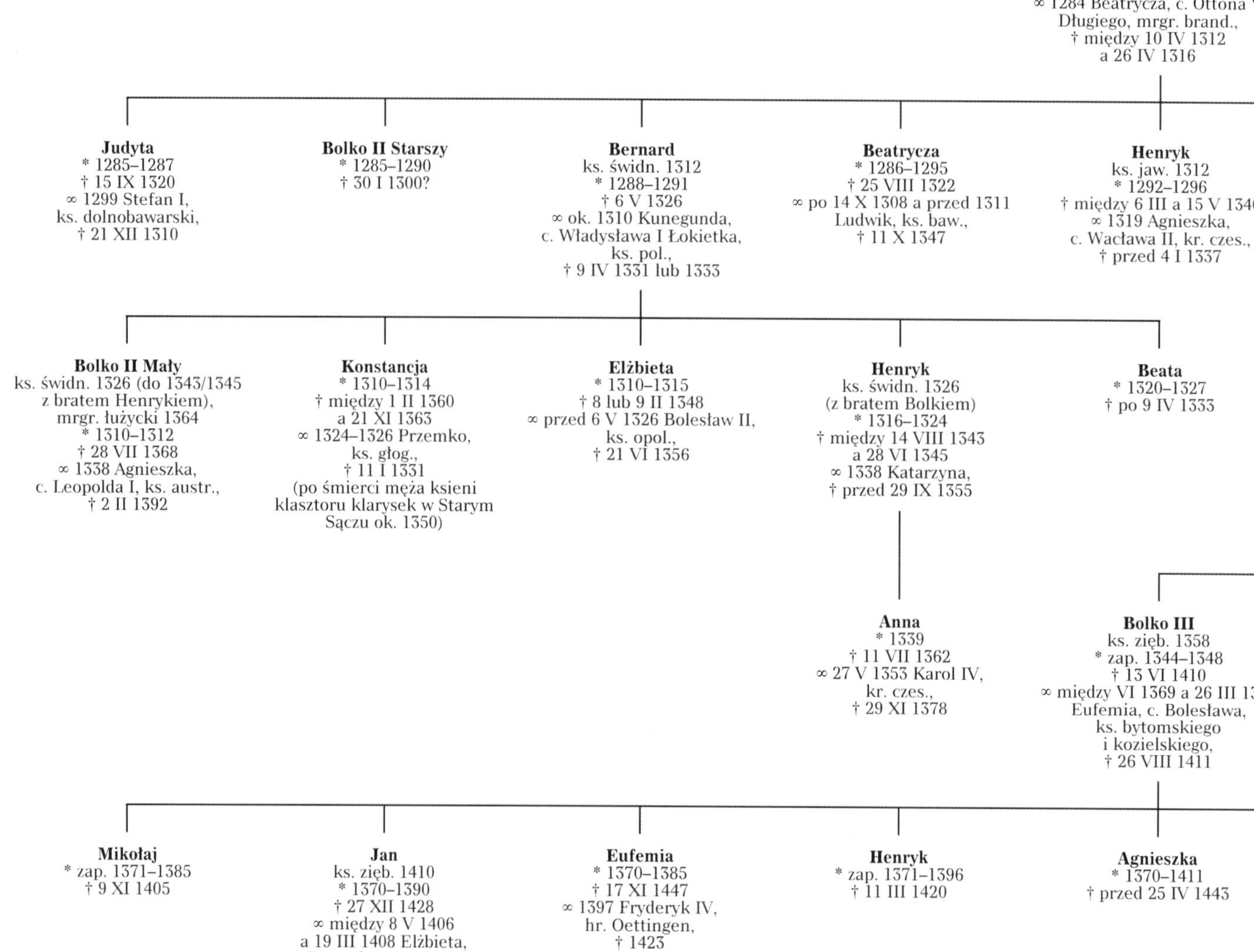

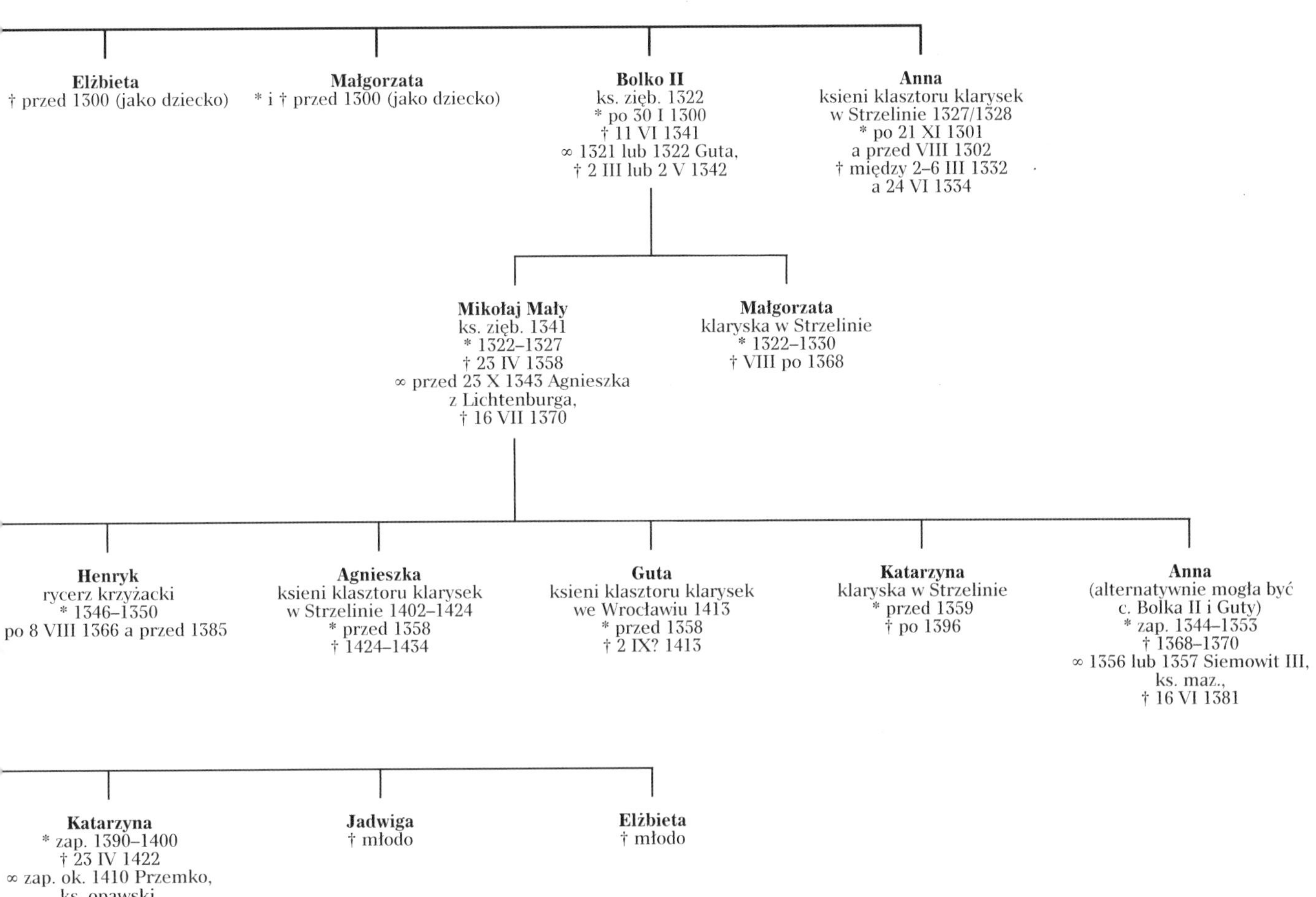

Elżbieta
† przed 1300 (jako dziecko)
Małgorzata
* i † przed 1300 (jako dziecko)
Bolko II
ks. zięb. 1322
* po 30 I 1300
† 11 VI 1341
∞ 1321 lub 1322 Guta,
† 2 III lub 2 V 1342
Anna
ksieni klasztoru klarysek
w Strzelinie 1327/1328
* po 21 XI 1301
a przed VIII 1302
† między 2–6 III 1332
a 24 VI 1334
Mikołaj Mały
ks. zięb. 1341
* 1322–1327
† 23 IV 1358
∞ przed 23 X 1343 Agnieszka
z Lichtenburga,
† 16 VII 1370
Małgorzata
klaryska w Strzelinie
* 1322–1330
† VIII po 1368
Henryk
rycerz krzyżacki
* 1346–1350
po 8 VIII 1366 a przed 1385
Agnieszka
ksieni klasztoru klarysek
w Strzelinie 1402–1424
* przed 1358
† 1424–1434
Guta
ksieni klasztoru klarysek
we Wrocławiu 1413
* przed 1358
† 2 IX? 1413
Katarzyna
klaryska w Strzelinie
* przed 1359
† po 1396
Anna
(alternatywnie mogła być
c. Bolka II i Guty)
* zap. 1344–1353
† 1368–1370
∞ 1356 lub 1357 Siemowit III,
ks. maz.,
† 16 VI 1381
Katarzyna
* zap. 1390–1400
† 23 IV 1422
∞ zap. ok. 1410 Przemko,
ks. opawski,
† 28 IX 1433
Jadwiga
† młodo
Elżbieta
† młodo

PIASTOWIE GŁOGOWSCY I ŻAGAŃSCY

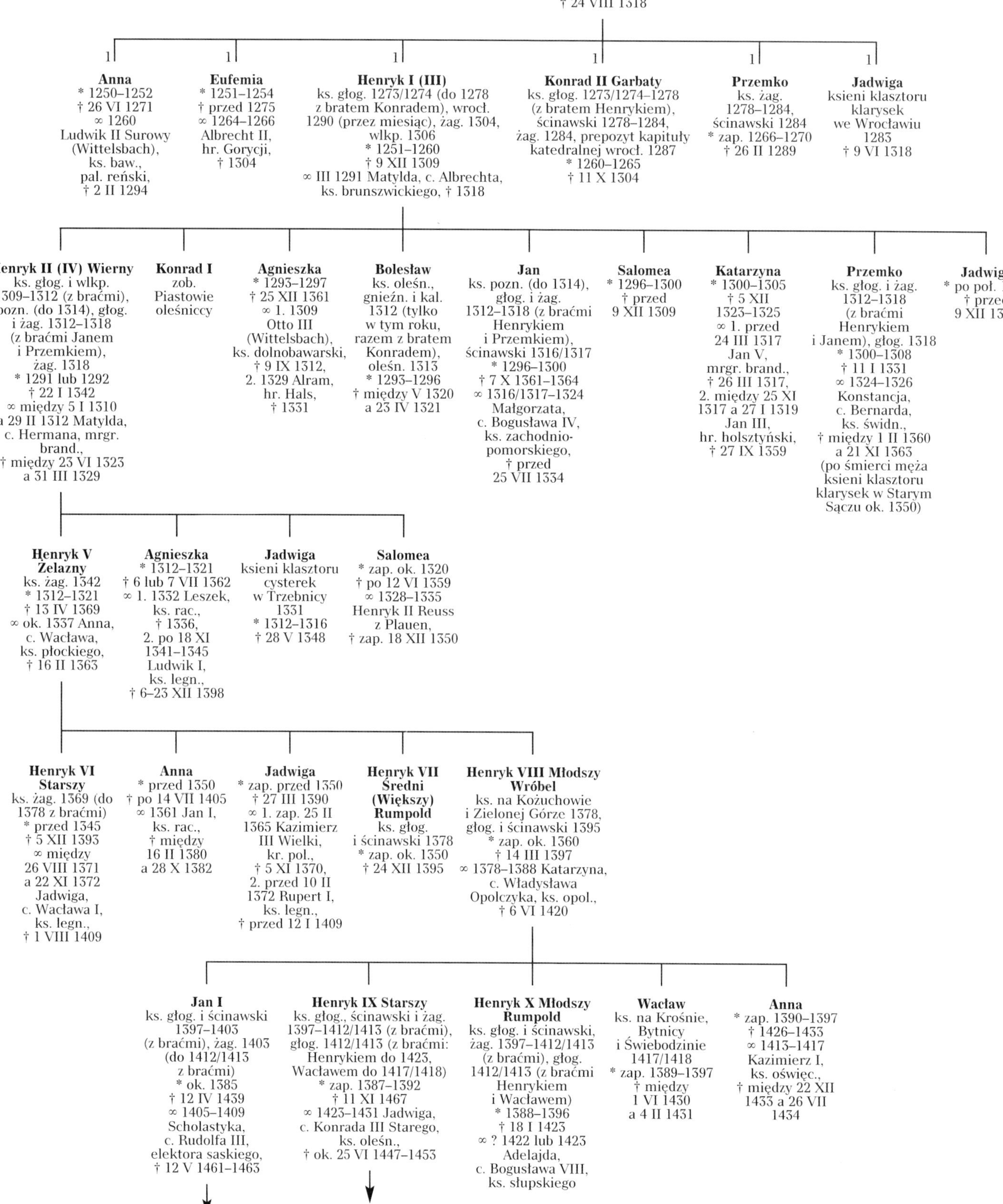

PIASTOWIE OLEŚNICCY

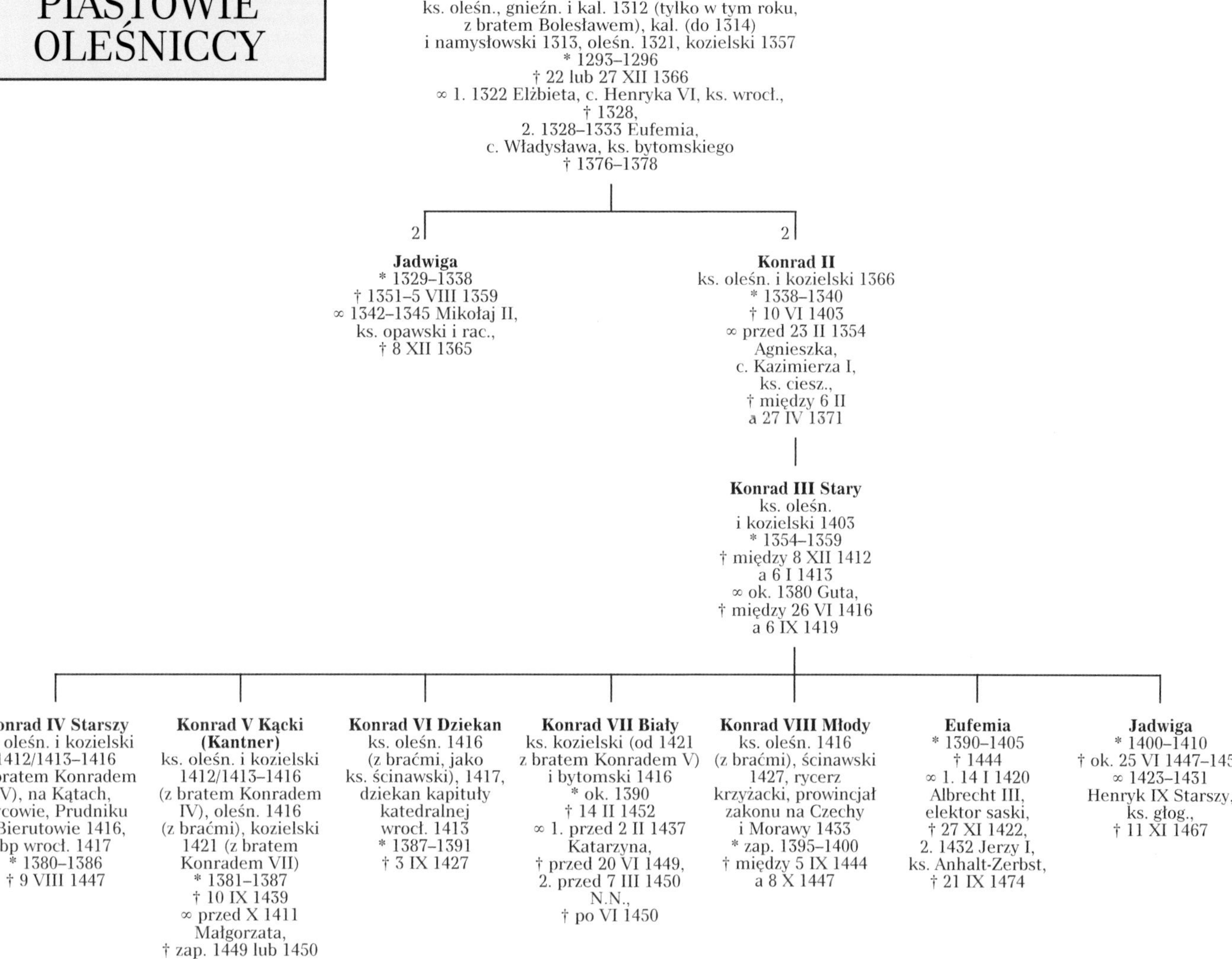

PIASTOWIE OPOLSCY

Mieszko I Plątonogi
ks. śl. 1163–1172 (z bratem Bolesławem
rac. 1173, opol. 1201, krak. 1210–1211
* przed 1146
† 16 V 1211
∞ 1170–1178 Ludmiła, † 20 X po 1210

Kazimierz I
ks. opol. i rac. 1211
* 1178 lub 1179
† 13 V 1230
∞ 1212–1220 Wiola (Bułgarka?),
† 7 IX 1251

Ludmiła
† 14 I na pocz.
XIII w.

Mieszko II Otyły
ks. opol. i rac. 1238
* ok. 1220
† 22 X 1246
∞ 1238 lub 1239 Judyta,
c. Konrada I Mazowieckiego,
ks. maz.,
† 4 XII 1257–1263

Więcesława
norbertanka
w Czarnowąsac
† 1 VII po 123(

Mieszko I
zob. Piastowie
cieszyńscy
i oświęcimscy

Kazimierz
ks. bytomski i kozielski
1281/1282
* 1253–1257
† 10 III 1312
∞ 1275–1278 Helena,
† przed 24 VIII 1323

Bolesław I
ks. opol. 1281/1282
* 1254–1258
† 14 V 1313
∞ zap. ok. 1280 Agnieszka
† po 17 XI 1301

Bolesław
ks. toszecki 1306,
abp Ostrzyhomia
1321
* ok. 1280
† XII 1328

Władysław
ks. kozielski 1312–1327, bytomski 1316,
toszecki 1328
* 1277–1283
† przed 8 IX 1352
∞ 1. 1306–1311 Beatrycza, c. Ottona V
Długiego, mrgr. brand.,
† między 10 IV 1312 a 26 IV 1316,
2. zap. 1327 Ludgarda, c. Henryka II
Lwa, ks. meklemburskiego,
† między 3 VI 1362
a 26 I 1369

Siemowit
ks. bytomski
1311–1316,
gliwicki 1340
* ok. 1292
† 1342–1355

Jerzy
* przed 1300
† po 1327
a przed 1355

Mieszko
przeor joannitów
na Węgrzech,
bp Nitry 1328–1334,
Veszprém 1334
* 1290–1300
† 1344

Maria
* 1290–1292
† 15 XII 1317
∞ 1306 Karol I
Robert, kr. węg.,
† 16 VII 1342

1 **Kazimierz**
ks. kozielski 1336
* ok. 1312
† po 1343–1346

1 **Eufemia**
* ok. 1312
† 1376–1378
∞ 1328–1333
Konrad I,
ks. oleśn.,
† 22 lub 27 XII 1366

2 **Agnieszka**
ksieni klasztoru
cysterek
w Trzebnicy 1348
* 1327 lub 1328
† 7 IV 1362

2 **Katarzyna**
ksieni klasztoru
cysterek
w Trzebnicy
1362–1372
† 1382 lub 1383

2 **Bolesław**
ks. bytomski i kozielski 1352
* ok. 1332
† 1355
∞ 1347 Małgorzata, c. Jarosława
ze Szternberka,
† po 5 VI 1365

2 **Beatrycza**
* 1335–1344
† 20 II 1364
∞ 1356 lub 1357
Bertold,
hr. Hardeck,
† 6 IV 1374

2 **Elencza**
dominikanka
w Raciborzu
† po 9 VII 1339

Bolesław II
ks. niemodl. 1364
(z braćmi)
* po 1326
† między
19 VIII 1367
a 25 VI 1368

Małgorzata
* ok. 1340
† po 12 VII 1399
∞ 1347–1353
Ulryk II,
lgr. leuchtenberski,
† 1378

Juta
* po 1340
† po X 1379
∞ 1359 Mikołaj II,
ks. opawski i rac.,
† 8 XII 1365

Anna
klaryska
we Wrocławiu
† 8 V 1365

Jadwiga
ksieni klasztoru
klarysek
we Wrocławiu 1379
† 13 II 1413

Wacław
ks. niemodl. 1364
(z braćmi)
† VI 1369
∞ 1364 Eufemia,
c. Bolesława,
ks. bytomskiego
i kozielskiego,
† 26 VIII 1411

Henryk
ks. niemodl. 1364
(do 1369 z braćmi)
† 14 IX 1382
∞ 1369–2 II 1372
Katarzyna,
c. Jana Henryka,
mrgr. morawskiego,
† przed 17 VII 1378

Elżbieta
klaryska
we Wrocławiu
† po 1366

Elżbieta
* 1347–1350
† po I 1374
∞ 1361 lub 1362
Przemysł I
Noszak, ks. ciesz.,
† 23 V 1410

Eufemia
* 1350–1352
† 26 VIII 1411
∞ 1. 1364 Wacław, ks. niemodl.,
† VI 1369,
2. między VI 1369 a 26 III 1370
Bolko III, ks. zięb.,
† 13 VI 1410

Bolka
ksieni klasztoru
cysterek
w Trzebnicy 1405
* ok. 1352
† między 27 IX
1427 a 15 X 1428

1 **N.N. c.**
klaryska
w Starej
Budzie

2 **Katarzyna**
* przed 26 III 1367
† 6 VI 1420
∞ 1378–1388
Henryk VIII
Młodszy Wróbel,
ks. na Kożuchowie
i Zielonej Górze,
† 14 III 1397

2 **Jadwiga**
* przed 1378
† po 13 V 1390
∞ zap. 1390
Wigunt
Aleksander,
ks. kiernowski,
† 28 VI 1392

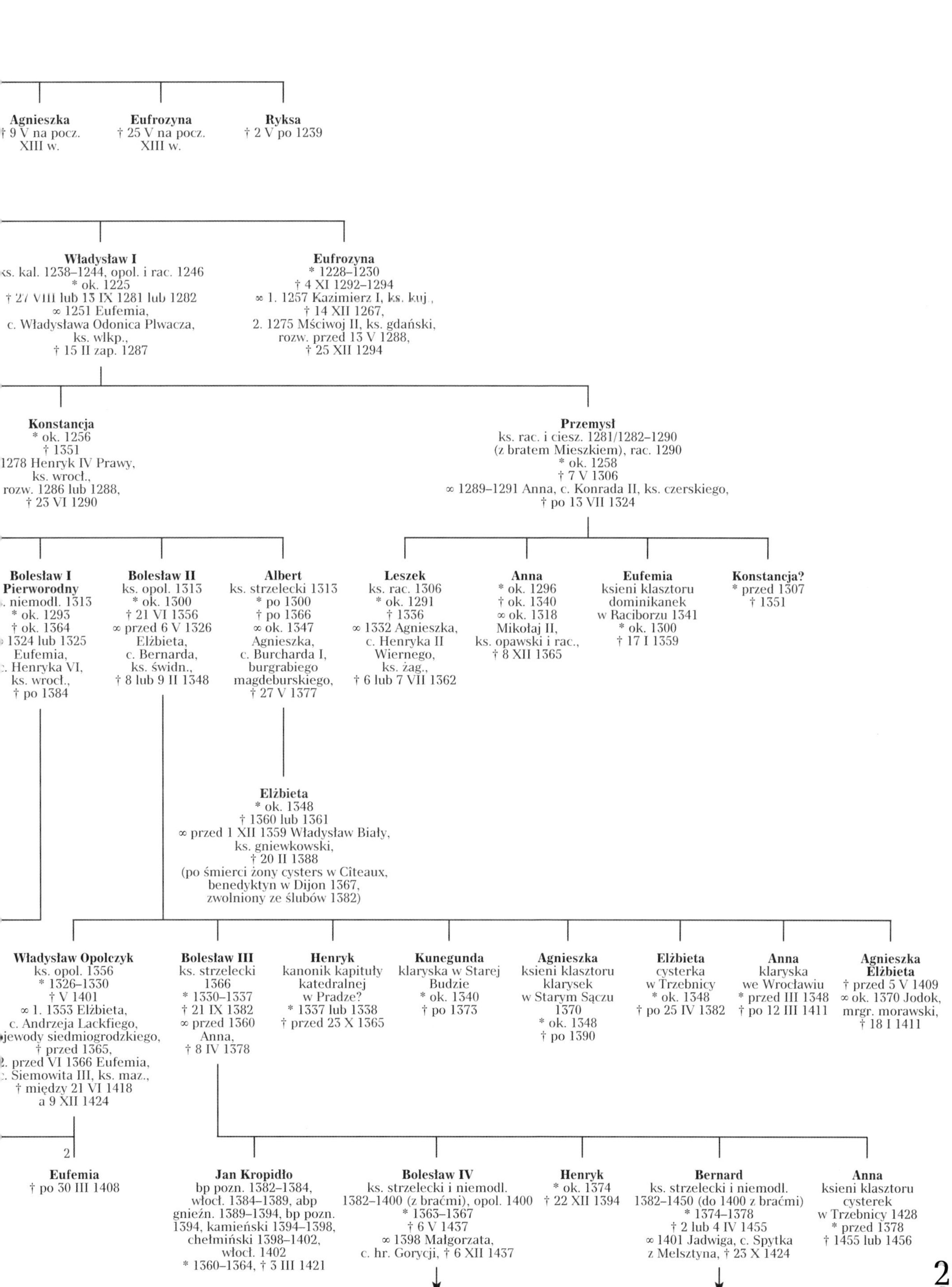

Agnieszka
† 9 V na pocz. XIII w.
Eufrozyna
† 25 V na pocz. XIII w.
Ryksa
† 2 V po 1239
Władysław I
ks. kal. 1238–1244, opol. i rac. 1246
* ok. 1225
† 27 VIII lub 13 IX 1281 lub 1282
∞ 1251 Eufemia, c. Władysława Odonica Plwacza, ks. wlkp., † 15 II zap. 1287
Eufrozyna
* 1228–1230
† 4 XI 1292–1294
∞ 1. 1257 Kazimierz I, ks. kuj., † 14 XII 1267, 2. 1275 Mściwoj II, ks. gdański, rozw. przed 13 V 1288, † 25 XII 1294
Konstancja
* ok. 1256
† 1351
1278 Henryk IV Prawy, ks. wrocł., rozw. 1286 lub 1288, † 23 VI 1290
Przemysł
ks. rac. i ciesz. 1281/1282–1290 (z bratem Mieszkiem), rac. 1290
* ok. 1258
† 7 V 1306
∞ 1289–1291 Anna, c. Konrada II, ks. czerskiego, † po 13 VII 1324
Bolesław I Pierworodny
. niemodl. 1313
* ok. 1293
† ok. 1364
1324 lub 1325 Eufemia, . Henryka VI, ks. wrocł., † po 1384
Bolesław II
ks. opol. 1313
* ok. 1300
† 21 VI 1356
∞ przed 6 V 1326 Elżbieta, c. Bernarda, ks. świdn., † 8 lub 9 II 1348
Albert
ks. strzelecki 1313
* po 1300
† po 1366
∞ ok. 1347 Agnieszka, c. Burcharda I, burgrabiego magdeburskiego, † 27 V 1377
Leszek
ks. rac. 1306
* ok. 1291
† 1336
∞ 1332 Agnieszka, c. Henryka II Wiernego, ks. żag., † 6 lub 7 VII 1362
Anna
* ok. 1296
† ok. 1340
∞ ok. 1318 Mikołaj II, ks. opawski i rac., † 8 XII 1365
Eufemia
ksieni klasztoru dominikanek w Raciborzu 1341
* ok. 1300
† 17 I 1359
Konstancja?
* przed 1307
† 1351
Elżbieta
* ok. 1348
† 1360 lub 1361
∞ przed 1 XII 1359 Władysław Biały, ks. gniewkowski, † 20 II 1388 (po śmierci żony cysters w Cîteaux, benedyktyn w Dijon 1367, zwolniony ze ślubów 1382)
Władysław Opolczyk
ks. opol. 1356
* 1326–1330
† V 1401
∞ 1. 1353 Elżbieta, c. Andrzeja Lackfiego, wojewody siedmiogrodzkiego, † przed 1365, 2. przed VI 1366 Eufemia, c. Siemowita III, ks. maz., † między 21 VI 1418 a 9 XII 1424
Bolesław III
ks. strzelecki 1366
* 1330–1337
† 21 IX 1382
∞ przed 1360 Anna, † 8 IV 1378
Henryk
kanonik kapituły katedralnej w Pradze?
* 1337 lub 1338
† przed 23 X 1365
Kunegunda
klaryska w Starej Budzie
* ok. 1340
† po 1373
Agnieszka
ksieni klasztoru klarysek w Starym Sączu 1370
* ok. 1348
† po 1390
Elżbieta
cysterka w Trzebnicy
* ok. 1348
† po 25 IV 1382
Anna
klaryska we Wrocławiu
* przed III 1348
† po 12 III 1411
Agnieszka Elżbieta
† przed 5 V 1409
∞ ok. 1370 Jodok, mrgr. morawski, † 18 I 1411
2
Eufemia
† po 30 III 1408
Jan Kropidło
bp pozn. 1382–1384, włocł. 1384–1389, abp gniezn. 1389–1394, bp pozn. 1394, kamieński 1394–1398, chełmiński 1398–1402, włocł. 1402
* 1360–1364, † 3 III 1421
Bolesław IV
ks. strzelecki i niemodl. 1382–1400 (z braćmi), opol. 1400
* 1363–1367
† 6 V 1437
∞ 1398 Małgorzata, c. hr. Gorycji, † 6 XII 1437
Henryk
* ok. 1374
† 22 XII 1394
Bernard
ks. strzelecki i niemodl. 1382–1450 (do 1400 z braćmi)
* 1374–1378
† 2 lub 4 IV 1455
∞ 1401 Jadwiga, c. Spytka z Melsztyna, † 23 X 1424
Anna
ksieni klasztoru cysterek w Trzebnicy 1428
* przed 1378
† 1455 lub 1456

PIASTOWIE CIESZYŃSCY I OŚWIĘCIMSCY

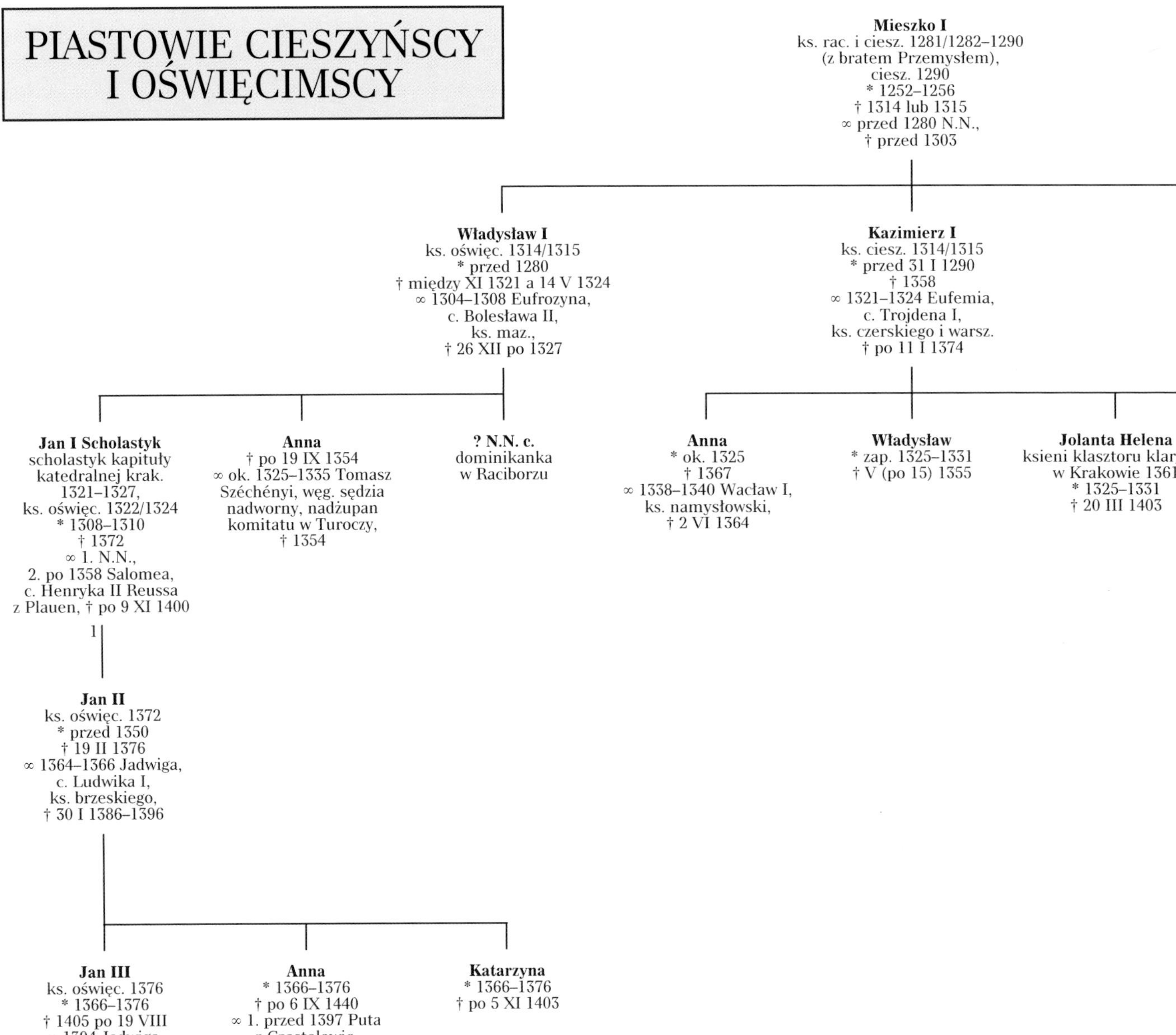

Wiola-Elżbieta
* zap. 1287–1291
† 21 IX 1317
1. 5 X 1305 Wacław III,
kr. czes.,
† 4 VIII 1306,
1316 Piotr z Rożemberku,
† 14 X 1347

Bolesław
kanonik kapituły
katedralnej krak.
1349–1355, prepozyt
kościoła Wszystkich
więtych w Pradze 1353
* 1331 lub 1332
† 23 VII 1356

Przemysł I Noszak
ks. ciesz. 1358, bytomski
1369, głog. i ścinawski
1384, oświęc. 1405
* zap. 1332–1336
† 23 V 1410
∞ 1361 lub 1362 Elżbieta,
c. Bolesława,
ks. bytomskiego
i kozielskiego,
† po I 1374

Agnieszka
* 1338–1340
† między 6 II
a 27 IV 1371
∞ przed 23 II 1354
Konrad II, s. Konrada I,
ks. oleśn.,
† 10 VI 1403

Jan
kleryk
* 1339 lub 1340
† po IV 1359

Siemowit
przeor joannitów
na Polskę, Czechy,
Morawy i Austrię 1372
† 25 IX 1391

Elżbieta
cysterka w Trzebnicy,
konkubina
Jana Henryka,
mrgr. morawskiego
† po XI 1363

Przemysł Młodszy
ks. oświęc. 1405
* zap. 1362–1370
† 1 I 1406
∞ przed 1396 N.N.

Bolesław I
ks. ciesz. 1410
* zap. 1363–1373
† 6 V 1431
∞ 1. przed 1 I 1406
Małgorzata,
c. Jana I, ks. rac.,
† przed 7 IX 1407,
2. XI 1412 Eufemia,
c. Siemowita IV,
ks. maz.,
† 1447

Anna
† po 8 VII 1403
∞ zap. 1396 Henryk IX,
ks. lubiński,
† między 9 I 1419
a 5 IV 1420

Kazimierz I
ks. oświęc. 1414
* ok. 1396
† między 22 XII 1433
a 26 VII 1434
∞ 1413–1417 Anna,
Henryka VIII Młodszego
Wróbla, ks. głog.,
† 1426–1433,
1426–1433 Małgorzata,
c. Jana II Żelaznego,
ks. rac.,
† 5 VII 1459

2
Wacław I
ks. ciesz. 1431 (do 1442
z braćmi), siewierski
1442–1443, bytomski
1442–1459
* 1413–1418
† 1474
∞ 1438 lub 1439 Elżbieta,
c. Fryderyka I,
elektora brand.,
† 30 lub 31 X 1449

2
Władysław
ks. ciesz. 1431–1442
(z braćmi), głog. 1442
* zap. ok. 1420
† ok. 14 II 1460
∞ 1440 Małgorzata,
c. Hermana III, hr. Cylii,
† 22 VII 1480

2
Przemysł II
ks. ciesz. 1442 (z bratem
Bolesławem)
* zap. ok. 1420
† 11 lub 18 III 1477
∞ 1460–1468 Anna,
c. Bolesława IV, ks. maz.,
† między 19 XI 1477
a 14 IX 1480

2
Bolesław II
ks. ciesz. 1442 (z bratem
Przemysłem), bytomski
1452
* 1425–1428
† 4 X 1452
∞ 30 VI 1448 Anna,
c. Iwana, ks. bielskiego,
† po 12 II 1490

2
Aleksandra
† po 6 X 1460
∞ przed 1450 Władysław
z Gary, magnat węg.,
† przed 19 IV 1459

PRZEMYŚLIDZI

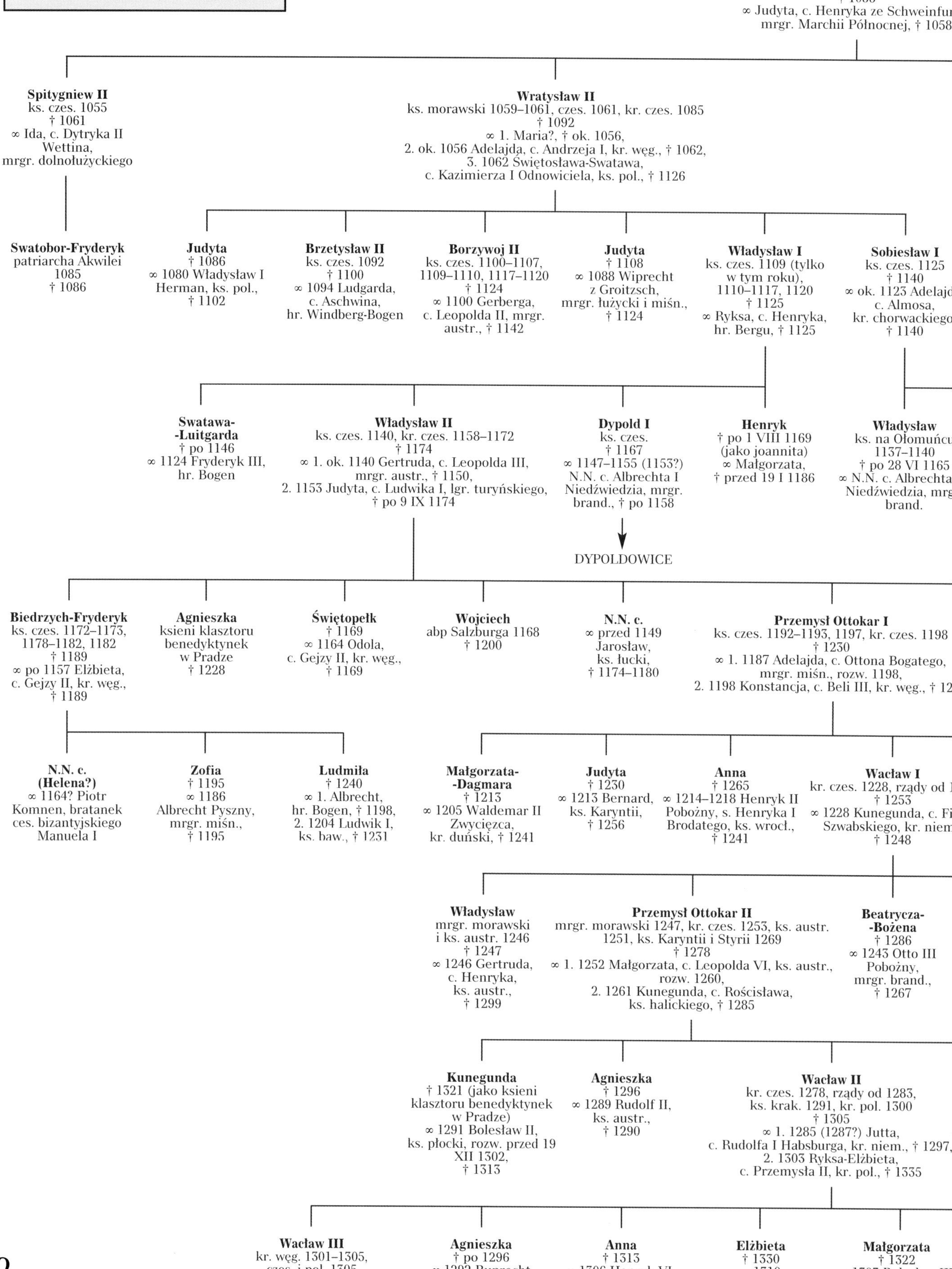

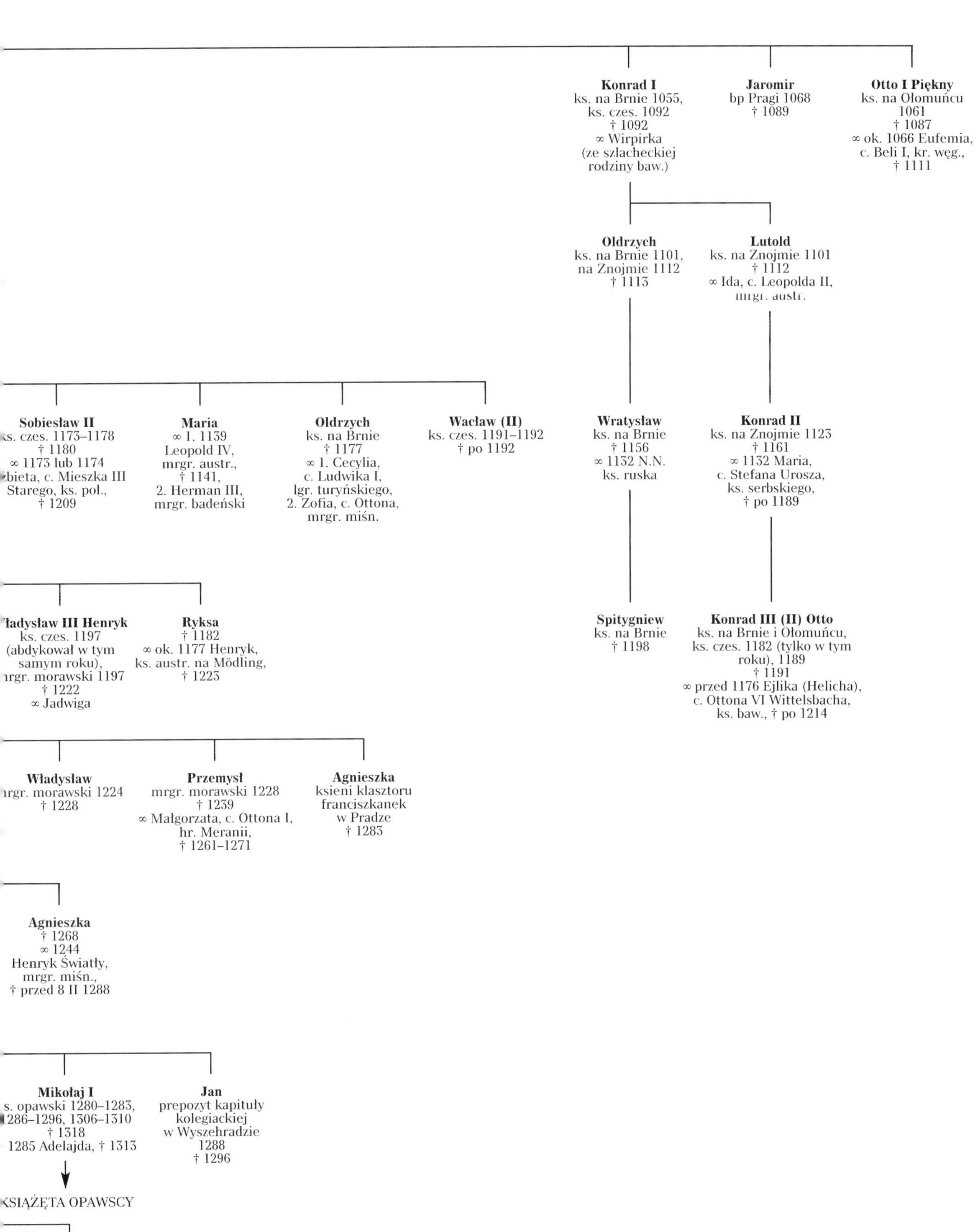

Konrad I
ks. na Brnie 1055,
ks. czes. 1092
† 1092
∞ Wirpirka
(ze szlacheckiej
rodziny baw.)
Jaromir
bp Pragi 1068
† 1089
Otto I Piękny
ks. na Ołomuńcu
1061
† 1087
∞ ok. 1066 Eufemia,
c. Beli I, kr. węg.,
† 1111
Oldrzych
ks. na Brnie 1101,
na Znojmie 1112
† 1113
Lutold
ks. na Znojmie 1101
† 1112
∞ Ida, c. Leopolda II,
mrgr. austr.
Sobiesław II
ks. czes. 1173–1178
† 1180
∞ 1173 lub 1174
Elżbieta, c. Mieszka III
Starego, ks. pol.,
† 1209
Maria
∞ 1. 1139
Leopold IV,
mrgr. austr.,
† 1141,
2. Herman III,
mrgr. badeński
Oldrzych
ks. na Brnie
† 1177
∞ 1. Cecylia,
c. Ludwika I,
lgr. turyńskiego,
2. Zofia, c. Ottona,
mrgr. miśn.
Wacław (II)
ks. czes. 1191–1192
† po 1192
Wratysław
ks. na Brnie
† 1156
∞ 1132 N.N.
ks. ruska
Konrad II
ks. na Znojmie 1123
† 1161
∞ 1132 Maria,
c. Stefana Urosza,
ks. serbskiego,
† po 1189
Władysław III Henryk
ks. czes. 1197
(abdykował w tym
samym roku),
mrgr. morawski 1197
† 1222
∞ Jadwiga
Ryksa
† 1182
∞ ok. 1177 Henryk,
ks. austr. na Mödling,
† 1223
Spitygniew
ks. na Brnie
† 1198
Konrad III (II) Otto
ks. na Brnie i Ołomuńcu,
ks. czes. 1182 (tylko w tym
roku), 1189
† 1191
∞ przed 1176 Ejlika (Helicha),
c. Ottona VI Wittelsbacha,
ks. baw., † po 1214
Władysław
mrgr. morawski 1224
† 1228
Przemysł
mrgr. morawski 1228
† 1239
∞ Małgorzata, c. Ottona I,
hr. Meranii,
† 1261–1271
Agnieszka
ksieni klasztoru
franciszkanek
w Pradze
† 1283
Agnieszka
† 1268
∞ 1244
Henryk Światły,
mrgr. miśn.,
† przed 8 II 1288
Mikołaj I
ks. opawski 1280–1283,
1286–1296, 1306–1310
† 1318
∞ 1285 Adelajda, † 1313
Jan
prepozyt kapituły
kolegiackiej
w Wyszehradzie
1288
† 1296
KSIĄŻĘTA OPAWSCY
Agnieszka
† przed 4 I 1337
∞ 1319 Henryk, ks. jaw.,
† 1346

ANDEGAWENOWIE

Karol II
kr. Neapolu
† 1309
∞ 1270 Maria,
c. Stefana V, kr. węg.,
† 1323

Karol Martel
tytularny kr. węg. 1290
† 1295
∞ 1281 Klemencja,
c. Rudolfa I, kr. niem.,
† po 7 II 1293

Karol I Robert
kr. węg. 1301
† 1342
∞ 1. 1306 Maria,
c. Kazimierza,
ks. bytomskiego i kozielskiego,
† 1317,
2. 1318 Beatrycza,
c. Henryka VII Luksemburskiego,
ces. rzym.,
† 1319,
3. 1320 Elżbieta,
c. Władysława I Łokietka, kr. pol.,
† 1380

Koloman
(s. naturalny)
bp Györu
† przed 1375

Ludwik I Wielki
kr. węg. 1342, pol. 1370
† 1382
∞ 1. 1345 Małgorzata,
c. Karola IV, kr. czes.,
† 1349,
2. 1353 Elżbieta,
c. Stefana II Kotromanicia,
bana Bośni,
† 1387

Andrzej
ks. Kalabrii
† 1345
∞ 1342 Joanna I,
kr. Neapolu,
† 1382

Stefan
† 1354
∞ 1350 (1351?)
Małgorzata,
c. Ludwika IV, ces. rzym.,
† 1374

Katarzyna
† 1378
~ Ludwik, ks. Orleanu

Maria
kr. węg. 1382–1385, 1386
† 1395
∞ 1385
Zygmunt Luksemburski,
elektor brand.,
† 1437

Jadwiga
kr. pol. 1384
† 1399
∞ 1386 Władysław
Jagiełło, wlk. ks. lit.,
† 1434

Karol Martel
ks. Kalabrii
† 1348

Elżbieta
† 1380
∞ 1370 Filip II,
ks. Tarentu,
† 1374

Ważniejsze skróty i znaki umowne stosowane w tablicach genealogicznych i wykazach osób:

* – urodzenie
† – zgon
~ – zaręczyny
∞ – małżeństwo
abp – arcybiskup
austr. – austriacki
baw. – bawarski
beat. – beatyfikowany
bp – biskup
brand. – brandenburski
c. – córka
ces. – cesarz, cesarski
ciech. – ciechanowski
ciesz. – cieszyński
czes. – czeski
głog. – głogowski
gnieźn. – gnieźnieński
hr. – hrabia
inowr. – inowrocławski
jaw. – jaworski
kal. – kaliski
kij. – kijowski
kor. – koronowany
kr. – król
krak. – krakowski
ks. – książę
kuj. – kujawski
legn. – legnicki
lgr. – landgraf
lit. – litewski
łęcz. – łęczycki
maz. – mazowiecki
miśn. – miśnieński
mrgr. – margrabia
niem. – niemiecki
niemodl. – niemodliński
N.N. – nieznany z imienia
ok. – około
oleśn. – oleśnicki
opol. – opolski
oświęc. – oświęcimski
pal. – palatyn
pocz. – początek
pol. – polski
pom. – pomorski
pozn. – poznański
rac. – raciborski
rozw. – rozwiedziony
rzym. – rzymski
s. – syn
sand. – sandomierski
sier. – sieradzki
sochacz. – sochaczewski
śl. – śląski
świdn. – świdnicki
warsz. – warszawski
węg. – węgierski
wlk. – wielki
wlkp. – wielkopolski
włocł. – włocławski
wrocł. – wrocławski
zap. – zapewne
zięb. – ziębicki
żag. – żagański

Wykazy osób

Książęta i królowie polscy, książęta krakowscy

PIASTOWIE

KSIĄŻĘTA I KRÓLOWIE POLSCY

1034–1058	Kazimierz I Odnowiciel
1058–1079	Bolesław II Szczodry, kor. 1076
1079–1102	Władysław I Herman
1102–1106	Zbigniew
1102–1138	Bolesław III Krzywousty
1138–1146	Władysław II Wygnaniec
1146–1173	Bolesław IV Kędzierzawy
1173–1177	Mieszko III Stary
1177–1191	Kazimierz II Sprawiedliwy
1191	Mieszko III Stary (po raz drugi)
1191–1194	Kazimierz II Sprawiedliwy (po raz drugi)

KSIĄŻĘTA KRAKOWSCY

1194–1198	Leszek Biały
1198–1199	Mieszko (III) Stary
1199–1201	Leszek Biały (po raz drugi)
1201–1202	Mieszko (III) Stary (po raz drugi)
1202	Władysław (III) Laskonogi
1202–1210	Leszek Biały (po raz trzeci)
1210–1211	Mieszko (I) Plątonogi
1211–1227	Leszek Biały (po raz czwarty)
1228–1231	Władysław (III) Laskonogi (po raz drugi)
1231–1238	Henryk (I) Brodaty
1238–1241	Henryk (II) Pobożny
1241–1243	Konrad (I) Mazowiecki
1243–1279	Bolesław Wstydliwy
1279–1288	Leszek Czarny
1288–1289	Bolesław (II, płocki)
1288–1290	Henryk (IV) Prawy
1289	Władysław Łokietek
1290–1291	Przemysł (II)
1291–1300	Wacław (II, Przemyślida)

KRÓLOWIE POLSCY

1295–1296	Przemysł II, kor. 1295
1296–1300	bezkrólewie

PRZEMYŚLIDZI

1300–1305	Wacław II, kor. 1300
1305–1306	Wacław III

PIASTOWIE

1306–1333	Władysław I Łokietek, kor. 1320
1333–1370	Kazimierz III Wielki, kor. 1333

ANDEGAWENOWIE

1370–1382	Ludwik Węgierski (Andegaweński, Wielki) kor. 1370
1382–1384	bezkrólewie
1384–1399	Jadwiga Andegaweńska, św., kor. 1384
1386–1434	Władysław II Jagiełło (mąż Jadwigi), kor. 1386

Namiestnicy i książęta Pomorza Wschodniego (Gdańskiego)

(W latach ok. 1116–1180, 1294–1309 pod rządami książąt i królów polskich, od 1309 część państwa zakonu krzyżackiego)

SOBIESŁAWICE

ok. 1180–1207?	Sambor I
1207?–1220?	Mściwoj I
1220?–1266	Świętopełk Wielki (ks. gdański)
1220?–1229?	Warcisław (ks. gniewsko-świecki)
1233?–1269/1271	Sambor II (ks. tczewski)
1233?–po 1262	Racibor (ks. białogardzki)
1253–1270	Mściwoj II (ks. świecki)
1266–1270	Warcisław II (ks. gdański)
1270–1294	Mściwoj II (ks. gdański)

Książęta Pomorza Zachodniego (w uproszczeniu)

GRYFICI

(1119) 1121–1135	Warcisław I
1135–1155/1156	Racibor I
1155/1156–1187	Bogusław I (ks. uznamsko-szczeciński, od 1180 całego Pomorza Zachodniego)
1155/1156–1180	Kazimierz I (ks. dymiński)
1187–1220	Bogusław II (od ok. 1211 tylko ks. uznamsko-szczeciński)
ok. 1211–1219	Kazimierz II (ks. dymiński)
1219–1264	Warcisław III (ks. dymiński)
1220–1278	Barnim I Dobry (ks. szczeciński, od 1264 całego Pomorza Zachodniego)
1278–1295	Bogusław IV

1295 – podział na księstwa wołogoskie i szczecińskie

KSIĄŻĘTA WOŁOGOSCY

1295–1309	Bogusław IV
1309–1326	Warcisław IV

1326–1372	Bogusław V Wielki
1334–1365	Barnim IV Dobry

KSIĄŻĘTA SZCZECIŃSCY

1295–1344	Otto I
1344–1368	Barnim III

1368/1372 – wydzielenie księstwa słupskiego z księstwa wołogoskiego

KSIĄŻĘTA WOŁOGOSCY

1368–1394	Warcisław VI
1368–1393	Bogusław VI
1394–1405	Barnim VI
1394–1415	Warcisław VIII

KSIĄŻĘTA SŁUPSCY

1368/1372–1374	Bogusław V
1374–1377	Kazimierz (Kaźko) IV
1377–1395	Warcisław VII
1395–1402	Barnim V

KSIĄŻĘTA SZCZECIŃSCY

1368–1372	Kazimierz III
1372–1413	Świętobor I (III)
1372–1404	Bogusław VII

Królowie niemieccy i cesarze rzymscy

DYNASTIA SALICKA

1024–1039	Konrad II, ces. 1027
1039–1056	Henryk III, ces. 1046
1056–1105	Henryk IV, ces. 1084
1077–1080	Rudolf Szwabski (z dynastii salickiej, antykról)
1081–1088	Herman von Salm (z rodu Lützebburgów, antykról)
1087–1098	Konrad (s. Henryka IV, współpanujący do 1093, od 1093 antykról)
1106–1125	Henryk V, ces. 1111
1125–1137	Lotar III z Supplinburga (z rodu Supplinburgów), ces. 1133

HOHENSTAUFOWIE

1138–1152	Konrad III
1152–1190	Fryderyk I Barbarossa (Rudobrody), ces. 1155
1190–1197	Henryk VI, ces. 1191
1198–1208	Filip Szwabski
1208–1218	Otto IV z Brunszwiku (z dynastii Welfów, antykról od 1198), ces. 1209
1212–1250	Fryderyk II, ces. 1220
1222–1235	Henryk VII (s. Fryderyka II, współpanujący)
1246–1247	Henryk Raspe (z rodu Ludowingów, antykról)
1250–1254	Konrad IV (s. Fryderyka II, współpanujący od 1237)

WIELKIE BEZKRÓLEWIE

1254–1256	Wilhelm, hr. Holandii (antykról od 1247)
1257–1284	Alfons X Mądry, kr. Kastylii
1257–1272	Ryszard, ks. Kornwalii

WŁADCY Z RÓŻNYCH RODÓW

1273–1291	Rudolf I Habsburg
1292–1298	Adolf, hr. Nassau
1298–1308	Albrecht I Habsburg
1308–1313	Henryk VII Luksemburski, ces. 1312
1314–1347	Ludwik IV Bawarski (Wittelsbach), ces. 1328
1314–1330	Fryderyk III Piękny (Habsburg, antykról)
1346–1378	Karol IV Luksemburski, ces. 1355
1349	Günther ze Schwarzburga (antykról)
1378–1400	Wacław (IV) Luksemburski

(Wielcy) mistrzowie krzyżaccy

1190–?	Sibrand
1192–?	Gerard (Curaudus)
1193–1194	Henryk, przeor
1196–?	Henryk, preceptor
1198–1200	Henryk Walpot
1200–1208	Otto von Kerpen
1208–1209	Henryk von Tunna (Bart)
1209–1239	Herman von Salza
1239–1240	Konrad, lgr. Turyngii
1241–1244	Gerard von Malberg
1244–1249	Henryk von Hohenlohe
1250–1252	Günther von Wüllersleben
1252–1256	Poppo von Osterna
1256–1273	Anno von Sangerhausen
1273–1282	Hartman von Heldrungen
1282–1290	Burchard von Schwanden
1291–1296	Konrad von Feuchtwangen
1297–1303	Godfryd von Hohenlohe
1303–1311	Zygfryd von Feuchtwangen

1309 – przeniesienie siedziby do Malborka

1311–1324	Karol z Trewiru
1324–1330	Werner von Orseln
1331–1335	Luter, ks. Brunszwiku
1335–1341	Dytryk, burgrabia Altenburga
1342–1345	Ludolf König
1345–1351/1352	Henryk Dusemer
1352–1382	Winrych von Kniprode
1382–1390	Konrad Zöllner von Rotenstein
1391–1393	Konrad von Wallenrode
1393–1407	Konrad von Jungingen

Książęta i królowie czescy

PRZEMYŚLIDZI

1035–1055	Brzetysław I (po raz drugi)
1055–1061	Spitygniew II
1061–1092	Wratysław II, kor. 1085
1092	Konrad I
1092–1100	Brzetysław II
1100–1107	Borzywoj II
1107–1109	Świętopełk
1109	Władysław I

1109–1110 Borzywoj II (po raz drugi)
1110–1117 Władysław I (po raz drugi)
1117–1120 Borzywoj II (po raz trzeci)
1120–1125 Władysław I (po raz trzeci)
1125–1140 Sobiesław I
1140–1172 Władysław II, kor. 1158
1172–1173 Biedrzych-Fryderyk
1173–1178 Sobiesław II
1178–1182 Biedrzych-Fryderyk (po raz drugi)
1182 Konrad II Otto
1182–1189 Biedrzych-Fryderyk (po raz trzeci)
1189–1191 Konrad II Otto (po raz drugi)
1191–1192 Wacław (II)
1192–1193 Przemysł Ottokar I
1193–1197 Henryk Brzetysław
1197 Władysław III Henryk
1197–1230 Przemysł Ottokar I (po raz drugi), kor. 1198
1230–1253 Wacław I, kor. 1228
1253–1278 Przemysł Ottokar II, kor. 1261
1278 (1283)–1305 Wacław II, kor. 1297
1305–1306 Wacław III

WŁADCY Z RÓŻNYCH RODÓW

1306 Henryk Karyncki
1306–1307 Rudolf I Habsburg
1307–1310 Henryk Karyncki (po raz drugi)

LUKSEMBURGOWIE

1310–1346 Jan Luksemburski (Ślepy), kor. 1311
1346–1378 Karol I (IV), kor. 1347
1378–1419 Wacław IV, kor. 1363

Królowie węgierscy

ARPADZI

1038–1041 Piotr Orseolo (Wenecjanin)
1041–1044 Aba Samuel
1044–1046 Piotr Orseolo (Wenecjanin, po raz drugi)
1046–1060 Andrzej I
1060–1063 Bela I
1063–1074 Salomon
1074–1077 Gejza I
1077–1095 Władysław I Święty
1095–1116 Koloman Uczony
1116–1131 Stefan II
1131–1141 Bela II Ślepy
1141–1162 Gejza II
1162–1172 Stefan III
1162–1163 Władysław II (antykról)
1163 Stefan IV (antykról)
1172–1196 Bela III
1196–1204 Emeryk
1204–1205 Władysław III
1205–1235 Andrzej II
1235–1270 Bela IV
1270–1272 Stefan V
1272–1290 Władysław IV Kumańczyk
1290–1301 Andrzej III

WŁADCY Z RÓŻNYCH RODÓW

1301–1305 Wacław (III Przemyślida, jako Władysław V)
1305–1307 Otto Wittelsbach

ANDEGAWENOWIE

1301–1342 Karol I Robert
1342–1382 Ludwik I Wielki
1382–1385 Maria
1385–1386 Karol II Mały (kr. Neapolu jako Karol III Durazzo)
1386–1395 Maria (po raz drugi)
1387–1437 Zygmunt Luksemburski (mąż Marii)

Książęta kijowscy, włodzimiersko-suzdalscy i moskiewscy

RURYKOWICZE

(WIELCY) KSIĄŻĘTA KIJOWSCY

1019–1054 Jarosław I Mądry (po raz drugi)
1054–1068 Izjasław I
1068–1069 Wsiesław I
1069–1073 Izjasław I (po raz drugi)
1073–1076 Świętosław II
1077 Wsiewołod I Cichy
1077–1078 Izjasław I (po raz trzeci)
1078–1093 Wsiewołod I Cichy (po raz drugi)
1093–1113 Świętopełk II
1113–1125 Włodzimierz II Monomach
1125–1132 Mścisław I Harald
1132–1139 Jaropełk II
1139 Wiaczesław
1139–1146 Wsiewołod II
1146 Igor II
1146–1149 Izjasław II
1149–1150 Jerzy I Dołgoruki
1150 Izjasław II (po raz drugi)
1150–1151 Jerzy I Dołgoruki (po raz drugi)
1151–1154 Izjasław II (po raz trzeci)
1151–1154 Wiaczesław (po raz drugi, współrządy z Izjasławem II, a następnie Rościsławem)
1154 Rościsław
1154–1155 Izjasław III
1155–1157 Jerzy I Dołgoruki (po raz trzeci)
1157–1158 Izjasław III (po raz drugi)
1158–1161 Rościsław (po raz drugi)
1161 Izjasław III (po raz trzeci)
1161–1167 Rościsław (po raz trzeci)
1167 Włodzimierz III
1167–1169 Mścisław II

KSIĄŻĘTA WŁODZIMIERSKO-SUZDALSCY

1157–1174 Andrzej I Bogolubski
1174–1176 Michał I
1176–1212 Wsiewołod III Wielkie Gniazdo
1212–1216 Jerzy II
1216–1218 Konstantyn
1218–1238 Jerzy II (po raz drugi)
1238–1246 Jarosław II
1247 Świętosław III
1247–1252 Andrzej II
1252–1263 Aleksander I Newski
1264–1271 Jarosław III

1272–1277	Wasyl I
1277–1282	Dymitr I
1282–1283	Andrzej III
1283–1294	Dymitr I (po raz drugi)
1294–1304	Andrzej III (po raz drugi)
1305–1318	Michał II Święty
1318–1322	Jerzy III
1322–1326	Dymitr II Groźnooki
1326–1327	Aleksander II
1328–1331	Aleksander III
1332–1340	Iwan I Kalita
1340–1353	Szymon Dumny
1353–1359	Iwan II Piękny
1360–1362	Dymitr III
1362–1389	Dymitr IV Dońśki – zjednoczenie z księstwem moskiewskim

KSIĄŻĘTA MOSKIEWSCY

1276–1303	Daniel (s. Aleksandra I Newskiego)
1303–1325	Jerzy III
1325–1340	Iwan I Kalita
1340–1353	Szymon Dumny
1353–1359	Iwan II Piękny
1359–1389	Dymitr IV Doński
1389–1425	Wasyl I

(Wielcy) książęta litewscy

WŁADCY Z RÓŻNYCH RODÓW

ok. 1240–1263	Mendog, kor. 1253
1263–1264	Treniota (Trojnat)
1264–1267	Wojsiełk
1267–1269	Szwarno
1269–1281/82	Trojden
1281/82–1285	Dowmont
1290–1292	Budiwid (z bratem Pukuwerem jako współrządzącym)

GIEDYMINOWICZE

1290–1294	Pukuwer (Butumer, Budikid)
1295–1316	Witenes
1316–1341/42	Giedymin
1341/42–1344/45	Jawnuta
1344/45–1377	Olgierd (z bratem Kiejstutem jako współrządzącym)
1377–1381	Jagiełło (ze stryjem Kiejstutem jako współrządzącym)
1381–1382	Kiejstut
1382–1434	Jagiełło (po raz drugi, od 1386 kr. Polski jako Władysław II)
1392–1430	Witold-Aleksander Wielki (z nadania Jagiełły, tytułu używa od 1395)

Papieże

1045	Sylwester III
1045	Benedykt IX (po raz drugi)
1045–1046	Grzegorz VI
1046–1047	Klemens II
1047–1048	Benedykt IX (po raz trzeci)
1048	Damazy II
1049–1054	Leon IX
1055–1057	Wiktor II
1057–1058	Stefan X (IX)
1058–1059	Benedykt X (antypapież)
1059–1061	Mikołaj II
1061–1073	Aleksander II
1061–1072	Honoriusz II (antypapież)
1073–1085	Grzegorz VII
1080–1100	Klemens III (antypapież)
1086–1087	Wiktor III
1088–1099	Urban II
1099–1118	Paschalis II
1100–1102	Teodoryk (antypapież)
1102	Albert (antypapież)
1105–1111	Sylwester IV (antypapież)
1118–1119	Gelazy II
1118–1121	Grzegorz VIII (antypapież)
1119–1124	Kalikst II
1124	Celestyn II (antypapież)
1124–1130	Honoriusz II
1130–1143	Innocenty II
1130–1138	Anaklet II (antypapież)
1138	Wiktor IV (antypapież)
1143–1144	Celestyn II
1144–1145	Lucjusz II
1145–1153	Eugeniusz III
1153–1154	Anastazy IV
1154–1159	Hadrian IV
1159–1181	Aleksander III
1159–1164	Wiktor IV (antypapież)
1164–1168	Paschalis III (antypapież)
1168–1178	Kalikst III (antypapież)
1179–1180	Innocenty III (antypapież)
1181–1185	Lucjusz III
1185–1187	Urban III
1187	Grzegorz VIII
1187–1191	Klemens III
1191–1198	Celestyn III
1198–1216	Innocenty III
1216–1227	Honoriusz III
1227–1241	Grzegorz IX
1241	Celestyn IV
1241–1243	wakans
1243–1254	Innocenty IV
1254–1261	Aleksander IV
1261–1264	Urban IV
1265–1268	Klemens IV
1268–1271	wakans
1271–1276	Grzegorz X
1276	Innocenty V
1276	Hadrian V
1276–1277	Jan XXI
1277–1280	Mikołaj III
1281–1285	Marcin IV
1285–1287	Honoriusz IV
1288–1292	Mikołaj IV
1292–1294	wakans
1294	Celestyn V
1294–1303	Bonifacy VIII
1303–1304	Benedykt XI
1305–1314	Klemens V
1316–1334	Jan XXII
1328–1330	Mikołaj V (antypapież)
1334–1342	Benedykt XII
1342–1352	Klemens VI
1352–1362	Innocenty VI
1362–1370	Urban V
1370–1378	Grzegorz XI
1378–1389	Urban VI
1378–1394	Klemens VII (antypapież)
1389–1404	Bonifacy IX
1394–1417	Benedykt XIII (antypapież)

Arcybiskupi gnieźnieńscy

999/1000– –po 1011	Radzim-Gaudenty
po 1011–1027	Hipolit
1027–1028	Bossuta-Stefan
1075?–1092?	Bogumił-Piotr
ok. 1092?	Henryk?
1092?– –ok. 1115/1116	Marcin
ok. 1115/1116– –ok. 1124	N.N.
ok. 1124–1148?	Jakub ze Żnina
1149–1167/1177	Jan (Janik)
1167/1177– –po 1180	Zdzisław (Zdziesław)
po 1180– –przed 1191	Bogumił z Dobrowa
1191–1198	Piotr
1198/1199–1219	Henryk Kietlicz
1219–1220	Iwo Odrowąż
1220–1232	Wincenty
1232–1258	Pełka (Fulko)
1258–1271	Janusz
1278–1279	Marcin Polak z Opawy
1279–1280/1281	Włościbor (Włościbórz)
1281–1282	Henryk z Breny
1283–1314	Jakub Świnka
1317	Borzysław
1317–1341	Janisław
1342–1374	Jarosław Bogoria ze Skotnik
1374–1382	Janusz Suchywilk
1382–1388	Bodzęta z Kosowic
1389–1394	Jan Kropidło
1394–1401	Dobrogost z Nowego Dworu

Biskupi krakowscy

1000–1023?	Poppo
1023?–1032?	Gompo
1032?–1044	Rachelin
1046–1059	Aron
1061–1071	Lambert-Suła
1072–1079	Stanisław ze Szczepanowa
1082–1101	Lambert
1101–1103	Czasław
1103–1109	Baldwin
1110–1118	Maur
1118–1142	Radost
1142–1143	Robert
1143–1166	Mateusz
1167–1185	Giedka
1186–1207	Pełka
1208–1218	Wincenty zwany Kadłubkiem
1218–1229	Iwo Odrowąż
1231–1242	Wisław z Kościelca
1242–1266	Jan Prandota
1266–1292	Paweł z Przemankowa
1293–1295	Prokop Rusin
1295–1320	Jan Muskata
1320–1326	Nanker
1326–1347	Jan Grotowic
1347–1348	Piotr z Fałkowa
1348–1366	Bodzęta
1367–1380	Florian Mokrski
1381–1382	Zawisza z Kurozwęk
1382–1392	Jan Radlica
1392–1412	Piotr Wysz

Kasztelanowie krakowscy

2 poł. XII w.	Stefan
1191	Henryk Kietlicz
1210–1212	Goworek
1217	Wacław
1222?–1223	Pakosław Stary
1223–1224?	Ostasz
1230	Klemens
1231	Jakub
1234–1237	Pakosław Stary (po raz drugi)
1238–1241?	Klemens (po raz drugi?)
1242–1243	Bogusza z Lubania
1243–1253	Michał
1253–1255	Sąd
1255–1264	Adam
1268	Sułek
1270–1282	Warsz
1284–1285	Janusz
1285–1288	Sułek z Niedźwiedzia
1289–1292	Żegota
1293–1296	Warcisław z Chrzelowa (Krzelowa)
1300–1302	Żegota
1307–1310	Wierzbięta
do 1313	Grot Mateusz
1313–1317	Prandota z Michowa
1317–1319	Pakosław z Mstyczowa
1320–1331	Nawój z Morawicy
1331–1352	Spycimir z Tarnowa
1356–1363	Jan Jura
1366–1381	Jan (Jaszek) z Melsztyna
1381–1395	Dobiesław z Kurozwęk
1398–1405	Jan z Tęczyna

Wojewodowie krakowscy

przed 1182–1202	Mikołaj
przed 1206–1210	Wojciech
1211–1216	Pakosław Stary
1217–1224	Marek
1224–1227/1228	Pakosław Stary (po raz drugi)
1228–1230	Marek (po raz drugi)
1231–1237	Teodor (Czader)
1238	Pakosław Stary (po raz trzeci)
1238–1241	Włodzimierz
1241–1243	Mściwoj
1243–1253	Klemens z Ruszczy
1253	Stefan
1255	Klemens (może z Ruszczy po raz drugi)
1256–1260	Mikołaj
1260–1264	Sułek
1264–1268	Mikołaj (po raz drugi)
1270–1272	Piotr
1274–1278	Nieustęp
1278–1279	Sasin
1280	Piotr
1282–1284	Żegota
1285–1289	Piotr
1290	Mikołaj
1291	Świętopełk z Irządz
1293–1296	Żegota
1300–1306	Wierzbięta
1305–1316?	Mikołaj
1317–1320	Tomisław z Mokrska
1320–1331	Spycimir z Tarnowa
1331–1338	Mikołaj z Bogorii
1339–1340	Mścigniew Czelej z Wrzaw
1341–1359	Imram
1363–1368	Andrzej z Tęczyna
1368–1380	Dobiesław z Kurozwęk
1381–1399	Spytko z Melsztyna

BIBLIOGRAFIA

Opinie prezentowane w zestawionych pracach nie zawsze są zgodne z poglądami wyrażonymi na kartach niniejszego opracowania.

ŹRÓDŁA PISANE (W PRZEKŁADACH)

ANONIM tzw. GALL, *Kronika polska*, przeł. Roman GRODECKI, wstęp i oprac. Marian PLEZIA, wyd. 6, Wrocław i in., Ossolineum, 1989

By czas nie zaćmił i niepamięć. Wybór kronik średniowiecznych, oprac. Antonina JELICZ, Warszawa, PIW, 1979

JANA DŁUGOSZA *Roczniki czyli Kroniki Królestwa Polskiego*, ks. 1–10, przeł. Stanisław GAWĘDA, Julia MRUKÓWNA, komentarz Stanisław GAWĘDA, Zbigniew PERZANOWSKI, Krystyna PIERADZKA, Bożena MODELSKA-STRZELECKA, Warszawa, PWN, 1961–1981

Kronika Jana z Czarnkowa, przeł. Józef ŻERBIŁŁO, wyd. 2, oprac. Marek D. KOWALSKI, Kraków, Universitas, 1996

Kronika wielkopolska, przeł. Kazimierz ABGAROWICZ, wstęp i komentarz Brygida KÜRBISÓWNA, Warszawa, PWN, 1965

Legenda świętej Jadwigi, przeł. Andrzej JOCHELSON, wyd. Józef PATER, Wrocław, TART, 1993

Liber fundationis claustri sancte Marie Virginis in Heinrichow czyli Księga Henrykowska, przeł. Roman GRODECKI, wyd. 2, Wrocław, Muzeum Archidiecezjalne, 1991

MISTRZ WINCENTY (tzw. KADŁUBEK), *Kronika polska*, przeł. i oprac. Brygida KÜRBIS, Wrocław i in., Ossolineum, 1992

Najstarszy zwód prawa polskiego / Das älteste polnische Gewohnheitsrechtsbuch, wyd. i oprac. Józef MATUSZEWSKI i Jacek MATUSZEWSKI, Łódź, UŁ, 1995

Pomorze Zachodnie w żywotach Ottona z Bambergu, wyd. i oprac. Jan WIKARJAK, przedmowa Gerard LABUDA, Warszawa, PWN, 1979

Spotkanie dwóch światów. Stolica Apostolska a świat mongolski w połowie XIII wieku. Relacje powstałe w związku z misją Jana di Piano Carpiniego do Mongołów, red. Jerzy STRZELCZYK, Poznań, ABOS, 1993

Średniowieczne żywoty i cuda patronów Polski, przeł. Janina PLEZIOWA, oprac. Marian PLEZIA, Warszawa, Pax, 1987

OPRACOWANIA OGÓLNE

Juliusz BARDACH, *Historia państwa i prawa Polski*, t. 1: *Do połowy XV wieku*, wyd. 2, Warszawa, PWN, 1964

Maria BOGUCKA, Henryk SAMSONOWICZ, *Dzieje miast i mieszczaństwa w Polsce przedrozbiorowej*, Wrocław i in., Ossolineum, 1986

Dzieje Mazowsza do 1526 roku, red. Aleksander GIEYSZTOR, Henryk SAMSONOWICZ, Warszawa, PWN, 1994

Dzieje Warmii i Mazur w zarysie, t. 1: *Od pradziejów do 1870 roku*, red. Jerzy SIKORSKI, Stanisław SZOSTAKOWSKI, Warszawa, PWN, 1981

Dzieje Wielkopolski, t. 1: *Do roku 1793*, red. Jerzy TOPOLSKI, Poznań, Wyd. Poznańskie, 1969

Gniezno mater ecclesiarum Poloniae, red. Stanisław PASICIEL, Gniezno, MPPP, 2000

Gniezno – pierwsza stolica Polski. Miasto św. Wojciecha, red. Stanisław PASICIEL, Gniezno, MPPP, 1995

Roman GRODECKI, Stanisław ZACHOROWSKI, Jan DĄBROWSKI, *Dzieje Polski średniowiecznej*, t. 1–2, wyd. 2, oprac. Jerzy WYROZUMSKI, Kraków, Universitas, 1995

Historia chłopów polskich, red. Stefan INGLOT, t. 1: *Do upadku Rzeczypospolitej szlacheckiej*, Warszawa, LSW, 1970

Historia dyplomacji polskiej, t. 1: *Połowa X w.–1572*, red. Marian BISKUP, Warszawa, PWN, 1980

Historia kultury materialnej Polski, t. 1: *Od VII do XII wieku*, red. Maria DEMBIŃSKA, Zofia PODWIŃSKA, t. 2: *Od XIII do XV wieku*, red. Anna RUTKOWSKA-PŁACHCIŃSKA, Wrocław i in., Ossolineum, 1978

Historia Polski [PAN], t. 1, cz. 1, red. Henryk ŁOWMIAŃSKI, Warszawa, PWN, 1960

Historia Pomorza, t. 1: *Do roku 1466*, cz. 1, red. Gerard LABUDA, Poznań, Wyd. Poznańskie, 1969

Historia Śląska, t. 1: *Do roku 1763*, red. Karol MALECZYŃSKI, cz. 1: *Do połowy XIV w.*, cz. 2: *Od połowy XIV do trzeciej ćwierci XVI w.*, Wrocław, Ossolineum, 1960–1961

Ireneusz IHNATOWICZ, Antoni MĄCZAK, Benedykt ZIENTARA, Janusz ŻARNOWSKI, *Społeczeństwo polskie od X do XX wieku*, wyd. 3, Warszawa, KiW, 1999

Jerzy KŁOCZOWSKI, *Dzieje chrześcijaństwa polskiego*, wyd. 2, Warszawa, Świat Książki, 2000

–, *Młodsza Europa. Europa Środkowo-Wschodnia w kręgu cywilizacji chrześcijańskiej średniowiecza*, Warszawa, PIW, 1998

Kościół w Polsce, t. 1: *Średniowiecze*, red. Jerzy KŁOCZOWSKI, Kraków, Znak, 1966

Kultura Polski średniowiecznej X–XIII w., red. Jerzy DOWIAT, Warszawa, PIW, 1985

Kultura Polski średniowiecznej XIV–XV w., red. Bronisław GEREMEK, Warszawa, Semper, 1997

Leksykon zamków w Polsce, red. Leszek KAJZER, Łódź, Arkady, 1991

Witold MAISEL, *Archeologia prawna Polski*, Warszawa–Poznań, PWN, 1982

Teresa MICHAŁOWSKA, *Średniowiecze*, Warszawa, PWN, 1995

Aleksander W. MIKOŁAJCZAK, *Łacina w kulturze polskiej*, Wrocław, Wyd. Dolnośląskie, 1998

Nasi święci. Polski słownik hagiograficzny, red. Aleksandra WITKOWSKA, wyd. 2, Poznań, Księgarnia Św. Wojciecha, 1999

Ornamenta ecclesiae Poloniae. Skarby sztuki sakralnej. Wiek X–XVIII, red. Przemysław MROZOWSKI, Artur BARDACH, Warszawa, Dom Polski, 1999

Piastowie. Leksykon biograficzny, red. Stanisław SZCZUR, Krzysztof OŻÓG, Kraków, Wyd. Literackie, 1999

Polska dzielnicowa i zjednoczona. Państwo – społeczeństwo – kultura, red. Aleksander GIEYSZTOR, Warszawa, WP, 1972

Polska około roku 1400. Państwo, społeczeństwo, kultura, red. Wojciech FAŁKOWSKI, Warszawa, Neriton, 2002

Polska pierwszych Piastów. Państwo – społeczeństwo – kultura, red. Tadeusz MANTEUFFEL, wyd. 3, Warszawa, WP, 1974

Rozkwit średniowiecznej Europy, red. Henryk SAMSONOWICZ, Warszawa, Bellona, 2001

Stanisław SZCZUR, *Historia Polski. Średniowiecze*, Kraków, Wyd. Literackie, 2002

Józef SZYMAŃSKI, *Herbarz średniowiecznego rycerstwa polskiego*, Warszawa, PWN, 1993

Wawel 1000–2000. Kultura artystyczna dworu królewskiego i katedry. Katedra krakowska – biskupia, królewska, narodowa. Skarby archidiecezji krakowskiej, t. 1–3, red. Magdalena PIWOCKA, Dariusz NOWACKI, Józef A. NOWOBILSKI, Kraków, Zamek Królewski na Wawelu. Muzeum Archidiecezjalne w Krakowie, 2000

Jerzy WYROZUMSKI, *Dzieje Polski piastowskiej (VIII wiek–1370)*, Kraków, Fogra, 1999

–, *Historia Polski do roku 1505*, wyd. 9, Warszawa, PWN, 1985

OPRACOWANIA MONOGRAFICZNE

Władysław ABRAHAM, *Organizacja Kościoła w Polsce do połowy wieku XII*, wyd. 3, Poznań, Pallotinum, 1962

Architektura gotycka w Polsce, red. Teresa MROCZKO, Marian ARSZYŃSKI, t. 1–3, Warszawa, Instytut Sztuki PAN, 1995

Oswald Balzer, *Królestwo Polskie 1295–1370*, t. 1–3, Lwów, Tow. dla Popierania Nauki Polskiej, 1919–1920

Antoni BARCIAK, *Czechy a ziemie południowej Polski w XIII oraz w początkach XIV wieku. Polityczno-ideologiczne problemy ekspansji czeskiej na ziemie południowej Polski*, Katowice, UŚ, 1992

Jan BASZKIEWICZ, *Powstanie zjednoczonego państwa polskiego na przełomie XIII i XIV wieku*, Warszawa, KiW, 1954

Anna BERDECKA, *Lokacje i zagospodarowanie miast królewskich w Małopolsce za Kazimierza Wielkiego (1333–1370)*, Wrocław i in., Ossolineum, 1982

Janusz Bieniak, *Wielkopolska, Kujawy, Ziemia Łęczycka i Sieradzka wobec problemu zjednoczenia państwowego w latach 1300–1306*, Toruń, TNT, 1969

Stanisław Bieniek, *Piotr Włostowic. Postać z dziejów średniowiecznego Śląska*, Wrocław i in., Ossolineum, 1965

Marian Biskup, Gerard Labuda, *Dzieje Zakonu Krzyżackiego w Prusach. Gospodarka – społeczeństwo – państwo – ideologia*, wyd. 2, Gdańsk, Wyd. Morskie, 1988

Grzegorz Błaszczyk, *Dzieje stosunków polsko-litewskich od czasów najdawniejszych do współczesności*, t. 1: *Trudne początki*, Poznań, UAM, 1998

Hartmut Boockmann, *Zakon Krzyżacki. Dwanaście rozdziałów jego historii*, przeł. Robert Traba, Warszawa, Volumen, 1998

Zygmunt Boras, *Książęta piastowscy Śląska*, wyd. 3, Katowice, Śląsk, 1982

–, *Książęta piastowscy Wielkopolski*, wyd. 2, Międzychód, Eco, 1993

–, *Książęta Pomorza Zachodniego*, wyd. 3, Poznań, UAM, 1996

Karol Buczek, *Książęca ludność służebna w Polsce wczesnofeudalnej*, Wrocław i in., Ossolineum, 1958

–, *Targi i miasta na prawie polskim (okres wczesnośredniowieczny)*, Wrocław i in., Ossolineum, 1964

Marek Cetwiński, *Rycerstwo śląskie do końca XIII w. Pochodzenie – gospodarka – polityka*, Wrocław i in., Ossolineum, 1980

Chrzest Litwy. Geneza, przebieg, konsekwencje, red. Marek T. Zahajkiewicz, Lublin, RW KUL, 1990

Civitates Principales. Wybrane ośrodki władzy w Polsce wczesnośredniowiecznej, red. Tomasz Janiak, Dariusz Stryniak, Gniezno, MPPP, 1998

Zbigniew Dalewski, *Władza, przestrzeń, ceremoniał. Miejsce i uroczystość inauguracji władzy w Polsce średniowiecznej do końca XV w.*, Warszawa, IH PAN, Neriton, 1996

Jan Dąbrowski, *Dawne dziejopisarstwo polskie (do roku 1480)*, Wrocław i in., Ossolineum, 1964

–, *Korona Królestwa Polskiego w XIV w. Studium z dziejów rozwoju polskiej monarchii stanowej*, Wrocław i in., Ossolineum, 1956

–, *Ostatnie lata Ludwika Wielkiego 1370–1382*, Kraków, AU, 1918

Maria Dembińska, *Konsumpcja żywnościowa w Polsce średniowiecznej*, Wrocław i in., Ossolineum, 1963

Marek Derwich, *Benedyktyński klasztor św. Krzyża na Łysej Górze w średniowieczu*, Warszawa–Wrocław, PWN, 1992

Józef Dobosz, *Działalność fundacyjna Kazimierza Sprawiedliwego*, Poznań, UAM, 1995

Józef Dobosz, Leszek Wetesko, Andrzej Woziński, *Cystersi w średniowiecznej Polsce – kultura i sztuka*, Gniezno, MPPP, 1991

Kazimierz Dola, *Dzieje Kościoła na Śląsku*, cz. 1: *Średniowiecze*, Opole, Wydz. Teologiczny Uniwersytetu Opolskiego, 1996

Jan Drabina, *Historia miast śląskich w średniowieczu*, Kraków, Impuls, 2000

Mariusz Dworsatschek, *Władysław II Wygnaniec*, Wrocław, Tow. Przyjaciół Ossolineum, 1998

Włodzimierz Dworzaczek, *Leliwici Tarnowscy. Z dziejów możnowładztwa małopolskiego. Wiek XIV–XV*, Warszawa, Pax, 1971

Dzieło Jadwigi i Jagiełły. W sześćsetlecie chrztu Litwy i jej związków z Polską. Antologia historyczno-literacka, oprac. Wojciech Biliński, Warszawa, Wyd. Archidiecezji Warszawskiej, 1989

Sławomir Gawlas, *O kształt zjednoczonego królestwa. Niemieckie władztwo terytorialne a geneza społecznoustrojowej odrębności Polski*, wyd. 2, Warszawa, DiG, 2000

Andrzej F. Grabski, *Polska w opiniach Europy Zachodniej XIV–XV w.*, Warszawa, PWN, 1968

–, *Polska w opiniach obcych X–XIII wiek*, Warszawa, PWN, 1964

Kazimierz Jasiński, *Rodowód Piastów małopolskich i kujawskich*, wyd. Marek Górny, Poznań–Wrocław, Wyd. Historyczne, 2001

–, *Rodowód Piastów mazowieckich*, Poznań–Wrocław, Wyd. Historyczne, 1998

–, *Rodowód Piastów śląskich*, t. 1–3, Wrocław, Ossolineum, 1973–1977

–, *Rodowód pierwszych Piastów*, Warszawa–Wrocław, Volumen, [1992]

Tomasz Jasiński, *Przerwany hejnał*, Kraków, KAW, 1988

Antonina Jelicz, *Życie codzienne w średniowiecznym Krakowie (wiek XIII–XV)*, Warszawa, PIW, 1966

Andrzej Jureczko, *Henryk III Biały – książę wrocławski (1247–1266)*, Kraków, WSP, 1986

–, *Testament Krzywoustego*, Kraków, KAW, 1988

Tomasz Jurek, *Dziedzic Królestwa Polskiego. Książę głogowski Henryk (1274–1309)*, Poznań, PTPN, 1993

–, *Obce rycerstwo na Śląsku do połowy XIV w.*, Poznań, PTPN, 1996

Zdzisław Kaczmarczyk, *Polska czasów Kazimierza Wielkiego*, Kraków, UJ, 1964

Krystyna Kamińska, *Lokacje miast na prawie magdeburskim na ziemiach polskich do 1370 r. (studium historycznoprawne)*, Toruń, UMK, 1990

Alicja Karłowska-Kamzowa, *Sztuka Piastów śląskich w średniowieczu. Znaczenie fundacji książęcych w dziejach sztuki gotyckiej na Śląsku*, Warszawa–Wrocław, PWN, 1991

Alicja Karłowska-Kamzowa, Leszek Wetesko, Jacek Wiesiołowski, *Średniowieczna książka rękopiśmienna jako dzieło sztuki*, Gniezno, MPPP, 1993

Kernavė – litewska Troja. Katalog wystawy ze zbiorów Państwowego Muzeum-rezerwatu Archeologii i Historii w Kernavė, Litwa, red. Anna Bitner-Wróblewska, Warszawa, PMA, 2002

Jerzy Kębłowski, *Polska sztuka gotycka*, Warszawa, WAiF, 1976

Teresa i Ryszard Kiersnowscy, *Życie codzienne na Pomorzu wczesnośredniowiecznym (wiek X–XIII)*, Warszawa, PIW, 1970

Ryszard Kiersnowski, *Wstęp do numizmatyki polskiej wieków średnich*, Warszawa, PWN, 1964

–, *Życie codzienne na Śląsku w wiekach średnich*, Warszawa, PIW, 1977

Feliks Kiryk, *Wielki król i jego następca*, Kraków, KAW, 1992

Wacław Korta, *Najazd Mongołów na Polskę i jego legnicki epilog*, Katowice, Śląski Instytut Naukowy, 1983

Adam Krawiec, *Seksualność w średniowiecznej Polsce*, Poznań, Wyd. Poznańskie, 2000

Jadwiga Krzyżaniakowa, Jerzy Ochmański, *Władysław II Jagiełło*, Wrocław i in., Ossolineum, 1990

Brygida Kürbisówna, *Dziejopisarstwo wielkopolskie XIII i XIV wieku*, Warszawa, PWN, 1959

Janusz Kurtyka, *Odrodzone królestwo. Monarchia Władysława Łokietka i Kazimierza Wielkiego w świetle nowszych badań*, Kraków, Societas Vistulana, 2001

–, *Tęczyńscy. Studium z dziejów polskiej elity możnowładczej w średniowieczu*, Kraków, Secesja, 1997

Gerard Labuda, *Korona i infuła. Od monarchii do poliarchii*, Kraków, KAW, 1996

–, *Św. Stanisław biskup krakowski, patron Polski. Śladami zabójstwa – męczeństwa – kanonizacji*, Poznań, IH UAM, 2000

Henryk Łowmiański, *Początki Polski*. t. 6, cz. 1–2, Warszawa, PWN, 1985

Karol Maleczyński, *Bolesław III Krzywousty*, Wrocław i in., Ossolineum, 1975

Jerzy Maroń, *Koczownicy i rycerze. Najazd Mongołów na Polskę w 1241 roku na tle sztuki wojennej Europy XII i XIII wieku*, Wrocław, Arboretum, 2001

Jacek S. Matuszewski, *Przywileje i polityka podatkowa Ludwika Węgierskiego w Polsce*, Łódź, UŁ, 1983

Józef Matuszewski, *Najstarsze polskie zdanie prozaiczne. Zdanie henrykowskie i jego tło historyczne*, Wrocław i in., Ossolineum, 1981

–, *Relacja Długosza o najeździe tatarskim w 1241 roku. Polskie zdania legnickie*, Wrocław–Łódź, Ossolineum, 1980

Teresa Michałowska, *„Ego Gertruda". Studium historycznoliterackie*, Warszawa, PWN, 2001

Roman MICHAŁOWSKI, *Princeps fundator. Studium z dziejów kultury politycznej w Polsce X–XIII wieku*, wyd. 2, Warszawa, Zamek Królewski, 1993
Karol MODZELEWSKI, *Chłopi w monarchii wczesnopiastowskiej*, Wrocław i in., Ossolineum, 1987
–, *Organizacja gospodarcza państwa piastowskiego X–XIII wiek*, wyd. 2, Poznań, PTPN, 2000
Monasticon Cisterciense Poloniae, red. Andrzej M. WYRWA, Jerzy STRZELCZYK, Krzysztof KACZMAREK, t. 1–2, Poznań, Wyd. Poznańskie, 1999
Kazimierz MYŚLIŃSKI, *Polska wobec Słowian Połabskich do końca wieku XII*, Lublin, UMCS, 1993
Grzegorz MYŚLIWSKI, *Człowiek średniowiecza wobec czasu i przestrzeni (Mazowsze od XII do poł. XVI wieku)*, Warszawa, Krupski i S-ka, 1999
Bronisław NOWACKI, *Czeskie roszczenia do korony w Polsce w latach 1290–1335*, Poznań, UAM, 1987
–, *Przemysł II, książę wielkopolski, król Polski 1257–1295*, Poznań, WBP, 1995
Tomasz NOWAKOWSKI, *Małopolska elita władzy wobec rywalizacji o tron krakowski w latach 1288–1306*, Bydgoszcz, WSP, 1992
Krzysztof OŻÓG, *Intelektualiści w służbie Królestwa Polskiego w latach 1306–1382*, Kraków, UJ, 1995
Państwo zakonu krzyżackiego w Prusach. Podziały administracyjne i kościelne od XIII do XVI wieku, red. Zenon H. NOWAK, Toruń, TNT, UMK, 2000
Zbigniew PIANOWSKI, *„Sedes regni principales". Wawel i inne rezydencje piastowskie do połowy XIII wieku na tle europejskim*, wyd. 2, Kraków, Politechnika Krakowska, 1997
Zenon PIECH, *Ikonografia pieczęci Piastów*, Kraków, Universitas, 1993
Jerzy PIEKALSKI, *Od Kolonii do Krakowa. Przemiana topografii wczesnych miast*, Wrocław, Sudety, 1999
Tomasz PIETRAS, *„Krwawy wilk z pastorałem". Biskup krakowski Jan zwany Muskatą*, Warszawa, Semper, 2001
Jan M. PISKORSKI, *Kolonizacja wiejska Pomorza Zachodniego w XIII i w początkach XIV wieku na tle procesów osadniczych w średniowiecznej Europie*, Poznań, PTPN, 1990
Marian PLEZIA, *Dookoła sprawy św. Stanisława. Studium źródłoznawcze*, posłowie Jan Spież, wyd. 2, Bydgoszcz, Homini, 1999
Polska technika wojskowa do 1500 roku, red. Andrzej NADOLSKI, Warszawa, Oficyna Naukowa, 1994
Edward POTKOWSKI, *Książka rękopiśmienna w kulturze Polski średniowiecznej*, Warszawa, LSW, 1984
Maciej PRZYBYŁ, *Mieszko III Stary*, Poznań, WBP, 2002
–, *Władysław Laskonogi, książę wielkopolski 1202–1231*, Poznań, WBP, 1998
Andrzej RADZIMIŃSKI, *Duchowieństwo kapituł katedralnych w Polsce XIV i XV w. na tle porównawczym. Studium nad rekrutacją i drogami awansu*, Toruń, UMK, 1995
Edward RYMAR, *Rodowód książąt pomorskich*, t. 1–2, Szczecin, Książnica Pomorska, 1995
Jan SAMEK, *Polskie rzemiosło artystyczne. Średniowiecze*, Warszawa, WAiF, PWN, 2000
Agnieszka SAMSONOWICZ, *Łowiectwo w Polsce Piastów i Jagiellonów*, Wrocław i in., Ossolineum, 1991
Henryk SAMSONOWICZ, *Łokietkowe czasy*, Kraków, KAW, 1989
Wiesław SIERADZAN, *Świadomość historyczna świadków w procesach polsko-krzyżackich w XIV i XV w.*, Toruń, UMK, 1993
Tadeusz SILNICKI, Kazimierz GOŁĄB, *Arcybiskup Jakub Świnka i jego epoka*, Warszawa, Pax, 1956
Szczęsny SKIBIŃSKI, *Polskie katedry gotyckie*, Poznań, Gaudentinum, 1996
Stanisław SMOLKA, *Mieszko Stary i jego wiek oraz Uwagi o pierwotnym ustroju społecznym Polski piastowskiej*, wyd. 2, oprac. i posłowie Aleksander GIEYSZTOR, Warszawa, PWN, 1959
Stanisław A. SROKA, *Elżbieta Łokietkówna*, wyd. 2, Bydgoszcz, Homini, 2000
–, *Genealogia Andegawenów węgierskich*, Kraków, Societas Vistulana, 1999
Jadwiga STABIŃSKA, *Królowa Jadwiga*, wyd. 3, Kraków, Znak, 1997
Maria STARNAWSKA, *Między Jerozolimą a Łukowem. Zakony krzyżowe na ziemiach polskich w średniowieczu*, Warszawa, DiG, 1999
Krzysztof STOPKA, *Szkoły katedralne metropolii gnieźnieńskiej w średniowieczu. Studia nad kształceniem kleru polskiego w wiekach średnich*, Kraków, PAU, 1994
Studia nad historią dominikanów w Polsce (1222–1972), red. Jerzy KŁOCZOWSKI, t. 1–3, Warszawa, Polska Prowincja Dominikanów, 1975, 2002
Stanisław SUCHODOLSKI, *Moneta możnowładcza i kościelna w Polsce wczesnośredniowiecznej*, Wrocław i in., Ossolineum, 1987
Anna SUPRUNIUK, *Otoczenie księcia mazowieckiego Siemowita IV (1374–1426). Studium o elicie politycznej Mazowsza na przełomie XIV i XV wieku*, Warszawa, DiG, 1998
Stanisław SZCZUR, *Traktaty międzynarodowe Polski Piastowskiej*, Kraków, UJ, 1990
Sztuka i ideologia XIII wieku, red. Piotr SKUBISZEWSKI, Wrocław i in., Ossolineum, 1974
Sztuka i ideologia XIV wieku, red. Piotr SKUBISZEWSKI, PWN, Warszawa 1975
Sztuka około 1400, Warszawa, Arx Regia, 1996
Sztuka polska przedromańska i romańska do schyłku XIII wieku, red. Michał WALICKI, t. 1–2, Warszawa, PWN, 1971
Błażej ŚLIWIŃSKI, *Kronikarskie niedyskrecje czyli życie prywatne Piastów*, Gdańsk, Marpress, 1994
Zygmunt ŚWIECHOWSKI, *Architektura romańska w Polsce*, Warszawa, DiG, 2000
Jan TĘGOWSKI, *Pierwsze pokolenia Giedyminowiczów*, Poznań–Wrocław, Wyd. Historyczne, 1999
Jan TYSZKIEWICZ, *Ludzie i przyroda w Polsce średniowiecznej*, Warszawa, PWN, 1983
Teresa WĄSOWICZ, *Legenda śląska*, Wrocław i in., Ossolineum, 1967
Jarosław WIDAWSKI, *Miejskie mury obronne w państwie polskim do początku XV wieku*, Warszawa, MON, 1973
Jacek WIESIOŁOWSKI, *Kolekcje historyczne w Polsce średniowiecznej XIII–XV wieku*, Wrocław i in., Ossolineum, 1967
Bronisław WŁODARSKI, *Polska i Czechy w drugiej połowie XIII i na początku XIV wieku (1250–1306)*, Lwów, Tow. Naukowe, 1931
–, *Polska i Ruś 1194–1340*, Warszawa, PWN, 1966
–, *Rywalizacja o ziemie pruskie w połowie XIII wieku*, Toruń, TNT, 1958
Uzbrojenie w Polsce średniowiecznej. 1350–1450, red. Andrzej NADOLSKI, Łódź, IHKM PAN, 1990
Uzbrojenie w Polsce średniowiecznej. 1450–1500, red. Andrzej NOWAKOWSKI, Toruń, UMK, 1998
Tadeusz WOJCIECHOWSKI, *Szkice historyczne XI wieku*, wstęp i oprac. Aleksander GIEYSZTOR, wyd. 2, Warszawa, PIW, 1970
Jan WRONISZEWSKI, *Szlachta ziemi sandomierskiej w średniowieczu. Zagadnienia społeczne i gospodarcze*, Poznań–Wrocław, Wyd. Historyczne, 2001
Jerzy WYROZUMSKI, *Kazimierz Wielki*, wyd. 2, Wrocław i in., Ossolineum, 1986
–, *Królowa Jadwiga. Między epoką piastowską i jagiellońską*, Kraków, Universitas, 1997
Zakony franciszkańskie w Polsce, red. Jerzy KŁOCZOWSKI, t. 1–2, Kraków, Prowincjałat OO. Franciszkanów Konwentualnych, 1983–1989
Benedykt ZIENTARA, *Henryk Brodaty i jego czasy*, wyd. 2, Warszawa, Trio, 1997
Paweł ŻMUDZKI, *Studium podzielonego królestwa. Książę Leszek Czarny*, Warszawa, Neriton, 2000

Indeks osób

Indeksem zostały objęte strony 8–211 niniejszej książki (z wyłączeniem treści i legend map oraz ilustracji). Kursywą wyróżniono autorów cytowanych opracowań naukowych.

INDEKS NAZW
GEOGRAFICZNYCH I ETNICZNYCH

Indeksem zostały objęte strony 8–211 niniejszej książki (z wyłączeniem treści i legend map oraz ilustracji).
Nie uwzględniono haseł: Europa, Polska.
Nazwy geograficzne umieszczono pod nazwą wiodącą. Zastosowano skróty: g. – góra, góry; j. – jezioro; m. – miasto, miejscowość; rz. – rzeka; st. – starożytny; w. – wyspa.

P

S

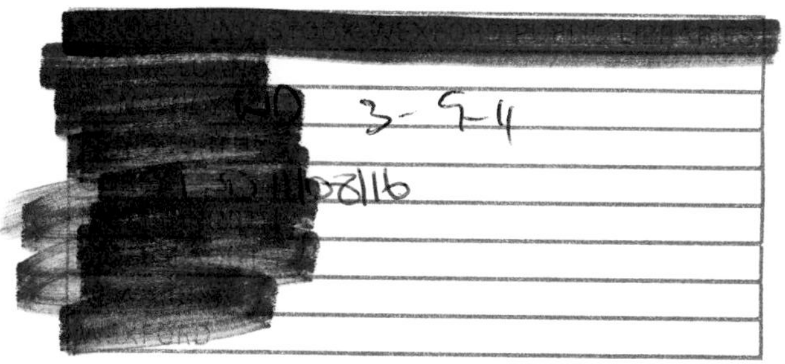